PORTAFOLIO

W9-CZK-015

¡Lo último en español!
Instructor's Edition
Volume 2

PORTAFOLIO

VICE PRESIDENT & EDITOR-IN-CHIEF
Michael Ryan

PUBLISHER
William R. Glass

AUTHORS
Alicia Ramos
Robert Davis

EDITORIAL
Editor-at-Large—Katherine Crouch
Creative Director—Jennifer Kirk
Contributing Editor—Nina Tunac Basey
Style Director—Christa Harris
Managing Editor—Scott Tinetti

MARKETING
Executive Marketing Manager—Nick Agnew
Marketing Manager—Jorge Arbujas
National Correspondent—Rachel Dornan

PRODUCTION
Senior Production Editor—Mel Valentin
Production Assistant—Rachel J. Castillo
Senior Production Supervisor—Richard DeVitto
Senior Supplements Producer—Louis Swaim
Compositor—Aptara
Printer—Quebecor-Eusey

ART & PHOTO
Art Manager—Robin Mouat
Art Editor—Emma Ghiselli
Senior Designers—Violeta Díaz/Cassandra Chu
Cover Designer—Linda Beaupre
Interior Designer—Anne Flanagan
Photo Coordinator—Natalia Peschiera
Photo Researcher—Judy Mason

ONLINE
Senior Digital Project Manager—Allison Hawco
Lead Media Project Manager—Ron Nelms, Jr.

PORTAFOLIO: LO ÚLTIMO EN ESPAÑOL, VOLUME II

Published by McGraw-Hill, a business unit of The McGraw-Hill Companies, Inc., 1221 Avenue of the Americas, New York, NY 10020.

Some ancillaries, including electronic and print components, may not be available to customers outside the United States.

This book is printed on acid-free paper.

1 2 3 4 5 6 7 8 9 0 EUS / EUS 0 9 8

ISBN 978-0-07-723619-9 (Student Edition)   MHID 0-07-723619-X
ISBN 978-0-07-725798-9 (Instructor's Edition)   MHID 0-07-725798-7

Because this page cannot legibly accommodate all the copyright notices, page C1 constitutes an extension of the copyright page.

Library of Congress Cataloging-in-Publication Data

Ramos, Rosa Alicia.
  Portafolio : Lo último en español / Alicia Ramos, Robert L. Davis.—1st ed.
    p. cm.
  Includes index.
  ISBN-13: 978-0-07-723618-2 (alk. paper)
  ISBN-10: 0-07-723618-1 (alk. paper)
  ISBN-13: 978-0-07-723619-9 (alk. paper)
  ISBN-10: 0-07-723619-X (alk. paper)
  1. Spanish language—Textbooks for foreign speakers—English. I. Davis, Robert L. II. Title.
PC4129.E5R36 2008
468.2′421—dc22   2007047026

CONTENTS

CAPÍTULO 10

Viajes y paisajes 52

CAPÍTULO 11

Identidad e integración 83

PREFACE

Why *Portafolio*? Why now?

Portafolio is a new kind of teaching and learning program: a dynamic introductory Spanish experience that brings together a magazine-like core text with student-friendly digital assets, including downloadable audio and video. It offers the guidance that beginning Spanish students and new instructors need, as well as the flexibility that all students and instructors want. Created in response to student and instructor feedback on the importance of **visual appeal, portability**, and **function** in the printed textbook and digital materials, *Portafolio* is the first of its kind.

Do you hear complaints about the price or design of printed textbooks in your student evaluations? *Portafolio* responds to the suggestions and feedback collected from students who participated in large-scale survey research and ethnographic studies recently undertaken by McGraw-Hill. Students say they want a program that is:

- light and easy to carry
- interesting, modern, fun, and like the other things they read
- less expensive
- supported by print and digital supplements that help them learn and succeed in the course
- available in a variety of formats

In addition, as you know, language students—particularly beginners—bring to the classroom a genuine desire to learn, even if they are simply fulfilling a requirement. Whether or not they express it in these words, students want their instructor to subscribe to a methodology that is informed by the latest research in second language acquisition. They want activities that have been class-tested and proven effective. They want to develop basic communication skills in Spanish. And they want to learn about the diversity of Hispanic cultures. *Portafolio* delivers on all of these objectives—and more.

Portafolio = Portability and Accessibility

In response to students' complaints about their heavy load of books, *Portafolio* has been created as a two-volume, softcover text. Thus students will need to carry only half the text in any given semester, and the softcover format will further lighten their load. Grammar references appear in both volumes so that students have easy access to the complete scope and sequence of grammar, no matter which volume they are using.

In addition, we have made many of the digital support materials available online. For a number of these resources, students can download content onto their laptops or mp3 players—making the course material even more portable and accessible. For example:

- *Portafolio-to-Go* is a website that provides valuable video and audio content for download to mp3 players, plus animated grammar tutorials.
- Audio files that accompany the *Portafolio de actividades* are available as free, downloadable mp3 files on the *Online Learning Center* (www.mhhe.com/portafolio).

- Interviews with native speakers on Video, are also free and download-able to a student's laptop and/or video iPod.
- Through the VitalSource™ platform, the entire text is available in electronic format at a discounted price.
- The online version of the *Portafolio de actividades,* powered by Quia™, includes the complete *Audio Program* and a powerful gradebook feature.
- The Online Learning Center provides extra practice activities with immediate feedback.
- For more on-the-go listening and speaking practice, *iSpeak Spanish, the Ultimate Audio + Visual Phrasebook* turns the student's iPod or mp3 player into a Spanish translation tool for on-the-spot reference.

Portafolio = A Unique Presentation

Portafolio's design is different from that of traditional textbooks. Students tell us that colors, organization, and formats in most traditional textbooks detract from their learning experience. This is not true of *Portafolio,* where every aspect of the presentation and design makes students feel that this is a familiar and comfortable format, reminiscent of the magazines and web-sites they read every day. Notable design elements include:

- Clean, uncluttered page layouts that allow students to focus on one element at a time and to navigate through the chapters easily
- An organizer at the beginning of each chapter that clearly lays out the cultural objectives, vocabulary themes, grammatical structures, and cultural content
- Vibrant, eye-catching colors to orient students within the chapter, and a magazine-style page layout with features that pop
- Gorgeous photos, maps of each country of focus, and detailed illustra-tions appeal to visual learners
- A ***Portafolio cultural*** section at the end of each chapter, organized like the pages of a magazine and featuring information on current events, entertainment, music, and other topics of interest to students as well as personal expressions of opinion by native speakers from the geo-graphic area of focus.

Portafolio = Pedagogy: Language, Culture, and Skill Development

High-Interest Grammar Presentation and Practice

Portafolio offers student-friendly presentations of grammatical structures. Grammar explanations and examples are easy to understand and are put to immediate use in exercises and activities with high student appeal. In particular, the treatment of grammar in *Portafolio* features:

- Presentation and practice of linguistic items in a functional context
- Carefully sequenced activities, moving from form-focused exercises to those that require more creative use of language
- Continuous attention to the development and reinforcement of linguis-tic accuracy and culturally appropriate behaviors

Highlighting the Cultural Context

Concerned about reports of some students' misunderstanding of or lack of interest in cultures other than their own, we examined the treatment of culture in beginning Spanish programs before creating *Portafolio.* We found that although the prefaces of most beginning Spanish texts described the integration of language and culture as a goal, culture often remained physically separated from language learning. Furthermore, culture lacked an authentic voice: it was compartmentalized into "high" and "low" culture, at times diminished through decontextualized images and artifacts, or trivialized through pedagogically contrived readings. It wasn't presented in a way that would grab students' attention and interest.

In *Portafolio*, culture is a central thread that unifies the varied content of each chapter and provides the context for communication. As students acquire the linguistic skills that are essential for effective interaction, they also begin to make connections between their own culture and the target culture. We believe that through exposure to the daily rituals, aspirations, and concerns described by these authentic voices, students will modify—and optimally will discard—their stereotypes and broaden their understanding of other cultures.

How will *Portafolio* help your students understand and appreciate other cultures?

- A montage of images in the **Portafolio cultural** section highlights folklore, geography, music, film, and other dimensions of a country's national identity and dynamic popular culture.
- Excerpts from English-language guidebooks, travel narratives, and reference works provide an "outsider's" point of view and encourage students to critically compare that point of view to what they've learned from the "insider's" perspective.
- Maps, photographs, and fine art open students' eyes to the different realities of the diverse places where Spanish is spoken
- Personal interviews with a variety of native speakers, in written, audio, and video formats, provide a point of departure for the development of listening strategies, contextualized grammar practice, thematic readings, process-writing activities, and cross-cultural comparisons.
- A guided project involving the creation of a portfolio of their work allows students to chart their progress in language acquisition and greater cultural understanding overtime.

Representing culture authentically in a beginning Spanish program is a challenging proposition. No one person or text can express the multifaceted nature of culture. We have therefore introduced a multiplicity of voices, calling on the experiences of native speakers, presenting the viewpoints of the print media, identifying cultural icons, and exposing a cultural outsider's observations.

Developing the Four Skills: Listening, Speaking, Reading, and Writing

Portafolio also includes many opportunities to practice all four language skills:

- The chapter-concluding **Portafolio cultural** section contains short readings on cultural topics, as well as discussion questions, activities, and Internet research projects.
- The final activity in the chapter, **Mi portafolio,** has two parts: **Redacción** and **Exploración. Redacción** introduces a writing task that is integrated with the chapter's themes and instructs students to synthesize vocabulary, grammatical structures, and cultural content. **Exploración** directs students to use the Internet and other resources to explore the chapter themes. Process-writing strategies that support the **Redacción** assignment and a list of key words for the **Exploración** component can be found in the *Portafolio de actividades*.
- The *Audio Program* that accompanies the *Portafolio de actividades* provides hours of focused listening practice and opportunities to develop pronunciation and speaking fluency.

- A DVD contains all of the interviews integrated into the **Charla con. . .** and **Portafolio cultural** sections of each chapter. Students have the opportunity to view speakers from diverse countries of the Spanish-speaking world while learning about their lives, their customs, and their culture.

- *iSpeak Spanish* has nearly 1,500 audio tracks, organized in various categories that allow students to communicate in typical travel situations such as finding accommodations, eating out, and expressing personal perceptions and opinions. The iPod's efficient, intuitive navigational interface allows students to find those words and phrases that are most useful in a given context. *iSpeak Spanish* allows students both to read and to hear how these words and phrases are expressed—the most effective way to replicate native pronunciation and to communicate successfully. *iSpeak Spanish* can be optionally packaged with *Portafolio* at a minimal additional charge.

Portafolio = Priced with Students in Mind

We heard students loud and clear. Their perception is that textbooks and other course materials are overpriced. As a result, students sometimes don't buy the book and are forced into sharing strategies that diminish the value of their classroom experience. In response, we have created a variety of purchasing options so that students can choose the content delivery that best suits their needs:

- The student textbook is a two-volume set so students have the option to "pay as they go" and purchase only the volume required for a given course.

- The *Portafolio de actividades* is also published in split volumes (both in print and online through Quia™).

- Students can also purchase an e-book through the VitalSource™ platform at a reduced price, for online access to the same content, plus additional features such as the capacity to highlight, bookmark, and take notes.

Portafolio = A Program of Valuable Components

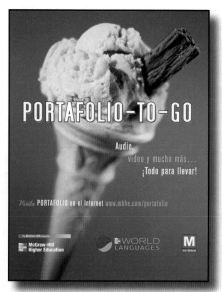

Portafolio features an integrated collection of print and digital supplementary components that deliver a coherent learning experience. Among the many supplements available with *Portafolio* (and downloadable via *Portafolio-to-Go*):

- The *Portafolio de actividades*, available both in print and powered by Quia™, is offered in two volumes for easy coordination with the textbook.

- Video interviews, featuring native speakers from around the Spanish-speaking world, are downloadable from the Internet and also available on DVD.

- The Audio Program is also offered in mp3 format on the *Online Learning Center*, allowing for easy downloads by on-the-go students, and is also available for purchase on audio CD.

- The student edition of the *Online Learning Center* (www.mhhe.com/portafolio) provides additional practice with the vocabulary, grammar, and cultural topics covered in the textbook.

- "Gramática en acción" online grammar tutorials are available for purchase on *Portafolio-to-Go*.
- *iSpeak Spanish* software turns an mp3 player into a digital phrasebook and is available for purchase for additional listening and speaking practice.
- For instructors, a brand-new music CD, *Ritmos y sonidos,* is a collection of contemporary music from around the Spanish-speaking world. Featuring a variety of artists and groups, *Ritmos y sonidos* brings the musical traditions of the Spanish-speaking world into the language classroom.
- A downloadable musical playlist, designed by the *Portafolio* authors to coordinate with the text chapters, is available for purchase through iTunes®.
- A Digital Photo Bank—accessible to instructors in the Online Learning Center—contains high-resolution, high-quality images of iconic and representative images of each country in the Spanish-speaking world. The images can easily be printed out and may be projected onto a screen for use in the classroom.
- New, photo-based cultural PowerPoint presentations, also available to instructors on the Online Learning Center, cover all the Spanish-speaking countries in the world, including Equatorial Guinea. Each individual photo-based PowerPoint provides a visual introduction to the country featuring cultural traditions ranging from festivals and holidays to art, dance, and music.

EASY CHAPTER NAVIGATION

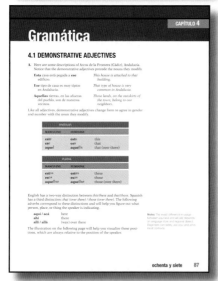

Following the chapter opener, each chapter begins with vocabulary presentation and practice (**Vocabulario**) followed by grammar presentation and practice (**Gramática**). A native-speaker interview and cultural content is found in the mid-chapter **Charla con...** pages, and then a second **Vocabulario** and a second **Gramática** are presented before the chapter-ending **Portafolio cultural** pages.

Chapter Openers

Each chapter begins with a stunning photo from the geographical area of focus that illustrates the chapter theme. In the instructor's edition, helpful annotations give tips on generating discussion around the photo and chapter theme. Chapter objectives are presented on the facing page, followed by a summary of the engaging and provocative content found in the chapter-ending **Portafolio cultural**. Maps help students situate the geographical area of focus and include each area's most important topographical features.

Vocabulario

Vocabulary is organized thematically and presented visually through line drawings, photos, and realia wherever appropriate to illustrate culturally significant contrasts and similarities. Students are given ample opportunity to practice new lexical items through form-focused and communicative activities.

Gramática

An average of two grammar points are presented in each **Gramática** section (of which there are two per chapter). Each grammar presentation is followed by a series of activities that emphasize meaningful use of language. At the end of many grammar explanations there is an **Autoprueba** with a targeted activity designed to focus students' attention on structure before they attempt the more communicative activities.

Charla con...

This section personalizes the cultural themes of the chapter, illustrates vocabulary usage in context, and applies grammatical structures. Biographical information and photos acquaint students with the speaker's immediate surroundings and cultural context. The interview is accompanied by a **Vocabulario útil** box to aid student comprehension. As students read and/or watch the interview (on the DVD to accompany *Portafolio* or on the *Portafolio-to-Go* website), they are given specific tasks to perform in **Práctica A**. Their comprehension is then checked in the activities that follow.

Portafolio cultural

The cultural thread woven throughout the chapter culminates in the magazine-style **Portafolio cultural** at the end of each chapter. Expanding the cultural themes of the chapter, each **Portafolio cultural** includes the following:

- **Nación**: a brief description of the geographic area of focus in historical, social, and/or geographical terms, accompanied by a box with essential facts and figures for easy reference.
- **Actualidad**: a current news story on some aspect of the geographic area of focus.
- **Cartelera**: an entertainment section that contains a story on music, media, fashion, cuisine, and other current topics.
- **Gente**: a native-speaker interview, available on video, that can be compared and contrasted with the interview presented in **Charla con…**
- **Icono**: an exploration of the symbols of cultural identity in the geographic area of focus.
- **Opinión**: commentary about the geographic area of focus, taken from popular English-language press sources, to be critically evaluated by students.
- **Mi Portafolio**: a final activity in two parts, **Redacción** and **Exploración**. **Redacción** guides students through the creation of a portfolio of their work over the course of the semester or year, and **Exploración** directs students to make use of the vast cultural resources on the web.

Additional Features

- **¡Escribe y habla mejor!**: this section, which usually appears at the end of the **Charla con…** section, points out important spelling and pronunciation contrasts between English and Spanish. Accompanying listening, pronunciation, and writing activities are provided in the *Portafolio de actividades*.
- **Infórmate**: a box that appears in some chapters to provide additional details to the cultural presentations in the chapter.
- **Así se dice**: boxed explanations that explain the variations in language throughout the Spanish-speaking world.
- **Leguaje functional**: this feature gives tips on how to use new grammar and vocabulary in practice.

STUDENT COMPONENTS

Portafolio de actividades

The *Portafolio de actividades* follows the organization of the textbook and provides additional review and practice of vocabulary and grammatical structures. In addition, each chapter of the *Portafolio de actividades* begins with **Repaso y anticipación**, which recycles previously studied vocabulary and grammar items in preparation for the current chapter's work. The final section, **Portafolio cultural**, allows students to expand upon the material presented in the corresponding textbook chapter. Some tasks stress observation, analysis, and comparison of texts and realia; others focus on developing knowledge of content through web-based or library research; and still others provide students with free-writing tasks. Instructors may assign any number of these activities, which students may turn in with their workbook or assemble into a portfolio to be collected and assessed at the end of the term. **Volume 1** of this combination workbook/laboratory manual contains **Capítulos 1-8**. **Volume 2** contains **Capítulos 8-15**.

Online *Portafolio de actividades,* powered by Quia™

The Online *Portafolio de actividades*, powered by Quia™, offers the same outstanding reinforcement and practice as the printed *Portafolio de actividades*, with many additional advantages such as embedded audio, immediate activity feedback and scoring for students, and a powerful, user-friendly gradebook and class roster system for instructors. Instructors may contact their McGraw-Hill publishing representative for information on previewing this exciting online component.

Audio Program

The Audio Program that accompanies the *Portafolio de actividades* provides hours of focused listening practice and opportunities to develop pronunciation and speaking abilities. Mp3 files can be downloaded free of charge from the *Portafolio-to-Go* website for use on laptops and mp3 players.

DVD to accompany *Portafolio*

The DVD offers thirty interviews with native speakers from the Spanish-speaking world that correspond with the **Charla con...** mid-chapter interview and the **Gente** section of **Portafolio cultural**. The videos are also available free of charge from the *Portafolio-to-Go* website, where they can be easily downloaded to a laptop or video mp3 player.

Online Learning Center with *Portafolio-to-Go:* www.mhhe.com/portafolio

The *Online Learning Center* provides even more practice with the vocabulary, grammar, and cultural topics presented in the textbook. In addition, it has a link to *Portafolio-to-Go*, which contains a wealth of media assets that can be downloaded to a laptop or iPod. These resources include:

- The *Audio Program* to accompany *Portafolio* posted as mp3 files and downloadable at no charge

- The DVD to accompany *Portafolio* also downloadable at no charge
- *Gramática en acción* online tutorials that present various grammar structures along with integrated audio. Each of the fifty-one tutorials can be downloaded for a nominal charge, allowing students to target their specific needs and control their spending. The tutorials can also be purchased as a complete set for a substantial savings.

iSpeak Spanish

iSpeak Spanish is a digital phrasebook that is designed for use on an iPod for listening and speaking practice.

iTunes® Playlist

A *Portafolio* playlist, designed by the textbook authors to coordinate with the text chapters, is available for purchase through iTunes®. Access instructions are available on the *Online Learning Center*.

PRINT AND DIGITAL COMPONENTS FOR INSTRUCTORS

- The *Instructor's Edition* of the textbook contains a wealth of on-page teaching suggestions, informative notes, ideas for follow-up and expansion activities, and answers for activities whenever feasible.
- The *Instructor's Manual/Testing Program* provides sample syllabi and lesson plans, additional teaching techniques, supplementary exercises and activities, and the *Videoscript* of the native-speaker interviews. The complete *Instructor's Manual/Testing Program* is available in electronic format on the Instructor Center of the *Online Learning Center*.
- The *Audioscript* is a complete transcript of the Audio Program, available on the Instructor Edition of the *Online Learning Center*.
- *Ritmos y sonidos* is a new music CD with contemporary music from around the Spanish-speaking world, available to instructors only.
- A *Digital Photo Bank*—accessible to instructors on the *Online Learning Center*—contains high-resolution, high-quality versions of representative images from all countries in the Spanish-speaking world.
- New, photo-based cultural PowerPoint presentations, also available on the *Online Learning Center*, visually represent cultural traditions ranging from festivals and holidays to art, dance, and music in all the countries of the Spanish-speaking world.

Portafolio = lo último en español

We hope that *Portafolio* brings a new level of personal engagement and satisfaction to your classroom—both for you and for your students. We are pleased to present this integrated program of print, audio, video, and digital components that incorporates so many high-priority elements for students: new purchasing options, a student-friendly and visually appealing design, lighter and more portable materials, and easily-accessible and downloadable media assets. But don't take our word for it: let your students be the judge.

ACKNOWLEDGEMENTS

We would like to acknowledge the many individuals at McGraw-Hill who contributed to *Portafolio*. Many thanks are owed to William R. Glass, our Publisher, and to Katie Crouch, our Sponsoring Editor, for their overall ideas and support. We would like to express our deep gratitude to Jennifer Kirk, our Development Editor, for her ideas and outstanding editorial and project management skills that ensured a polished manuscript and steady progress throughout the editorial process. We thank Laura Chastain, whose careful reading of the manuscript for details of style, clarity, and language added considerably to the quality of the final version. Many thanks are also due to Christa Harris, Executive Editor; Scott Tinetti, Director of Development; and Janina Tunac Basey, Editorial Coordinator; for their invaluable contributions to the editorial process of the textbook and various print and media supplements. Special thanks go to the entire production team at McGraw-Hill, especially to Mel Valentín, Emma Ghiselli, and Natalia Peschiera, as well as to Violeta Díaz and Cassandra Chu for the groundbreaking design. We would like to thank Jorge Arbujas, Marketing Manager, and Rachel Dornan, Marketing Coordinator, and the rest of the McGraw-Hill Marketing and Sales force for their enthusiastic support and promotion of *Portafolio*. Certainly there were many other individuals involved behind the scenes at McGraw-Hill, all of whom worked tirelessly on this project, and whom we also thank for their participation.

We would like to thank Jennifer Rodes, Diana Lee, Steven Grossman, and the entire staff at Klic Productions for their outstanding work in all stages of filming, editing, and producing the video as well as to the thirty interviewees who participated in and contributed to this project. Their words, beliefs, and aspirations will inspire students everywhere: Eduardo Alemán Águila, Stella Amado Carvajal, Gabriela Arteta Jácome, Claudia Bautista Nichola, Jairo Bejarano Carrillo, María Benjumeda León, Héctor Cabral Domínguez, Gustavo Camelot, Cynthia Cevallos Mendoza, Susana Cid Hazard, Érika Claré Jiménez, Karina de Frías Otero, Elena de la Cruz Niggeman, Martín Delfín Lira, Hernán Fuentes Estévez, Leticia Goenaga, David Guzmán Arias, Nina Ibáñez, Érika Meza Román, Sandra Montiel Nemes, Patricia Nevil Gallego, Juan Oliva Orihuela, Mirtha Olmos Carballo, Mitch Ortega Caraballo, Silvana Quesada Nieto, Güido Rivera Melgar, Yolanda Rodríguez Ávila, Minerva Rubio Andalón, Wanda Solla, and José Veliz Román.

We also extend a heartfelt thanks to those who provided us with reviewer feedback during the writing and development process of *Portafolio*. Their names are listed on the inside back cover of this text. In addition, we'd like to thank participants of the four Introductory Spanish symposia sponsored by McGraw-Hill; these instructors are also named on the inside back cover. Most importantly, we'd like to thank the over 4,000 students from around the United States who participated in surveys, focus groups, and ethnographic research conducted by McGraw-Hill, whose input shaped *Portafolio* from the beginning.

Finally, we are indebted to our families and friends who, through their support and understanding, have helped make *Portafolio* a reality.
AR
RLD

CAPÍTULO

8

Ritmos de la vida

El fútbol es el deporte más popular de Hispanoamérica y en otras partes del mundo también. Aquí se ve un partido entre los Islanders de Puerto Rico, conocidos como «la Tropa Naranja», y los Sounders de Seattle en Bayamón, Puerto Rico.

En este capítulo...

NOTE: Throughout the chapter students will collect and learn information about these cultural objectives.

Objetivos culturales

► Sports in Puerto Rico
► Your social circle
► Caribbean music
► The future of Puerto Rico

Suggestion: There is a brief cultural quiz in the Instructor's Manual. Ask students those questions to see how much they know about Puerto Rico before they begin this chapter. They can search for some answers in the chapter opener; others will be discovered as the chapter progresses.

Las cataratas La Mina en el Bosque Nacional El Yunque.

El dominó es una manera placentera (*pleasant*) de pasar un rato con los amigos en el parque.

Vocabulario

►   Los deportes
►   Los pasatiempos[a]
►   Fiestas y diversiones

Gramática

8.1 Irregular Forms of the Preterite
8.2 Stem-Changing Verbs in the Preterite
8.3 Negative Words
8.4 Review: Direct and Indirect Object Pronouns

Portafolio cultural: Puerto Rico

► Nación: Lengua e identidad en Puerto Rico
► Actualidad: La cuestión del estatus de Puerto Rico
► Cartelera: Ritmos caribeños
► Icono: Roberto Clemente
► Gente: Hablan los puertorriqueños
► Opinión: Los hispanos y el béisbol
► Mi portafolio

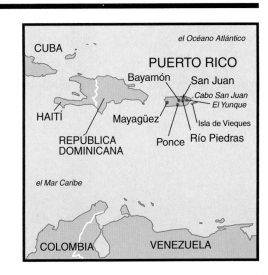

[a]*pastimes*

3

Vocabulario

LOS DEPORTES

¿Qué deportes practicas?

acampar

andar en bicicleta

bucear

correr

escalar montañas

esquiar

esquiar (en el agua)

hacer artes marciales

jugar al baloncesto/ básquetbol

jugar al béisbol

jugar al fútbol americano

jugar al fútbol

jugar al golf

jugar al tenis

jugar al voleibol

nadar

levantar pesas

montar a caballo

patinar sobre hielo

surfear

el/la aficionado/a	fan	el esquí	skiing; ski
el/la boxeador(a)	boxer	el/la jugador(a)	player
el boxeo	boxing	la natación	swimming
el ciclismo	cycling	el partido	game, match
el/la deportista	sports-minded person		
el equipo	team	ganar	to win
la equitación	horseback riding	perder (ie)	to lose
		practicar (qu) un deporte	to practice a sport

así se dice

In recent years, the number of sports and recreational activities has increased substantially. Words for many of these new activities do not exist in Spanish, so the language has to invent new words or borrow them from the language of the culture in which the new activity originated. For this reason, there can be several ways to express a given sport. The term **el básquetbol** is borrowed from the English term *basketball* (note the spelling changes to make the written word conform to Spanish pronunciation rules), but the alternative Spanish term **el baloncesto,** is an original invention: **balón** (*large ball*) + **cesto** (*basket*).

What are the names of the following activities in English? Are these Spanish terms in your dictionary or have they been too recently invented to have been included?

1. hacer *windsurf*
2. hacer *puenting* (puente = *bridge*)
3. hacer *snow*
4. jugar al balonmano
5. hacer *camping*

práctica

A. ¿Qué deporte? ¿Qué deporte(s) se describe(n) en cada oración?

1. Este deporte se juega al aire libre (*outside*).
2. Este deporte se juega dentro de un edificio.
3. Para practicar este deporte, hay que tener una pelota (*ball*).
4. Este deporte se practica en el invierno.
5. Este deporte se practica en el verano.

B. Lugares ideales. A muchos deportistas les gusta ir a los siguientes lugares para practicar su deporte. ¿Qué deporte(s) se practica(n) en cada lugar?

1. las montañas
2. la playa
3. el gimnasio
4. el estadio
5. la piscina
6. un parque nacional

C. Deportistas famosos. ¿Qué deporte asocias con las siguientes personas? Forma oraciones completas. Si no sabes a qué deporte juega alguna persona, pregúntaselo a tu profesor(a) o a un compañero / una compañera de clase.

1. Shaquille O'Neal
2. Sammy Sosa
3. Beatriz «Gigi» Fernández
4. Pelé
5. Manny Ramírez
6. Sasha Cohen
7. Rafael Nadal
8. Carlos Ortiz
9. Jonny Moseley
10. Juan «Chi Chi» Rodríguez
11. Dan Marino
12. Tiger Woods

Expansion: Have students name other famous players—past and present—of the sports mentioned. If they talk about past players, remind them that the preterite of *juega* is *jugó.*

Answers: 1. windsurfing **2.** bungee jumping **3.** snowboarding (*snow* has Spanish pronunciation [eznou]) **4.** handball **5.** camping

Suggestion C: Encourage students to form as many different types of sentences as possible (e.g., *Juega al...* , *Es jugador*[a] *de...* , *Patina...* , and so on) and to provide details when possible (e.g., *Juega al béisbol en los Medias Rojas de Boston.*). Give students vocabulary as necessary.

Answers: 1. *el baloncesto* **2.** *el béisbol* **3.** *el tenis* **4.** *el fútbol* **5.** *el béisbol* **6.** *patinar sobre hielo* **7.** *el tenis* **8.** *el boxeo* **9.** *el esquí* **10.** *el golf* **11.** *el fútbol americano* **12.** *el golf*

D. Entrevista: Deportes y aficionados

Paso 1. Entrevista a un compañero / una compañera para saber la siguiente información.

1. ¿Eres aficionado/a a algún deporte? ¿Cuál?
2. ¿Cuál es tu equipo favorito? ¿Por qué?
3. ¿Con qué frecuencia vas a ver partidos? ¿Cuántos miras por televisión o escuchas por radio? ¿ Escuchas o ves partidos en Internet?
4. ¿Quién es tu jugador favorito / jugadora favorita? ¿Por qué te gusta?

Paso 2. Ahora pregúntale a tu compañero/a sobre la última vez que fue a un partido de su deporte favorito (u otro deporte). Usa las siguientes preguntas como guía y añade otras.

1. ¿Cuándo fue la última vez que fuiste a un partido de… ? (Fui…)
2. ¿Quiénes jugaron?
3. ¿Quiénes ganaron/perdieron? ¿O terminaron en empate (*did they tie*)?
4. ¿Cuántas personas asistieron (*attended*), aproximadamente?
5. Además de ver el partido, ¿qué más hiciste (*did you do*) allí?

LOS PASATIEMPOS

Hoy tengo tiempo libre. **Tengo ganas de…**[a]

jugar a los naipes.   cantar.   pintar.

coleccionar (estampillas/ monedas)	to collect (stamps/coins)
contar (ue) chistes	to tell jokes
coser	to sew
dibujar	to draw
escribir cuentos/poesía	to write stories/poetry
ir al cine/teatro	to go to the movies/theater
jugar (ue) (gu) al ajedrez	to play chess
al billar	billiards (pool)
a los videojuegos	video games
tejer	to knit
ver una película	to watch a film

[a]*I feel like…* (As with all prepositions, use the infinitive after **de.**)

práctica

A. Asociaciones. ¿Qué pasatiempos asocias con los siguientes grupos de personas?

1. los mayores
2. los estudiantes de la escuela secundaria (*high school*)
3. los niños
4. los hombres
5. las mujeres
6. las personas que viven en la ciudad
7. las personas muy inteligentes

B. Gustos → Actividades. ¿Qué pasatiempo(s) probablemente les gusta(n) a las siguientes personas?

Suggestion B: Use the model sentence to review the pattern *A* ______ *le gusta* + **inf.** before you start this activity.

Expansion: Personalize this activity by adding cues based on the interests of individual students.

MODELO: EMILIO: «Creo que las plantas son muy interesantes.» → A Emilio le gusta trabajar en el jardín.

1. MARÍA: «Me gusta la música latina.»
2. ALBERTO: «Me fascinan los objetos de otras culturas.»
3. YO: «Tengo un gran sentido (*sense*) del humor.»
4. EL PADRE DE EMILIO: «Me gustan los deportes, pero no estoy en buenas condiciones físicas.»
5. TÚ: «Quiero probar estas recetas caribeñas. ¡Seguro que están riquísimas!»
6. BEATRIZ Y MARCOS: «Para nosotros es importante expresar los sentimientos (*feelings*) de forma literaria.»

C. ¿Con qué frecuencia? Di con qué frecuencia haces las siguientes actividades cada semana. Si no haces alguna actividad, explica por qué no la haces. Puedes añadir otras actividades que te gustan.

Note C: The use of *nunca* here previews the presentation of negative expressions in *Gramática 8.3.* Make sure students place it **before** the verb as in the model.

MODELO: hacer ejercicio aeróbico → No hago ejercicio aeróbico porque nunca tengo ganas de hacerlo. Prefiero levantar pesas.

ACTIVIDADES	FRECUENCIA	RAZÓN PARA NO HACERLO
1. cocinar	todos los días	Es aburrido para mí.
2. ir al cine	______ veces a la semana	No me gusta.
3. jugar a los videojuegos	una vez por semana	No sé hacerlo bien.
4. tejer	de vez en cuando	No soy bueno/a para ______.
5. ver un partido de fútbol americano	raras veces (*rarely*)	No tengo tiempo para ______.
6. ¿ ?	nunca	No tengo ganas de ______.
		¿ ?

lenguaje funcional

Para hacer una invitación

¿Por qué no vamos al cine?	*Why don't we go to the movies?*
¿Qué tal si vamos al cine?	*How about if we go to the movies?*
¿Te gustaría ir al cine conmigo?	*Would you like to go to the movies with me?*

Para (no) aceptar la invitación

¡Qué buena idea! ¡Vamos!	*What a good idea! Let's go!*
¡Qué chévere!	*Cool! Great! (Carib.)*
Este… (no) me parece muy interesante.	*Uh… that seems (doesn't seem) very interesting.*
No, no me gustaría eso.	*No, I wouldn't like that.*
Pues, la verdad es que no me interesa mucho.	*Well, actually, that doesn't really interest me.*

así se dice

Chévere is an expression common all around the Caribbean region (Cuba, Venezuela, and so on). Colloquial equivalents in other countries son **¡Qué padre!** (México) y **¡Qué guay!** (España).

D. ¿Qué hacemos? Estás aburrido/a y no sabes qué hacer. Habla con tu compañero/a, quien te va a hacer sugerencias. Usa las expresiones del **Lenguaje funcional.**

MODELO: E1:   Estoy aburrido. No tengo nada que hacer.
E2:   ¿Te gustaría ir al cine conmigo?
E1:   La verdad es que no tengo ganas de ver películas.
E2:   Pues, ¿por qué no vamos por un café?

A las personas de Rincón, Puerto Rico, les gusta surfear cuando (*whenever*) pueden.

Gramática

8.1 IRREGULAR FORMS OF THE PRETERITE

A. In **Capítulo 7** you learned how to form the preterite of regular verbs: A special set of endings is added to the stem of the verb (**hablar** → **habl- + -é, -aste, -ó, -amos, -asteis, -aron**). Many Spanish verbs, however, have irregular forms in the preterite. You have already seen and heard some of these forms: For example, **fui** (from **ser**) and **hizo** (from **hacer**). Here are the irregular preterite forms for the verbs **dar, hacer, ir,** and **ser.**

DAR		HACER		IR/SER	
di	dimos	hice	hicimos	fui	fuimos
diste	disteis	hiciste	hicisteis	fuiste	fuisteis
dio	dieron	hizo	hicieron	fue	fueron

NOTES:

- **Hizo** is spelled with a **z** to maintain the stem sound before **-o.**
- **Ir** and **ser** have identical forms in the preterite. Context will make the meaning clear.
- None of the irregular preterite forms carries an accent mark in the **yo** or **usted/él/ella** forms. They have a different stress pattern than the regular preterite forms you learned in **Capítulo 7.**
- The preterite endings for **dar** are the same as those for regular **-er/-ir** verbs, except that the accent marks are not needed.

B. The following verbs form the preterite by attaching a set of irregular endings to irregular stems. The endings are similar to those for **hacer: -e, -iste, -o, -imos, -isteis, -ieron.** (See the notes on the next page.)

Note: The special translations of the preterite for verbs like **querer** and **saber** will be presented in *Capítulo 10.*

INFINITIVO	RAÍZ	CONJUGACIONES
andar	anduv-	anduve, anduviste, anduvo, anduvimos, anduvisteis, anduvieron
poder	pud-	pude, pudiste, pudo, pudimos, pudisteis, pudieron
poner	pus-	puse, pusiste, puso, pusimos, pusisteis, pusieron
saber	sup-	supe, supiste, supo, supimos, supisteis, supieron
tener	tuv-	tuve, tuviste, tuvo, tuvimos, tuvisteis, tuvieron
estar	estuv-	estuve, estuviste, estuvo, estuvimos, estuvisteis, estuvieron
querer	quis-	quise, quisiste, quiso, quisimos, quisisteis, quisieron
venir *(to come)*	vin-	vine, viniste, vino, vinimos, vinisteis, vinieron
decir	dij-	dije, dijiste, dijo, dijimos, dijisteis, dijeron
traer	traj-	traje, trajiste, trajo, trajimos, trajisteis, trajeron
reducir	reduj-	reduje, redujiste, redujo, redujimos, redujisteis, redujeron

NOTES:

- Verbs with a stem-final **-j** drop the **-i-** of the **-ieron** ending: **decir** → **dijeron; reducir → redujeron; traer → trajeron.**
- Other verbs derived from the verbs in the preceding table maintain the same irregularities as their parent verb.

  posponer (like **poner**) → **pospuse, pospusimos, pospuso,...**
  mantener (like **tener**) → **mantuve, mantuviste, mantuvo,...**
  contradecir (like **decir**) → **contradije, contradijiste, contradijo,...**

  Similarly, verbs whose infinitive ends in **-ducir** are conjugated like **reducir.**

  conducir → **conduje, condujiste, condujo,...**
  producir → **produje, produjiste, produjo,...**

- The preterite of **hay** is **hubo** (*there was / there were*).

Expansion (*Autoprueba*): Have students change singular verbs to their plural forms and vice versa.

autoprueba

¿Quién hizo las siguientes acciones? Di cuál es el sujeto posible / cuáles son los sujetos posibles del verbo.

1. Fue a la playa ayer.
2. Le dije: «No, gracias.»
3. ¿Dónde pusieron las raquetas de tenis?
4. ¿Viniste a mi casa ayer?
5. Anduvo en bicicleta por el centro.
6. No pude ir al cine anoche.
7. Dimos un paseo por el parque.
8. Hiciste mucho ejercicio aeróbico por la tarde, ¿verdad?

práctica

Extension A: Have students look up headlines from the sports section of online versions of Spanish-language newspapers. In groups of 3 or 4, have students identify the preterite verbs and try to summarize the event in 1 or 2 sentences (e.g., *Según este artículo, Alemania ganó a Italia en un partido de fútbol.*)

A. **Las noticias deportivas** (*Sports news*). Las siguientes noticias no están correctas porque los hechos que reportan tuvieron lugar (*took place*) ayer, no hoy. Cambia los verbos subrayados (*underlined*) del presente al pretérito.

VOCABULARIO ÚTIL

el/la entrenador(a)	coach
el esfuerzo	effort
la huelga	strike
la liga	league
la selección	national soccer team
la temporada	season
ganarle a	to defeat
no poder con	to be unable to handle

1. Alemania <u>quiere</u> ganarle a Brasil en los finales, pero no <u>puede</u> hacerlo.
2. Los Padres <u>atraen</u> a tres de los mejores jugadores de la Liga.
3. Huelga en la Liga <u>pone</u> en peligro el futuro de la pelota.
4. «<u>Hacemos</u> un esfuerzo, pero no <u>podemos</u> con Italia», <u>dice</u> el entrenador de la selección española.
5. La Liga <u>reduce</u> el número de equipos de catorce a doce en la temporada 2007.

B. Entrevista: ¿Qué hiciste? Pregúntale a un compañero / una compañera de clase qué hizo para divertirse en las siguientes ocasiones. Luego, compara los resultados de la entrevista con los del resto de la clase. ¿Quién tiene las actividades más variadas?

> MODELO: anoche →
> E1: ¿Qué hiciste anoche?
> E2: Fui al cine con mi compañero de cuarto.

1. el fin de semana pasado
2. el verano pasado
3. durante las últimas vacaciones
4. esta mañana
5. ¿ ?

Note B: Be sure to model the entire exchange with students so that they see how to convert these cues into question/answers.

Follow-up: Have groups report the information they found out from partners so that all can decide who had the most varied activities.

C. La historia de una pasión. ¿Tienes algún pasatiempo favorito? ¿Desde (*Since*) cuándo te dedicas a él? Cuenta a la clase cómo empezó tu interés, usando las siguientes frases para guiar tu narración.

VOCABULARIO ÚTIL

cometer un error   to make a mistake

Pasatiempo: _____

1. yo / empezar a [*infinitivo*] / a los _____ años
2. [*persona*] / ayudarme / a empezar
3. yo / tener que comprar [*cosa(s)*] / para practicar este pasatiempo
4. [*persona*] / darme / [*cosa(s)*]
5. ser (difícil/fácil) al principio
6. al principio, yo / cometer (muchos/pocos) errores

8.2 STEM-CHANGING VERBS IN THE PRETERITE

In **Capítulo 7,** you learned that **-ar** and **-er** verbs whose stems change in the present do not have this stem change in the preterite.

CONTAR (UE)			
PRESENTE		PRETÉRITO	
cuento	contamos	conté	contamos
cuentas	contáis	contaste	contasteis
cuenta	cuentan	contó	contaron

However, **-ir** verbs that have stem changes in the present also undergo a stem change in the preterite: In the third-person forms, the **-e-** and **-o-** of the stems change to **-i-** and **-u-,** respectively. The regular preterite **-ir** endings **(-ió, -ieron)** are then added to the stem.

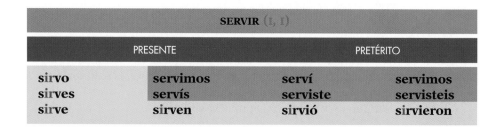

SERVIR (I, I)			
PRESENTE		PRETÉRITO	
sirvo	servimos	serví	servimos
sirves	servís	serviste	servisteis
sirve	sirven	sirvió	sirvieron

DORMIR (UE, U)			
PRESENTE		PRETÉRITO	
duermo	dormimos	dormí	dormimos
duermes	dormís	dormiste	dormisteis
duerme	duermen	durmió	durmieron

From here on, verbs that have stem changes in both the present and the preterite will be listed as follows: **servir (i, i); dormir (ue, u).** The first vowel indicates the present tense stem change and the second indicates the preterite stem change, as shown in the preceding tables.

autoprueba

Completa la siguiente tabla con las formas indicadas de los verbos. **¡OJO!** Cuidado con los verbos que tienen *dos* cambios diferentes.

INFINITIVO	PRESENTE: yo	PRETÉRITO: yo	PRESENTE: él	PRETÉRITO: él
divertirse (ie, i)				
morir (ue, u)				
pedir (i, i)				
perder (ie)				
sentir (ie, i)				
vestirse (i, i)				
volver (ue)				

práctica

A. Un sábado divertido. Usa los siguientes elementos para contar lo que pasó un sábado reciente.

1. mis hermanos y yo **/** decidir **/** hacer algo divertido
2. mi hermano **/** sugerir (ie, i) (*to suggest*) **/** el lugar perfecto: ¡el lago!
3. mi padre **/** conseguirnos* **/** una canoa para usar en el lago
4. camino (*on the way*) al lago **/** nosotros **/** pararnos (*to stop*) **/** en un restaurante
5. todos **/** pedir **/** el plato del día
6. el mesero **/** servirnos* **/** una trucha (*trout*) local exquisita
7. nosotros **/** comer **/** demasiado y **/** sentirse **/** muy cansados
8. mis hermanos y yo **/** decidir **/** no ir al lago, y **/** volver a casa

Expansion A: Have students use connectors (*primero*, *después*, *antes de* + inf., etc.) to convert these sentences into a coherent paragraph.

B. Encuesta: ¿Quién lo hizo? ¿Quién de tu clase hizo las siguientes actividades la semana pasada? Pregúntales a tus compañeros/as hasta encontrar a por lo menos una persona que hizo cada actividad.

MODELO: E1:   La semana pasada, ¿te dormiste durante una clase?
          E2:   Sí, me dormí durante la clase de biología.

1. vestirse con la misma ropa que la noche anterior
2. pedirle puntos extra a un profesor / una profesora
3. sentirse deprimido/a a causa de las notas
4. preferir no ir a una clase
5. divertirse mucho en una clase

C. Entrevista: La semana pasada. Hazle las siguientes preguntas a un compañero / una compañera de clase para saber más sobre sus actividades de la semana pasada.

1. ¿Cuánto tiempo dedicaste a tus pasatiempos la semana pasada? ¿Cuánto tiempo dedicaste al trabajo? ¿Y a los estudios?
2. ¿En qué ocasión te divertiste más durante la semana pasada? ¿Qué pasó?
3. ¿Saliste recientemente? ¿Qué hiciste? ¿Conociste a otras personas, cenaste en algún restaurante, hablaste con amigos, bailaste, hiciste algo más?

Expansion C: Have students report the results of their interviews to the class. First, model the use of third-person verbs, highlighting the stem changes: *Josh prefirió…*, *se divirtió más…*, and so on.

---

*¡**OJO!** In this sentence, **nos** is not the subject. It is an indirect object.

Charla con Mitch

  You can watch this interview on the DVD to accompany *Portafolio* or on the Online Learning Center **(www.mhhe.com/portafolio).**

Suggestion: Have students look at the map in the chapter opener to locate San Juan.

Point out: Orlando Cepeda was inducted into the Major League Baseball Hall of Fame in 1999. He was the second Puerto Rican to achieve the honor—Roberto Clemente was the first in 1973.

vocabulario útil

correr a caballo	montar a caballo
bosque *m.*	forest
lo más bonito	the most beautiful thing
barbacoas	barbecues
mantenerme en forma	to keep myself in shape
precioso	gorgeous
caída del sol	sunset
pelota	baseball (*P. R.*)
los niñitos desde jovencitos	little kids from a very young age
ídolo	idol
Cepeda	Orlando Cepeda
destacan	(they) stand out
nunca hemos aprendido	we've never learned
tampoco nos ha llegado	(it) hasn't caught on (here) either
colegio	high school
lo juguemos	we may play it

Answers A: As pastimes, Mitch mentions: *mi cultura y aprender de mi gente, mi música* (Mitch's favorite), *ir a la playa, correr a caballo, caminar en el bosque.* Other activities he mentions that students may include in their answers are: *correr en la playa, llevar a la familia [a la playa] a hacer barbacoas, nadar, mantenerme en forma, ver la caída del sol.*

DATOS PERSONALES

Nombre: Mitch Ortega Caraballo
Edad: 29 años
Nació en: San Juan, Puerto Rico

Suggestion: Before they read, have students find the new active vocabulary for this chapter in the text.

A. Los pasatiempos en Puerto Rico. Lee la siguiente entrevista con **Mitch Ortega Caraballo.** Mientras lees, apunta todos los pasatiempos que a Mitch le gustan.

¿Cuál es tu pasatiempo favorito?

Mi pasatiempo favorito es, además de mi cultura y aprender de mi gente, es mi música. Me encanta ir a la playa. Me encanta correr a caballo. Me encanta caminar en el bosque, pero mi pasatiempo favorito es mi música. Es lo más bonito, creo que, en la unión de nuestra gente.

¿Con qué frecuencia vas a la playa y qué te gusta hacer allí?

Voy dos, tres veces en semana. Me gusta correr en la playa. Me gusta llevar a la familia a hacer barbacoas, nadar, mantenerme en forma.

¿Cómo fue la última vez que fuiste a la playa y qué hiciste?

¡Wow! ¡Qué bonito, el jueves, un día precioso. Nadé, corrí, y después de que me tuve en forma, pues hicimos una barbacoa, cenamos, vimos la caída del sol, pero muy bonito.

¿Cuál es el deporte más importante en Puerto Rico?

El deporte nacional de Puerto Rico, sin discusión ninguna, es la pelota. Es un deporte que en todos los pueblos, todos los niñitos desde jovencitos es lo que quieren hacer, ser un ídolo como Roberto Clemente o [Orlando] Cepeda. Simplemente representar a Puerto Rico, jugando pelota es muy bonito.

¿Hay otros deportes importantes?

[En] Puerto Rico, jugamos baloncesto, jugamos pelota y voleibol. Las chicas destacan mucho más en voleibol. Hay ahora, en el presente, jugando pelota, pero casi todas las chicas en Puerto Rico se dedican al voleibol y los hombres a la pelota.

¿Y el fútbol?

El balompié en Puerto Rico nunca hemos aprendido a jugarlo, el fútbol americano tampoco nos ha llegado. Pero las chicas y los chicos de colegio están empezando a aprender las reglas de este juego ahora. Posiblemente en el futuro lo juguemos.

B. Comprensión. Contesta las siguientes preguntas según la entrevista con Mitch.

1. En tú opinión, ¿son importantes los pasatiempos en la vida de Mitch?
2. ¿Tienes los mismos pasatiempos que Mitch? ¿Cuáles tienes y cuáles no? ¿Qué otros pasatiempos tienes que él no menciona?
3. ¿Te gustan los pasatiempos de Mitch? ¿Por qué sí o por qué no?
4. ¿Cómo le dicen al béisbol en Puerto Rico? ¿Cómo le dicen al fútbol?
5. ¿Por qué cree Mitch que el béisbol es el deporte más importante en Puerto Rico?
6. ¿Es Mitch un fanático del béisbol? Si no, ¿qué deportes prefiere?
7. Además del béisbol, ¿qué otros deportes son populares en Puerto Rico, según Mitch?

Suggestion B: Encourage students to incorporate chapter vocabulary in answering these questions.

Answers B: 4. *el béisbol = la pelota; el fútbol = el balompié* **5.** *La pelota es el más popular porque se practica en todos los pueblos y porque todos los jovencitos quieren ser un ídolo como Roberto Clemente u Orlando Cepeda.* **6.** Mitch says, "*Simplemente representar a Puerto Rico, jugando pelota es muy bonito,*" so students can infer that he is a baseball fan. **7.** Other sports Mitch mentions are: *el baloncesto, el voleibol, el balompié (el fútbol)*. He also says, "*las chicas. . . se dedican al voleibol y los hombres a la pelota.*"

¿Y a ti qué te gusta hacer en tu tiempo libre? ¿Te gusta andar en bicicleta?

¡Escribe y habla mejor!

The correct pronunciation of the Spanish letters **l, r,** and **rr** can make a big difference in how well you are understood in Spanish.

Study the information in Appendix A, and practice your pronunciation and spelling in the *Portafolio de actividades*.

Vocabulario

FIESTAS Y DIVERSIONES

En la discoteca

el baile	dance		
		estar tranquilo/a	to be calm
encontrarse (ue)	to be in the mood	**molestar**	to bother
en ambiente		**tener prisa**	to be in a hurry
estar en su punto	to be at one's best	**pasarla bien**	to have a good time
estar relajado/a	to be relaxed		

En la fiesta

el anfitrión /	host(ess)	**conocer (zc) a otras**	to meet / get to know
la anfitriona		**personas**	new people
la bebida (alcohólica)	(alcoholic) drink	**encontrarse (ue)**	to get together / meet
el humo	smoke	**con amigos**	with friends
el/la invitado/a	guest	**estar borracho/a**	to be drunk
el refresco	soft drink	**fumar**	to smoke
el ruido	noise	**tomar**	to drink

práctica

A. Definiciones. ¿A qué se refieren las siguientes descripciones? **¡OJO!** En algunos casos hay más de una posibilidad.

1. cuando una persona bebe demasiado
2. un lugar para escuchar música y bailar
3. lo que se sirve en un bar
4. la persona que da una fiesta o cena
5. un sinónimo de *divertirse*
6. tener poco tiempo para hacer algo
7. reunirse con amigos
8. sentirse cómodo/a
9. algo que molesta a las personas que no fuman
10. cosas que hacer en una fiesta

B. ¿Qué tipo de persona es? Di si las siguientes oraciones corresponden a una persona diurna, es decir, una persona que funciona mejor durante el día, o a una persona nocturna.

1. «Estoy en mi punto a la 1:00 de la mañana.»
2. «Me levanto a las 6:00 de la mañana.»
3. «A mí me encantan las fiestas donde se baila hasta medianoche.»
4. «Yo me encuentro en ambiente a eso de las 11:00 de la noche.»
5. «Yo prefiero practicar deportes por la mañana.»
6. «A mí me gusta salir por la mañana; suelo quedarme en casa por la tarde.»

C. Una fiesta reciente. Describe los siguientes aspectos de una fiesta a la que (*that*) asististe recientemente.

1. ¿Quién fue el anfitrión / la anfitriona?
2. ¿Quiénes fueron los invitados?
3. ¿Qué sirvieron de beber y de comer?
4. ¿Qué tipo(s) de música tocaron? (por ejemplo, música rock, música clásica, salsa, merengue, tango, jazz, rap)
5. ¿Quiénes bailaron?
6. ¿La pasaron bien los invitados? ¿Por qué sí o por qué no?

D. Entrevista: Las diversiones. Habla con un compañero / una compañera de clase para saber la siguiente información.

1. Los fines de semana, ¿prefieres quedarte en casa o salir? ¿Qué haces?
2. ¿Qué haces para divertirte con tus amigos? ¿con tu familia? ¿Hay una diferencia entre los tipos de actividades que haces con los amigos y los que haces con la familia?
3. En general, ¿eres una persona relajada o siempre tienes prisa? Explica tu respuesta.
4. ¿En qué momento(s) del día estás en tu punto? ¿Cuándo te sientes cansado/a?

Expansion B: Have volunteers classify themselves as *personas nocturnas* or *diurnas* and give examples of the activities to support their choice: *Soy una persona nocturna porque me gusta ir a discotecas hasta muy tarde.*

Suggestion C, item 4: Contrast the pronunciation of these types of music with English: *el jazz* = [yas], *el tango* with Spanish *ah* sound, *el rock* with Spanish *oh* sound (not English "ah"), and so on. Make sure students say [música] without the English "y" sound after the *m*, and a clear [s] instead of [z].

Gramática

8.3 NEGATIVE WORDS

"More is better" is certainly the rule in using negative words in Spanish. Unlike standard English, which forbids more than one negative word in a sentence ("I don't have *any*," instead of *none*), Spanish actually *requires* that a negative sentence contain negative words throughout.

El anfitrión **nunca jamás** le dice a **nadie** a qué hora tiene que irse **ni** a qué hora tiene que llegar.

The host never ever says to anybody when they have to leave or when they have to arrive.

In **Capítulo 5** you learned the word **nada** (*nothing*) and the adjective **ningún/ninguna** (*no, not any*). Here are the other most commonly used negative words in Spanish.

jamás	never	**ninguno/a**	none, not any
nadie	nobody, no one	**nunca**	never
ni _____	neither _____	**tampoco**	neither, not either
ni ____	nor____		

Note that both **nunca** and **jamás** mean *never*. When used together **(nunca jamás),** the repetition implies the stronger meaning *never ever*.

If a negative word is placed *after* the verb in a sentence, there must be a negative word *before* the verb as well. In most cases this first negative word is simply **no.** Study the following examples, paying close attention to the different possibilities for the position of negative words with respect to the verb (underlined).

Nada le <u>gusta</u> a él.
A él **no** le <u>gusta</u> **nada.**

He doesn't like anything.

Nunca <u>salimos</u> a bailar.
No <u>salimos</u> a bailar **nunca.**
No <u>salimos</u> **nunca** a bailar.

We never go out dancing.

Ni tú **ni** yo <u>podemos salir</u> esta noche.
No <u>podemos salir</u> esta noche **ni** tú **ni** yo.

Neither you nor I can go out tonight.

Tampoco <u>salen</u> ellos.
Ellos **no** <u>salen</u> **tampoco.**

They aren't going out either.

Mi amiga **nunca** <u>habla</u> con **nadie** en las fiestas.
Mi amiga **no** <u>habla</u> con **nadie nunca** en las fiestas.

My friend never talks to anybody at parties.

Remember from **Capítulo 5** that the adjective **ningún/ninguna,** as well as the corresponding pronoun **ninguno/a,** are only used in the singular.

No hay **ningún** estudiante puertorriqueño en mi clase.	*There are no (not any) Puerto Rican students in my class. (There is not a single Puerto Rican student . . .)*
Nunca tenemos **ninguna** bebida alcohólica en nuestras fiestas.	*We never have any alcoholic drinks at our parties.*
¿CDs? **No** tengo **ninguno.**	*CDs? I don't have any.*

práctica

A. **¡Me equivoqué!** (*I was wrong!*) Las siguientes oraciones están completamente equivocadas (*wrong*). Conviértelas en oraciones negativas, cambiando las frases subrayadas y haciendo los otros cambios necesarios.

1. Siempre escucho la música clásica.
2. En ese club, puedes comprar bebidas alcohólicas en la barra (*bar*).
3. Tienen alguna marca (*brand*) de cerveza importada aquí.
4. En las discotecas, los chicos siempre sacan a Elena a bailar.
5. Me gusta la música rock, y me encanta la salsa.
6. Para las fiestas en mi casa, alguien siempre trae CDs de salsa.
7. Yo tengo una colección de CDs también.
8. Los invitados a mi casa siempre traen algo de tomar.

B. **Los consejos.** Los señores Ramírez siempre se preocupan mucho por la seguridad (*safety*) de sus hijos. ¿Qué les dicen los padres a sus hijos cuando éstos (*the latter*) salen con amigos? Usa palabras negativas para formar oraciones completas, según el modelo.

MODELO: tomar algo en los bares →
        ¡Ustedes no deben tomar nada en los bares!

1. ir a algún club de baile
2. fumar
3. usar alguna droga
4. perder algo importante
5. hablar con una persona desconocida (*unknown*) en la calle
6. ¿ ?

C. **La fiesta ideal.** En tu opinión, ¿cómo es la fiesta ideal? Termina las siguientes oraciones para describir una fiesta exitosa (*successful*).

1. El anfitrión nunca…
2. Los invitados siempre…
3. Nadie debe…
4. Una cosa que nunca se hace es…
5. Tampoco se…

Suggestion A: Encourage students to use different word orders in their answers (e.g., *Nunca escucho…* and *No escucho… nunca*).

Point out: The term *el club* is becoming more common than *la discoteca* in some countries. Explain that the plural of *el club* should be *los clubes*, according to the pluralization rules of Spanish, however many native speakers say, "*los clubs*," with no *-e-*.

Point out: The term *el bar* refers to the building. *La barra* refers to the counter from which patrons order drinks.

Note: Beginning students rarely produce double object pronoun constructions in spontaneous speech and writing. This section focuses on recognition of these forms only, to increase students' comprehension in future listening and reading tasks and to deepen their conceptual control of the Spanish pronoun system and flexible word order in sentences.

8.4 REVIEW: DIRECT AND INDIRECT OBJECT PRONOUNS

You have already learned how to use direct and indirect object nouns and pronouns individually in a sentence.

Below is a summary of the direct and indirect object pronouns.

DIRECT OBJECT PRONOUNS		INDIRECT OBJECT PRONOUNS	
me	nos	me	nos
te	os	te	os
lo / la	los / las	le	les

As you can see, the forms differ only in the third-person singular and plural.

Some verbs require both a direct and an indirect object pronoun at the same time: For example, you can give something (direct object) to someone (indirect object). When both of these types of pronoun occur in the same sentence, the indirect object pronoun (IO) *always* precedes the direct object pronoun (DO).

¿Este CD de salsa? Un amigo **me lo** dio.
IO DO

This salsa CD? A friend gave it to me.

¿Te compro este CD? —No, gracias, mi novio va a comprár**melo.**
IO DO

Shall I buy you this CD? —No, thanks, my boyfriend is going to buy it for me.

¿Los pasos del chachachá? La profesora está enseñándo**noslos** ahora.
IO DO

The steps for the cha-cha-cha? The teacher is showing them to us now.

NOTES:

- When two object pronouns are attached to the end of an infinitive or an -ndo form, a written accent must be added to the verb to maintain the original stress pattern of the infinitive (e.g., **comprármelo, enseñándonoslos**).
- When both the direct and the indirect object pronouns are in the third person (that is, if they both begin with the letter **l**), the indirect object pronoun **le/les** becomes **se.**

IO	DO		IO DO
Le diste **el regalo.**		→	**Se lo** diste.
You gave him the gift.		→	*You gave it to him.*

Since this **se** can indicate many different referents (*to him, to her, to it, to you* [form. s., pl.], *to them*), it usually requires a prepositional phrase to clarify who the indirect object is.

Se lo diste **a tu hermano.**   *You gave it to your brother.*

Se lo diste **a él.**   *You gave it to him.*

Se lo diste **a tus primos.**   *You gave it to your cousins.*

infórmate

Why do **le** and **les** change to **se** when they precede a direct object pronoun beginning with **l**? Contrary to popular belief, it is not because the sequence of sounds **le lo** is hard to say: There are a number of Spanish words like **paralelo** that discount this idea. The real reason is that in medieval Spanish (before the year 1500), a sentence such as "You gave it to him" was rendered as **Gelo diste,** with the g pronounced like the *s* in English *treasure.* In the course of the language's development, Spanish speakers began to confuse the old sound of **ge** with the [s] sound, leading to the modern version **Se lo diste.**

autoprueba

Identifica los complementos directos e indirectos en las siguientes oraciones.

1. Our teacher showed us a DVD on the history of salsa music.
2. In this DVD, a musician explained the origin of the term **salsa** to the audience.
3. The same musician performed a concert for us later that week at our school.
4. Our class sent him a thank-you note after his visit.
5. We wrote the note to him in Spanish, since he was from Puerto Rico.

práctica

A. ¿Quién le dio qué a quién? Primero, identifica el sujeto y los complementos directos e indirectos en estas oraciones. Después, di a qué y a quién se refieren los pronombres, escogiendo entre las siguientes posibilidades.

PERSONAS	COSAS
a mí	el CD
a nosotros	la raqueta de tenis
a ella	los esquíes
a ustedes	las cartas de póquer
a ti	

1. Me los dio mi padre.
2. Se las enviaron los abuelos.
3. La profesora nos lo enseñó.
4. El entrenador me la reparó.
5. ¿Te las regaló un amigo?

Note A: Before beginning, remind students that subjects frequently come after verbs in Spanish; students should use the verb ending to help identify the subject.

B. Otra gente. ¿Te gusta conocer a otra gente cuando sales? Contesta las siguientes preguntas sobre el tema (*topic*). **¡OJO!** Ten cuidado (*Be careful*) con los pronombres de complemento directo e indirecto.

1. ¿Qué les dices a los chicos / las chicas que quieres conocer?
2. ¿A quién le compras bebidas?
3. ¿A quién le das tu número de teléfono?
4. ¿Sueles sacar a bailar a gente que no conoces, o sólo bailas con amigos/as?

Point out B: Not every sentence has both DO and IO pronouns (e.g., item 4).

portafolio cultural

Aunque «STOP» es casi universal como signo de tráfico, en Puerto Rico se prefiere la expresión «PARE» en español.

nación

LENGUA E IDENTIDAD EN PUERTO RICO

Puerto Rico es un «Estado Libre Asociado», lo cual significa que es un territorio de los Estados Unidos y que los puertorriqueños tienen ciudadanía[a] estadounidense.

Aunque el estatus político de los puertorriqueños es norteamericano, su identidad lingüística es hispana. En estos momentos el español y el inglés son lenguas co-oficiales (el inglés se usa para todo lo relacionado con el gobierno federal) pero solamente una cuarta parte[b] de los puertorriqueños usan el inglés con asiduidad.[c] El idioma[d] es un tema candente[e] desde el 1898, cuando Puerto Rico pasó de España a los Estados Unidos. Hasta el 1930 se usó el inglés en las escuelas, pero a causa de la fuerte resistencia de los puerto-rriqueños al inglés, esa regla[f] se cambió para hacer el español el idioma de enseñanza.[g] Actualmente se estudia el inglés como segundo idioma. En 1991 la legislatura de Puerto Rico aprobó un proyecto de ley[h] que haría[i] el español la única lengua oficial de la isla, pero en 1993 el nuevo gobernador firmó[j] una ley que da igual importancia a los dos idiomas.

1. Según la lectura el idioma español es una base de la identidad cultural de los puertorriqueños. ¿Es el idioma una parte importante en la identidad cultural de tu país o región?
2. ¿Hay otros elementos que también pueden ser importantes en la identidad nacional? Da ejemplos concretos de tu experiencia.

[a]*citizenship* [b]*una… one fourth* [c]*regularly* [d]*language* [e]*tema… burning issue* [f]*rule* [g]*teaching* [h]*proyecto… bill* [i]*would make* [j]*signed*

actualidad

LA CUESTIÓN DEL ESTATUS DE PUERTO RICO

En la Guerra Hispano Americana de 1898, España perdió sus últimas colonias (Puerto Rico, Cuba y Filipinas). Desde entonces Puerto Rico ha sido[a] una parte de los Estados Unidos, pero su estatus ha cambiado[b] varias veces. El Estado Libre Asociado (ELA) actual es un arreglo[c] de 1952 que les da a los puertorriqueños casi todos los derechos de la ciudadanía estadounidense. No necesitan pasaporte para viajar entre la isla y los Estados Unidos, pero bajo el mismo régimen político, no pagan impuestos[d] ni votan en elecciones presidenciales.

El estatus de la isla es una cuestión fundamental para muchos puertorriqueños, quienes atribuyen muchos de los problemas del país a la falta[e] de claridad política. En tres momentos diferentes se han celebrado plebicitos[f] para decidir esta cuestión, con los siguientes resultados:

[a]*ha… has been* [b]*ha… has changed* [c]*arrangement* [d]*taxes* [e]*lack* [f]*se… referenda have been held*

Se ve que más o menos la mitad de los boricuas[g] prefiere mantener el ELA, pero la sociedad está dividida, y casi la mitad prefiere que la isla sea[h] el estado 51 de los Estados Unidos.

El debate se basa en cuestiones no sólo económicas sino[i] también culturales. Los puertorriqueños que favorecen la estatidad dicen que ser estado va a mejorar el nivel de vida. El movimiento por la independencia, que no tiene mucho apoyo[j] general, critica las otras opciones más populares diciendo que Puerto Rico sigue siendo[k] una colonia y que la asociación con la cultura dominante de los Estados Unidos. está borrando[l] la identidad cultural de la isla.

	1967	1993	1998
a favor del ELA	60,4%	48,6%	50,2%
a favor de la estatidad[g]	39,0%	46,3%	46,5%
a favor de la independencia total	0,06%	4,4%	2,5%

1. ¿Cuándo pasó Puerto Rico al control de los Estados Unidos? ¿Desde qué año es el estatus actual de Estado Libre Asociado?
2. ¿Cuáles son las ventajas de ser un estadoes de los Estados Unidos? ¿Cuáles son las desventajas?
3. ¿Cómo reaccionas personalmente a la idea de que Puerto Rico sea el estado 51?
4. ¿Crees que Puerto Rico va a perder elementos de su identidad hispana si llega a ser (*becomes*) un estado? ¿Por qué sí o no?

[g]puertorriqueños [h]*be* [i]*but* [j]*support* [k]*sigue... continues to be* [l]*erasing*

Una manifestación a favor de la estatidad (*statehood*) de Puerto Rico.

cartelera

RITMOS CARIBEÑOS

Se dice que Puerto Rico es un lugar que «lleva la música en el alma[a]», y el carácter musical de los boricuas precede al primer contacto entre europeos y los taínos, habitantes originales de la isla. En ese momento se empezó un proceso de mestizaje[b] racial y cultural que continúa hasta hoy. La llegada de millones de africanos a partir del siglo XVI enriqueció[c] la mezcla.

La contribución principal de los europeos son los instrumentos de cuerda, viento y teclado,[d] y el aporte de los indígenas y los africanos son los instrumentos de percusión, con sus ritmos vivos. La evolución constante del genio musical caribeño nos ha dado[e] docenas de formas diferentes. Aquí indicamos sólo unas cuantas[f]:

El seis: Ritmos variados, se toca con cuatro,[g] guitarra y güiro,[h] y tiene sus orígenes en la canción popular andaluza de España.

La bomba: De origen africano, es un diálogo entre un cantante principal y un coro.

La danza: Esta forma origina en el siglo XIX y es parecida al vals,[i] pero con elementos afrocaribeños. El himno nacional de Puerto Rico es una danza.

La salsa: Es la música y el baile de la segunda mitad[j] del siglo XX. Su historia refleja bien la evolución del Caribe porque la salsa está íntimamente ligada[k] al vaivén[l] de personas entre las islas y Nueva York y otros destinos norteamericanos. Se notan elementos del son y el mambo de Cuba, el merengue de la República Dominicana y el jazz de los Estados Unidos.

[a]*soul* [b]*mixture* [c]*enriched* [d] cuerda... *string, wind, and keyboard* [e]nos... *has given us* [f] unas... *a few*
[g]*four-string guitar* [h]*gourd-shaped percussion instrument* [i]*waltz* [j]*half* [k]*linked* [l]*going and coming*

Daddy Yankee, artista del reggaetón, da un concierto en Miami, Florida.

Note: To purchase music by Daddy Yankee or other Latin artists, follow the link on the *Online Learning Center* to the *Portafolio* iMix on iTunes®.

El reggaetón (reguetón): Esta forma es una evolución del rap jamaicano, panameño y norteamericano en español a finales del siglo XX. Goza de[m] popularidad tanto en la Isla como en las ciudades norteamericanas donde hay mucha población hispana.

En resumen, el motor creativo boricua es imparable.[n] Sin duda el siglo XXI nos va a traer otras formas musicales y bailables.

1. ¿Cuáles son los tres orígenes de la música puertorriqueña? ¿Qué contribuyó cada uno de los tres grupos culturales a la música boricua?
2. De las formas musicales mencionadas, ¿cuáles tienen más influencia europea? ¿influencia africana? ¿Cuáles representan bien el mestizaje musical?
3. ¿Qué géneros de música caribeña conoces? ¿Cuáles te gustan más? Busca ejemplos en tu colección de música o en Internet para presentarle a la clase.

[m]Goza... *It enjoys*   [n]*unstoppable*

icono

Roberto Clemente fue el primer atleta hispanoamericano elegido[a] al Pasillo de los Famosos de las Grandes Ligas[b] de béisbol. Además de ser famoso por su récord en el béisbol, Clemente era[c] también reconocido por sus proyectos humanitarios. Murió trágicamente joven en 1972 durante una misión humanitaria: su pequeño avión,[d] destinado a llevar medicamentos y comida a Nicaragua, un país devastado por un desastre reciente, se estrelló[e] durante el despegue.[f]

En 1998, muchos de los mejores artistas musicales de Puerto Rico se reunieron para hacerle un homenaje[g] a Clemente. La foto de la izquierda es la cubierta[h] del CD que crearon.

¿Hay en este país algún deportista (u otra figura famosa) cuya carrera fue truncada[i] por un accidente? ¿Qué pasó? ¿Cómo le han hecho[j] homenaje a esta figura?

[a]*elected*   [b]Pasillo... *Major League Hall of Fame*   [c]*was*   [d]*airplane*   [e]se... *crashed*   [f]*takeoff*
[g]hacerle... *pay homage*   [h]*cover*   [i]*cut short*   [j]le... *have they paid*

ROBERTO **CLEMENTE**

Un Tributo Musical

  You can watch this interview on the DVD to accompany *Portafolio* or on the Online Learning Center (**www.mhhe.com/portafolio**).

vocabulario útil

me encuentro	I feel
amistades *f. pl.*	friends
la pasamos increíble	we had an incredible time
disfrutar	to have fun
reírnos	to laugh
uno se siente a gusto	one feels relaxed, happy

gente

HABLAN LOS PUERTORRIQUEÑOS

Nombre: José Veliz Román
Edad: 27 años
Nació en: Ponce, Puerto Rico

¿En Puerto Rico o los Estados Unidos?
Según José, ¿en qué país son ciertas las siguientes afirmaciones?

	PUERTO RICO	LOS ESTADOS UNIDOS
1. La gente llega a una fiesta y se va cuando quiere.	☐	☐
2. La gente disfruta tomando.	☐	☐
3. La gente sale principalmente para tomar.	☐	☐
4. La gente sale principalmente para conocer a otras personas o para pasarla bien.	☐	☐

opinión

LA SIGUIENTE CITA tomada de una fuente escrita en inglés para anglohablantes va a aumentar tus conocimientos sobre algunos fenómenos culturales del béisbol hispanoamericano. Usa lo que has aprendido en este capítulo sobre Puerto Rico, más tu propia experiencia, para contestar las preguntas que siguen la cita.

"Although many sportswriters in the United States have considered the presence of ballplayers from Latin America to be an 'influx,' as if baseball were a uniquely American sport being invaded by outsiders, the truth of the matter is that baseball in Spanish-speaking countries has not only had a parallel development to baseball in the United States, but it has been intertwined with American baseball almost from the beginning of the game itself. The professional Cuban Baseball League (**Liga de Béisbol Profesional Cubana**)

was founded in 1878, just seven years after the National Baseball Association was founded in the United States. But, reportedly, Cuban baseball goes back to 1866, when sailors from an American ship in Matanzas harbor invited Cubans to play the game; they built a baseball diamond together at Palmar del Junco and began playing while the ship remained in harbor. By 1874 Cuban teams had developed and were playing each other regularly.

By 1891 seventy-five teams were active on the island. From that time on, Cuban baseball—and later, Mexican and Puerto Rican baseball—has served baseball in the United States in various ways: as a training ground for the majors . . . ; as wintering and spring training grounds for the majors; and [until desegregation] as permanent homes for players from the U.S. Negro Leagues. . . ."

Source: *The Hispanic Almanac: From Columbus to Corporate America*

1. ¿Conoces a algunos jugadores de béisbol hispanos que juegan para un equipo de las Grandes Ligas de Norteamérica? ¿De qué países son?
2. ¿Conoces a algunos atletas norteamericanos que juegan en otros países? ¿A qué deportes se dedican?
3. Considerando el intercambio (*exchange*) entre jugadores norteamericanos e hispanoamericanos que existe, ¿crees que haya (*there are*) deportes nacionales? ¿En qué consiste el concepto de **un deporte nacional**? ¿Puedes dar algunos ejemplos del deporte nacional de algunos países?
4. En tu opinión, ¿es positivo o negativo el intercambio de talento deportivo de un país a otro? Explica tu respuesta.

mi portafolio

REDACCIÓN
Querido diario. Mantener un diario nos permite recordar los mejores momentos de la vida. Describe las tres ocasiones más importantes de tu vida, momentos en los que más te divertiste. Sigue los pasos en el *Portafolio de actividades* para completar tu diario.

EXPLORACIÓN
Investigación cultural.
Busca más información sobre Puerto Rico en la biblioteca, en el *Portafolio* Online Learning Center (**www.mhhe.com/portafolio**) o en otros sitios del Internet y preséntala a la clase. El *Portafolio de actividades* contiene más ideas para tu presentación.

Vocabulario

Los deportes

el/la **aficionado/a**	fan
el **básquetbol**	basketball
el/la **boxeador(a)**	boxer
el **boxeo**	boxing
el **ciclismo**	cycling
el/la **deportista**	sports-minded person
el **equipo**	team
la **equitación**	horseback riding
el **esquí**	skiing; ski
el **fútbol americano**	football
el **golf**	golf
el/la **jugador(a)**	player
la **natación**	swimming
el **partido**	game
el **tenis**	tennis
el **voleibol**	volleyball

REPASO: **el baloncesto, el béisbol, el fútbol**

acampar	to camp
andar (*irreg.*) **en bicicleta**	to ride a bicycle
bucear	to snorkle
correr	to run
escalar montañas	to go mountain climbing
esquiar (esquío) (en el agua)	to (water) ski
ganar	to win
hacer artes marciales	to practice martial arts
levantar pesas	to lift weights
montar a caballo	to go horseback riding
nadar	to swim
patinar (sobre hielo)	to (ice) skate
perder (ie)	to lose
practicar (qu) un deporte	to practice a sport
surfear	to surf

REPASO: **jugar (ue) (gu) a**

Los pasatiempos

cantar	to sing
coleccionar (estampillas/ monedas)	to collect (stamps/coins)
contar (ue) chistes	to tell jokes
coser	to sew
dibujar	to draw
escribir cuentos/poesía	to write stories/poetry
ir al cine/teatro	to go to the movies/ theater

jugar (ue) (gu) a los naipes	to play cards
jugar (ue) (gu) a los videojuegos	to play video games
jugar (ue) (gu) al ajedrez	to play chess
jugar (ue) (gu) al billar	to play billiards (pool)
pintar	to paint
tejer	to knit
tener ganas de + *inf.*	to feel like (*doing something*)
ver una película	to watch a film

Fiestas y diversiones

el **anfitrión / la anfitriona**	host(ess)
el **baile**	dance
la **bebida (alcohólica)**	(alcoholic) drink
la **discoteca**	discotheque
el **humo**	smoke
el/la **invitado/a**	guest
el **ruido**	noise

REPASO: **el refresco**

bailar (pegados/ separados)	to dance (close/apart)
charlar con amigos	to chat with friends
conocer (zc) a otras personas	to meet / get to know new people
encontrarse (ue) con amigos	to get together (meet) with friends
encontrarse (ue) en ambiente	to be in the mood
estar borracho/a	to be drunk
estar en su punto	to be at one's best
estar relajado/a	to be relaxed
estar tranquilo/a	to be calm
fumar	to smoke
molestar	to bother
pasarla bien	to have a good time
sacar (qu) a alguien a bailar	to ask someone to dance
tener prisa	to be in a hurry
tocar (qu) música	to play music
tomar	to drink

Las palabras negativas

jamás	never, not ever
nadie	nobody, not anybody
ni ____ ni ____	neither ____ nor ____

ninguno/a — none, not any
nunca — never, not ever
tampoco — neither, not either
REPASO: **ningún, ninguna**

Para hacer/aceptar una invitación

¿Por qué no (nosotros/as) _____? — Why don't (*we do something*)?

¿Qué tal si (nosotros/as) _____? — How about if (*we do something*)?

¿Te gustaría + *inf.***?** — Would you like to (*do something*)?

¡Qué buena idea! ¡Vamos! — What a good idea! Let's go!

¡Qué chévere! — Cool! Great! (*Carib.*)

Este... (no) me parece muy interesante. — Uh . . . that seems (doesn't seem) very interesting.

No, no me gustaría eso. — No, I wouldn't like that.

Pues, la verdad es que _____. — Well, actually _____.

Fiestas y tradiciones

Note: The focus on Cuba includes the culture of the island itself and that of the diaspora of Cubans in North America. Both groups still share important cultural experiences, but the different generations of Cuban-Americans may vary in their range of knowledge of and attitudes toward Cuba.

Estos cubano-americanos muestran su doble identidad cultural durante una celebración en la Pequeña Habana en Miami.

En este capítulo...

Objetivos culturales

► Childhood memories

► Family traditions

► What does it mean to be Cuban outside of Cuba?

Suggestion: There is a brief cultural quiz in the Instructor's Manual. Ask students those questions to see how much they know about Cuba and Cuban Americans before they begin this chapter. They can search for some answers in the chapter opener; others will be discovered as the chapter progresses.

NOTE: Throughout the chapter students will collect and learn information about these cultural objectives.

La Fiesta del Fuego en Santiago de Cuba

Peregrinos (*Pilgrims*) cubanos visitan el convento de San Lázaro.

Vocabulario

► La frecuencia

► Las etapas[a] de la vida

► ¿Qué fiestas celebrabas de niño/a?

► ¿Cómo te sentías?

Gramática

9.1   The Imperfect

9.2   **Gustar** (Review)

9.3   Other Verbs Like **gustar**

Portafolio cultural: Cuba

► Nación: La Habana Vieja

► Actualidad: El sistema político y la sociedad cubana

► Cartelera: Fiestas tradicionales cubanas

► Icono: Picadillo

► Gente: Hablan los cubanos

► Opinión: Los cubanos en los Estados Unidos

► Mi portafolio

---

[a]*stages*

Vocabulario

LA FRECUENCIA

Los Ramírez **siempre** (*always*) sirven pavo en las fiestas familiares. **A menudo** (*Often*) su hijo casado participa en estas celebraciones, pero **a veces** las pasa en casa de sus suegros (*in-laws*).

Los Fischer son vegetarianos; nunca comen carne. **Casi siempre** comen arroz con vegetales. También comen *tofu* **con frecuencia.**

cada año/mes	each year/month
casi nunca	almost never
raras veces	rarely
todas las noches	every night
todos los días	every day

práctica

A. ¿Con qué frecuencia? ¿Con qué frecuencia haces las siguientes cosas en tus fiestas y celebraciones? Indica las respuestas apropiadas. Usa la siguiente escala:

> 6 = siempre
> 5 = casi siempre
> 4 = a menudo (con frecuencia)
> 3 = a veces
> 2 = casi nunca
> 1 = nunca jamás

1. _____ Toco (*I play*) la guitarra / otro instrumento musical.
2. _____ Bailo con amigos o parientes.
3. _____ Escucho música tradicional o folclórica.
4. _____ Canto.
5. _____ Voy a la iglesia (*church*) / al templo / a la sinagoga / a la mezquita,…
6. _____ Visito a mis abuelos u otros parientes.
7. _____ Hablo por teléfono con mis padres / otros parientes.
8. _____ Les envío regalos a mis amigos o parientes.

B. En general. Combina frases de ambas columnas para decir con qué frecuencia haces las siguientes actividades. También añade otras frases.

almorzar/cenar con la familia
ayudar a personas mayores / niños
estudiar
ir a fiestas
ir al dentista
practicar deportes / hacer ejercicio
salir a bailar
trabajar
ver películas
ver un partido de béisbol
    (fútbol, etcétera)
¿ ?
	a veces
	cada año (mes, semana)
	nunca
	todas las noches
	todos los días
	todos los fines de semana
	una vez / dos (tres,…) veces
	    por año (mes, semana)
	¿ ?

C. Entrevista: ¿Y tú? Usa las ideas de **Práctica A** y **B** para preguntarle a un compañero / una compañera con qué frecuencia hace esas actividades en sus fiestas y celebraciones familiares.

MODELO: E1: ¿Con qué frecuencia tocas la guitarra en tus fiestas familiares?
E2: Nunca toco la guitarra.
E1: ¿Tocas otro instrumento musical?
E2: Yo no, pero a veces mi hermana toca el piano.

Suggestion A: Have students do this activity silently in class or as homework before they do the interview in *Práctica C.* This will allow them to ask questions or look up any unfamiliar vocabulary before they do the interview. When students report their answers, have them use complete sentences so that you can check the position of the adverbs of frequency. If necessary, remind students that (*casi*) *nunca* can precede the verb **or** be used with *no…* after the verb.

Follow-up: Have students report their answers for this activity. Then encourage extended discourse by asking students to expand on their answers: *Si tú no tocas la guitarra en las fiestas, ¿quién en tu familia la toca? (Mi hermana mayor toca la guitarra, y también canta muy bien.* [*Nadie toca la guitarra. No tenemos talento musical.*])

Note B: You may wish to remind students that when *nunca* **(never, not . . . ever)** is used **after** a verb, it requires the negation *no* or another negative word (e.g., *nadie*) **before** the verb: *Los Fischer <u>no</u> comen carne <u>nunca</u>.*

LAS ETAPAS DE LA VIDA

la adolescencia

la infancia

la niñez

la edad adulta

la vejez

Point out: There are different translations of some adjectives when used with *ser* or *estar*. For others like *orgulloso/a, ser* indicates an inherent characteristic, whereas *estar* is synonymous with *sentirse: Me siento orgulloso.*

el/la adolescente	adolescent
el/la adulto/a	adult
el/la anciano/a (el/la viejo/a)	elderly person
el/la bebé	baby
el/la joven (*pl.* **jóvenes**)	young person
el/la niño/a	child
la persona mayor	older person
estar deprimido/a	to be/feel depressed
emocionado/a	moved
fatal	awful
molesto/a	annoyed
orgulloso/a	proud
ser confiado/a	to be trusting
emocionado/a	emotional
(in)feliz (*pl.* **[in]felices**)	(un)happy
inocente*	naive, inexperienced
molesto/a	annoying
orgulloso/a	proud
rebelde	rebellious
respetuoso/a	respectful
sabio/a	wise
sensato/a	sensible
sensible*	sensitive, caring

---

*Inocente** and **sensible** are false cognates: They look like English words but have different meanings.

práctica

A. ¿Cuánto duran las etapas? ¿Entre qué edades queda cada etapa de la vida? Da tu opinión, siguiendo el modelo.

Point out A: Remind students that they have seen *desde* _____ *hasta* _____ in the context of telling time.

MODELO: la infancia →
La infancia dura desde el nacimiento (*birth*) hasta los 24 meses.

VOCABULARIO ÚTIL

la muerte   death

1. la niñez
2. la adolescencia
3. la edad adulta
4. la vejez

B. Lo bueno y lo malo. Clasifica los adjetivos del vocabulario de la página anterior en características positivas y negativas. También añade otros adjetivos. ¿Puedes explicar el porqué de tus clasificaciones?

C. Características de las edades. ¿Qué características asocias con las diferentes etapas de la vida? Completa las oraciones de manera lógica, usando los adjetivos de **Práctica B** y los siguientes cognados. Después, compara tus respuestas con las de tus compañeros/as de clase. ¿Están todos de acuerdo?

Warm-up C: Do some choral repetition of these cognates to check on students' pronunciation. They should avoid sounds like "kyu" in *curioso*, "sh" in *impresionable*, "uh" [schwa] in *vulnerable*, "uhr" in *conservador*, and so on. Also make sure students understand the difference in meaning when an adjective can be used with either *ser* or *estar*.

Note: Be ready to provide students with additional vocabulary as needed. Make sure they ask you for it in Spanish with the expression *¿Cómo se dice* _____? Point out the related items for stages of life (e.g., *la niñez*) and people (e.g., *los niños*).

Suggestion: To avoid stereotyping (*Los ancianos siempre están molestos*), make students explain their reasoning. *Los ancianos con frecuencia están molestos porque los jóvenes no son respetuosos.*

VOCABULARIO ÚTIL

ser arrogante, conformista, conservador(a), creativo/a, curioso/a, egoísta, extrovertido/a, horrible, impresionable, (in)flexible, introvertido/a, (ir)responsable, nervioso/a, nostálgico/a, optimista, pesimista, tenso/a, tímido/a, vulnerable

estar desilusionado/a, frustrado/a, interesado/a en, irritado/a, nervioso/a, tenso/a

1. Durante la infancia, los bebés a veces / casi siempre…
2. En la niñez, los niños suelen/siempre…
3. En la adolescencia, con frecuencia / raras veces los jóvenes…
4. Los adultos a menudo / casi nunca…
5. En la vejez, las personas mayores siempre / a veces…

Los pregoneros son personas que se dedican a la venta popular de diferentes productos, como este vendedor de granizados (*small snow cones*) en La Habana, Cuba.

Gramática

9.1 THE IMPERFECT

In **Capítulo 7,** you learned that the *preterite* is used to express completed actions in various contexts. In this section, you will learn about another past tense called the *imperfect*.

Forms

Here are the regular imperfect forms of **-ar, -er,** and **-ir** verbs.

	HABLAR	CONOCER	VIVIR
(yo)	hablaba	conocía	vivía
(tú)	hablabas	conocías	vivías
(usted, él/ella)	hablaba	conocía	vivía
(nosotros/as)	hablábamos	conocíamos	vivíamos
(vosotros/as)	hablabais	conocíais	vivíais
(ustedes, ellos/as)	hablaban	conocían	vivían

NOTES:
- The imperfect endings for **-er** and **-ir** verbs are the same.
- The **yo** and **usted/él/ella** endings are identical in all verbs.

  Only three verbs are irregular in the imperfect: **ser, ir,** and **ver.**

	SER	IR	VER
(yo)	era	iba	veía
(tú)	eras	ibas	veías
(usted, él/ella)	era	iba	veía
(nosotros/as)	éramos	íbamos	veíamos
(vosotros/as)	erais	ibais	veíais
(ustedes, ellos/as)	eran	iban	veían

Basic Uses

The imperfect can be translated into English in different ways. In this section, you will learn about three basic uses of the imperfect. In **Capítulo 10,** you will learn more about the contrast between the preterite and the imperfect and how they can be used together.

1. *To describe in the past without focusing on completed actions:* The imperfect is used to describe past actions or states, but unlike the preterite, the imperfect does not convey that the actions were ever completed or not. It simply describes the way things were or the way they were done in the past. Consider the following description of "Old Havana," the colonial section of the Cuban capital.

La Habana Vieja **era** alegre,…
un lugar donde se **bailaba,**
se **cantaba** y se **reunían**
muchas familias.

*Old Havana was happy, . . . a
place where people danced,
sang, and (where) many
families got together.*

2. *To express habitual actions in the past:* The descriptive power of the imperfect also allows the speaker to refer to actions that people *used to* or *would* do as a matter of habit.

Un tío mío **llegaba** y
tomaba una guitarra,…

*An uncle of mine used to
(would) arrive and used to
(would) take a guitar, . . .*

Los vecinos… **pasaban** y
entraban,… y **comenzaba**
esta gran fiesta…

*The neighbors . . . used to
(would) pass by and come
in, . . . and this big party
used to (would) start up . . .*

3. *To express age and tell time in the past:* Since someone's age or the time of day is always descriptive information with respect to other actions, they *always* appear in the imperfect when they are in the past. Note, however, that other actions within a sentence will be in the preterite if they refer to completed actions.

Cuando yo **tenía** 20 años,
mi familia se **mudó** a los
Estados Unidos.

*When I was 20 years old, my
family moved to the
United States.*

Eran las 2:00 de la tarde cuando
pasó el pregonero.

*It was 2:00 P.M. when the
street vendor passed by.*

Suggestion: Be sure that students understand that the imperfect corresponds to **would** in English **only** when **would** is used to describe habitual actions in the past: **When I was young, we would go to the beach every summer.** (*Cuando yo era joven, íbamos a la playa todos los veranos.*) The conditional **would** requires another tense in Spanish that students will learn later: **I would buy a house if I won the lottery.** (*Compraría una casa si me tocara la lotería.*)

Suggestion: Make sure students can identify which verb is in the preterite and which is in the imperfect.

práctica

A. **Los recuerdos** (*memories*). Contesta estas preguntas sobre lo que hacías (*you used to do*) en diferentes etapas de la vida. Sigue el modelo.

MODELO: De (*As a*) bebé, ¿llorabas (*did you cry*) con frecuencia? →
No. (No, de bebé, casi nunca lloraba.)

1. De bebé,…
¿dormías toda la noche?
¿gritabas (*did you scream*) mucho?
¿andabas en bicicleta todos los días?
¿estabas enfermo/a frecuentemente?

2. De niño/a,…
¿estabas aburrido/a a veces?
¿almorzabas con tus amigos todos los días?
¿ibas a la escuela todas las semanas?
¿leías cómics con frecuencia?

3. De joven/adolescente,…
¿te sentabas a la mesa para comer todas las comidas?
¿pasabas mucho tiempo con tus amigos/parientes?
¿hacías ejercicio tres o más veces por semana?
¿paseabas en el parque con mucha frecuencia?

B. **Los niños de hoy.** Compara las actividades de los niños de hoy con las de tu propia niñez, completando las siguientes oraciones. Usa los modelos como guía.

MODELOS: (no) mirar mucho la televisión →
Los niños de hoy miran mucho la televisión, y de niño yo también miraba mucho la televisión.

Los niños de hoy miran mucho la televisión, pero de niña yo no miraba la televisión.

1. (no) practicar muchos deportes
2. (no) jugar al fútbol
3. (no) comer alimentos naturales
4. (no) vestirse bien
5. (no) obedecer (*to obey*) a sus padres / las personas mayores
6. (no) pasar mucho tiempo en las guarderías (*day care centers*)

C. **Entrevista: Tu niñez**

Paso 1. Escoge uno de los siguientes temas acerca de tu niñez y escribe una lista de acciones (verbos en el infinitivo) que la describan.

- tu rutina diaria
- las vacaciones de verano
- una tradición familiar

Paso 2. Busca un compañero / una compañera que tenga (*has*) el mismo tema que tú. Convierte tu lista de infinitivos en preguntas para entrevistarlo/la; quieres saber si de niño/a tenía experiencias parecidas. **¡OJO!** ¡Cuidado con las formas del imperfecto!

MODELO: ir a la iglesia con la familia →
¿Ibas a la iglesia con tu familia?

Paso 3. Presenta un resumen de tu entrevista a la clase, señalando (*pointing out*) las semejanzas (*similarities*) y las diferencias entre tú y tu compañero/a.

MODELOS: Jack y yo íbamos a la iglesia con nuestra familia.

Jack iba a la iglesia con su familia, pero yo no.

D. **Retrato personal.** Escoge dos de las siguientes edades y escribe un párrafo en que compares esas diferentes etapas de tu vida. Las expresiones de la derecha te pueden servir de modelo. **¡OJO!** ¡Cuidado con los verbos en el presente y en el imperfecto!

EDADES	TEMAS POSIBLES	EXPRESIONES
a los 5 años	familia y amigos	Tengo/Tenía…
a los 10 años	características personales	Yo soy/era una persona…
a los 15 años	gustos y disgustos	Me gusta(n)/gustaba(n)…
a los 18 años	creencias (*beliefs*)	Creo/Creía que…
ahora	aspiraciones	Quiero/Quería…

MODELO: A los 10 años, yo era una persona tímida, pero ahora soy más extrovertida.

Charla con Juan

DATOS PERSONALES

Nombre: Juan Oliva Orihuela
Edad: 41 años
Nació en: La Habana, Cuba

*Suggestion (**Vocabulario útil**): Pronounce each item for students before they watch the interview so that the words will sound familiar. Then have students guess what the content of the interview will be, based on the chapter theme and on the Vocabulario útil.*

Suggestion: Pre-reading: Have students look up these musical instruments from the Caribbean: el bongó, el güiro, el piano, las claves, las maracas, el tambor. Then have students use this information and the vocabulario útil to predict what Juan will mention.

A. La Habana Vieja. Lee la siguiente entrevista con **Juan Oliva Orihuela**. Mientras lees, apunta todas las actividades que hacía Juan con su familia.

¿Dónde vivías de niño?

Yo vivía en La Habana Vieja en la casa de mis padres, con mis hermanos.

¿Cómo era La Habana Vieja en aquella época?

La Habana Vieja era alegre, festiva, tenía edificios que representan lo que fue la colonia en 1800 tantos. La Habana Vieja es un lugar donde se bailaba, se cantaba y se reunían muchas familias.

¿Pasabas mucho tiempo con tu familia?

Pasaba, sí, mucho tiempo con mi familia, en especial con mi mamá, mayormente en la cocina cuando ella estaba cocinando. Y me daba muchas vibras de la vida. Ella me dio muy buenos consejos que hoy puedo utilizar en mi diario vivir. Ya que el resto del tiempo en la casa, cuando limpiaba o ella hacía otra cosa que no fuera cocinar, ella cantaba y todo el mundo sólo escuchaba su cantar.

¿Qué más hacías con tu familia?

Con mi familia, bueno, en la familia había la costumbre de hacer música diaria, no necesariamente por ninguna festividad o ninguna fecha memorable, era todo espontáneo. Un tío mío llegaba y tomaba una guitarra, porque ellos fabricaban los instrumentos, guitarras, contrabajos, tenían todas las herramientas para hacer estos instrumentos. Y un día casual llegaba uno, tomaba una guitarra, comenzaba a tocarla, y empezaban a llegar de diferentes partes familias de la casa y a tomar diferentes instrumentos, como las maracas, el güiro, las claves, el bongó, un tambor, un piano viejo que había en una esquina, y comenzaban a tocar, y el pueblo... los vecinos

  You can watch this interview on the DVD to accompany *Portafolio* or on the Online Learning Center (**www.mhhe.com/portafolio**).

Suggestion: Before they read, have students find the new active vocabulary for this chapter in the text.

Suggestion: Have students look at the map in the chapter opener to locate La Habana.

Note: This interview is one of the longest presented in Portafolio. The last question is included more for aesthetic reasons than for comprehension. If the answer seems difficult for your students, ask them only to listen to the beauty of the street vendor's call (pregones). Give students a 1- or 2-sentence summary of what Juan is talking about.

vocabulario útil

en aquella época	in those days
en 1800 tantos	in 1800 something
mayormente	mainly
vibras	pointers
buenos consejos	good advice
utilizar	to use
mi diario vivir	my daily living
que no fuera cocinar	other than cooking
fabricaban	made
contrabajos	double basses
herramientas	tools
un día casual	no particular occasion
antes de yo haber nacido	before I was born
pregones *m. pl.*	street vendors' calls
la venta	the sale
viandero	grocery/vegetable vendor
viandas	vegetables
manicero	peanut vendor
a través de	through

así se dice

The suffix **-ero/a** can be added to some word roots to indicate a person who does the action. Thus, a **pregonero/a** is one who calls out **un pregón**; a **pordiosero/a** is a beggar, from the expression **Déme algo, por Dios** (*Give me something, for [the love of] God*). What do you think these people do?

dominguero/a, mesero/a, zapatero/a

Answers (*Así se dice*): *dominguero* (from *domingo,* as if the person were on a lazy Sunday afternoon outing) = **Sunday driver,** *mesero* (from *mesa*) = **waiter,** *zapatero* (from *zapato*) = **cobbler.**

Note: Juan makes reference to *el manicero.* He is referring to a real peanut vendor, but this was also a character type immortalized in the song *"El manicero."* In his comments, Juan alludes to the fact that the song echoes the *pregones* of the *manicero.*

Point out: The term *colonia* as used by Juan refers to the colonial Spanish government, before independence from Spain in 1898. Contrast this with the meaning of *colonia* used in Mexico (*Capítulo 7*), where it means **neighborhood.**

Answers C: 1. Juan never mentions moving, but students can infer that Juan's family didn't move often, if ever. Based on what Juan says about the neighbors stopping by upon hearing music and a spontaneous party starting up, it's clear that his family had lived in that neighborhood a long time. **2.** *Su mamá, porque él pasaba la mayor parte del tiempo con ella y todo mundo la escuchaba cantar.* **3.** Juan doesn't say it explicitly, but students can infer that his extended family was probably important to him, based on the way he talks about his uncle playing the guitar and the way other family members would show up and start playing other musical instruments.

del barrio, al oír la música, pasaban y entraban, y comenzaba esta gran fiesta a las 12:00 del día y a las 6:00 de la tarde había cien personas bailando y cantando dentro de mi casa. Era uno de los momentos más... alegres en mi memoria de Cuba.

¿Tienes otros recuerdos de tu niñez?

De mi niñez... tenía buenos amigos en el barrio. Jugábamos pelota, *soccer* (balompié). Recuerdo a mi familia, mi papá que hablaba de cómo era Cuba antes de yo haber nacido.

Recuerdo que mi mamá cantaba pregones, que supuestamente eran cantados por personas que se dedicaban a la venta popular de diferentes productos. Como otro también que mi mamá siempre cantaba, era el del viandero. El viandero es, era un señor que vendía viandas: vegetales, plátanos, papas, malangas, y a mi mamá le gustaba mucho ése. Ella siempre en la cocina, un rato conmigo me decía: «Yo me acuerdo de eso cuando era niña.» Y después lo cantaba, usualmente en el baño ella decía: «*Son de la güira pintón y verde. Son de la güira pintón y verde, plátano verde manganzón. Oye, cómprelos, casera. Se lo vendo bien barato. Por un peso ya se va... Vaya plátano verde, pintones, caserita...* » y cosas así. Que me recuerdan mucho al manicero, que tenía toda una canción: «*Maní, manicero llegó. Vaya casera. Maní pica. Cómo pica.*» Cosas así que se cantaban y todavía... Yo no las viví porque fue en la época de mis padres, pero a través de ellos, pude tener la oportunidad de vivirlas.

B. ¿Comprendiste? Después de leer la entrevista, escoge la palabra o frase que mejor completa cada oración.

1. La Habana Vieja era _____a_____.
   a. alegre   **b.** grande   **c.** triste
2. Juan pasaba mucho tiempo con la familia en _____b_____.
   a. la calle   **b.** la cocina   **c.** la sala
3. A las 12:00, todos _____c_____.
   a. limpiaban   **b.** salían a comer   **c.** tocaban música
4. Juan y sus parientes tocaban muchos instrumentos musicales, excepto _____c_____.
   a. la guitarra   **b.** el piano   **c.** el saxofón

C. Reflexión. Contesta las siguientes preguntas.

1. ¿Crees que la familia de Juan se mudaba (*moved*) con frecuencia, o crees que vivió en el mismo lugar por muchos años? ¿Cómo lo sabes?
2. En tu opinión, ¿quién era la figura más importante en la familia de Juan? ¿Por qué?
3. Durante su niñez, ¿era muy importante la familia extendida para Juan? ¿Cómo lo sabes?
4. En tu propia niñez, ¿pasabas tu tiempo libre con la familia como Juan? ¿Por qué sí o por qué no?

Vocabulario

¿QUÉ FIESTAS CELEBRABAS DE NIÑO/A?

Suggestion: Review the months and the formula for stating dates: *el 2 de mayo, el 1° de noviembre,* and so on.

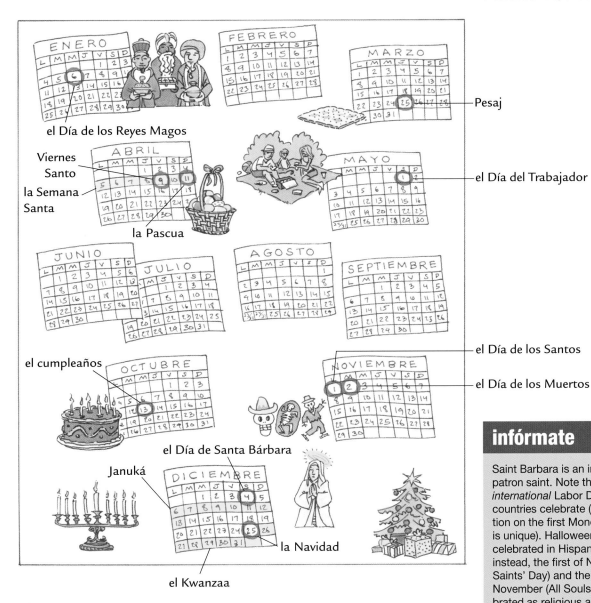

el Día de los Reyes Magos

Viernes Santo

la Semana Santa

la Pascua

Pesaj

el Día del Trabajador

el cumpleaños

el Día de los Santos

el Día de los Muertos

el Día de Santa Bárbara

Januká

la Navidad

el Kwanzaa

infórmate

Saint Barbara is an important Cuban patron saint. Note that May 1 is the *international* Labor Day, which most countries celebrate (the U.S. celebration on the first Monday of September is unique). Halloween is not generally celebrated in Hispanic countries; instead, the first of November (All Saints' Day) and the second of November (All Souls' Day) are celebrated as religious and family holidays.

el barmitzvah / la batmitzvah	bar/bat mitzvah
la confirmación	confirmation
el Día de (Acción de) Gracias	Thanksgiving
el (día del) santo	saint's day
la primera comunión	first communion
la quinceañera	girl's fifteenth birthday party
celebrar	to celebrate
recordar (ue)	to remember

infórmate

Expansion B: Have students expand on their associations, for example, *Para mí, los viajes son una parte esencial de la Navidad porque todos los años vamos a casa de mi abuela.* Provide a model sentence like this one to get students started.

Expansion C: Have students compare a typical party given by their family or one of their friends to the one in the photo on page 231.

Point out C: Remind students that to express what is going on (*lo que está pasando*) the present progressive is used. It may be necessary to review quickly the formation of the tense (***estar*** + present participle).

práctica

A. El año actual. Mira un calendario del año corriente. ¿En qué fecha se celebran las siguientes fiestas? No olvides (*Don't forget*) indicar el día de la semana y/o del mes. También busca otras fiestas que se celebran en tu familia.

> **MODELO:** tu cumpleaños →
> Este año, mi cumpleaños es el lunes, el 4 de abril.

1. la Pascua
2. Januká
3. la Semana Santa
4. el Día de Acción de Gracias
5. el Día de la Independencia (de tu país)
6. ¿ ?

B. Asociaciones. ¿Qué fiesta(s) y emociones asocias con las siguientes palabras? Usa las palabras de la lista del vocabulario más las del siguiente **Vocabulario útil.**

VOCABULARIO ÚTIL

el Día de la Madre	Mother's Day
el Día del Padre	Father's Day
el Día de los Enamorados (de San Valentín)	Valentine's Day

1. regalos
2. sorpresa (*surprise*)
3. familia
4. viaje (*trip*)
5. flores
6. pastel o dulces
7. comida especial
8. amigos
9. novio/a
10. gobierno

C. Las fiestas hispanas. Describe lo que está pasando en las siguientes fotos. siguiente página que son de dos fiestas diferentes que se celebran en el mundo hispano. Después, compáralas con tus propias celebraciones de ocasiones parecidas.

Una familia celebra el santo de una niña en Buenos Aires.

En esta procesión de Semana Santa en Antigua, Guatemala, muchos hombres llevan una carroza (*float*) con la imagen de Jesucristo.

D. Entrevista: Las fiestas en tu vida. ¿Qué fiestas celebrabas de niño/a? ¿Cómo las celebrabas? ¿Qué comías en esas ocasiones? Trabajando con un compañero / una compañera de clase, describan por lo menos una fiesta que celebraban de niño/a que todavía celebran ahora y las semejanzas y diferencias entre las celebraciones del pasado y las de ahora.

 Suggestion D: Have students formulate a series of questions (model, then check their usage of the imperfect forms), allow them time to interview 1 or 2 other students, then have them report their findings to the entire class. Model the follow-up, making sure students understand when to use the imperfect and the present to distinguish past and present celebrations.

¿CÓMO TE SENTÍAS?

Mi abuelo era muy alegre; contaba chistes (*jokes*) y siempre **se reía*** mucho.

Mi tía Gladys **sonreía**† cuando mi abuelo contaba chistes.

Mi hermana lloraba mucho cuando era niña.

ponerle (*irreg.*) + *adj.* **a alguien** to make someone (feel) + *adj.*
sentirse (ie, i) + *adj., adv.* to feel + *adj., adv.*

aburrido/a	enojado/a	optimista
alegre	frustrado/a	orgulloso/a
cansado/a	(in)feliz	pesimista
cariñoso/a	interesado/a	respetuoso/a
confiado/a	intimidado/a	tenso/a
deprimido/a	irritado/a	tímido/a
desilusionado/a	molesto/a	triste
emocionado/a	nervioso/a	unido/a
bien	fatal	mal
estupendo	horrible	maravilloso
fantástico		

Note: Most of these adjectives and adverbs have been presented earlier or are cognates. Make sure students have the chance to verify meanings of any unfamiliar words. Point out that the 7 words at the bottom of the list are adverbs and either do not have or do not change to feminine forms when used with the verb *sentirse* (e.g., María says, *"me siento fantástico"* **not** *"me siento fantástica"*).

---

*In the present, the verb **reírse (i, i)** is conjugated: **me río, te ríes, se ríe, nos reímos, os reís, se ríen.** In the preterite, it's conjugated: **me reí, te reíste, se rió, nos reímos, os reísteis, se rieron.** Note the position of the written accents in each tense.
†The verb **sonreír (i, i)** is conjugated like the verb **reírse** in all tenses but with the prefix **son-** and without the reflexive pronouns: *present* = **sonrío, sonríes, sonríe,...** ; *preterite* = **sonreí, sonreíste, sonrió,...**

A. La idea exacta. Trabajando con un compañero / una compañera, usa las siguientes preguntas para verificar el significado (*meaning*) de las palabras de la lista anterior (*preceding*).

1. ¿Qué palabras son sinónimas? ¿Cuáles son opuestas?
2. En tu opinión, ¿cuáles representan emociones positivas? ¿Cuáles representan emociones negativas?

Expansion B: Have students tell about a specific occasion for the events in this activity.

B. Reacciones. ¿Qué emociones asocias con las siguientes ocasiones? Sigue el modelo.

MODELO: Las fiestas de despedida (*good-bye*) →
Las fiestas de despedida me ponen triste y deprimido y lloro mucho.

1. la boda de un amigo / una amiga
2. las disputas familiares
3. las fiestas de cumpleaños
4. Januká (el Kwanzaa, la Navidad)
5. la muerte de algún pariente
6. las reuniones familiares
7. las vacaciones en familia
8. ¿ ?

Point out (*Photo*): Explain that Cuban-American children often celebrate holidays from both Anglo and Hispanic traditions. Refer students back to the photo in the chapter opener about Cuban-American double identity.

De niño/a, ¿salías el 31 de octubre para pedir caramelos en tu barrio como estos niños cubanoamericanos en Miami?

¡Escribe y habla mejor!

Have you noticed that many forms of the imperfect conjugation have written accent marks? In this chapter you will review all the uses of the accent mark studied so far, with a focus on the imperfect.

Study the information in Appendix A, and practice your pronunciation and spelling in the *Portafolio de actividades*.

Gramática

9.2 *GUSTAR* (REVIEW)

You have already learned to use expressions with **gustar** when expressing likes and dislikes. In this section you will review these constructions and learn more details about the sentence patterns in which this verb appears.

Gustar with Actions (Verbs)

When talking about actions that you or others prefer, use a form of **gustar** with the *infinitive* form of the verb(s) (even if the English translation uses an *-ing* form of the verb). Note that, regardless of the number of actions (verbs) listed, the form of **gustar** is singular.

Me **gusta** preparar la cena.	*I like making supper.*
Nos **gusta** reunirnos a menudo.	*We like to get together often.*
Te **gusta** cantar y bailar.	*You like to sing and dance.*

The imperfect of **gusta** is **gustaba.**

De niño te **gustaba** tocar la guitarra en las fiestas familiares.

As a child you used to like to play the guitar at family parties.

Suggestion: Point out to students that in the example *Nos gusta reunirnos a menudo,* the first *nos* is a part of the *gustar* pattern, and the second *nos* is part of the reflexive verb *reunirse.*

Gustar with Things (Nouns)

When verbs like **gustar** are used with things (as opposed to actions), the ending of the verb changes to reflect the quantity—singular or plural—of the thing(s) liked.

A mí me gust**an las fiestas** de sorpresa, pero a mis padres les gusta más **una cena** elegante.

I like surprise parties, but my parents prefer (lit., *like more*) *a fancy dinner.*

Nos gust**a el regalo** de la abuela.

We like our grandmother's gift.

¿Te gust**an las fotos** de tu niñez?

Do you like the pictures from your childhood?

The imperfect of **gustan** is **gustaban.**

Me gustab**an** mucho **las fiestas** que daban mis padres.

I really used to like the parties my parents gave (*used to give*).

9.3 OTHER VERBS LIKE *GUSTAR*

Other verbs that use the same sentence pattern as **gustar** are useful for expressing positive and negative reactions. You have already learned some of these verbs; make sure you know the meaning of all of them.

REACCIÓN POSITIVA		REACCIÓN NEGATIVA	
caer (*irreg.*)* **bien**	to like (*someone*)	**caer*** **mal**	to dislike (*someone*)
encantar	to delight, charm	**disgustar**	to annoy, offend, upset
fascinar	to fascinate	**irritar**	to irritate
gustar	to be pleasing	**molestar**	to bother, annoy
importar	to matter, be important	**no importar**	not to matter, be unimportant
interesar	to interest	**aburrir**	to bore

NOTES:

- Gustar is generally used to express likes for things and actions.
- To express likes and dislikes for people, use **caerle bien/mal.**

Me cae bien mi tío Alejandro, pero **me caen mal** mis primas.	*I like my Uncle Alejandro, but I don't care for my cousins.*

- All these "other verbs like **gustar**" require the same agreements between subject (the thing that fascinates, interests, is pleasing, and so on) and verb and between the indirect object pronoun **(me, te, le, nos, os, les)** and any stated indirect object **(a mí, a ti, a usted/él/ella,...).**

A ustedes les **fascinan** las películas de horror, ¿verdad?	*You (pl.) are fascinated by horror films, right?*
A mi madre no le **interesan** para nada.	*My mother isn't interested in them at all.*

práctica

A. Entrevista: La fiesta ideal

Paso 1. ¿Cuáles de las siguientes oraciones expresan tus ideas sobre lo que debe ocurrir en tu fiesta ideal?

- ☐ Me fascinan las comidas elegantes.
- ☐ Me importa tener allí a muchos amigos.
- ☐ Me encanta recibir regalos.
- ☐ Me irritan los juegos como *Charades.*
- ☐ Me importa invitar a mis padres.
- ☐ Me disgusta tomar bebidas alcohólicas.
- ☐ Me gusta incluir a personas de todas las edades (niños y adultos).
- ☐ Me caen mal los que se ponen borrachos.

---

*The verb **caer** is irregular in the present only in the **yo** form: **caigo, caes, cae,...** In the preterite, the third-person forms resemble those of **leer** (**leyó, leyeron**): **cayó, cayeron.**

Paso 2. Convierte las oraciones del **Paso 1** en preguntas y habla con un compañero / una compañera para comparar tu fiesta ideal con la suya (*his/hers*). Al final, prepara un resumen para la clase de las semejanzas y diferencias.

> MODELO: E1: Paula, ¿te gusta cantar y bailar en tus fiestas?
> E2: Sí, me gusta.
> E1: (*a la clase*): A Paula le gusta cantar y bailar en sus fiestas; también le gusta(n)…

B. **Las fiestas de Armando.** Usa las siguientes frases para escribir oraciones completas (en el imperfecto) sobre las fiestas de Armando, un cubanoamericano de Miami. Luego, indica si las oraciones son ciertas o falsas, según lo que has aprendido en este capítulo.

Suggestion B: The most common mistake for beginners is to forget the preposition *a* in this sentence pattern. You may want to provide a model before students begin the activity to reinforce this point.

	CIERTO	FALSO
1. Armando / gustar / *Halloween*	☐	☐
2. Armando y los otros niños / encantar / salir con sus padres en *Halloween*	☐	☐
3. Armando / caer mal / su abuela	☐	☐
4. los niños del barrio / no importar / recibir muchos caramelos	☐	☐
5. Armando / molestar / reunirse con su familia en Nochebuena (*Christmas Eve*)	☐	☐
6. Armando / encantar / cantar y bailar con su familia	☐	☐

C. **¿Qué opinas** (*What do you think*)**?**

Paso 1. Las fiestas y tradiciones familiares tienen aspectos positivos y negativos. Escribe tu opinión sobre cada tema de la lista, usando los verbos **gustar, encantar, irritar, molestar,** etcétera. ¿Puedes añadir otros detalles a la lista?

> MODELO: los besos de la abuela u otro pariente →
> Me irritan los besos de mi abuela. ¡Ya no soy bebé!

1. los regalos de parientes que no conoces muy bien
2. los platos típicos de tu familia (menciona platos específicos)
3. tener a toda la familia reunida
4. presentar a tu novio/a (esposo/a) a la familia
5. viajar a casa de los parientes
6. cenar/comer muy fuerte
7. cantar (mirar la televisión, escuchar la radio, etcétera) todos juntos
8. ¿ ?

Paso 2. Ahora compara tus respuestas con las de dos o tres compañeros/as de clase. ¿Qué cosas son positivas para la mayoría? ¿Cuáles son generalmente negativas?

portafolio cultural

CUBA

Origen del nombre: de *Cobai* o *Cubanacan,* nombres indigenas

Capital: La Habana

Población: 11.394.043

Moneda: peso cubano

Lenguas: español (oficial)

La Habana Vieja

Question 1: Have students compare the current state of the monuments or places they name with what they must have been like in an earlier period. Model an example contrasting the present tense and the imperfect: *Ahora el capitolio* (capitol building) *de mi estado es* _____, *pero antes era* _____ *and so on/ tenía* _____ and so on.

La Universidad de la Habana.

nación

LA HABANA VIEJA

La Habana Vieja es la ciudad antigua, formada a partir del[a] puerto, el centro oficial y la Plaza de Armas. En ella están todos los grandes monumentos antiguos, las fortalezas,[b] los conventos e iglesias, los palacios, las callejuelas,[c] los soportales[d] igual que densidad humana.

La Plaza de Armas es la más antigua de La Habana (1519). Las calles cercanas tienen hermosas galerías,[e] muy típicas de La Habana, con arcos de medio punto.[f] Iglesias antiguas, algunas restauradas y otras abandonadas, salpican[g] la Habana Vieja, entre ellas la Iglesia Espíritu Santo, la más antigua de La Habana.

Desafortunadamente, muchos edificios están en deplorable estado o en ruinas. En 1982, UNESCO declaró La Habana Vieja Patrimonio de la Humanidad, pero esto no ha servido de mucho: el deterioro avanza, y día a día se pierden notables construcciones históricas. Sin embargo, hay algunos signos de renacimiento[h]: entre 1994 y 2004, en medio de una de las peores crisis económicas de Cuba, se restauraron más de 80 obras del patrimonio cultural. Hoy se puede pasear por cualquiera de las calles o plazas recuperadas y apreciar la historia artística de esta ciudad.

1. ¿Cómo describirías (*would you describe*) La Habana colonial? Conoces algún lugar colonial o antiguo en tu país? ¿Cómo se comparan?
2. Hay personas que piensan que los edificios y barrios antiguos se deben proteger; otros piensan que no importa destruirlas para dar lugar a construcciones más modernas y útiles. ¿Qué opinas tú con respecto a ese debate?

[a]*... starting at* [b]*fortresses* [c]*alleys* [d]*arcades, colonnades* [e]*balconies* [f]*arcos... round arches* [g]*are scattered around* [h]*rebirth*

actualidad

EL SISTEMA POLÍTICO Y LA SOCIEDAD CUBANA

La Revolución Cubana de Fidel Castro asumió poder en la isla en 1959 con el expreso propósito de corregir las injusticias sociales y la corrupción del gobierno anterior.[a] Poco después de la Revolución, el régimen de Castro a su vez tomó un carácter político totalitario, pero tuvo considerable éxito[b] en algunas reformas sociales, sobre todo respecto a la educación y la salud pública.

Actualmente toda la educación en Cuba es pública y gratuita,[c] inclusive la educación universitaria. Es obligatorio asistir a la escuela de los 6 a los 16 años, y por eso[d] Cuba goza de uno de los niveles[e] más altos de alfabetización[f] en Hispanoamérica.

Otro de los logros[g] de la Revolución Cubana es el progreso respecto a la salud pública de sus ciudadanos. Según las estadísticas de la Organización Mundial de Salud, tanto la esperanza de vida como de mortalidad infantil en Cuba están a la par de[h] la de los países occidentales industrializados.

[a]*previous* [b]*success* [c]*free, no cost* [d]por... *because of this* [e]*levels* [f]*literacy* [g]*achievements* [h]a... *on a par with*

Sin embargo, el régimen cubano ha sido muy criticado por las violaciones a los derechos civiles y humanos. La libertad de expresión está reprimida —el acceso al Internet, por ejemplo, es muy limitado— y los disidentes son perseguidos.[i] Se han señalado casos de encarcelamientos arbitrarios, juicios injustos,[j] torturas y ejecuciones. El gobierno ha negado[k] entrada a Cuba a grupos internacionales como La Cruz Roja y Amnistía Internacional, que intentan investigar los abusos mencionados.

1. Según esta lectura, ¿cuáles son los logros y los fallos (*failures*) del régimen castrista en Cuba? En su opinión, ¿son más importantes los logros o los fallos?
2. ¿Cómo se caracteriza la educación en Cuba? ¿En qué se parece o se diferencia a la de la región en que vives tú? ¿Cuáles pueden ser las ventajas o desventajas de tener únicamente un sistema público de educación?
3. ¿Cuál es la actitud del gobierno cubano hacia la libertad de expresión? En tu opinión, ¿por qué la reprime (*repress*)?

[i]*persecuted* [j]encarcelamientos... *arbitrary imprisonment, unfair trials* [k]ha... *has denied*

cartelera

FIESTAS TRADICIONALES CUBANAS

En Cuba existen varios tipos de fiestas tradicionales: fiestas campesinas, carnavales, parrandas, charangas y festividades de origen africano.

Las fiestas tradicionales campesinas más típicas son el guateque, el changüí y torneos, entre otras. En el guateque abunda la música de influencia hispánica y canaria[a] mientras que la música en el changüí es de la modalidad del son.[b] En los torneos, en cambio, se realizan concursos[c] con caballos y argollas.[d]

Algunos músicos tocan en un changüí en Cuba.

Los carnavales cubanos tienen sus antecedentes en las viejas tradiciones de España, donde durante los tres días antes de la Cuaresma[e] se celebraba con disfraces, carrozas, comparsas y desfiles.[f] En el carnaval de Santiago se destaca[g] la presencia africana y la influencia francesa proveniente del país vecino de Haití.

Las parrandas y charangas son semejantes a los carnavales, pero en éstas distintos barrios compiten en cuanto a trabajos de carrozas[h] basadas en un tema tomado de la literatura, del cine o de cualquier otra materia.

Actualmente, hay más de 30 fiestas revitalizadas en Cuba en los cuales se respetan las fuentes[i] tradicionales al mismo tiempo que se asimilan costumbres[j] de los últimos años.

1. ¿Cuál(es) de las fiestas tradicionales te parece(n) mas curiosa(s)? ¿A cuál(es) te gustaría asistir? Explica por qué.
2. ¿Hay fiestas tradicionales en la región donde vives? ¿Cómo son? ¿Se parecen alguna(s) de las fiestas tradicionales cubanas a alguna de tu región o de otra parte del mundo? Explica cómo.
3. ¿Por qué piensas que son populares las fiestas tradicionales en la época moderna?

[a]de las Islas Canarias [b]*genre of Cuban melody* [c]*contests* [d]*hoops* [e]*Lent* [f]disfraces... *costumes, floats, bands, and parades* [g]se... *stands out* [h]*floats* [i]*sources* [j]*customs*

icono

Picadillo

Para hacer 4 porciones

1 cebolla mediana, picada[a]
1 diente de ajo finamente picado
1 libra[b] de carne molida[c] de res, extra magra[d]
1/4 de taza de jerez[e] (optativo)
1/2 cucharadita[f] de comino[g]
1/2 cucharadita de orégano
1/8 cucharadita de sal
Una pizca[h] de pimiento rojo molido
1/4 taza de pasas de uva[i]
1 taza de piña en cubos, fresca o envasada[j]
1 tarro[k] de 16 onzas de tomates en trozos
1 pimiento verde mediano, picado
1/4 de pimiento rojo, picado

Tamaño de cada porción: 1 1/2 tazas

En una sartén,[l] a fuego mediano, dore[m] la carne molida, la cebolla y el ajo hasta que la cebolla esté blanda,[n] la carne haya perdido[o] su color rosado y el líquido que suelta la carne salga claro.[p] Escurra[q] toda la grasa que suelte. Agregue los demás ingredientes, excepto los pimientos picados. Cocine suavemente durante 5 minutos. Agregue los pimientos y cocine hasta que se calienten[r] un poco. Sírvase con arroz y pan.

El picadillo es un plato que se come especialmente en las fiestas. Es popular en Cuba, la República Dominicana y Puerto Rico. Esta receta es una de las muchas variaciones posibles.

[a]*diced* [b]*pound* [c]*ground* [d]*lean* [e]*sherry* [f]*teaspoon* [g]*cumin* [h]*pinch* [i]*pasas… raisins* [j]*canned* [k]*jar* [l]*frying pan* [m]*brown* [n]*esté… is soft* [o]*haya… has lost* [p]*que… that comes from the meat runs clear* [q]*Drain* [r]*se… they become warm*

  You can watch this interview on the DVD to accompany *Portafolio* or on the Online Learning Center (**www.mhhe.com/portafolio**).

gente

HABLAN LOS CUBANOS

Nombre:	Eduardo Alemán Águila
Edad:	34 años
Nació en:	La Habana, Cuba

¿Entendiste? Contesta las siguientes preguntas después de ver la entrevista.

1. ¿Vivía Eduardo en una ciudad, un pueblo o en el campo? ¿Cómo lo sabes?
2. ¿Eran iguales todas las familias del edificio donde vivía Eduardo? ¿En qué se diferenciaban?
3. ¿Cómo eran los carnavales en La Habana? ¿Cuánto tiempo duraban? ¿Qué hacía la gente? ¿Cómo se ponía?
4. ¿Qué edades participaban en la tradición de dar vueltas alrededor de la ceiba?

Suggestion (*Vocabulario útil*): Pronounce each item for students before they watch the interview so that the words will sound familiar. Then have students guess what the content of the interview will be, based on the chapter theme and on the *Vocabulario útil*.

Answers: 1. *Eduardo vivía en una ciudad; porque dice que su abuelo era del campo y *traía un cerdo*… O sea, lo llevaba del campo a la ciudad donde vivía Eduardo. También su información biográfica indica que es de La Habana.* **2.** *No. Se diferenciaban en sus creencias religiosas; algunas familias eran católicas, otras mantenían ciertas creencias africanas y algunas como la de Eduardo no eran muy devotas.* **3.** *(Las carnavales) «… duraban como 45 días en los meses de julio y agosto. Y las personas se iban a la calle a bailar hasta altas horas de la noche, a conversar, a beber, a comer, y toda la ciudad estaba llena de alegría. Los niños sobre todo nos divertramos mucho recogiendo caramelos cayendo atrás de las carrozas, cosas de ese tipo.»* **4.** *Todos participaban.*

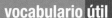

vocabulario útil

en la cual	in which
sobre todo	above all
traía un cerdo	(he) would (used to) bring a pig
asábamos	we would (used to) roast
los cuales duraban	which would (used to) last
hasta altas horas de la noche	until all hours (of the night)
alegría	joy
recogiendo caramelos	picking up candies
devota	devout
todo tipo de rituales	all types of rituals
ceiba	silkwood tree
le dábamos vueltas al árbol	we'd go around the tree
buena suerte	good luck

opinión

LA SIGUIENTE CITA tomada de una fuente escrita en inglés para anglohablantes trata el tema de la vida de los cubanos en Cuba y de los cubanos que viven en los Estados Unidos. Usa lo que has aprendido en este capítulo sobre Cuba y los cubanoamericanos, más tu propia experiencia, para contestar las preguntas que siguen las citas.

"Before 1959, when Fidel Castro took power in Cuba, about 35,000 Cubans lived in the United States, mainly in Florida and New York. Cuban immigration increased dramatically after this date, with over 250,000 people being airlifted to the United States between 1966 and 1973. In 1980, nearly half this number were 'boatlifted' from Mariel Harbor. Today, over 1,000,000 Cubans reside in the U.S., the majority in Florida. . . .

The extended family is generally a transitory household arrangement for recent immigrants, providing help and support for new arrivals. Hispanics in the United States favor the nuclear household over the extended family. . . .

While the children of Hispanic immigrants initially behave in traditional ways, the educational system and increasing exposure to North American culture often turn them toward more American models of behavior. Children often become intermediaries between their parents and the outside world, serving as linguistic and cultural interpreters. . . ."

Source: *The Hispanic Almanac: From Columbus to Corporate America*

1. Las personas que salen de su país por razones políticas frecuentemente quieren volver a su país tan pronto como (*as soon as*) posible. ¿Cómo les afecta la idea de una vuelta (*return*) rápida? ¿Crees que quieran adaptarse al nuevo país, o mantener las costumbres de su país de origen?
2. Cuántos años llevan los cubanos en los Estados Unidos desde 1959? ¿Cuántas generaciones han nacido (*have been born*) en los Estados Unidos? ¿Crees que los nietos de los prime-ros inmigrantes se sientan (*feel*) más cubanos que estadounidenses o viceversa? Explica.

mi portafolio

REDACCIÓN
Un retrato (*portrait*) escrito.
Crea un retrato escrito de tu profesor(a) o de otro adulto no de tu familia, incluyendo detalles y recuerdos personales de su niñez. Sigue los pasos en el *Portafolio de actividades* para completar el retrato.

EXPLORACIÓN
Investigación cultural.
Busca más información sobre Cuba o los cubanoamericanos en los Estados Unidos en la biblioteca, en el *Portafolio* Online Learning Center (**www.mhhe.com/portafolio**) o en otros sitios del Internet y preséntala a la clase. El *Portafolio de actividades* contiene más ideas para tu presentación.

Suggestion (*Opinión*): Remind students that the sources in this feature make certain assertions or generalizations about the country or region of focus in the chapter, that they are just *one* point of view, and that students should compare and contrast them with other points of view—such as those in the interviews they have seen.

Suggestion: If students are not familiar with the works of Cuban musicians and artists such as Gloria Estefan or José Martí, you may wish to bring in songs and texts and discuss the themes.

Vocabulario

La frecuencia

a menudo	frequently
a veces	sometimes
cada año/mes	each year/month
casi nunca	almost never
casi siempre	almost always
con frecuencia	frequently
raras veces	rarely
siempre	always
todas las noches	every night
todos los días	every day

Las etapas de la vida

la adolescencia	adolescence
el/la adolescente	adolescent, teenager
el/la adulto/a	adult
el/la anciano/a	elderly person
el/la bebé	baby
la edad adulta	adulthood
la infancia	infancy
el/la joven (pl. jóvenes)	young person
la niñez	childhood
la persona mayor	older person
la vejez	old age
el/la viejo/a	elderly person

confiado/a	trusting
deprimido/a	depressed
emocionado/a	emotional; moved
fatal	awful
(in)feliz (pl. [in]felices)	(un)happy
inocente	naive, inexperienced
molesto/a	annoying; annoyed
orgulloso/a	proud
rebelde	rebellious
respetuoso/a	respectful
sabio/a	wise
sensato/a	sensible
sensible	sensitive, caring
REPASO: el/la niño/a	

Las fiestas

el barmitzvah / la batmitzvah	bar/bat mitzvah
la confirmación	confirmation
el cumpleaños	birthday
el Día de (Acción de) Gracias	Thanksgiving
el Día de los Muertos	All Souls' Day (November 2)
el Día de los Reyes Magos	Epiphany (January 6)
el Día de los Santos	All Saints' Day (November 1)
el Día de Santa Bárbara	Saint Barbara's feast day (December 4)
el (día del) santo	saint's day
el Día del Trabajador	Labor Day (May 1)
Januká	Hanukkah
el Kwanzaa	Kwanzaa (December 26–January 1)
la Navidad	Christmas (December 25)
la Pascua	Easter
Pesaj	Passover
la primera comunión	first communion
la quinceañera	girl's fifteenth birthday party
la Semana Santa	Holy Week
el Viernes Santo	Good Friday
celebrar	to celebrate
recordar (ue)	to remember

¿Cómo te sentías?

llorar	to cry
ponerle (irreg.) + adj. a alguien	to make someone (feel) + adj.
reírse (i, i)	to laugh
sentirse (ie, i) + adj., adv.	to feel + adj., adv.
sonreír (i, i)	to smile
desilusionado/a	disillusioned, deceived
frustrado/a	frustrated
interesado/a	interested
intimidado/a	intimidated
irritado/a	irritated
nervioso/a	nervous
optimista m., f.	optimistic
pesimista m., f.	pessimistic
tenso/a	stressed
tímido/a	shy
estupendo adv.	stupendous
fantástico adv.	fantastic
horrible adv.	horrible, terrible
maravilloso adv.	marvelous

REPASO: (*adjectives*) **aburrido/a, alegre, cansado/a, cariñoso/a, confiado/a, deprimido/a, emocionado/a, enojado/a, orgulloso/a, respetuoso/a, triste, unido/a;** (*adverbs*) **bien, mal**

Verbos como *gustar*

aburrirle	to bore (*someone*)
caerle (*irreg.*) **bien/mal**	to (dis)like (*someone*)
disgustarle	not to be pleasing to (*someone*)
fascinarle	to fascinate (*someone*)
gustarle	to be pleasing to (*someone*)
importarle	to matter / be important to (*someone*)
interesarle	to interest (*someone*)
irritarle	to irritate (*someone*)
molestarle	to bother/annoy (*someone*)

CAPÍTULO 10

Viajes y paisajes

Esta pareja baila el tango, un símbolo de la identidad argentina, en el barrio de San Telmo en Buenos Aires.

DVD **Quia** Online Workbook/Lab Manual (www) Online Learning Center

En este capítulo...

NOTE: Throughout the chapter students will collect and learn information about these cultural objectives.

Objetivos culturales

▶ Traveling through Argentina

▶ Vacation spots and types of vacations

▶ City vs. country

▶ National symbols

Suggestion: There is a brief cultural quiz in the Instructor's Manual. Ask students those questions to see how much they know about Argentina before they begin the chapter. They can search for some answers in the chapter opener; others will be discovered as the chapter progresses.

El Glaciar Perito Moreno, Patagonia, Argentina

Unos gauchos arrean su ganado (*herd their cattle*) en la pampa.

Vocabulario

▶ Los medios de transporte

▶ De viaje

▶ Destinos urbanos

▶ La identidad regional

Gramática

10.1 Preterite vs. Imperfect

10.2 More About the Present Participle

10.3 The Present Perfect

10.4 **Lo** + Adjective

Portafolio cultural: Argentina

▶ Nación: La comunidad judía en Argentina

▶ Actualidad: De la crisis económica a la estabilidad

▶ Cartelera: La alimentación argentina

▶ Icono: Carlos Gardel

▶ Gente: Hablan los argentinos

▶ Opinión: Buenos Aires

▶ Mi portafolio

Vocabulario

LOS MEDIOS DE TRANSPORTE

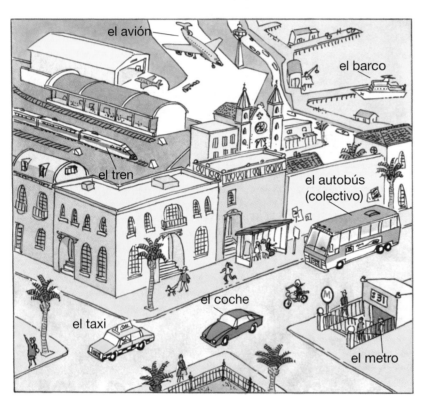

el centro	downtown; city center
la estación del metro* / de trenes	subway/train station
la parada de autobuses/taxis	bus stop / taxi stand
caminar	to walk
conducir (*irreg.*)†	to drive
ir a pie	to go on foot, walk
ir en autobús (avión, tren,...)	to go by bus (plane, train, . . .)
manejar	to drive

Suggestion: See the Instructor's Manual for suggestions on teaching vocabulary in *Portafolio*.

Note: Remind students of the expression *andar en bicicleta* that they learned in *Capítulo 8*.

práctica

A. **Asociaciones.** ¿Qué medio(s) de transporte asocias con las siguientes palabras y expresiones?

1. rápido
2. lento
3. entre ciudades
4. dentro de la ciudad
5. caro
6. barato
7. el agua
8. el aire

B. **¿Cómo llegas?** ¿Qué medio(s) de transporte usas para llegar a los siguientes destinos (*destinations*)?

MODELO: ir al centro →
Cuando voy al centro, voy en taxi. (Voy en taxi para ir al centro.)

---

*In Argentina **el metro** is usually referred to as **el subte,** from **subterráneo** (*underground*).
†In the present, **conducir** is irregular in the **yo** form only: **conduzco.** In the preterite, it is completely irregular: **conduje, condujiste, condujo,...**

1. ir de tu casa a la universidad (o viceversa)
2. ir a la estación de trenes
3. ir de compras
4. ir de vacaciones
5. visitar a tus amigos/as en tu barrio
6. visitar a tus abuelos u otros parientes
7. ir a la parada de autobuses

C. ¿Cuál es mejor? ¿Cuáles son las ventajas y las desventajas de los diferentes medios de transporte? Trabaja con tres o cuatro compañeros/as para apuntar sus ideas al respecto. Luego, van a exponer sus ideas a la clase.

Note C: If students need additional vocabulary items, insist that they use the expression *¿Cómo se dice _____ en español?* to ask you for them.

Suggestion: If students need help getting started, give a model: Write on the board *el avión / es rápido / es caro.* Show students how to flesh out these ideas into a complete sentence: *El avión es bueno porque es rápido, pero es muy caro.*

Follow-up: Make sure each group selects a spokesperson to report the results of their discussion to the rest of the class. Afterward, have the class vote on which advantage they feel is greatest and which disadvantage is worst.

DE VIAJE

la agente de viajes

el itinerario

CANCÚN

el billete/boleto

hacer cola

facturar el equipaje

En la agencia de viajes   **En el aeropuerto**   la maleta

la aduana	customs	**ir de vacaciones**	to go on vacation
el/la pasajero/a	passenger	**ir de viaje**	to go on a trip
la reserva	reservation	**parar en**	to stop (over) in
bajar de un autobús (coche, taxi)	to get off a bus (out of a car/taxi)	**perder (ie) un autobús (barco, tren, vuelo)**	to miss a bus (ship, train, flight)
estar de vacaciones	to be on vacation	**perderse (ie)**	to get lost
estar de viaje	to be on a trip	**subir a un autobús (coche, taxi)**	to get on a bus (in a car/taxi)
hacer una excursión	to go on an excursion/ outing	**viajar**	to travel
hacer un viaje	to take a trip	**de ida**	one-way
		de ida y vuelta	round-trip

Suggestion: Have students study this new vocabulary for homework before you present it in class. Then use as many of the items as possible in a simple narration of a trip that you took (real or fictional). Use personal photographs, pictures cut from magazines, and other props to illustrate the story. For example: *El año pasado, yo decidí ir a las montañas de Columbia Británica con mi novio para pasar las vacaciones* [show picture of snow-capped peaks]. *Hablamos con un agente de viajes aquí en St. Louis, quien nos ayudó a comprar los boletos* [show a plane ticket] *y hacer la reserva en un hotel* [show picture of hotel]…

Point out: *Perder* when used with modes of transportation means **to miss.** *Perderse* means **to get lost.**

Suggestion: You may also wish to introduce the following vocabulary: *abordar/desbordar un avión (barco/tren), cancelar/confirmar una reserva.*

Point out: To help explain the use of *vos* forms in the travel brochure on this page, refer students to the *Así se dice* box on p. 62.

Los destinos más populares

¡Vení a Argentina y conocé algunas de sus riquezas naturales!

La Playa Pinamar

Mirá el **paisaje**[a] rústico y tranquilo, la **sierra**[b] cerca de Córdoba y las bellas **playas** del **Océano** Atlántico: Pinamar, Villa, Gesell, Mar del Plata.

Las Cataratas del Iguazú

Disfrutá las **Cataratas** del Iguazú, las más grandes del país, la famosa **llanura**[c] de la Pampa y el **desierto** de la Patagonia.

El Cerro Aconcagua

Contemplá la majestad del **Volcán** Lanín o del Cerro Aconcagua, el **pico**[d] más alto de la **Cordillera**[e] de los Andes (6.960m).

También hay que conocer la **selva**[f] y los **lagos**[g] y **bosques**[h] de San Martín de los Andes.

¡No lo pienses más,[i] vení ya! ¡Argentina te espera!

el campo	country(side)	**el río**	river
la montaña	mountain	**el salto**	waterfall

[a]*landscape* [b]*mountain range* [c]*flatlands, prairie* [d]*mountain peak* [e]*mountain range* [f]*jungle* [g]*lakes* [h]*forests* [i]*No… Don't wait (think about it) any longer*

práctica

A. Definiciones. ¿A qué cosa, persona o acción se refieren las siguientes descripciones?

1. Cuando viajas de un país a otro, generalmente necesitas pasar por este lugar.
2. Es la persona que organiza tu viaje.
3. Es el viaje en avión.
4. Es la persona que viaja en avión, barco, tren, etcétera.
5. Es la acción de esperar un servicio con muchas otras personas, por ejemplo, en el banco.
6. Es un boleto que te permite ir a un lugar y después volver.
7. Es el conjunto (*collection*) de todas las maletas que llevas en un viaje.
8. Es la lista de las fechas y los lugares de un viaje.
9. Este tipo de viaje se puede hacer sobre la marcha (*off the cuff*), sin planearlo.
10. Es lo que muchos estudiantes hacen durante el descanso (*break*) de primavera.

B. El orden correcto. Juan Alberto vive en Buenos Aires. La semana pasada fue en autobús a ver a su tío en Córdoba. Pon las siguientes acciones en orden cronológico para describir su viaje.

a. __8__ bajar del autobús en Córdoba
b. __4__ comprar el boleto
c. __6__ disfrutar del (*to enjoy the*) viaje en autobús
d. __3__ hacer cola en la estación
e. __2__ llegar a la estación de autobuses
f. __7__ parar unos minutos en Rosario
g. __5__ subir al autobús en Buenos Aires
h. __1__ ir en taxi a la estación de autobuses

C. Descripciones. ¿Cómo describes los siguientes lugares? Usa las palabras de la lista y añade otras que conoces.

LUGARES

1. _____ un pueblo de Nueva Inglaterra
2. _____ el Desierto Sahara
3. _____ Buenos Aires
4. _____ la selva amazónica
5. _____ las Montañas Rocosas en Colorado
6. _____ la Antártida
7. _____ las Cataratas del Niágara
8. _____ la Cordillera de los Andes
9. _____ el Lago Superior

DESCRIPCIONES

a. mucho calor/frío
b. pintoresco/a (*picturesque*)
c. húmedo/a
d. tranquilo/a
e. rústico/a
f. enorme
g. cosmopolita
h. seco/a
i. ¿ ?

Suggestion D: Model the necessary language to start and finish the card (e.g., *Estimado profesor / Estimada profesora; Saludos desde Argentina*). Encourage students to find images of the places mentioned in the brochure on the Internet. Then, they can print them out and write their postcard text on the back side of the images.

Follow-up E: Have partners report the results of their interview to the class. Push students to more extended discourse by having them use the information gathered to decide, for example, *¿Quién es el viajero* (traveler) *más experimentado de la clase?* They should use other students' interview information to support their answers (*Roberto es el viajero más experimentado porque de niño siempre iba a muchos países diferentes.*).

Suggestion F: This activity serves as a review of the preterite verb forms before students study the preterite/imperfect contrast in *Gramática 10.1*. As you monitor students' work in this activity, balance a focus on the content of their ideas with a focus on preterite verb forms.

D. Una postal (*postcard*). Imagina que tú y un compañero / una compañera de clase están en uno de los destinos anunciados en el folleto (*brochure*) turístico de la página 56. Trabaja con tu compañero/a para escribirle una postal a tu profesor(a) de español que incluya la siguiente información:

- una descripción de lo que se ve en el lugar
- las actividades posibles
- por qué les gusta el lugar

E. Entrevista: Preferencias. Entrevista a un compañero / una compañera de clase para saber qué le gusta hacer cuando va de viaje.

1. ¿Cómo prefieres viajar? ¿Por qué? ¿Qué haces en camino (*en route*)?
2. ¿Te gusta viajar solo/a o con amigos o parientes?
3. ¿Te gusta acampar en las montañas? ¿Por qué sí o por qué no?
4. ¿Conoces buenos restaurantes y hoteles en los lugares que visitas?
5. ¿Planeas los viajes con mucho tiempo y cuidado, o te gusta tomar decisiones espontáneas?
6. ¿Te gusta hacer excursiones organizadas, o prefieres preparar tu propio itinerario?
7. ¿Siempre vas a los mismos lugares, o escoges nuevos destinos?
8. ¿Qué actividades haces cuando vas de vacaciones?

F. Un viaje reciente. Cuéntale a un compañero / una compañera de clase los detalles de un viaje reciente que hiciste. Usa las siguientes preguntas como guía.

- ¿Adónde fuiste?
- ¿Con quién(es) viajaste?
- ¿Cómo fuiste?
- ¿En qué época (*time*) del año viajaste?
- ¿Qué actividades hiciste en el viaje?
- ¿Dónde te alojaste (*did you stay*)?
- ¿Qué te pareció el lugar?
- ¿La pasaste bien, en general?
- ¿Por qué sí o por qué no?

¿Hiciste tu último viaje en avión como estas personas en Buenos Aires, o usaste otro medio de transporte?

Gramática

10.1 PRETERITE VS. IMPERFECT

In previous chapters, you learned the forms and a few uses of the two past tenses in Spanish—the *preterite* and the *imperfect*. Here is a summary of those uses. The key expressions on the right can often tip you off to the various uses, but in the end the determining factor for choosing preterite or imperfect is the meaning you are trying to convey.

PRETERITE		
USES	**EXAMPLES**	**KEY EXPRESSIONS**
completed action in the past	**Fuimos** a la playa durante las vacaciones de verano.	**anoche/ayer** **de repente** (*suddenly*) **el año/mes pasado** **una vez, dos veces,...**
completed actions in a series	**Abordé** el avión, **me senté** y entonces ¡**cancelaron** el vuelo!	**primero,...** **después,...** **luego,...** **finalmente / por fin**
actions completed within a specified quantity of time	**Nos quedamos** allí (por) tres días. **Vivimos** en Argentina (por) dos años.	**(por) _____ años/días**

IMPERFECT		
USES	**EXAMPLES**	**KEY EXPRESSIONS**
description without focusing on completed actions	**Me gustaba** mucho visitar a mis abuelos en Miami. Su casa **era** un lugar perfecto para jugar.	
habitual actions in the past	**Siempre íbamos** a la playa durante las vacaciones de verano.	**cuando era niño/a** **siempre** **todos los días**
telling time and age in the past	**Tenía** 13 años en 1993. **Eran** las 5:00 en punto de la tarde.	

Point out: The expressions of frequency from *Capítulo 9* often occur with the imperfect.

Aspect vs. Tense

The difference between the preterite and the imperfect is not one of *tense;* both are past tenses. The real distinction is one of *aspect,* that is, the way in which the speaker views the progress of the action or state in question.

Aspect may be *progressive* (in progress: *I was eating, he is working, they will be arriving*), habitual (*I used to eat, he always works, they will [usually] arrive*), or *punctual* (nonprogressive, single point in time: *I ate, they will arrive*).

Notice that in these examples, all three tenses (past, present, future) are represented. The imperfect forms in Spanish are used to express progressive and habitual aspect in the past, but never punctual; the preterite is used for that.

Note: The example sentences here come from the *Charla con Nina* and refer to her travel story.

Narrating in the Past

The difference between the preterite and imperfect is especially important when telling a story in the past.

1. The background description of what things were like as the story unfolds is given in the *imperfect;* it is important to note that none of the activities expressed by verbs in the imperfect happens before or after the others in a sequence—they are all true simultaneously.

    El lago **estaba** a 2.000 metros sobre el nivel del mar,... **había** un refugio por allí,... **hacía** mucho frío.

    The lake was 2,000 meters above sea level, . . . there was a way station around there, . . . it was very cold.

2. The events that move the story along are recounted in the *preterite*—one action is completed before another happens.

    Agarramos otra bandera argentina, la **firmamos** y la **dejamos** ahí.

    We grabbed another Argentine flag, signed it, and left it there.

3. Both tenses can appear in the same sentence. Often when this occurs, the *imperfect* refers to an action that was in progress when another action (in the *preterite*) interrupted. Note that this "action in progress" use of the imperfect translates into English as *was/ were (doing something).*

    Esperábamos al guía cuando **empezó** a nevar.

    We were waiting for the guide when it began to snow.

Special Translations for the Preterite

In **Capítulo 8,** you learned that some verbs like **querer** and **saber** have special translations when used in the preterite. This is because an English verb like *to want* or *to know* can only indicate a state, not an action. The Spanish verb **saber** is actually more flexible; it can be used as an action as well as a state of being. Therefore, in the preterite, **supe** refers to the moment when I began to know something (for example, *I found out*). Note the special translations of the following verbs in the preterite (actions); the imperfect forms have a more predictable translation (states or descriptions).*

INFINITIVE	IMPERFECT PRETERITE	TRANSLATIONS
conocer	conocía	I was familiar with (I knew)
	conocí	I became familiar with for the first time (I met)
poder	podía	I could / was able to
	pude	I could and did (I managed to / accomplished)
no poder	no podía	I couldn't / wasn't able to
	no pude	I couldn't and didn't (I failed)
querer	quería	I wanted
	quise	I wanted and acted on that desire (I tried)

*Only the **yo** forms are listed here, but these special translations apply to all persons of the verb: **Lo conocimos en Córdoba.** (*We met him in Córdoba.*)

INFINITIVE	IMPERFECT PRETERITE	TRANSLATIONS
no querer	**no quería**	I didn't want
	no quise	I didn't want and didn't act on that desire (I refused)
saber	**sabía**	I knew (*a fact*)
	supe	I knew (*a fact*) for the first time (I found out)
tener que + *inf.*	**tenía que**	I had to (*do something*) (I had the obligation)
	tuve que	I had to and did (*do something*)

autoprueba

Estudia los verbos de las siguientes oraciones en inglés. Di si cada verbo subrayado requiere el pretérito o el imperfecto en español.

1. Last winter I <u>went</u> to Argentina with my family.
2. When we <u>arrived</u> in Buenos Aires, it <u>was</u> summer there; it <u>was</u> warm and sunny.
3. We immediately <u>got</u> on a bus and <u>spent</u> several hours en route to Córdoba.
4. My mother <u>was looking</u> at all the quaint little shops and my father <u>was admiring</u> the colonial architecture when a policeman <u>rushed</u> toward us.
5. My mother <u>was</u> scared to death, because she <u>didn't know</u> much Spanish.
6. Finally, we <u>realized</u> what was happening: my little brother had dropped his passport on the bus, and the policeman <u>was returning</u> it.
7. My parents <u>thanked</u> the policeman, and they <u>tried</u> to buy him a coffee, but he <u>said</u> he <u>was</u> on duty.

Suggestion (*Autoprueba*): This activity is **not** intended to be a translation; it includes many vocabulary items that students have not studied. Rather, it will show whether students have the conceptual base for understanding the preterite/imperfect distinction in Spanish, before moving on to producing the forms. You may wish to add more English sentences to expand the activity. Also, you may want to have students explain (in English) which rule dictates the verb choice for each example.

Answers: 1. preterite (completed action) **2.** preterite (completed action), imperfect, imperfect (both background description) **3.** preterite, preterite (two completed actions in a series) **4.** imperfect, imperfect (both ongoing actions interrupted by the next preterite), preterite (completed action) **5.** imperfect, imperfect (both background description) **6.** preterite (completed action), imperfect (action in progress) **7.** preterite, preterite, preterite (completed actions in a row), imperfect (background description)

práctica

A. **Un viaje a las Pampas.** Cambia los verbos subrayados del presente al pasado. ¡Cuidado con los usos del pretérito y del imperfecto!

Un día <u>decidimos</u>[1] irnos de la ciudad. Buenos Aires <u>tiene</u>[2] demasiado tráfico y <u>hace</u>[3] un calor insoportable. Nos <u>ponemos</u>[4] de acuerdo: ¡Todos <u>queremos</u>[5] ir a las Pampas! <u>Subimos</u>[6] al coche y dentro de una hora <u>estamos</u>[7] en el campo. El paisaje <u>es</u>[8] muy diferente: todo <u>es</u>[9] plano[a] y no <u>hay</u>[10] muchos árboles. ¡Pero sí <u>hay</u>[11] vacas[b]! Finalmente <u>llegamos</u>[12] a una estancia.[c] <u>Es</u>[13] una estancia en funcionamiento, pero <u>admiten</u>[14] turistas para mostrar la vida tradicional de las Pampas. No <u>conocemos</u>[15] a ningún gaucho,[d] pero <u>podemos</u>[16] comer unas carnes exquisitas y empanadas excelentes. Mientras mis amigos <u>montan</u>[17] a caballo, <u>hablo</u>[18] con el dueño de la estancia. <u>Es</u>[19] un hombre muy amable, y nos <u>invita</u>[20] a volver al fin de semana siguiente para una fiesta especial.

[a]*flat* [b]*cows* [c]*ranch* [d]*Argentine cowboy*

Suggestion A: Students might benefit from doing this activity in steps. First, have them decide whether the action or state in the underlined verbs should be rendered in the preterite or in the imperfect. Then have students give the conjugation of the tense chosen.

Answers: 1. *decidimos* **2.** *tenía* **3.** *hacía* **4.** *pusimos* **5.** *queríamos* **6.** *Subimos* **7.** *estábamos* **8.** *era* **9.** *era* **10.** *había* **11.** *había* **12.** *llegamos* **13.** *Era* **14.** *admitían* **15.** *conocimos* **16.** *pudimos* **17.** *montaban* **18.** *hablaba/hablé* **19.** *Era* **20.** *invitó*

así se dice

The Argentine dialect of Buenos Aires is easily recognizable by two characteristics: (1) the lilting intonation that, according to many people, comes from the strong influence of Italian immigrants; and (2) **el voseo,** that is, the use of the subject pronoun **vos** instead of **tú.** The corresponding verb forms are conjugated differently: **Vos bailás (Tú bailas) divinamente.** (The **voseo** is heard in many other regions of Spanish America as well.)

The following comic strip follows the adventures of an Argentine girl named Mafalda. What are the infinitives of the **vos** verb forms?

MIGUELITO: Ha! Can you imagine everything we're going to see 200 years from now? MAFALDA: In 200 years, I doubt we'll be alive, Miguelito. MIGUELITO: Go on! Are you trying to mess up the future just when it gets interesting?

Answers: 1. *era* **2.** *iban* **3.** *gustaban* **4.** *fue* **5.** *trabajaba* **6.** *estaba* **7.** *bailó* **8.** *encantó* **9.** *volvió* **10.** *contó* **11.** *creía* **12.** *se murió* **13.** *tuvo* **14.** *encontró*

B.   Una anécdota personal. La abuela de Nina cuenta la siguiente anécdota de un incidente único respecto al tango. Complétala con la forma apropiada del pretérito o del imperfecto de los verbos entre paréntesis.

Cuando yo (ser)[1] más joven, todos los amigos de mis padres (ir)[2] a los clubs a bailar tango. A mi madre especialmente le (gustar)[3] la música y la letra[a] de los tangos. Una noche, ella (ir)[4] a un club del barrio para bailar con otras parejas, pero sin mi padre, quien a veces (trabajar)[5] por la noche. Por casualidad,[b] esa noche el famoso cantante Carlos Gardel (estar)[6] en el club. Mi madre (bailar)[7] por muchas horas con sus amigos esa noche, y a todos les (encantar)[8] la música. Cuando mi madre (volver)[9] a casa, le (contar)[10] a mi padre lo que había pasado[c] en el club. ¡Él no lo (creer)[11]!

Muchos años después, mi madre (morirse)[12] y mi padre (tener)[13] que revisar todos sus efectos personales. En el bolsillo[d] de un viejo vestido (encontrar)[14] una foto del cantante en que se había escrito[e]: «Vos[f] bailás divinamente. Carlos Gardel».

[a]*lyrics*   [b]*Por... By chance*   [c]*había... had happened*   [d]*pocket*   [e]*se... had been written*   [f]*You*

C. Entrevista: Un viaje

Paso 1. Escribe una lista de preguntas generales que usarías (*you would use*) para saber los siguientes detalles de un viaje.

MODELO: el lugar → ¿Adónde fuiste? ¿Qué lugares visitaste?...

- el tiempo
- los medios de transporte
- las personas que iban en el grupo
- la duración del viaje
- las actividades principales
- un incidente inolvidable (*unforgettable*)

Paso 2. Entrevista a un compañero / una compañera de clase para saber más de un viaje determinado que hizo. Mientras habla, lo/la vas a interrumpir para pedirle más detalles.

MODELO: E1: ...y allí conocí a mi novia.
E2: ¿Ah, sí? ¿Qué hacía ella? ¿Con quién estaba?

VOCABULARIO ÚTIL

¿Ah, sí?	Oh really?
Cuéntame más.	Tell me more.
¿De veras?	Really?
¡No me lo puedo creer!	That's unbelievable!
¿Qué pasó después?	What happened next?

 Suggestion C: Model this activity carefully with more examples, if necessary; students will probably need help converting cues into accurate questions. Also remind students that descriptions in the past must be in the imperfect, and that actions that move the story along take preterite forms.

10.2 MORE ABOUT THE PRESENT PARTICIPLE

You have already seen that the present participle (**-ndo** form) of a verb can be used with **estar** to form the present progressive tense: **Estoy haciendo cola** (*I am waiting in line*). The present participle can also be combined with other verbs and tenses to add shades of meaning to the main verb, usually describing how the subject carries out the main action. English generally uses the *-ing* form of the verb or another word to express the equivalent idea.

Nos **fuimos corriendo** cuando oímos la explosión.	*We took off running when we heard the explosion.*
Vamos a **seguir subiendo** hasta llegar a la cumbre.	We're going to keep going up until we get to the top.
Ella siempre **iba cantando** a la escuela.	*She always used to go to school singing (along the way).*
Consigues los mejores precios **hablando** directamente con el agente de viajes.	*You get the best prices (by) talking directly to the travel agent.*

Suggestion: Point out the idiomatic use of seguir + -ndo to mean **keep (on) + -ing.** You can present this grammar point for recognition.

Spanish uses the *infinitive,* not the present participle, when an action is the subject of a sentence or when the action follows a form of **ser.**

Conseguir un billete barato no **es** fácil.

Getting a cheap ticket isn't easy.

No me gusta **esquiar.**
Mi actividad favorita **es acampar.**

I don't like skiing.
My favorite activity is camping.

práctica

Follow-up A: After students create sentences, have them say whether the advice stated would really help make a trip cheaper.

A. **¿Cómo ahorro** (*do I save*) **dinero?** Usa expresiones de cada columna para formar oraciones completas que describan diferentes aspectos de un viaje barato.

A

1. __a__ Se consigue la mejor tasa de cambio…
2. __e__ Uno llega más rápido…
3. __d__ No se paga comisión…
4. __c, d, f__ Uno recibe descuentos especiales…
5. __c, d__ Se evitan (*One avoids*) muchos problemas…
6. __b, g__ Se gasta (*One spends*) poco dinero en la comida…
7. __g, h__ Se paga menos por alojamiento…

B

a. cambiando el dinero en una casa de cambio (*money changer*).
b. comiendo en restaurantes de comida rápida.
c. confirmando las reservas con antelación (*in advance*).
d. haciendo reservas en Internet.
e. viajando en avión.
f. viajando en grupo.
g. viviendo con una familia.
h. quedándose en hostales.

B. **Actividades durante un viaje.** Completa las siguientes oraciones para describir lo que pasó durante un viaje de vacaciones. **¡OJO!** Tienes que conjugar el primer verbo entre paréntesis en el tiempo (*tense*) y la persona apropiados; para el segundo verbo, usa la forma de **-ndo.**

1. El verano pasado, nosotros (ir + acampar) por los Andes.
2. Queríamos estar en un campamento, pero (terminar + alojarse) en un hostal.
3. Durante el viaje, mi hermano constantemente (ir + buscar) regalos.
4. Yo intenté interrumpir al guía una vez, pero él (seguir + hablar).
5. Cuando por fin era hora de (*time to*) bajar de la montaña, nosotros (bajar + esquiar).

Charla con Nina

DATOS PERSONALES

Nombre: Nina Ibáñez*
Edad: 32 años
Nació en: Buenos Aires, Argentina

  You can watch this interview on the DVD to accompany *Portafolio* or on the Online Learning Center (**www.mhhe.com/portafolio**).

A. De vacaciones en Argentina

Lee la siguiente conversación con **Nina Ibáñez.** Menciona muchos lugares argentinos que merecen (*deserve*) una visita, pero no dice qué actividades se pueden hacer en cada lugar. Apunta los lugares que menciona y haz una lista de dos o tres actividades lógicas para cada uno.

¿Adónde van los argentinos para pasar las vacaciones?

En el verano el destino más común son las playas del Atlántico, como puede ser el Mar del Plata, Pinamar, Villa Gesell. Hay un ambiente muy familiar ahí y además quedan cerca de Buenos Aires. Otros eligen la montaña, al sur o al noroeste del país.

¿Hay otros lugares populares?

Sí, están también las Cataratas del Iguazú, el Glaciar Pedrito Moreno, el Valle de la Luna al norte, también son populares las playas de Brasil y Uruguay, que son países limítrofes.

¿Conocés la Patagonia?

Viví cuatro años en la Patagonia, en Neuquén, en un pueblo que se llama San Martín de los Andes—hermoso. Queda en medio de un parque nacional rodeado por el Lago Lácar y a dos horas de Bariloche por el Camino de los Siete Lagos, que es otro centro turístico importante en la Argentina.

¿Cuándo fue la última vez que fuiste?

Fui hace más o menos un mes a la Patagonia, otra vez adonde vivía. Y fue muy divertido porque fuimos a escalar el Volcán Lanín, que es un volcán de nieves eternas, que podés escalarlo sólo en verano y con un guía especializado y con un buen equipo. Éramos ocho personas y sólo seis llegamos a la punta. No me imaginé que iba a ser tan difícil. Nos llevó dos días enteros subir y bajar.

vocabulario útil

otros eligen	others choose
países (*m. pl.*) **limítrofes**	bordering countries
en medio de	in the middle of
la última vez	the last time
nieves eternas	eternal (permanent) snow
guía (*m.*)	guide (*person*)
un buen equipo	a good set of equipment
punta	tip; top
refugio	way station
subida	climb
atravesar (ie)	to cross
cumbre (*f.*)	summit
agarramos	we grabbed
clavada en	driven into
firmada	signed
recorrerlo	to travel through
jungla	jungle
pradera	meadowland
un montón de	a lot of
pingüinos	penguins
una especie protegida	protected species

*In Argentina, many people do not use two family names.

¿Y qué pasó?

Fue muy divertido, este... por suerte hay un refugio a mitad de la subida donde pudimos comer y dormir antes de atravesar la zona de hielo, porque esa zona sólo la podés hacer de día, de noche te congelás. Y cuando llegás a la cumbre agarramos una bandera argentina que estaba clavada en el hielo firmada por el grupo de escaladores anteriores. Es la única prueba que tenemos de que llegamos hasta la cumbre. Y a su vez nosotros agarramos otra, la firmamos y la dejamos ahí clavada también para los próximos.

¿Por qué es interesante Argentina para el viajero?

Bueno, Argentina es un país muy grande y tiene mucha variedad geográfica. Es un lugar para, la verdad, para recorrerlo y conocerlo, es muy lindo. Tenés al norte desiertos hermosos, en el centro tenés jungla y pampas, praderas, después al sur tenés un montón de lugares muy lindos. Si venís al sur podés ir a ver los pingüinos, que es un centro nacional, es una especie protegida, y bueno, siempre fue uno de mis sueños poder ir ahí algún día.

B. ¿Comprendiste? Contesta las preguntas según la entrevista.

1. ¿Cuál es el atractivo de Pinamar y Villa Gesell?
2. ¿Qué países vecinos les gustan a los argentinos? ¿Por qué?
3. ¿Cuál es el atractivo de la Patagonia, según Nina?
4. ¿Qué diversidad de lugares ofrece Argentina al turista? Menciona los rasgos geográficos específicos.

C. ¿Qué pasó? Pon las siguientes oraciones en orden cronológico, según lo que cuenta Nina. Vuelve a leer la conversación otra vez si es necesario.

a. ___2___ A la mitad pudimos comer y dormir.
b. ___4___ Agarramos la bandera argentina que estaba en la cumbre.
c. ___3___ Atravesamos la zona del hielo.
d. ___5___ Dejamos otra bandera con nuestras firmas.
e. ___1___ Empezamos la subida con un guía especializado.

¡Escribe y habla mejor!

You have probably noticed that the letters **b** and **v** in Spanish are pronounced the same way. But there are actually two variants for each letter, one "hard" and one "soft." Using the correct one can make you sound less like a foreigner when you speak Spanish.

Study the information in Appendix A, and practice your pronunciation and spelling in the *Portafolio de actividades*.

Vocabulario

DESTINOS URBANOS

La plaza es un lugar de encuentro en la ciudad; ¡las personas van allí para ver y ser vistas (*be seen*)!

En **los quioscos** se venden periódicos, revistas, caramelos y otras necesidades.

Las catedrales en toda Sudamérica son destinos turísticos populares.

la autopista	super highway, interstate
el ayuntamiento	city/town hall
el banco	bank
el centro	downtown
el monumento	monument

el museo	museum
el puerto	port
el teatro	theater
la oficina de correos	post office
la telefónica	telephone company office

práctica

A. **¿Adónde vas para... ?** En la ciudad, ¿adónde vas para hacer las siguientes cosas?

1. aprender (*to learn*) algo
2. cambiar dinero
3. comprar estampillas
4. comprar un periódico o una revista
5. esperar el colectivo
6. llamar a parientes en otros países
7. obtener documentos oficiales
8. sentarse a mirar pasar a la gente
9. tomar fotos* turísticas
10. ver dramas

Suggestion A: Encourage students to make complete sentences, for example, *Para comprar estampillas, voy a la oficina de correos.*

---

*La foto is an abbreviation for la fotografía. Thus, las fotos turísticas. Another word abbreviated in this manner is la motocicleta: la moto.

B.   Los sitios que frecuento. ¿Con qué frecuencia vas a estos lugares en tu ciudad? ¿Y cuando estás de viaje en otro lugar?

Paso 1. Usa la siguiente escala para indicar la frecuencia.

4 = voy muy a menudo   2 = no voy mucho
3 = voy a veces   1 = no voy nunca

1. _____ al ayuntamiento   7. _____ al hotel
2. _____ al banco   8. _____ a la iglesia o catedral
3. _____ al cementerio   9. _____ al museo
4. _____ a la estación de trenes 10. _____ a la oficina de correo
5. _____ al estadio   11. _____ a la piscina
6. _____ a la farmacia   12. _____ al teatro

Paso 2. ¿Qué haces en cada sitio?

C.   ¿Cómo es tu ciudad? Describe tu ciudad, contestando las siguientes preguntas.

1. ¿Cómo es el centro? ¿Qué edificios hay y qué servicios ofrecen?
2. ¿Cuáles son los barrios más interesantes de la ciudad? ¿En qué se diferencian los unos de los otros?
3. ¿Cuál es el transporte más común dentro de cada barrio de la ciudad o entre los barrios?
4. ¿Hay mucho tráfico y muchos embotellamientos? ¿Qué lugares se deben evitar? ¿A qué hora(s)?
5. ¿Hay monumentos famosos? ¿A quién(es)?
6. ¿Hay aeropuerto? ¿Dónde está en relación al centro?

Para orientarse[a] en la ciudad

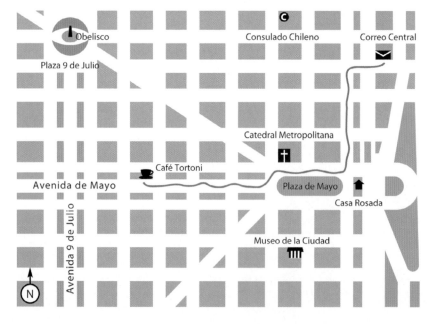

En el centro de Buenos Aires

—Disculpe señora, ¿cómo llego al Café Tortini?

—A ver. Estamos en el Correo Central. Usted **cruza** la calle, camina **una cuadra hacia el oeste, dobla a la izquierda** y **sigue derecho** otras tres cuadras hasta llegar[b] a la Plaza de Mayo. Allí, usted **dobla a la derecha** y sigue caminando hasta llegar al extremo oeste de la Plaza, donde va a ver el comienzo[c] de la Avenida de Mayo. Usted camina tres cuadras por esa avenida, y allí en la cuarta cuadra, **a mano derecha,** está el Café Tortini.

[a]Para... *Getting around* (lit. *Orienting oneself*)   [b]hasta... *until arriving*   [c]*beginning*

práctica

Dibujar un plano (*city map*)

Paso 1. Descríbele la orientación básica de tu ciudad a un compañero / una compañera de clase, quien va a dibujar un plano. Las siguientes expresiones, más las preposiciones que conoces, pueden ser útiles.

- La calle principal va de norte a sur / de este a oeste.
- La calle Elm cruza la calle principal en el centro.
- Hay un barrio en el norte que se llama _____.
- El ayuntamiento está en el centro de la plaza _____.
- Está enfrente / al lado de _____.

Paso 2. Ahora van a indicar cómo se llega a un lugar en su ciudad, según el modelo.

> **MODELO:** E1: ¿Cómo llego (al ayuntamiento, al museo arqueológico,...)?
>
> E2: Primero cruzas la plaza, y después doblas a la derecha. Sigues derecho dos cuadras, y allí está el/la _____.

LA IDENTIDAD REGIONAL

Buenos Aires es una de las capitales más grandes y cosmopolitas de Hispanoamérica.

Bahía Blanca no es tan grande como Buenos Aires y no sufre de tantos problemas urbanos como la contaminación (*pollution*), por ejemplo.

Por un lado,[a] Buenos Aires es el corazón de la identidad argentina, **por otro lado,**[b] es un centro internacional que **se parece** más a[c] París que a otras ciudades de Argentina como Bahía Blanca. De esta manera, Buenos Aires y Bahía Blanca **se diferencian** culturalmente, pero se diferencian en términos físicos también. Por ejemplo, Buenos Aires es **más grande que** Bahía Blanca, y de hecho,[d] Buenos Aires es **la ciudad más grande de** Argentina. **Mientras que** en Buenos Aires hay mucha industria, Bahía Blanca se mantiene del campo y de la agricultura. Buenos Aires es cosmopolita. **En cambio,**[e] Bahía Blanca tiene un ambiente más provincial. Pero, **al igual que** Buenos Aires, Bahía Blanca tiene problemas urbanos.

[a]Por... *On one hand* [b]por... *on the other (hand)* [c]se.... *more closely resembles* [d]de... *in fact* [e]En... *In contrast*

práctica

Suggestion A: Encourage students to guess at cognates in this activity; they should ask for other unknown vocabulary in Spanish: *¿Cómo se dice _____ en español?*

Expansion: Have students compare 2 other cities, for example, the capital of one state or province, with another local city or with the national capital.

A. Dos regiones diferentes

Paso 1. Describe la ciudad/región donde naciste, usando las siguientes categorías.

CATEGORÍA	EJEMPLOS
Ubicación (*Location*)	cerca del océano, en el interior del país, en las montañas, etcétera
Tamaño	grande, pequeña, más/menos grande que _____, etcétera
Carácter	cosmopolita, rural, urbana; la gente es abierta/ cerrada; etcétera
Trabajos principales	agricultura, artesanías, industria, negocios, tecnología, turismo, etcétera

Paso 2. Compara tu descripción con la de un compañero / una compañera de clase que nació en otra región u otro país. ¿En qué se diferencian los dos lugares? ¿En qué se parecen? ¿Qué características comparten ambos lugares con el resto de este país?

MODELOS: Al igual que _____, mi ciudad es…

Mi ciudad se parece a _____ en que…

A diferencia de _____, mi ciudad no es…

Mi ciudad se diferencia de _____ en que…

Mi ciudad es más/menos _____ que _____.

Suggestion B: Emphasize that this activity deals with generalities and should **not** serve to offend students from any type of community. Try to balance statements that perhaps point out negative aspects of a particular community with ones that stress the positive aspects. Point out that part of the difference between types of communities is that they appeal to different tastes.

Follow-up: Have students report their answers by making complete sentences. Provide students with a few models at first to get them started: *En mi opinión, los habitantes de una ciudad grande, en general, son agresivos, pero los habitantes de un pueblo son tranquilos.*

B. Rural frente a (*versus*) urbano.
¿En qué se diferencian los habitantes de una ciudad grande de los de una comunidad rural o pequeña? Di cuáles de las siguientes características asocias, en términos generales, con los habitantes de cada tipo de comunidad, según tu propia experiencia. Añade otras ideas que se te ocurran (*that come to mind*).

MODELO: En términos generales, los habitantes de una ciudad grande ganan un salario más alto.

TIPO DE COMUNIDAD		CARACTERÍSTICAS
una ciudad grande una ciudad pequeña (un pueblo o una comunidad rural)	ganar un salario más alto/bajo (no) tener miedo ([*not*] *to be afraid*) (no) tener prisa	abierto/a aburrido/a agresivo/a cerrado/a (des)cortés ([*im*]*polite*) (im)paciente interesante tranquilo/a ¿ ?

C. Los símbolos. Los símbolos regionales o nacionales son una parte importante de la identidad cultural. Da algunos ejemplos de símbolos regionales o nacionales de tu país y explica lo que representan. Añade otras ideas. ¿Son universales estos símbolos, o sólo tienen asociaciones para un grupo determinado?

Suggestion C: The symbols in this activity are only a point of departure. Have students suggest (or bring to class examples of) other national or local symbols—for example, school mascots, state flower (flag, emblem), a local product (e.g., cheese in Wisconsin), and so on.

MODELOS: En mi país, los colores rojo, blanco y azul representan la libertad.

Para algunas personas de mi país el águila (*eagle*) es un símbolo del honor.

TIPOS DE SÍMBOLOS		LO QUE REPRESENTAN	
un animal	+	la democracia	el poder (*power*)
una bandera		un estilo de vida	la pureza (*purity*)
un color		un grupo étnico o	la riqueza
una comida		cultural	la tradición
un deporte		la libertad	los valores tradicionales
un edificio		la maldad (*evil*)	la virtud
un lugar o una		la naturaleza	¿ ?
ciudad		el honor	
una obra de arte		el orgullo (*pride*)	
un personaje			
¿ ?			

A muchos turistas les gusta visitar La Boca, un barrio de Buenos Aires famoso por el tango y sus edificios coloridos.

Gramática

10.3 THE PRESENT PERFECT

Many Argentines recognize that the present-day rivalry between Buenos Aires and other cities in Argentina has its roots in the past.

Buenos Aires siempre **ha tenido** más contacto con el exterior.

Buenos Aires has always had more contact with foreign countries.

Los recursos siempre se **han concentrado** en Buenos Aires.

Resources have always been concentrated in Buenos Aires.

The verb forms used to express this temporal relationship are in the *present perfect* tense. This tense is formed by combining present tense forms of the auxiliary verb **haber** (*to have*) with the past participle of the main verb. Here are the present perfect conjugations of the regular verbs **hablar, comer,** and **vivir.**

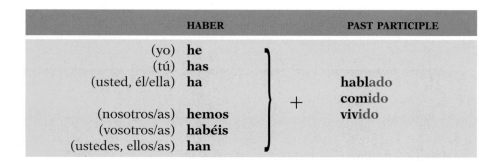

	HABER		PAST PARTICIPLE
(yo)	**he**		
(tú)	**has**		
(usted, él/ella)	**ha**		**hablado**
		+	**comido**
(nosotros/as)	**hemos**		**vivido**
(vosotros/as)	**habéis**		
(ustedes, ellos/as)	**han**		

The *past participle* of a verb is formed by adding the endings **-ado** (for **-ar** verbs) and **-ido** (for **-er/-ir** verbs) to the verb stem; thus, **hablar → hablado; comer → comido; vivir → vivido.*** You have also seen some examples of irregular past participles. Here are the most common ones.

abrir:	abierto	morir:	muerto
decir:	dicho	poner:	puesto
descubrir:	descubierto	romper:	roto
escribir:	escrito	ver:	visto
hacer:	hecho	volver:	vuelto

---

*If the verb stem ends with a strong vowel **(a, e, o),** you must add a written accent mark to the **-ido** ending: **leer → leído; creer → creído; caer → caído; oír → oído; sonreír → sonreído;** and so on.

If an action that began in the past is still continuing into the present, Spanish cannot use the present perfect tense as English does. Since the action is still ongoing, Spanish simply uses the present tense in the pattern: **Hace** + *time period* + **que** + *present tense.*

Hace dos horas **que** te **espero.**   *I've been waiting for you for two hours.* (I'm still waiting.)

To pose a question of this type, use the pattern: **¿Cuánto tiempo hace que** + *present tense***?**

¿Cuánto tiempo **hace que estudias** español?   *How long have you been studying Spanish?*

NOTES:

- When used as part of the present perfect tense, the past participle never changes its form; it always ends in **-o,** no matter what the gender of the subject is.
- The expression **ha habido,** just like its present tense counterpart **hay,** is invariable whether referring to a singular or a plural subject.

Ha habido mucho tráfico esta tarde.   *There has been a lot of traffic this afternoon.*

Ha habido muchos embotellamientos como resultado.   *There have been a lot of traffic jams as a result.*

autoprueba

En las siguientes oraciones, di cuáles son los dos elementos del presente perfecto: la forma de **haber** y el participio pasado. ¿Dónde se colocan (*are located*) (1) los complementos pronominales, (2) los adverbios y (3) las palabras negativas **no/nunca** respecto al presente perfecto? ¿Van **antes de, después de** o **entre** los dos elementos de este tiempo verbal?

1. ¿Has visto a María recientemente? —No, no la he visto.
2. Todavía no nos hemos acostumbrado a los horarios diferentes en Argentina.
3. Nunca hemos estado en Bariloche.
4. El interior del país siempre ha sido una zona agrícola.
5. ¿Los billetes? No los he comprado todavía.

práctica

A.   ¿Siempre ha sido así?

Paso 1. Forma oraciones completas con las siguientes expresiones para describir algunos aspectos de una ciudad. Usa el presente perfecto y recuerda hacer los cambios necesarios.

MODELO: los habitantes / tener un buen nivel de vida →
Los habitantes siempre han tenido un buen nivel de vida.

1. los ciudadanos / asistir regularmente a los espectáculos patrios (*patriotic*)
2. los residentes / participar activamente en el gobierno
3. las escuelas / ser bueno
4. la población / ser bastante estable
5. los gobernantes / representar los intereses de los ciudadanos
6. el tráfico / circular sin problemas
7. haber suficientes actividades y trabajos para los jóvenes

Paso 2. Di si cada oración del **Paso 1** se aplica a tu ciudad o a la ciudad donde estudias. ¿Qué otros aspectos de tu ciudad siempre han sido así?

B. **Cambios recientes.** Usando las ideas de **Práctica A** u otras ideas que se te ocurran, cuenta a la clase qué cosas importantes han cambiado recientemente en tu ciudad.

MODELOS: Mi pueblo es muy pequeño, pero recientemente hemos tenido más tráfico.

Han puesto nuevos semáforos (*traffic lights*) en todas las calles.

Suggestion C: Push students to give additional details about their travel experiences: *¿Cuántas veces lo has hecho?*

C. **Tus experiencias.** De las siguientes acciones asociadas con los viajes, ¿cuáles has hecho tú y cuáles nunca has hecho?

MODELO: viajar solo/a al extranjero (*abroad*) →
Yo (nunca) he viajado sola al extranjero.

1. vivir en otro país
2. perder el pasaporte o el dinero
3. visitar más de cinco países en un solo viaje
4. hacer deportes nuevos
5. comer platos exóticos
6. ver monumentos históricos impresionantes
7. ver paisajes increíbles
8. conocer a personas importantes
9. hacer nuevas amistades duraderas (*long-lasting*)

D. **Preguntas.** Comenta los siguientes temas con dos o tres compañeros/as de clase.

1. Tradicionalmente, ¿cuáles han sido los valores más importantes de las zonas rurales de tu país (la religión, el uso de los recursos [*resources*] naturales, los trabajos disponibles [*available*], las relaciones familiares, etcétera)? ¿Cómo se comparan con el estilo de vida de las zonas urbanas o suburbanas?
2. ¿Qué símbolos nacionales siempre han sido importantes para ti o para tu familia? ¿Por qué? ¿Qué representan?

10.4 *LO* + ADJECTIVE

A popular belief in Argentina is that *everything positive and good* (**lo positivo, lo bueno**) about the country comes from the gauchos. This construction (**lo** + *m. s. adj.*) is quite common in Spanish for expressing a general quality; it allows an adjective to act as a subject or an object noun in the sentence and is translated into English as *the _____ thing, the _____ part,* or *what's _____.* The expression **todo lo _____** is equivalent to *all/everything that's _____.*

Se supone que **todo lo positivo** viene de los gauchos.	*People believe that everything that's positive comes from the gauchos.*
Lo bueno de esa ciudad son los museos.	*The good part (The good thing, What's good) about that city are the museums.*
En los años 50, destruyeron **lo bonito** de la ciudad y nos dejaron con **lo feo.**	*In the 1950s, they tore down the pretty part of the city and left us with the ugly things.*

Expansion (*Autoprueba*): Bonus question for students: In sentences with *ser* (1 and 3), what determines verb agreement? **Answer:** The noun after the form of *ser*.

autoprueba

En las siguientes oraciones, ¿qué función tiene la expresión **lo** + adjetivo: es el sujeto o el complemento? ¿Cómo se dicen estas expresiones en inglés?

1. Lo horrible de nuestro viaje fue el accidente.
2. Los agentes de viaje guardan lo mejor para sus clientes favoritos.
3. Lo peor de ese hotel son los cuartos de baño.
4. Lo histórico de mi ciudad se remonta al (*dates back to the*) siglo XIX.
5. Vimos lo más interesante de Argentina en nuestro viaje.

práctica

A. **Detalles.** Completa las siguientes oraciones con información de tu ciudad/región.

1. Lo más antiguo de mi ciudad es/son _____; se remonta(n) al siglo _____ / a los años _____.
2. Para experimentar lo cultural de mi región, hay que ir a / visitar _____.
3. Lo más moderno de mi región se encuentra en _____.
4. Todo lo positivo de mi región se concentra en _____.

B. **Aspectos de tu ciudad.** ¿Cómo son los siguientes aspectos de tu ciudad? Haz oraciones completas, según tus opiniones.

1. lo bonito
2. lo mejor
3. lo triste
4. lo curioso
5. lo irónico
6. lo más interesante

C. **En contraste.** Usando las características de **Práctica B,** compara tu ciudad con otra que conoces en este país.

MODELO: Lo bonito de mi ciudad es/son _____, pero lo bonito de _____ es/son _____.

Suggestion C: Encourage students to use the expressions for contrast they've learned in this chapter and elsewhere: *al igual que, en cambio, más/menos que, mientras que, por un lado _____, por otro_____,* and so on.

portafolio cultural

ARGENTINA

Origen del nombre: del latín *argentums* (plata) (De allí también, tomó su nombre el Río de la Plata.)

Capital: Buenos Aires

Población: 40.301.927

Moneda: peso argentino

Lenguas: español (oficial), italiano, varias lenguas indígenas

Un grupo de judíos argentínos se reúne para conmemorar el ataque terrorista en la embajada israelí en Buenos Aires en 1992.

nación

LA COMUNIDAD JUDÍA EN ARGENTINA

En Argentina se encuentra la principal comunidad judía de América Latina. Esta comunidad —de entre 200.000 y 400.000 personas— figura entre las cinco más grandes del mundo fuera de Israel.

La historia del judaísmo argentino comenzó en 1853, pero fue en 1890 cuando llegó la primera ola importante de inmigrantes después de que Argentina lanzó[a] un plan de inmigración en el que el gobierno pagó los pasajes de los inmigrantes. En aquel entonces,[b] los judíos de varios lugares sufrían de inferioridad legal en sus países de origen. Como consecuencia, desde 1891 hasta 1896 unos 10.000 judíos emigraron a Buenos Aires, Entre Ríos y Santa Fe.

A partir de 1928, Argentina desarrolló una política migratoria antisemita, destinada a evitar[c] la inmigración de judíos y a negarles[d] refugio ante las persecuciones que sufrían en Europa a manos de Hitler. Sin embargo, Argentina fue el país latinoamericano que incorporó el mayor número de refugiados judíos durante esa época.

La cultura judía ha realizado aportes[e] considerables a la cultura argentina. Entre los nombres más conocidos figuran los siguientes personajes:

- Jacobo Timmerman, periodista y escritor
- René Epelbaum, organizador de Las Madres de Plaza de Mayo
- César Milstein, Premio Nobel en Medicina en 1984
- Daniel Barenboim, pianista y conductor de renombre internacional

1. ¿Por qué inmigraron los judíos a Argentina en el siglo XIX? ¿Es parecida (o similar) esta ola de inmigración a la de otro(s) país(es) en esa época?
2. ¿Qué política de inmigración adoptó Argentina en los 1890? ¿Y en 1928? ¿Cómo se compara esta política a la de tu país en la misma época? ¿A la de la época actual?
3. ¿Qué impacto ha tenido la inmigración judía en la sociedad argentina? ¿Cómo se compara con la presencia judía en otros países?

[a]*launched* [b]*En... At that time* [c]*prevent* [d]*deny them* [e]*contributions*

actualidad

DE LA CRISIS ECONÓMICA A LA ESTABILIDAD

En comparación con otros países de America Latina, Argentina tradicionalmente se ha conocido[a] como un país rico en recursos naturales con una sólida base industrial, un fuerte sector agrícola y una próspera y grande clase media.[b] Hace cien años, se consideraba uno de los países más ricos del mundo, pero sufrió reveses[c] económicos en las últimas décadas del siglo XX. La alta inflación, los déficit presupuestarios[d] y una creciente deuda externa[e] afectaron el bienestar económico de la población.

[a]*se... has been known* [b]*clase... middle class* [c]*reversals* [d]*déficit... budget deficits* [e]*creciente... growing foreign debt*

Como consecuencia, las protestas del pueblo contra los altos precios de los alimentos han sido frecuentes. Para corregir la situación, en los años 90 el gobierno intentó una política de drásticos cambios económicos. Sin embargo, al final de los 90 el país cayó en una recesión alarmante. Hubo una falta de confianza[f] en el gobierno y muchas personas retiraron su dinero de los bancos. En 2001 Argentina estaba al borde del colapso económico.

Desde el 2002 el país ha logrado[g] una mejoría impresionante. En 2006 Argentina finalmente liquidó su deuda externa y actualmente se percibe un índice de crecimiento[h] muy satisfactorio.

1. ¿Por qué se consideraba Argentina un país rico? ¿Cómo se compara imagen tradicional de la economía argentina con la de tu país?
2. ¿Cómo estaba la situación económica de Argentina en las últimas décadas del siglo xx? ¿Es el caso de Argentina parecido o diferente al de otros países que tú conoces?
3. ¿Cuáles pueden ser las consecuencias políticas y sociales de la insatisfacción y desconfianza económica en un país?

[f]*confidence* [g]ha... *has achieved* [h]*growth*

20 de diciembre 2001—Unos manifestantes piden la renuncia del presidente Fernando de la Rúa a causa de grandes problemas económicos. De la Rúa renunció al cargo al siguiente día.

cartelera

LA ALIMENTACIÓN ARGENTINA

Aunque las varias olas[a] de inmigración han dejado su marca[b] en la cocina argentina, lo cierto es que la mesa argentina es casi sinónimo de carne o bistec —o *bife,* como suelen decir los argentinos.

Argentina exporta gran parte de la carne de vaca que produce, pero se reserva la mejor parte para el consumo nacional. La parrillada[c] —es decir, un asado de una variedad de carne de vaca preparada en una parrilla[d] y servida generalmente al aire libre— es popular tanto en las casas como en los restaurantes. La carne se sirve con *chimichurri,* una salsa de aceite, ajo y perejil.[e] También son comunes las empanadas[f] hechas con, naturalmente, carne de res.[g]

En la mesa argentina no abundan[h] los vegetales ni el arroz ni las patatas, pero las pastas italianas son populares. Como postre se puede comer queso, fruta o flan, pero sin duda el postre favorito es el dulce de leche.

Para el desayuno, lo más típico es comer un poco de pan y mate[j] o café. La comida de mediodía suele ser fuerte como también la cena, la cual se come después de las 9:00 de la noche.

1. ¿Cuál es el elemento más importante de la tradición culinaria argentina? ¿Por qué los argentinos tienen preferencia por este producto?
2. Describe la *parrillada.* ¿Se parece este ritual a otros que tú conoces?
3. Basándote en lo que dice el texto, ¿qué piensas de los hábitos de alimentación de los argentinos? ¿Siguen un régimen sano y equilibrado?
4. ¿Dirías tú que la mesa argentina es muy regional o tiene un carácter más bien (*rather*) genérico? ¿Se mencionan en el texto platos o comidas que no conoces?

[a]*waves* [b]dejado... *left their mark* [c]*typical Argentine barbecue* [d]*grill* [e]*parsley* [f]*Argentine meat turnover*
[g]*beef* [h]*abound* [i]*slices* [j]*mate* tea

Un asado argentino

icono

El tango es una forma de baile y de música que tiene sus orígenes en los arrabales[a] de Buenos Aires a principios del siglo XX. El desarrollo[b] del tango fue influenciado por la canción folclórica autóctona[c] y también por los estilos musicales traídos a Argentina por los inmigrantes españoles, italianos y alemanes. Típicamente se toca con guitarras, violines y el bandoneón, un tipo de acordeón. Carlos Gardel fue el intérprete más famoso del tango tradicional. Astor Piazzola ofrece una interpretación más moderna.

Aquí hay unas estrofas[d] de dos tangos. ¿Qué emociones expresan? ¿Hay alguna forma de música popular en inglés que exprese sentimientos parecidos?

Carlos Gardel (1890–1935)

«Canción de Buenos Aires»
de M. Romero, A. Maizani y O. Cufaro
Buenos Aires, cuando lejos me vi
sólo hallaba[e] consuelo
en las notas de un tango dulzón[f]
que lloraba el bandoneón;
Buenos Aires, suspirando[g] por ti,
bajo el sol de otros cielos,
cuánto lloró mi corazón
escuchando tu nostálgica canción.

«Adiós, pampa mía»
de I. Pelay, F. Canaro y M. Mores
Adiós, pampa mía... Me voy,
me voy a tierras extrañas.[h]
Adiós, caminos que he recorrido;
ríos, montes y cañadas,[i]
tapera[j] done[k] he nacido.
Si no volvemos a vernos,
tierra querida, quiero
que sepas[l] que al irme
dejo la vida. ¡Adiós!

[a]*slums* [b]*development* [c]*native to the region* [d]*stanzas* [e]*I found* [f]*sweet* [g]*yearning* [h]*foreign; strange* [i]*montes... mountains and canyons* [j]*shack* [k]donde (forma coloquial) [l]*que... you to know*

  You can watch this interview on the DVD to accompany *Portafolio* or on the Online Learning Center (www.mhhe.com/portafolio).

Suggestion (*Vocabulario útil*): Pronounce each item for students before they watch the interview so that the words will sound familiar. Then have students guess what the content of the interview will be, based on the chapter theme and on the *Vocabulario útil*.

vocabulario útil

en ese sentido	in that sense
tránsito	traffic
anteriormente	previously
siglo [XX]	[twentieth] century
vagando por	wandering around
anchos	wide
surge	comes
asado	Argentine grilled beef
recipiente *m.*	container
se le agrega	one adds
bombilla	straw
hirviendo	boiling
amarga	bitter

gente

HABLAN LOS ARGENTINOS

Nombre: Leticia Goenaga
Edad: 28 años
Nació en: Bahía Blanca, Argentina

Suggestion: Have students look at the map in the chapter opener to locate Bahía Blanca.

Un contraste. Indica si las siguientes oraciones describen Bahía Blanca, Buenos Aires o las dos, según lo que dice Leticia.

	BAHÍA BLANCA	BUENOS AIRES	LAS DOS
1. Sus habitantes tienen costumbres bastante cerradas.	☐	☐	☐
2. Tiene mucha extensión (*surface area*).	☐	☐	☐
3. Ofrece muchísimos espectáculos (*entertainment events*), cine y teatro.	☐	☐	☐
4. Es una ciudad que se mantiene (*earns its livelihood*) del campo.	☐	☐	☐
5. Es una ciudad cosmopolita con grandes edificios.	☐	☐	☐
6. Es una ciudad de pocos habitantes.	☐	☐	☐
7. Es una ciudad más tranquila, más provincial, más reposada (*calm*).	☐	☐	☐

opinión

Suggestion: Remind students that the sources in this feature make certain assertions or generalizations about the country or region of focus in the chapter, that they are just *one* point of view, and that students should compare and contrast them with other points of view—such as those in the interviews they have seen.

LA SIGUIENTE CITA tomada de una fuente escrita en inglés para anglohablantes va a aumentar tus conocimientos sobre algunos fenómenos culturales en Argentina. Usa lo que has aprendido en este capítulo sobre Argentina, más tu propia experiencia, para contestar las preguntas que siguen la cita.

"Buenos Aires, the 'Paris of the Americas,' dominates Argentina's political and cultural life as much as, well, Paris dominates France. Buenos Aires is the capital, the largest city, the industrial and economic center, and the cultural heart of Argentina.

Nevertheless, there is more to Argentina than Buenos Aires—even though many foreign businesspeople never have the need to step outside its city limits. Some must-see areas include Patagonia, Iguazú, and Tierra del Fuego."

Source: *The International Traveler's Guide to Doing Business in Latin America*

1. ¿Hay una ciudad en tu país que predomine (*dominates*) en el país al igual que Buenos Aires predomina en Argentina?

2. Busca la Patagonia, las Cataratas del Iguazú y Tierra del Fuego en el mapa al principio del capítulo. ¿Por qué se consideran lugares imprescindibles (*must-see places*) para los turistas?

3. En tu opinión, ¿qué lugares son imprescindibles para los turistas que visitan tu país? Explica cuál es la atracción de cada lugar que mencionas: ¿Son lugares históricos, de geografía impresionante, famosos por la alta tecnología,… ?

mi portafolio

REDACCIÓN
Saludos desde Argentina.

Imagina que estás de vacaciones en Argentina y quieres escribirles algunas postales a tus amigos y parientes. Inventa un itinerario y contesta las siguientes preguntas en tus postales: ¿Qué excursiones has hecho? ¿Qué cosas has visto y hecho? ¿A quiénes has conocido? Sigue los pasos en el *Portafolio de actividades* para completar tus postales.

EXPLORACIÓN
Investigación cultural.

Busca más información sobre Argentina en la biblioteca, en el *Portafolio* Online Learning Center **(www.mhhe.com/portafolio)** o en otros sitios del Internet y preséntala a la clase. El *Portafolio de actividades* contiene más ideas para tu presentación.

Vocabulario

Destinos urbanos

el **aeropuerto**	airport
la **agencia de viajes**	travel agency
la **autopista**	super highway, interstate
el **ayuntamiento**	city/town hall
el **banco**	bank
la **catedral**	cathedral
el **centro**	downtown
la **estación del metro /** **de trenes**	metro/train station
el **monumento**	monument
el **museo**	museum
la **oficina de correos**	post office
la **parada de autobuses/** **taxis**	bus stop / taxi stand
la **plaza**	square, plaza
el **puerto**	port
el **quiosco**	kiosk
el **teatro**	theater
la **telefónica**	telephone company office

Los destinos más populares

el **bosque**	forest
el **campo**	country(side)
las **cataratas**	(water)falls
el **cerro**	mountain
la **cordillera**	mountain range
el **desierto**	desert
el **lago**	lake
la **llanura**	flatland, prairie
el **mar**	sea
el **océano**	ocean
el **paisaje**	landscape
el **pico**	(mountain) peak
la **playa**	beach
el **río**	river
el **salto**	waterfall
la **selva**	jungle
la **sierra**	mountain range
el **volcán**	volcano

REPASO: **la montaña**

Comparación y contraste

diferenciarse	to be different, distinguish oneself
parecerse (zc) a	to resemble

en cambio	on the other hand, in contrast
mientras que	while
por un lado ___ por **otro (lado) ___**	on one hand ___ on the other (hand) ___

REPASO: **al igual que, el/la** (+ *noun* +) **más/menos +** *adj.* **+ de, más/menos que**

Los medios de transporte

el **autobús**	bus
el **avión**	airplane
el **barco**	ship, boat
el **coche**	car
el **colectivo**	bus
el **metro**	subway
el **taxi**	taxi
el **tren**	train

caminar	to walk
conducir (*irreg.*)	to drive
ir a pie	to go on foot, walk
ir en autobús, avión, **tren,...**	to go by bus, airplane, train, . . .
manejar	to drive

De viaje

la **aduana**	customs
el **billete (de ida / de** **ida y vuelta)**	(one-way, round-trip) ticket (*Sp.*)
el **boleto (de ida / de** **ida y vuelta)**	(one-way, round-trip) ticket (*Span. Am.*)
el **itinerario**	itinerary
la **maleta**	suitcase
el/la **pasajero/a**	passenger
el **vuelo**	flight

bajar de un autobús **(coche, taxi)**	to get off a bus (out of a car/taxi)
hacer una excursión	to go on an outing/ excursion
hacer un viaje	to take a trip
estar de vacaciones	to be on vacation
estar de viaje	to be on a trip
ir de vacaciones	to go on vacation
ir de viaje	to go on a trip
parar en	to stop (over) in

perder (ie) un autobús (barco, tren, vuelo)	to miss a bus (ship, train, flight)	**cruzar (c)**	to cross
perderse (ie)	to get lost	**doblar a la derecha/ izquierda**	to turn right/left
subir a un autobús (coche, taxi)	to get on a bus (in a car/ taxi)	**seguir (i, i) derecho**	to continue straight ahead
viajar	to travel	**a mano derecha/ izquierda**	on the right/left
		hacia el norte (sur, este, oeste)	to the north (south, east, west)

Para orientarse en la ciudad

la **cuadra**	(city) block

REPASO: **la calle**

Identidad e integración

Suggestion: Draw students' attention to the chapter title, photos, map, and graphics in this chapter opener. Ask them to predict what kinds of topics will probably come up throughout the chapter.

Este mural mexicoamericano se encuentra en el barrio de la Misión en San Francisco, California.

NOTE: Throughout the chapter students will collect and learn information about these cultural objectives.

En este capítulo...

Objetivos culturales

▶ Where is the border: In the Southwestern U.S. or in your own city?

▶ Maintaining contact with your country of origin

Note: These figures are from the United States Census Bureau, 2004. More information is available at their website: **http://www. census.gov/.**

Suggestion: The following definition from the United States Census Bureau website may be useful for explaining these statistics: "Persons of Hispanic origin, in particular, were those who indicated that their origin was Mexican, Puerto Rican, Cuban, Central or South American, or some other Hispanic origin. It should be noted that persons of Hispanic origin may be of any race."

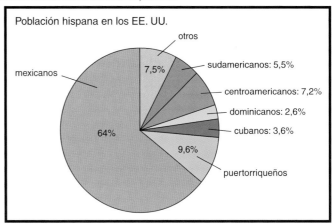

Población hispana en los EE. UU.

otros 7,5%
sudamericanos: 5,5%
centroamericanos: 7,2%
dominicanos: 2,6%
cubanos: 3,6%
puertorriqueños 9,6%
mexicanos 64%

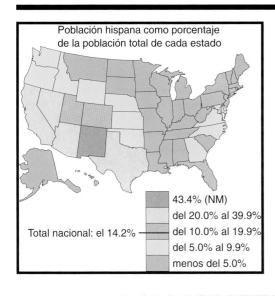

Población hispana como porcentaje de la población total de cada estado

43.4% (NM)
del 20.0% al 39.9%
del 10.0% al 19.9%
del 5.0% al 9.9%
menos del 5.0%

Total nacional: el 14.2%

Vocabulario

▶ Para cruzar la frontera
▶ La identidad bicultural

Gramática

11.1 **Hace** + Time + **que**
11.2 **Por** and **para** (Summary)
11.3 Combining Verbs
11.4 Adverbs

Portafolio cultural: La frontera

▶ Nación: Las ciudades fronterizas
▶ Actualidad: Culturas y generaciones
▶ Cartelera: La música de la frontera
▶ Icono: La leyenda de la Llorona
▶ Gente: Hablan los hispanos
▶ Opinión: La inmigración hispana
▶ Mi portafolio

Suggestion: There is a brief cultural quiz in the Instructor's Manual. Ask students those questions to see how much they know about Hispanics in the United States before they begin the chapter. They can search for some answers in the chapter opener; others will be discovered as the chapter progresses.

Montreal
Toronto
Chicago
New York
California
New Mexico   Denver
Los Ángeles   Arizona
San Diego   el Río Grande   Texas
Tijuana   Nogales   El Paso
Mexicali   LA FRONTERA
Nogales   Ciudad Juárez
Baja California
Sonora   Nuevo Laredo   Laredo   Nuevo León
Chihuahua   Monterrey   Brownsville   Miami
Reynosa   Matamoros
Coahuila   Tamaulipas
Aguascalientes
Guadalajara   México, D.F.
el Océano Pacífico

Vocabulario

PARA CRUZAR LA FRONTERA

Pasé el día en Tijuana

Un día decidimos pasar el día en Tijuana. Fuimos hasta **la frontera** en el tranvía de San Diego.

Hablamos con **un agente de inmigración.** Le mostramos nuestros **documentos** (el pasaporte, la visa) y cruzamos la frontera.

Como muchas otras ciudades, Tijuana tiene **partes** bonitas y otras partes feas.

Vimos mucha **influencia** norteamericana. **Se me hace** (Me parece) que Tijuana es **una mezcla** de dos culturas.

A la vuelta,[a] nos **detuvieron**[*] en la aduana, pero finalmente nos **dejaron pasar.**

el extranjero	abroad
renovar (ue)	to renew
revisar	to check, inspect

---

[a]*A… Upon returning*
[*]**Detener** (*To stop, detain*) is conjugated in all tenses like **tener.**

La inmigración

¿Por qué vienen los inmigrantes?

- Por **razones** económicas, políticas o sociales.
- Para **escapar de la pobreza**[a] cuando **no les va bien**[b] en su país.
- Para **buscar** más oportunidades de trabajo.
- Para trabajar en **las cosechas.**[c]
- Para visitar a parientes que **nacieron** en este país.
- Para **tener éxito**[d] en los negocios.

¿Cómo vienen?

- Algunas personas **ahorran** suficiente dinero para pagarle a un «**coyote**», quien **las ayuda a** pasar la frontera. No quieren **correr el riesgo** de **perderse** en el desierto.
- Otras personas vienen con los documentos necesarios (pasaporte o visa).
- Muchas personas **tienen la intención de** volver a su **país de origen.**

¿Qué es una persona «**(i)legal**»?

- **Los indocumentados** son las personas que entran en el país sin documentos oficiales.
- **Los ciudadanos** de un país son los que **tienen la ciudadanía.**
- **Las leyes**[e] han cambiado mucho en los últimos años. A veces los agentes **discriminan** a los mexicanos que quieren entrar en los Estados Unidos. Dejan pasar a algunas personas, pero a otras las **mandan de regreso**[f] a México.

Esta joven mexicoamericana de Los Ángeles, California, protesta en contra de las leyes de inmigración.

[a]*poverty* [b]no... *things aren't going well for them* [c]*harvests* [d]tener... *to be successful*
[e]*laws* [f]mandan... *deportan*

¿Cómo se sienten los inmigrantes?

estar ansioso/a (por)	to be anxious (about)
estar entre dos culturas	to be (caught) between two cultures
ser trabajador(a)	to be hardworking
tener esperanza	to have hope, be hopeful
tener expectativas	to have expectations
tener miedo	to be afraid
tener suerte	to be lucky
vivir con la incertidumbre	to live with uncertainty

Note: The uses of *por* and *para* in these sentences will be explained in Gramática *11.2*. Students should have no problem understanding these expressions even without knowing the formal reasons why each preposition is used.

Suggestion: Remind students of other expressions with *tener* + **noun** that correspond to the verb **to be** + **adjective** in English: *tener hambre, tener frío*, and so on.

Note: The topic of immigration can be a very emotional one for many people in the United States and Canada. One of the content goals of this chapter is for students to gain a balanced, analytical view of the subject. All of North America is a land of immigrants (except for Native Americans), and negative associations with immigration are a relatively recent phenomenon in our history. Laws in the United States concerning immigration have shifted over the years to promote (nineteenth century), then impede (twentieth and twenty-first centuries) newcomers. It is not necessary or advisable to try to impose a political viewpoint on students; rather, the goal is to learn that laws on this subject are somewhat arbitrary and changing, and that being within a country's political borders without official documents is not necessarily "illegal" in the same sense as theft or murder.

It is often helpful to personalize the immigrant experience for students by having them recall their own family histories; try to draw out these experiences in the chapter activities that ask students for family information.

Suggestion: Have students speculate as to why certain words may be borrowed into Spanish. One possibility is that an existing word in Spanish may have a cultural connotation that is not accurate for the U.S. context. For example, *la comida* connotes a mid-afternoon, heavier meal followed by a break or *siesta*, whereas *el lonche* is a lighter meal at midday squeezed into a short break from the 8–5, U.S.-style workday.

así se dice

You already know that different dialects of Spanish use a rich variety of vocabulary items. Due to contact with English, the Spanish spoken in the U.S. is also rich in newly coined words **(neologismos)** and borrowed words **(préstamos)** from English. Many of these words would not be understood in other Spanish-speaking areas unless one also knew English. Here are some examples of this "border Spanish."

BORDER SPANISH	ENGLISH	STANDARD SPANISH
los files	fields	**los campos**
el lonche	lunch	**el almuerzo, la comida**
la troca	truck	**el camión**

Some words in border Spanish exist in other Spanish regional dialects, but they have different meanings.

BORDER SPANISH		STANDARD SPANISH
agarrar	to get, take	**conseguir, tomar** (agarrar = *to grab*)
regresar	to return (*something*)	**devolver** (regresar = *to return, go back*)

práctica

Suggestion A: Students may need help interpreting the sentences with *nos* + verb. Ask them to identify the verb (*dejaron, detuvieron,* etc.), tell who the subject is (**they,** not **we**), then identify *nos* as the object.

A. Unas vacaciones en el extranjero. Una familia salió de su país en auto para pasar las vacaciones en el extranjero. Pon sus acciones en orden cronológico.

___3___ Fuimos hasta la frontera en coche.

___6___ Los agentes nos revisaron las maletas.

___2___ Metimos (*We put*) el equipaje en el coche.

___7___ Nos dejaron pasar la frontera.

___4___ Nos detuvieron en la aduana.

___5___ Nos pidieron los pasaportes.

___1___ Preparamos los documentos y renovamos los pasaportes.

B. Con la ayuda del coyote. ¿Cómo sería (*would it be*) cruzar la frontera entre México y los Estados Unidos con la ayuda de un coyote? Para imaginar la experiencia, escoge la oración que probablemente describe mejor lo que pasa.

1. Viajas de noche. / Viajas de día.
2. Cruzas la frontera en una ciudad. / La cruzas en el desierto.
3. Necesitas mucho dinero. / Necesitas poco dinero.
4. Cruzar con un coyote es peligroso. / No es nada peligroso.
5. Tienes miedo. / No estás ansioso/a.
6. Si te descubren, vas a la cárcel (*jail*) o te regresan. / Si te descubren, no pasa nada.

C. **¿Quién tiene más éxito?** Lee las siguientes frases y determina qué inmigrantes tienen más probabilidad de éxito en este país. Explica el porqué de tus respuestas.

1. una persona que tiene documentos legales
2. una mujer que quiere pasar la frontera sola
3. una persona con suficiente dinero para contratar a un coyote
4. una persona que habla un poquito de inglés
5. una persona que se viste bien
6. una persona de piel blanca

D. **Tus viajes.** ¿Has viajado al extranjero alguna vez (*ever*)? Contesta las siguientes preguntas sobre la experiencia de cruzar una frontera nacional.

1. ¿Te fue difícil cruzar la frontera?
2. ¿Qué documentos tuviste que mostrarle al / a la agente de inmigración?
3. ¿Te revisaron las maletas?
4. A la vuelta, ¿qué documentos te pidieron?
5. ¿Tuviste algún problema? Explica.

E. **Entrevista: El origen.** Hazle las siguientes preguntas a un compañero / una compañera de clase para saber más de la historia de su familia.

1. ¿De dónde eres?
2. ¿De dónde son tus padres? (¿Dónde nacieron?)
3. ¿De dónde son (¿Dónde nacieron) tus abuelos maternos y paternos? Si son de otro país, ¿cómo llegaron aquí?
4. ¿Por qué vinieron a este país (para estudiar, por razones económicas, por razones religiosas, por razones políticas, para evitar la persecución, etcétera)?
5. ¿Sabes dónde se conocieron (*met each other*) tus padres? Y tus abuelos, ¿cómo se conocieron?

así se dice

By now you should have noticed that Spanish has a number of idioms that use **tener** + *noun* where English uses the verb *to be* + *adjective.*

tener...	to be . . .	tener...	to be . . .
_____ **años**	_____ years old	**miedo**	afraid
celos	jealous	**prisa**	in a hurry
éxito	successful	**sed** (*f.*)	thirsty
hambre (*f.*)	hungry	**suerte** (*f.*)	lucky

Note that the English adjectives use an adverb like *really* or *very* to enhance the description. However, since the word after **tener** is a noun in Spanish, its modifier must be the adjective **mucho/a.**

Tuve **mucho** miedo.	*I was really afraid.*
Hemos tenido **mucha** suerte.	*We've been very lucky.*

Gramática

11.1 *HACE* + TIME + *QUE*

In **Capítulo 10,** you saw the construction **hace** + *time* + **que** + *present tense verb* to express how long an action or state has been in effect.

Hace 30 años que viven en California.	*They've lived (been living) in California for 30 years.*

The **hace** + *time* + **que** construction can be used with a past tense (usually the preterite) to express the equivalent of English *ago.* The *preterite* is used because the action was *completed* in the past and is no longer in effect.

Hace 30 años que cruzaron la frontera.	*Thirty years ago, they crossed the border.*

NOTES:

- You can also use the **hace** + *time* + **que** + *preterite verb* construction at the end of sentence, but in this case the **que** is not used.

Cruzaron la frontera **hace 30 años.**	*They crossed the border 30 years ago.*

- When asking a question about how long something has been going on or how long ago something happened, use the construction: **¿Cuánto tiempo hace que** + *verb*... **?***

¿Cuánto tiempo hace que viven en California?	*How long have they lived (been living) in California?*
¿Hace cuánto tiempo que cruzaron la frontera?	*How long ago did they cross the border?*

autoprueba

Lee las oraciones de la izquierda e indica la traducción correcta en inglés, a la derecha.

1. __a__ Hace un año que estudio aquí.
   __b__ Hace un año que estudié aquí.

   a. I have been studying here for a year.
   b. I studied here a year ago.

2. __a__ Hace una hora que te espero.
   __b__ Te esperaba hace una hora.

   a. I have been waiting for you for an hour.
   b. An hour ago, I was waiting for you.

3. __b__ Te llamé hace dos días.
   __a__ Hace dos días que te llamo.

   a. I have been calling you for two days.
   b. I called you two days ago.

---

*In colloquial speech, this construction may be changed to: **¿Hace cuánto tiempo que** + *verb*... ?

4. __a__ Hace muchos años que los inmigrantes vienen aquí.

a. Immigrants have been coming here for many years.

__b__ Hace muchos años que los inmigrantes vinieron aquí.

b. Immigrants came here many years ago.

5. __b__ Tuvimos problemas económicos en México hace varios años.

a. We have had economic problems in Mexico for several years.

__a__ Hace varios años que tenemos problemas económicos en México.

b. Several years ago we had economic problems in Mexico.

práctica

A. Hechos históricos. Usando la información de la línea cronológica de **Infórmate,** contesta las siguientes preguntas sobre la historia de la inmigración a EE.UU.

1. ¿Cuánto tiempo hace que se puso fin a la Revolución Mexicana?
2. ¿Cuánto tiempo hace que empezó la revolución de Castro en Cuba?
3. ¿Cuánto tiempo hace que se inició la nueva ley de inmigración?
4. ¿Cuánto tiempo hace que se está en vigor (*has been in effect*) el Tratado de Libre Comercio?

Extension A: Have students research these events and present a short summary to the class.

infórmate

Historia de la frontera entre México y los Estados Unidos

1848	El tratado de Guadalupe Hidalgo puso fin a la guerra mexicano-americana.
1853	La compra Gadsden fijó (*determined*) la frontera entre México y EE.UU.
1910–1917	La revolución mexicana provocó el éxodo masivo de mexicanos a EE.UU.
los años 20	La expansión económica de Norteamérica motivó la inmigración de mexicanos, cubanos y otros hacia el norte.
a partir de 1945	Millones de puerto-rriqueños se trasladaron (*moved*) a EE.UU.
1959	La revolución encabezada (*led*) por Fidel Castro provocó la salida de miles de cubanos a la Florida y otros destinos en EE.UU.
1980	125.000 cubanos salieron del puerto de Mariel y llegaron a EE.UU.
1994	Se firmó el Tratado de Libre Comercio (*NAFTA*) entre Canadá, EE.UU. y México.
1996	EE.UU. aprobó una nueva ley de inmigración.

B. Entrevista: ¿Cuánto tiempo hace? Entrevista a un compañero / una compañera de clase para saber cuánto tiempo hace que hizo las siguientes cosas. También puedes añadir preguntas originales.

1. visitar a sus padres
2. ver a los amigos de la escuela secundaria
3. aprender algo sobre México
4. salir a comer con los amigos
5. hacer preguntas en la clase de español
6. ¿ ?

 Warm-up B: Model this interview carefully, perhaps breaking it down into steps: (1) Show students how to convert the cue into a question using *tú* forms of the verb (*¿Cuánto tiempo hace que visitaste a tus padres?*) and have them write down all the questions; then (2) have students interview a partner and take notes on his/her responses for later reporting to the class.

Note: This presentation is not an exhaustive list of the uses of *por* and *para*; rather, it is a summary of the basic uses of which a beginning student of Spanish should be aware.

Point out that the stress falls on the first syllable of *porque;* contrast this pronunciation with the interrogative *¿por qué?*, with stress on the second syllable.

Students tend to overgeneralize using *para* with infinitives, producing incorrectly *Es difícil para cruzar…* Point out that the infinitive (the action) is actually the subject of *es difícil* (*Cruzar la frontera es difícil…*). You may want to demonstrate the contrast between *Es difícil cruzar la frontera* and *La frontera es difícil* <u>*de*</u> *cruzar.* Reinforce the notion that *para* + **infinitive** is used only to express the equivalent of **in order to (do something):** *Uno necesita mucho dinero para cruzar la frontera con la ayuda de un coyote.*

11.2 *POR* AND *PARA* (SUMMARY)

In your study of Spanish so far, you have learned many expressions with the prepositions **por** and **para.** Both words sometimes can be translated into English as *for,* but by no means do they have the same meaning. The following is a summary of their uses (some of which you have already learned), although for beginning students of Spanish it is probably best to memorize these two prepositions in the most common expressions in which they are used.

Expressions with **por**

Por eso llegamos tan tarde.	*That's why we arrived so late.*
Traigo mis documentos, **por si acaso.**	*I'll bring my papers, just in case.*
Gracias por el regalo.	*Thanks for the gift.*
Gracias por ayudarme anoche.	*Thanks for helping me last night.*
¿Me puede decir la hora, **por favor**?	*Could you please tell me what time it is?*
¡Por supuesto!	*Of course!*
Sólo el 12 **por ciento** de los inmigrantes es de ese país.	*Only 12 percent of the immigrants are from that country.*

Uses of **por**

1. with places, to express movement *through* or *around*

Pasamos **por** San Diego.	*We went (passed) through San Diego.*
Muchos inmigrantes viven **por** aquí.	*Lots of immigrants live around here.*

2. with time, to express *duration*

Nos detuvieron **por** tres horas en la frontera.	*They held us for three hours at the border.*

3. with an infinitive, to express *reason, motive,* or *means*

Fuimos a California **por** no tener trabajo en México.	*We went to California because we had no work in Mexico.*

4. with people or other nouns, to express *for* in the sense of *on behalf of, because of*

La madre de Yolanda lo hizo **por** su hija.	*Yolanda's mother did it on behalf of her daughter.*
Inmigraron **por** razones económicas.	*They immigrated because of (for) economic reasons.*

Uses of **para**

1. with places, to express *destination*

Mañana salimos **para** Ciudad Juárez.	*Tomorrow we're leaving for Ciudad Juárez.*

2. with time expressions, to express *deadlines*

Este trabajo es **para** mañana.	*This job is for tomorrow.*

3. with an infinitive, to express *purpose*

Voy a Arizona **para** trabajar.	*I'm going to Arizona (in order) to work.*

4. with people or other nouns, to express *recipient* or *standard of comparison*

¿Ese regalo es **para** mí?	*That present is for me?*
Es muy trabajador **para** un niño tan joven.	*He's very hardworking for such a young child.*

NOTES:

- When you give a motive or means with a noun, use **por** to mean *because of*. When a conjugated verb follows, use **porque** to mean *because*.

No fuimos con el coyote **por** el peligro.	*We didn't go with the* coyote *because of the danger.*
No fuimos con el coyote **porque** era muy peligroso.	*We didn't go with the* coyote *because it was very dangerous.*

- The distinction between *motives* (expressed with **por**) and *purposes* (expressed with **para**) is subtle. Think of motives as preexisting conditions, and purposes as future goals.

Los peregrinos dejaron Inglaterra **por** razones religiosas.	*The pilgrims left England for (because of) religious reasons. (reasons already existed in England)*
Vinieron a América **para** empezar una nueva vida.	*They came to America (in order) to start a new life. (future plans)*

- With the impersonal expressions **es difícil, es fácil, es necesario,** and so forth, use an infinitive alone (not with **para**) to express the action that is difficult, easy, necessary, and so on.

Es difícil cruzar la frontera sin coyote.	*It's hard to cross the border without a* coyote.
No siempre **es fácil conseguir** trabajo en los Estados Unidos.	*It's not always easy to get work in the United States.*

práctica

A. **Los motivos.** Completa con **por** o **porque** las siguientes oraciones sobre la deportación de Mariluz, una estudiante mexicana de secundaria que vive sin documentos en los Estados Unidos con sus padres.

1. El director de la escuela llegó a la clase __por__ Mariluz.
2. Al principio, ella estaba contenta __porque__ pensó que iba a salir de la clase con sus padres.
3. La madre de Mariluz lloraba __por__ tener que separarse de su hija.
4. Mariluz no quería dejar su escuela __porque__ le gustaba.
5. Los padres de Mariluz querían regresar a su casa __por__ dinero y ropa.
6. Los agentes deportaron a la familia de Mariluz __porque__ sus padres no tenían los documentos necesarios.

B. **En el consulado** (*consulate*). Un agente del consulado les da las siguientes instrucciones a dos norteamericanos que quieren conseguir una visa para ir a México. Complétalas con **para** o **por.**

1. Ustedes necesitan pruebas (*proof*) de identificación __para__ empezar el proceso.
2. Estos documentos son __para__ el agente Ramírez.
3. Tienen que llegar al consulado __para__ la próxima semana.
4. Los necesitamos __para__ expedir (*issue*) la visa.
5. Normalmente guardamos los documentos __por__ tres días, y luego se los devolvemos con la visa.
6. __Para__ un ciudadano norteamericano, el proceso es fácil.

C. **Los titulares** (*headlines*). Completa con **por** o **para** estos titulares sobre los indocumentados.

1. Familiares preocupados __por__ inmigrantes deportados
2. Congreso aprueba (*passes*) nuevas leyes __para__ inmigrantes procedentes (*originating*) de México
3. Gobierno mexicano obligado a establecer condiciones de deportación __para__ los indocumentados
4. El INS (Servicio de Inmigración y Naturalización) deporta a 30 mil mexicanos __por__ Tijuana y Ciudad Juárez este año
5. Activistas demandan actitud más vigorosa __para__ defender derechos de indocumentados
6. Indocumentados necesarios __para__ el funcionamiento de servicios __por__ toda la ciudad

D. La Visa Láser. Lee la descripción de la Visa Láser, un documento del INS de los Estados Unidos, y contesta las siguientes preguntas.

1. ¿Para quiénes es este documento?
2. ¿Por qué motivos se solicita (*apply for*) una Visa Láser?
3. ¿Por cuántos años es válida?
4. ¿Qué medidas de seguridad contiene? ¿Para qué sirven?

Suggestion D: Have students explain why they use *por* or *para* in the answers to the questions in this activity.

Point out: Thousands of Mexican nationals go back and forth between the United States and Mexico on a daily basis for business, shopping, and family visits in all of the border towns from California to Texas. (Have students identify the "sister cities," such as San Diego and Tijuana, on the map in the chapter opener.) In the past, these Mexicans would enter the country with **border crossing cards,** which allowed them to enter the United States a limited number of miles from the border.

¿Qué es la Visa Láser?

■ La Visa Láser es una visa combinada (B1/B2, de negocios y turismo) y una Tarjeta de Cruce Fronterizo (Border Crossing Card o BCC; también conocida como «mica» o «pasaporte fronterizo»).

■ Se expide[a] a los ciudadanos mexicanos que viajen a los Estados Unidos por cuestiones[b] de turismo, negocios o compras.

■ Su tamaño es el de una tarjeta de crédito, por lo que puede llevarse fácilmente en la cartera.

■ Contiene datos, fotografía y huella digital[c] del portador;[d] la información será codificada[e] digitalmente en la tarjeta, de manera que[f] puede ser leída por un rayo láser. Contiene medidas[g] adicionales de seguridad para evitar[h] su falsificación, y puede ser leída electrónicamente.

■ Tiene una validez de 10 años.

[a]Se... *It is issued* [b]*issues, reasons* [c]huella... *digital fingerprint* [d]*bearer* [e]será... *will be coded* [f]de... *so that* [g]*measures* [h]*prevent*

Un cruce de frontera entre los Estados Unidos y México

Charla con Yolanda

  You can watch this interview on the DVD to accompany *Portafolio* or on the Online Learning Center (**www.mhhe.com/portafolio**).

DATOS PERSONALES

Nombre: Yolanda Rodríguez Ávila
Edad: 29 años
Nació en: Tijuana, México

Suggestion: Have students look at the map in the chapter opener to locate Tijuana, Mexico. Then have them locate other Mexican border towns as well as their neighboring U.S. cities just across the border.

Suggestion (*Vocabulario útil*): Pronounce each item for students before they watch the interview so that the words will sound familiar. Then have students guess what the content of the interview will be, based on the chapter theme and on the *Vocabulario útil*.

Suggestion: Before they read, have students find the new active vocabulary for this chapter in the text.

Suggestion: Have students locate these cities on the map in the chapter opener and describe their relative location using estar cerca de / al norte / sur / este / oeste de, en la frontera con, and so on: la Ciudad de México, Guadalajara, Tijuana, Ciudad Juárez, Chihuahua, Monterrey.

A. Cruzar no es fácil. Vas a leer una entrevista con **Yolanda Rodríguez Ávila,** quien va a contar cómo cruzaron la frontera diferentes miembros de su familia. Primero, lee las siguientes oraciones. Luego, mientras lees, indica a quién se refiere cada oración: a Yolanda, a sus padres o a todos.

	A YOLANDA	A SUS PADRES	A TODOS
1. Necesitaba(n) trabajar.	☐	☐	☐
2. Cruzó/Cruzaron con la ayuda de un coyote.	☐	☐	☐
3. Vino/Vinieron sin documentos.	☐	☐	☐
4. Pasó/Pasaron por las montañas.	☐	☐	☐
5. Se perdió/perdieron en el desierto.	☐	☐	☐
6. Tuvo/Tuvieron suerte de encontrar ayuda.	☐	☐	☐

vocabulario útil

moverse (ue)	mudarse
se puede decir	one might say
que tengan	that they have
nos tardó	it took us
en verdad	truthfully
no tiene nada que ver con	it has nothing to do with
por un decir	in a manner of speaking
estancada	stuck

Answers: A: 1. *A sus padres* **2.** *A sus padres* **3.** *A todos* **4.** *A sus padres* **5.** *A Yolanda* **6.** *A Yolanda*

De dónde eres?

Nací en Tijuana, pero mi familia es de Aguascalientes, y ahora vivo en Los Ángeles.

¿Por qué vinieron tus padres a los Estados Unidos?

Vinieron por razones de trabajo. Económicamente no les iba muy bien, entonces decidieron moverse aquí, para conseguir trabajo.

¿Y cómo llegaron?

Vinieron sin documentos. Fueron cruzados por un coyote por las montañas. Un coyote es la persona que se especializa, se puede decir, en traer a gente a través de las montañas, y esto puede durar entre uno o tres días, dependiendo de la suerte que tengan en cruzar.

Y tú, ¿cómo llegaste?

En mi caso concreto, yo me perdí con el grupo de gente que venía, que éramos como unas dieciséis personas. Y nos perdimos en medio del desierto. Y fue muy duro porque no teníamos agua, no teníamos comida, y no me encontraba bien físicamente. Fue muy difícil, y pues tuvimos suerte de que alguien nos encontró y pudimos cruzar. Nos tardó más o menos como tres días.

¿Cómo es Tijuana?

Tijuana, en verdad, no tiene nada que ver con el resto de México. Tijuana es una ciudad muy pobre, muy sucia, donde hay gente que en verdad viene ahí y se queda, por un decir, estancada, porque quiere cruzar y de alguna forma u otra se queda ahí a vivir. Entonces no hay mucho trabajo. Por eso es que hay tanta pobreza. No creo que tiene que ver mucho con el resto de México.

B. Un retrato de Tijuana. Indica si las siguientes oraciones sobre Tijuana son ciertas o falsas, según lo que dice Yolanda.

	CIERTO	FALSO
1. Es como el resto de México.	☐	☐
2. Es pobre y no hay mucho trabajo.	☐	☐
3. También es sucia.	☐	☐
4. Todo el mundo está de paso, nadie se queda a vivir allí.	☐	☐
5. Está cerca de la frontera.	☐	☐
6. Es representativa del país.	☐	☐

C. ¿A quién le fue bien? ¿Quién pasó la frontera más fácilmente, Yolanda o sus padres? Apoya tu respuesta con información de la entrevista.

¿Qué aspecto de Tijuana representa para ti esta foto? ¿Crees que sea (*it is*) así todo México, o sólo en algunos lugares?

¡Escribe y habla mejor!

In the last chapter, you learned that the letters **b** and **v** have hard and soft variations. The same is true of **d.** The letter **g** is even more complicated: it changes its sound depending on the vowel that follows and can cause spelling problems.

Study the information in Appendix A, and practice your pronunciation and spelling in the *Portafolio de actividades*.

Vocabulario

LA IDENTIDAD BICULTURAL

Gloria, 39 años, Los Ángeles

Armando, 45 años, Miami

Suggestion: Check students' comprehension of the bolded vocabulary. Point out that issues of bicultural identity arise in all immigrant communities, regardless of the origin of the individuals (Gloria is Mexican-American, Armando is Cuban-American).

Soy **bicultural,** pero **me identifico** más con la cultura norteamericana. Algunas personas quieren **esconder**[a] sus **raíces** mexicanas, pero yo estoy orgullosa de mis orígenes. Vivir entre dos culturas implica muchos **conflictos culturales.** Por ejemplo, en la escuela los maestros no nos **dejaban** hablar español. Mis padres tenían **valores** y expectativas diferentes para los chicos y para las chicas.

Para mí, ser bicultural significa **ser consciente de** mis orígenes, **aprender** de la cultura cubana y **preservar**la y ser **bilingüe,** es decir, no **olvidar** el español ni **las costumbres** de mis padres y abuelos.

el conflicto generacional	generational conflict
la lengua nativa	native language
ser próspero/a	to be prosperous
tratar de mantener las costumbres	to try to maintain one's (native, traditional) customs

[a]hide

práctica

A. La identidad bicultural. ¿Con qué cultura se identifican los siguientes norteamericanos, probablemente?

MODELO: Esta persona se identifica más con la cultura sueca (*Swedish*).

1. «Mis antepasados (*ancestors*) son de Italia, pero no sé de dónde, exactamente.»
2. «Mis padres son de origen mexicano, pero nunca me hablaban en español.»
3. «Soy de Corea, y no hablo bien el inglés.»
4. «Mis abuelos vinieron de Suecia (*Sweden*), y todavía comemos *ludefisk* y otros platos típicos en las fiestas.»
5. «En mi casa, celebramos las posadas navideñas,* comemos tortillas más que pan y vamos a clases de español después de la escuela.»
6. «Mis antepasados son de Irlanda, pero no mantenemos ninguna costumbre de allí.»

B. Vivir entre dos culturas. Las siguientes citas vienen de la revista bilingüe *Latina*. Complétalas con las palabras apropiadas de la lista. **¡OJO!** No se usan todas las expresiones.

abuelos, conflictos, culturas, fiestas, flexible, identidad, por ciento, rebelión

1. «Más del 30 _____ de los latinos inmigrantes entre los 25 y los 34 años se casan con personas no latinas. Las latinas que se han casado con hombres de otras razas (*races*) dicen que sus familias se han enriquecido (*have been enriched*) con dos _____ distintas.»
2. «Aprender el español es parte importante de la _____ cultural.»
3. «Hay que exponer (*expose*) a los niños a personas como los _____, que pueden enseñarles a sentir la cultura.»
4. «Una pareja bicultural debe llegar a un acuerdo acerca de la crianza (*raising*) de los hijos y ser _____ en sus actitudes.»
5. «Si hay un asunto que afecta a la familia, como la celebración de ciertas _____, se debe discutir entre todos, incluidos a los niños.»

C. Encuesta: Los orígenes de tu familia. Hazles las siguientes preguntas a cinco compañeros/as de clase para saber más de su historia familiar. Después, presenta sus respuestas al resto de la clase.

1. ¿De qué origen étnico o nacional es tu familia?
2. ¿Cuánto tiempo hace que llegaron tus antepasados a este país?
3. ¿Por qué vinieron, originalmente?
4. ¿Se mantienen muchas costumbres de su país nativo? ¿Cuáles?
5. ¿Hablas el idioma original de tu familia, o conoces por lo menos algunas expresiones?
6. ¿Te identificas con el origen de tu familia, o te sientes más bien norteamericano/a? ¿Por qué?
7. ¿Tienes conflictos culturales o generacionales con tus padres o abuelos? ¿Qué soluciones han encontrado ustedes?

¿Hay escuelas o programas bilingües en la región donde vives?

*****Las posadas** son fiestas mexicanas que se celebran antes de la Navidad.

Gramática

11.3 COMBINING VERBS

You should have noticed by now that word-for-word translation from English is not a useful strategy for expressing your ideas in Spanish. This is especially true once you start to combine several actions (verbs) in the same sentence.

The only verb form possible after a preposition in Spanish is the *infinitive*. Note the following contrasting patterns in Spanish and English, which often uses the *-ing* form instead:

antes de **llegar**	*before arriving, before I (he, we, etc.) arrived*
después de **revisar** los pasaportes	*after checking, after he (they, etc.) checked the passports*
al **ver** al agente	*When he (they, we, I, etc.) saw the agent*

Certain verbs can combine with another verb in the same clause (that is, not connected with *and, but, or,* and so on.) There are three ways to do this, and you must memorize how each verb combines with another:

1. conjugated verb + infinitive

Quiero volver a México.	*I want to go back to Mexico.*
Olvidé renovar el pasaporte.	*I forgot to renew my passport.*
Debes hablar de eso con la familia.	*You must talk about that with your family.*

2. conjugated verb + preposition (**a, con, de, en, por**) + infinitive

Mi abuela sueña <u>con</u> volver a México.	*My grandmother dreams about returning to Mexico.*
Trata <u>de</u> esconder sus raíces.	*She tries to hide her roots.*
Me **ayuda <u>a</u> preservar** nuestras costumbres.	*It helps me to preserve our customs.*

3. conjugated verb + **-ndo** form

Están discriminando a muchos inmigrantes.	*They are discriminating against lots of immigrants.*
Siguen hablando español en casa.	*They keep speaking Spanish at home. (They still speak Spanish at home.)*

Point out: The word *que* in the construction *tener* + *que* + **infinitive** is not a preposition, but is required to link the conjugated form of *tener* with the infinitive.

práctica

A. **La secuencia correcta.** Vuelve a estudiar la historia en la página 84 «Pasé el día en Tijuana». Indica la secuencia correcta de dos acciones, uniéndolas con **antes de / después de** + *infinitivo*.

MODELO: *2 acciones:* <u>Hablamos</u> con el agente; le <u>mostramos</u> nuestros documentos. →
Después de <u>hablar</u> con el agente, le <u>mostramos</u> nuestros documentos.
Antes de <u>mostrar</u> nuestros documentos, <u>hablamos</u> con el agente.

Suggestion A: Have students create at least 5 new sentences, varying *antes de* and *después de*.

Expansion A: Have students create similar sentences using events from the timeline on page 89.

B. **Un futuro mejor.** Pedro Zambrano, de Michoacán, México, va a Woodburn, Oregón, EE.UU., para vivir con sus tíos y trabajar. Forma oraciones completas que describen sus planes o pensamientos, uniendo una expresión de cada columna. Añade ideas originales para hacer una historia más interesante.

Suggestion B: Before students begin, confirm the meaning of all the verbs in the lefthand column. Point out the contrast between the Spanish and English use of **verb** + **preposition** combinations (e.g., *tratar <u>de</u>* = **to try to,** *soñar <u>con</u>* = **to dream about**).

 Expansion B: Have students expand these sentences into a paragraph narration, adding logical information where necessary.

Debo	—	comprar una maleta (*suitcase*) nueva
Empiezo	a	conocer a personas interesantes en mi nueva ciudad
Me gustaría	con	
Mis tíos me invitan	de	ganar mucho dinero en Oregón
Necesito	por	llamar a mis tíos en Oregón
Prefiero	que	pasar mucho tiempo con mis primos norteamericanos
Quiero		
Sueño		practicar mi inglés antes de irme
Tengo		quedarme con la familia
Trato		renovar el pasaporte
Voy		tener miedo del viaje
		¿…?

(columnas unidas con **+**)

C. **La integración en la sociedad.** ¿Qué tienen que hacer los nuevos inmigrantes si quieren integrarse en la sociedad norteamericana? Trabajando con un compañero / una compañera, inventen seis recomendaciones, usando las expresiones **(no) deber** y **(no) tener que** + *infinitivo*. Puedes usar las siguientes ideas o inventar otras originales. Luego, añade una justificación para tu opinión.

- aprender inglés
- buscar trabajos fijos
- participar en la vida social de la comunidad
- ir a una iglesia local
- cambiar sus costumbres familiares
- pagar impuestos

MODELOS: En mi opinión, los nuevos inmigrantes <u>tienen que aprender</u> inglés, porque así pueden encontrar mejores trabajos.

Los inmigrantes <u>no deben cambiar</u> sus costumbres familiares porque son importantes para su identidad.

Suggestion: Review adverbs previously studied, e.g., frequency words from Capítulo 9.

11.4 ADVERBS

Adverbs are important function words that can be used with adjectives (and other adverbs) to enhance descriptions, or with verbs to tell how actions are carried out. You have already seen and used many adverbs in your study of Spanish.

Ella habla inglés **muy** bien.	*She speaks English very well.*
El autobús **siempre** llega **tarde.**	*The bus always arrives late.*

Here are some other common adverbs whose meanings you should know.

WITH ADJECTIVES OR OTHER ADVERBS

El problema es **bastante** complicado.	*The problem is rather complicated.*
Llegan a ser **súper** ricos aquí.	*They become super rich here.*
El agente de inmigración habló **demasiado rápidamente.**	*The immigration agent spoke too quickly.*

WITH VERBS

Quizá(s) no vamos.	*Perhaps we won't go.*
Sólo (Solamente) fuimos a Ciudad Juárez.	*We only went to Ciudad Juárez.*

Note: Many native speakers would use the subjunctive with *quizá(s)* (likewise with *tal vez*), but the indicative is perfectly admissible. The indicative indicates less reservation, but first-year students can gloss over this nuance.

NOTES:
- The **-s** of **quizá(s)** is optional; either word is correct.
- **Solo/a** without an accent is an adjective and means *alone* or *lonely;* with an accent, **sólo,** it is the shortened form of the adverb **solamente** (*only*) and is invariable in form.

Prepositional phrases (*preposition + noun* or *infinitive*) can often serve the same function as adverbs.

El tranvía llegó **a tiempo.**	*The streetcar arrived on time.*
Mi papá vino para acá **antes de llegar mi mamá.**	*My father came here before my mother arrived.*
Te voy a llamar **después de terminar** la tarea.	*I'm going to call you after I finish the homework.*

Just as we add *-ly* to many adjectives in English, most Spanish adjectives can be turned into a related adverb by adding the suffix **-mente** to the feminine form of the adjective (if there is one).

físico (*m.*) → física (*f.*) → físicamente	*physical* (adjective) → *physically* (adverb)
cultural (*m., f.*) → culturalmente	*cultural* (adjective) → *culturally* (adverb)

Note that these words are really compounds: They have two stressed syllables, maintaining the original stress (and the written accent) of the adjective: **fí-si-ca-men-te, cul-tu-ral-men-te.** When two **-mente** adverbs are used together, the first one does not take the suffix in standard Spanish, but rather it appears as just the feminine adjective form. You may hear native speakers break this rule in informal speech.

Física y **culturalmente** se parece a una ciudad norteamericana.	*Physically and culturally, it resembles a North American city.* (standard Spanish)

Físicamente y **culturalmente**
  se parece...

*Physically and culturally, it
  resembles . . . (informal speech)*

Finally, when placing adverbs in a sentence, remember that in Spanish—unlike in English — *nothing* can intervene between the two parts of the present perfect. (See **Capítulo 10.**)

¿**Has pasado** la frontera en
  Matamoros **recientemente**?

*Have you recently crossed the
  border at Matamoros?*

práctica

A. **¿Cómo se hace?** Forma los adverbios de los siguientes adjetivos. Después, empareja cada adverbio de la izquierda con el término opuesto de la derecha.

1. __e__ agitado
2. __c__ detenido (*thorough, slow*)
3. __b__ fácil
4. __f__ feliz
5. __d__ rápido
6. __a__ paciente

a. ansioso
b. difícil
c. inmediato
d. lento
e. tranquilo
f. triste

B. **Las experiencias de un inmigrante.** Rogelio Sánchez, originario del estado mexicano de Durango, viajó a los Estados Unidos recientemente para trabajar en una compañía internacional. Completa las siguientes oraciones que describen su viaje con adverbios en **-mente.** Usa los siguientes adjetivos para formar adverbios.

alegre, ansioso, claro (*clear*)**, detenido, final, triste, triunfal**

1. Después de muchos años de duro trabajo, Rogelio _____ ahorró el dinero necesario para el viaje.
2. Se despidió _____ de su familia en Durango, y subió al autobús con destino al norte.
3. Pasó la noche en el autobús _____, pensando en la incertidumbre de su nueva vida.
4. Durante el viaje, un hombre que frecuentemente cruzaba la frontera le explicó _____ lo que pasaría (*would happen*) en la frontera.
5. En El Paso, un agente le revisó _____ los documentos. ¡Rogelio pensaba que nunca lo dejaría (*he would let*) pasar!
6. Pasó la frontera _____, con los brazos arriba al estilo de Rocky Balboa.
7. _____ empezó su nueva vida en su país adoptivo.

Answers B: **1.** *finalmente* **2.** *tristemente* **3.** *ansiosamente* **4.** *claramente* **5.** *detenidamente* **6.** *triunfalmente* **7.** *Alegremente*

C. **La historia de una familia inmigrante.** Escoge de la lista los adverbios apropiados para completar la narración. **¡OJO!** No se usan todos los adverbios.

bastante, demasiado, inmediatamente, muy, pacientemente, rápidamente, sólo, tranquilamente

Mis padres llegaron a los Estados Unidos en el año 1945, _____[1] después de la Segunda Guerra Mundial (*World War II*). La vida en México era _____[2] difícil y ellos soñaban con algo mejor para sus hijos. En los Estados Unidos mi padre y mis tíos encontraron trabajo _____[3] en los campos y en las fábricas. No ganaban mucho dinero; su sueldo _____[4] les permitían comer y dormir. Pero eran buenos trabajadores y _____[5] consiguieron vivir más _____[6].

Answers C: **1.** *inmediatamente* **2.** *muy* **3.** *rápidamente* **4.** *sólo* **5.** *pacientemente* **6.** *tranquilamente*

portafolio cultural

nación

LAS CIUDADES FRONTERIZAS

Ubicada[a] en la frontera sur de los Estados Unidos, las ciudades de Laredo, Texas, y Nuevo Laredo, México, representan la división y también la unión entre los Estados Unidos y México. El Río Grande (o Río Bravo para los mexicanos) separa a las dos ciudades, pero las unen puentes[b] internacionales. Más de 50.000 personas cruzan el río diariamente por diversos motivos —trabajo, comercio, salud, compras, diversión o visitas familiares. En el constante tránsito de una ciudad a otra, se armonizan los neolaredenses[c] y los laredenses,[d] por lo cual[e] es imposible distinguir quién es quién.

El idioma es un buen ejemplo de la dualidad de la frontera, ya que los laredenses utilizan el español tanto como[f] el inglés. Como resultado de este bilingüismo, muchos laredenses mezclan los dos idiomas en una misma conversación. Esta alternancia lingüística se escucha también en la radio y en la televisión.

Todos los años se celebra en Laredo y Nuevo Laredo una fiesta importante por su simbología—el «Día del abrazo». En esta celebración de amistad desfilan[g] los representantes políticos de ambos lados de la frontera para encontrarse en medio del *Puente Juárez Lincoln* y compartir abrazos. Este curioso ritual manifiesta de forma patente[h] la unión y hermandad de Laredo y Nuevo Laredo.

1. Describe a Laredo y Nuevo Laredo. ¿Dónde están estas ciudades?¿Qué tienen de particular?
2. ¿Cuántos nombres tiene el río ubicado en la frontera entre los Estados Unidos y México? ¿Piensas que hay valor metafórico en esos nombres? Explica.
3. Describe brevemente las costumbres (*habits, customs*) lingüísticas en la frontera. ¿Qué opinas de la mezcla de lenguas?
4. Describe brevemente la celebración laredense del Día del abrazo. ¿Qué importancia tiene? Compara esta celebración con las de tu ciudad.

[a]*located* [b]*bridges* [c]*inhabitants of Nuevo Laredo* [d]*inhabitants of Laredo* [e]*por... which is why* [f]*tanto... as much as* [g]*parade* [h]*clear*

Esta placa marca la frontera entre Laredo, Texas, y Nuevo Laredo, México.

Point out: Ask students how they think Mexican residents of Nuevo Laredo can come and go easily between the U.S. and Mexico. Remind them of the *Visa Láser* on p. 93.

Extension: For further discussion on the reading, ask students the following questions: *¿En qué consiste el conflicto entre Belén Arriaga y su hija Giselle? ¿Qué piensas que debe hacer la madre en este caso? ¿Qué dice Sylvia Balderrama acerca de la rebeldía cuando se obliga a los hijos a mantener la herencia cultural? ¿Estás tú de acuerdo? ¿Piensas que es preferible conservar las costumbres étnicas y familiares, o es mejor adoptar por completo las del nuevo país?*

actualidad

CULTURAS Y GENERACIONES

Si bien es cierto que los conflictos entre las generaciones son normales, todo se complica cuando la cultura de los padres es diferente a la de los hijos. «Por lo general, los adolescentes luchan por su independencia, y sus padres por mantener la integridad familiar. Eso lleva al choque[a]», dice Sergio Aisenberg, un psicoterapeuta argentino.

Tal es el caso de Giselle Arriaga, una joven de 17 años. Sus padres aún[b] no lo saben, pero ella desea perforarse el ombligo,[c] la lengua y la nariz, y está a punto de[d] tatuarse en una pierna. ¿Por qué? «Porque está de moda. Además, mi cuerpo es mío», dice Arriaga.

[a]*clash* [b]*yet* [c]*belly button* [d]*está... she is on the verge of*

En ese aspecto, Belén Arriaga no entiende a su hija ni a los jóvenes de hoy en día. Giselle no quiere regresar a casa antes de las 11:00 de la noche. «No soy una rebelde, pero pienso que si hay algo que quiero hacer, ¿por qué no hacerlo?», dice la joven Arriaga.

Según Aisenberg, otra forma de rebeldía[e] de los jóvenes latinos consiste en negarse[f] a hablar español o a comer ciertos platos típicos, porque se sienten «norteamericanos» y no de la nacionalidad de los padres.

Sylvia Balderrama, directora de servicios psicológicos de Vassar College, dice que si los padres insisten en mantener su herencia cultural de manera estricta en el hogar, producirán[g] más rebeldía.

«Investigaciones recientes muestran que los jóvenes adolescentes con mejor conducta son aquellos que [...] lograron negociar algunos aspectos y obtuvieron su autonomía», dice Aisenberg.

1. Apunta tres formas de rebeldía entre los jóvenes latinos que se presentan en la lectura. En tu opinión, ¿las formas de rebeldía entre los jóvenes latinos son especiales, o son parecidos a las de otros grupos?
2. Según la lectura, ¿por qué son los conflictos generacionales más complicados cuando la cultura de los padres es diferente a la de los hijos? ¿Estás tú de acuerdo con este punto de vista?

[e]rebellion [f]refusing [g]they will cause

¿Hay conflictos entre lo que crees tú y lo que creen tus padres/hijos?

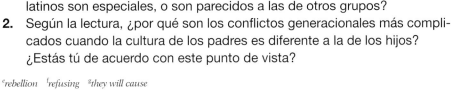

cartelera

LA MÚSICA DE LA FRONTERA

Junto con un primo suyo, los cuatro hermanos Hernández formaron una banda *norteña,* un estilo de musica caracterizado por su ritmo de polka y el uso del bajo sexto[a] y el acordeón. En 1968, ellos se marcharon[b] de su pueblo en Sinaloa, México, con rumbo a[c] los Estados Unidos para ganar dinero para ayudar a su familia. Al cruzar la frontera hacia el norte, un agente de inmigración les llamó «*little tigers*». De allí tomaron el nombre de su banda Los Tigres del Norte. Se establecieron en San José, California, donde fueron «descubiertos» y, desde entonces, sus canciones del sufrimiento y de las aventuras que enfrentan los inmigrantes han servido como historias de esperanza y recuerdos de lo mucho que han trabajado para mejorar la vida.

Los Tigres del Norte han sido galardonados[e] varias veces con premios Grammy, tributos musicales e incluso el apodo[f] de «Los Ídolos del Pueblo».

Otros músicos mexicanoamericanos incluyen a Julieta Venegas, Pepe Aguilar, el grupo Intocable y Selena, quien fue asesinada por la presidenta de su club de admiradores en 1995, pero cuya[g] popularidad sigue hasta hoy, sobre todo en su estado natal de Texas.

1. ¿Conoces la música de alguno de los grupos o cantantes mencionados aquí? ¿Conoces otra música de cantantes mexicanoamericanos? ¿Cómo es? ¿Te gusta?
2. ¿Qué efecto tiene la música en tu vida? ¿Y la letra de las canciones?

[a]bajo... *12-string bass guitar* [b]se... *they left* [c]con... *toward* [d]se... *they decided to call themselves*
[e]*awarded* [f]*nickname* [g]*whose*

Julieta Venegas canta y toca el acordeón con Jorge Hernández de Los Tigres del Norte durante los Premios Grammy de 2006.

Note: To purchase music by Los Tigres del Norte or other Latin artists, follow the link on the *Online Learning Center* to the *Portafolio* iMix on iTunes®.

icono

LA LEYENDA DE LA LLORONA[a]

En el folclore de la frontera mexico-estadounidense se encuentran muchas variaciones de la leyenda de *La llorona*. Cada comunidad le da unos toques especiales, pero los incidentes principales y la admonición final no varían. La leyenda cuenta que María, una bella y tal vez altiva[b] muchacha, se enamora de un joven guapo y rico que llega a su pueblo. Ellos se casan y tienen dos hijos. Pero el joven pronto añora[c] su vida de soltero y empieza a ausentarse del hogar cada vez más;[d] a veces lo ven con otras mujeres. Celosa[e] y desesperada, María lleva a sus hijos al río, donde los ahoga.[f] Después se lanza al río ella también. Se dice que desde entonces ella da vueltas por[g] el río, llorando, al anochecer,[h] buscando a sus hijos perdidos.

¿Por qué crees que *La llorona* es tan popular como leyenda? ¿Te parece útil como cuento infantil?

[a]*Crying Woman*   [b]*proud, haughty*   [c]*misses, feels nostalgia for*   [d]*ausentarse... leave home more and more often*   [e]*Jealous*   [f]*drowns*   [g]da*... wanders around*   [h]al*... at nightfall*

You can watch this interview on the DVD to accompany *Portafolio* or on the Online Learning Center (**www.mhhe.com/portafolio**).

vocabulario útil

lavar los trastes *m. pl.*	to wash the dishes
damas y chambelanes *m. pl.*	young ladies and gentlemen
todo lo que le han brindado	all they have given her
ha madurado	she has matured
ha crecido	she has grown up
me hubiera gustado	I would have liked

Suggestion: Have students look at the map in the chapter opener to locate Los Ángeles, California.

Suggestion (*Vocabulario útil*): Pronounce each item for students before they watch the interview so that the words will sound familiar. Then have students guess what the content of the interview will be, based on the chapter theme and on the *Vocabulario útil*.

gente

HABLAN LOS HISPANOS

Nombre:	Érika Meza Román
Edad:	22 años
Nació en:	Los Ángeles, California

Point out: The term *el chambelán* usually refers to the young man who escorts the *quinceañera,* but here Érika uses it to refer to all the young men in the celebration.

Point out: The term *la quinceañera* can refer to the celebration itself or, as is the case in item 5, to the young lady who is the reason for the celebration.

¿Qué dijo? Primero, lee las siguientes oraciones incompletas de la entrevista con Érika. Ve de nuevo la entrevista y completa las oraciones con la información que falta.

1. Érika se siente _____ porque es de las dos culturas.
2. Sus padres son muy _____. No la dejan _____ y no la dejan _____.
3. Su hermano siempre _____, pero Érika tenía que _____.
4. Los quince años se celebran con _____. Siempre hay _____, _____, _____, _____ y _____.
5. La quinceañera les da _____ a _____ por todo lo que le han brindado a ella. Los padres le dan _____ a _____ porque su hija ha madurado.

Suggestion: Pre-reading: Have students answer the following questions: **1.** *Cuando eras adolescente, ¿qué cosas no te dejaban hacer tus padres?* **2.** *¿Por qué no te dejaban hacer esas cosas? En tu opinión, ¿eran válidos sus motivos? ¿Los comprendes ahora?* **3.** *¿Fueron tus conflictos con tus padres conflictos culturales o solamente diferencias generacionales?*

Answers: 1. *mexicoamericana* **2.** *estrictos; salir cuando hay reuniones; hablar inglés* **3.** *salía; lavar los trastes* **4.** *una fiesta muy grande; una ceremonia en la iglesia; mucha comida; muchos regalos; mariachis; un baile grande.* **5.** *gracias; sus padres; gracias; Dios*

opinión

La siguiente cita tomada de una fuente escrita en inglés para anglohablantes va a aumentar tus conocimientos sobre algunos fenómenos culturales relacionados con la inmigración. Usa lo que has aprendido en este capítulo sobre la inmigración, más tu propia experiencia, para contestar las preguntas que siguen la cita.

"The Statue of Liberty stands as a symbol of the European migration because it represents a terminus. There is no terminus for Latino immigrants. Latino immigrants pass through borders. Then they create barrios that are borderlands. At a time of quick and ready travel, the borderland can be anywhere. This holds for all immigrants today, but the ambiguities are most intense for Latinos because of the proximity of their homelands. The barrios are borderlands not because foreigners live in them, not because they are filled with exotic smells and voices. Instead, they are borderlands because of a constant traffic of goods and people, a give-and-take, a constant hybridization.

The human traffic between the United States and the Latin American countries that send it immigrants, especially Mexico, has achieved a size and speed unimaginable a few years ago. So many people in these countries are so closely linked and move back and forth so much that they create transnational spaces. These are not cactus-strewn deserts somewhere out in the Southwest, but chunks of American cities where national identities and geographic boundaries lose their relevance. These are barrios where Latinos invent new kinds of music and new identities and where a new generation of Americans is trying to define itself while living in a constant state of transition."

Source: *Strangers Among Us: How Latino Immigration Is Transforming America*

1. ¿En qué ciudades o regiones estadounidenses hay poblaciones hispanas grandes? ¿Dónde se encuentran, en la frontera con México o por todas partes (*everywhere*)? ¿Cómo se compara esta tendencia con la de otros grupos de inmigrantes del pasado?

2. Los autores hablan de espacios transnacionales. ¿Cuáles son las características de esos espacios? ¿Conoces tú —personalmente o a través de lecturas, películas, etcétera— algún lugar que se pueda considerar un espacio transnacional? ¿Cuáles son las peculiaridades que notas en esos espacios?

3. ¿Qué ejemplos de música u otras expresiones artísticas creadas por inmigrantes hispanos a los Estados Unidos conoces? ¿Tienen estas expresiones artísticas características diferentes a las demás de su género (*genre*)? Explica tu respuesta.

mi portafolio

REDACCIÓN
Una carta. ¿Qué pueden hacer los padres cuando los hijos no comparten los mismos valores culturales que ellos? Vas a contestar la carta de una madre preocupada por la «americanización» de sus hijos. Puedes usar tu propia experiencia para darle consejos. Sigue los pasos en el *Portafolio de actividades* para completar tu respuesta.

EXPLORACIÓN
Investigación cultural. Busca más información sobre la frontera y los hispanos en este país en la biblioteca, en el *Portafolio* Online Learning Center **(www.mhhe.com/portafolio)** o en otros sitios del Internet y preséntala a la clase. El *Portafolio de actividades* contiene más ideas para tu presentación.

Vocabulario

La inmigración

el/la **agente de inmigración**	immigration agent
el/la **ciudadano/a**	citizen
el **conflicto cultural**	cultural conflict
la **cosecha**	harvest
el **coyote**	*smuggler of illegal immigrants*
el **documento**	document
el **extranjero**	abroad
la **frontera**	border
el/la **indocumentado/a**	undocumented person
la **influencia**	influence
la **ley**	law
la **mezcla**	mixture
el **país de origen**	country of origin
la **pobreza**	poverty
la **razón**	reason
ahorrar	to save
ayudar	to help
buscar (qu)	to look for
correr el riesgo	to run the risk
dejarle pasar	to allow (*someone*) to pass
deportar	to deport
detener (*irreg.*)	to stop, detain
discriminar	to discriminate
escapar (de)	to escape (from)
estar ansioso/a (por)	to be anxious (about)
estar entre dos culturas	to be (caught) between two cultures
irle bien/mal	to go well/poorly for (*someone*)
mandar de regreso	to deport
preservar	to preserve
renovar (ue)	to renew
revisar	to check, inspect
ser próspero/a	to be prosperous
tener esperanza	to have hope, be hopeful
tener éxito	to be successful
tener expectativas	to have expectations
tener la ciudadanía	to have citizenship
tener la intención de + *inf.*	to intend to (*do something*)
tener miedo	to be afraid
tener suerte	to be lucky
vivir con la incertidumbre	to live with uncertainty

REPASO: **perderse (ie), ser trabajador(a)**

(i)legal	(il)legal

Los adverbios

antes de + *inf.*	before (*doing something*)
bastante	rather, very
demasiado	too (much)
después de + *inf.*	after (*doing something*)
quizá(s)	perhaps
sólo (solamente)	only
suficiente	sufficient, enough
súper	super

La identidad bicultural

el **conflicto cultural/ generacional**	cultural/generational conflict
la **costumbre**	custom
la **lengua nativa**	native language
la **raíz** (*pl.* las **raíces**)	root
el **valor**	value
aprender	to learn
dejarle + *inf.*	to allow (*someone*) to (*do something*)
esconder	to hide
identificarse (con)	to identify oneself (with)
nacer (zc)	to be born
olvidar	to forget
preservar	to preserve, maintain
ser consciente de	to be conscious of
tratar de mantener las costumbres	to try to maintain one's customs
bilingüe	bilingual

Otras expresiones

la **parte**	part
gracias por + *noun* or *inf.*	thanks for (*noun* or *pres. part.*)
hace (mucho tiempo)	(a long time) ago
para	for, in order, toward

por	around, because of, by, for, through
por ciento	percent
por eso	for that (reason), that's why
por si acaso	just in case
se me hace	it seems to me (*Mex.*)

REPASO: **por favor, por supuesto**

Cómo ganarse la vida

Estos trabajadores cosechan (*harvest*) las uvas para hacer vino en una bodega (*winery*) chilena. ¿Qué otras profesiones se asocian con la elaboración (*making*) y venta (*selling*) del vino?

En este capítulo...

NOTE: Throughout the chapter students will collect and learn information about these cultural objectives.

Objetivos culturales

▶ The workplace environment

▶ Job skills

▶ Interviewing for a job

▶ The changing role of women in the working world

Suggestion: There is a brief cultural quiz in the Instructor's Manual. Ask students those questions to see how much they know about Chile before they begin the chapter. They can search for some answers in the chapter opener; others will be discovered as the chapter progresses.

Ricardo Arjona, un cantante guatemalteco, canta en el famoso Festival Internacional de la Canción de Viña del Mar, Chile.

Las Torres del Paine, Patagonia, Chile.

Vocabulario

▶ El mundo del trabajo

▶ ¿Qué hago para buscar empleo?

Gramática

12.1 Formal Commands

12.2 Familiar Commands

12.3 Reciprocal Actions

Portafolio cultural: Chile

▶ Nación: La inmigración alemana a Chile

▶ Actualidad: Michelle Bachelet, primera Presidenta de Chile

▶ Cartelera: Chile, tierra de poetas

▶ Icono: La Isla de Pascua

▶ Gente: Hablan los chilenos

▶ Opinión: Las mujeres y la sociedad chilena

▶ Mi portafolio

Vocabulario

Suggestion: See the Instructor's Manual for suggestions on teaching vocabulary in *Portafolio*.

EL MUNDO DEL TRABAJO

Profesiones y oficios[a]

Optional: You may also wish to present additional vocabulary items that will allow students to express their own experiences.

la fotógrafa

el abogado

la mujer mecánico

la doctora, el enfermero

la arqueóloga

la bibliotecaria

el veterinario

la piloto

el/la arquitecto/a	architect	**el/la entrenador(a) (personal)**	(personal) trainer
el/la artista	artist		
el/la asesor(a)	consultant	**el/la escritor(a)**	writer
el/la asistente social	social worker	**el/la fontanero/a**	plumber
el/la banquero/a	banker	**el hombre / la mujer de negocios**	businessman/ businesswoman
el bombero / la mujer bombero	firefighter	**el/la ingeniero/a**	engineer
el/la científico/a	scientist	**el político / la mujer político**	politician
el/la contable	accountant	**el/la programador(a)**	(computer) programmer
el/la director(a)	director		
el/la diseñador/a	designer	**el/la secretario/a**	secretary
el/la empleado/a	employee	**el/la traductor(a)**	translator

Suggestion: Have students guess the male/female equivalents for the professions in the illustrations (e.g., *el fotógrafo, el piloto*).

[a]*occupations*

Las condiciones de trabajo

así se dice

Prefiero un trabajo con...

un horario flexible	⟷	**una jornada**[a] **tradicional**
el sueldo mínimo	⟷	un sueldo **según la experiencia**
un trabajo de tiempo parcial	⟷	un trabajo **de tiempo completo**
mucha **responsabilidad**	⟷	poca responsabilidad
mucho **prestigio**	⟷	poco prestigio
	la oportunidad de avanzar	
	buenas **prestaciones**[b]	

[a]*workday* [b]*benefits*

práctica

A. ¿Qué profesiones? Si tienes las siguientes habilidades (*skills*), ¿qué profesión o profesiones puedes ejercer?

1. Si tienes habilidades artísticas,...
2. Si eres bueno/a para las matemáticas,...
3. Si tienes mucha capacidad de concentrarte,...
4. Si eres bueno/a para los negocios,...
5. Si tienes don de gentes (*people skills*),...
6. Si te interesa la medicina,...
7. Si entiendes bien cómo funcionan las máquinas y otros aparatos,...
8. Si eres atleta,...
9. Si eres muy detallista (*detail-oriented*),...
10. Si tienes habilidad para las lenguas,...

B. Condiciones de trabajo. ¿Qué trabajos asocias con las siguientes descripciones? Da tres ejemplos de cada uno.

1. un trabajo con poca responsabilidad
2. un trabajo de poco prestigio
3. un trabajo que paga el sueldo mínimo
4. un trabajo de tiempo completo
5. un trabajo que ofrece oportunidades de avanzar
6. un trabajo peligroso (*dangerous*)

C. Categorías. ¿Qué cualidades y habilidades tienen las personas que ejercen las siguientes profesiones?

MODELO: profesor(a) →
Un buen profesor tiene habilidad para las lenguas y mucha paciencia.

1. editor(a) (de revista, de periódico, etcétera)
2. deportista profesional
3. artesano/a
4. productor(a) de cine
5. pintor(a)
6. escritor(a)
7. abogado/a

Historically, there have been many professions that have excluded women. Thus, the names of some professions in the Spanish-speaking world do not have feminine variants. But as the reality of the workplace changes, more professions are adopting feminine terms.

Sometimes an **-a** is used at the end of a word to make it feminine: **el médico** → **la médica; el juez** (*judge*) → **la jueza.** For other professions, the word **mujer** is added before the masculine term: **el policía** → **la mujer policía; el soldado** (*soldier*) → **la mujer soldado.**

Point out (Así se dice): *La policía* refers to the police force/department.

Expansion A: Have students create other sentence openers for their classmates to finish.

Point out B: The word *poco* in the phrase *un poco de* is a noun and thus doesn't change when describing feminine nouns. However, when used alone as an adjective, it does change. Compare *un poco de paciencia* and *poca paciencia*.

Suggestion D: Model some possible questions based on the categories given. For example, *lugar: ¿Dónde trabaja usted?; horario: ¿Qué horas trabaja usted?, ¿Cuándo va al trabajo?; actividades: ¿Qué hace usted en un día típico?;* and so on. Students should form questions with the *usted* form. Encourage them to ask you for extra vocabulary they need, but insist that they ask in Spanish.

D. ¿Cuál es mi profesión? Trabaja con dos o tres compañeros/as. Cada estudiante debe escoger una profesión, sin decirles a los otros miembros del grupo cuál es. Los otros deben hacerle preguntas para adivinar la profesión que escogió.

DATOS ÚTILES

- el lugar de trabajo
- el horario de trabajo
- las habilidades y cualidades necesarias para ejercer el trabajo
- las actividades típicas del trabajo

E. Debate. De los siguientes pares de profesiones y oficios, explícale a un compañero / una compañera cuál tiene más prestigio en tu opinión y por qué.

MODELO: Creo que la profesión de filósofo tiene más prestigio que el oficio de taxista porque es un trabajo intelectual.

1. abogado ⟷ político
2. escritor ⟷ secretario
3. estrella de rock ⟷ entrenador personal
4. camarero ⟷ profesor de español
5. ¿ ? ⟷ ¿ ?

¿Qué cualidades y características son necesarias para ser mujer de negocios? ¿Y para ser hombre de negocios?

Gramática

12.1 FORMAL COMMANDS

Giving commands **(mandatos)** in English is relatively simple. To get someone do something you just need to use a verb: *Go home! Stay here! Help me, please!* To get someone *not* to do something, you just add *Don't* before the verb: *Don't go home!* In Spanish, however, special endings are attached to verbs in order to give commands. Since commands are spoken directly to someone (*you*), there must be endings to match *you* formal and familiar and *you* singular and plural **(tú/vos, usted, vosotros/as, ustedes).** In this chapter, you will learn the affirmative and negative forms of commands, as well as other, more socially acceptable or tactful ways of getting others to do what you want.

A. Many formal commands (used with people whom you would address as **usted** or **ustedes**) were presented in **Capítulo 4,** and you may have heard many of them when your teacher asks the class or individual students to do something. The stems for these command forms are taken from the present tense indicative **yo** form minus the **-o;** any irregularities in the indicative **yo** form also show up in the formal commands. The endings look as if the wrong conjugation has been applied: **-ar** verbs have **-e(n)** endings, and **-er** and **-ir** verbs have **-a(n)** endings.*

INFINITIVE	yo FORM, PRESENT INDICATIVE	usted COMMAND	ustedes COMMAND
tomar	tomo	tome	tomen
beber	bebo	beba	beban
vivir	vivo	viva	vivan
tener	tengo	tenga	tengan
traer	traigo	traiga	traigan
reducir	reduzco	reduzca	reduzcan

Stem-changing verbs show the **ie, ue,** or **i** changes in formal commands, just as in the present indicative.

INFINITIVE	yo FORM, PRESENT INDICATIVE	usted COMMAND	ustedes COMMAND
pensar	pienso	piense	piensen
volver	vuelvo	vuelva	vuelvan
pedir	pido	pida	pidan

---

*These endings are borrowed from the subjunctive mood, which you will study in **Capítulo 13.**

As you saw with the preterite, some vowel endings cause a change in the spelling of verb stems to ensure that the pronunciation doesn't change. Before the vowels **e** and **i,** the consonant **c** becomes **qu, g** becomes **gu,** and **z** becomes **c.**

INFINITIVE	**yo** FORM, PRESENT INDICATIVE	**usted** COMMAND	**ustedes** COMMAND
explicar	**explico**	**explique**	**expliquen**
navegar	**navego**	**navegue**	**naveguen**
empezar	**empiezo**	**empiece**	**empiecen**

Before the vowels **a** and **o, g** becomes **j** in **-er** and **-ir** verbs.

INFINITIVE	**yo** FORM, PRESENT INDICATIVE	**usted** COMMAND	**ustedes** COMMAND
escoger	**escojo**	**escoja**	**escojan**
elegir	**elijo**	**elija**	**elijan**

Five verbs have completely irregular formal command forms.

INFINITIVE	**usted** COMMAND	**ustedes** COMMAND
dar	**dé***	**den**
estar	**esté**	**estén**
ir	**vaya**	**vayan**
saber	**sepa**	**sepan**
ser	**sea**	**sean**

B. To tell someone *not* to do something (a negative command), simply add **no** before the affirmative **usted(es)** command.

No lleve pantalones cortos a la entrevista de trabajo.	*Don't wear shorts to the job interview.*
No olviden su portafolio para la entrevista.	*Don't forget your* (pl.) *portfolios for the interview.*

C. When one or more object pronouns are used with an affirmative command, the pronouns are attached directly to the verb, indirect object first and then direct object. This new combination is subject to the same rules for written accents as other words, so a written accent may be needed to indicate the original stress of the verb form. When object pronouns accompany a negative command, they precede the conjugated verb and are separate from it.

---

*This form of the verb **dar** has a written accent to distinguish it from the preposition **de** (*of, from*).

Trái**game** los papeles, por favor.	*Bring me the papers, please.*
No **me los** traiga ahora.	*Don't bring them to me now.*
¿Las cartas? Llé**veselas** al director.	*The letters? Take them to the director.*
No **se las** lleve hoy, por favor.	*Please don't take them to him today.*

D. In situations that require the **usted/ustedes** forms, it is often inappropriate to issue a direct command (to your boss or to an unknown person, for example). It is more common to make requests using the following politeness formulas. Make sure you know the meaning of these expressions.

¿**Me haría (usted) el favor de** escribir una carta de recomendación?	*Would you* (form. s.) *be so kind as to write me a letter of recommendation?*
¿**Podría usted** entregarle este portafolio al señor Logroño?	*Could you please deliver this portfolio to Mr. Logroño?*
¿**Le importaría** mandarme el fax mañana?	*Would you mind sending me the fax tomorrow?*

práctica

A. Una jefa (*boss*) **difícil.** La jefa de Rosario es muy exigente. Le deja (*She leaves her*) la siguiente lista de tareas para la mañana. Convierte la lista de tareas en mandatos formales de los verbos subrayados.

1. <u>Ir</u> a la oficina de correos para comprar más estampillas.
2. <u>Buscar</u> el correo en la recepción.
3. <u>Mandar</u> este fax al banco.
4. <u>Escribirle</u> una carta al señor Domínguez.
5. No <u>olvidar</u> la conferencia a las 9:30.
6. <u>Hacer</u> cuatro fotocopias de los papeles en mi escritorio.
7. <u>Ofrecerles</u> un café a los clientes en la sala de espera (*waiting room*).
8. <u>Tomar</u> un descanso a las 11:00.

B. Eres el director / la directora. Eres director(a) de una agencia de empleados temporarios y tienes que indicarle a cada empleado/a las tareas de su trabajo para hoy. Inventa dos actividades o consejos apropiados para cada persona y díselos en forma de mandato.

MODELO: Rita Donado: dependienta →
Señorita Donado, hable cortésmente con los clientes y sea puntual.

1. Raúl Domínguez: secretario
2. Renata Duero: asistente social
3. Ramón Díaz: mensajero (*messenger*)
4. Rigoberta Dalí: programadora
5. Rafael Duarte: mecánico

Note C: Make sure students understand the context of speaking to more than one person; pay particular attention to their use of the plural command forms.

C. ¿Buscan trabajo? Algunos de tus amigos están buscando trabajo. Convierte las siguientes expresiones en mandatos plurales formales para darles consejos prácticos.

1. analizar sus habilidades
2. especificar sus metas
3. leer los anuncios en el periódico
4. hablar con amigos/as y parientes sobre las posibilidades de empleo
5. visitar compañías y tiendas
6. fijar citas con los jefes / las jefas
7. no preocuparse demasiado; no estar nervioso/a
8. no aceptar la primera oferta
9. ¿ ?

Expansion D: Show students the possibility of changing negative commands into affirmative requests for greater politeness: for example, for item 2, *¿Me harían el favor de no sentarse allí?* is not as polite as *¿Les importaría usar otra silla?* These stylistic choices cannot be learned as grammatical rules; English speakers use similar strategies for politeness in their native language.

D. ¡Más cortés, por favor! Cambia los siguientes mandatos directos por una forma más cortés, usando las expresiones que has aprendido en este capítulo. Trata de dar dos formas para cada mandato, si es posible.

MODELO: ¡Tráigame esas cartas! →
¿Me haría el favor de traerme esas cartas?
¿Me trae esas cartas, por favor?

1. Llene esta solicitud (*application*).
2. No se sienten allí.
3. Hablen con el recepcionista.
4. Busque su cheque en la oficina de enfrente.
5. Pídale una copia a la secretaria.

¡Escribe y habla mejor!

The letters **s** and **z** have the same sound in most dialects of Spanish (exception: review **¡Escribe y habla mejor!** from **Capítulo 4** in Appendix A). In Chile and other areas, speakers sometimes pronounce these letters as an aspiration (like the English **h**) or delete them altogether (**se comen las eses**).

Find out more about this phenomenon by studying the information in Appendix A, and practice your pronunciation and spelling in the *Portafolio de actividades*.

Charla con Susana

DATOS PERSONALES

Nombre: Susana Cid Hazard
Edad: 36 años
Nació en: Santiago de Chile

  You can watch this interview on the DVD to accompany *Portafolio* or on the Online Learning Center **(www.mhhe.com/portafolio).**

A. Comparaciones. Vas a leer una entrevista con **Susana Cid Hazard,** sobre los estudios universitarios y la salida al mundo laboral. Mientras lees, subraya las descripciones que corresponden al mundo laboral de tu ciudad/región, y subraya con una línea doble los aspectos que son diferentes.

¿Dónde trabajas?

Yo soy profesora de castellano y trabajo en la Universidad de Santiago de Chile.

¿Cómo es el día laboral para los estudiantes en Chile?

En Chile el horario laboral es bastante duro, muy pesado. Tienen que trabajar ocho horas diarias, pero ellos pueden elegir trabajar o en la mañana o en la tarde.

¿Pueden dedicarse exclusivamente a sus estudios, o tienen que trabajar también?

Bueno, en Chile la situación es un poco difícil. Los estudiantes necesitan tener una buena base económica para estudiar. Si sus padres les pueden pagar los estudios, lo pueden hacer. Si no, ellos tienen que buscar la forma de costearse los estudios.

En Chile, ¿existe igualdad de oportunidades de trabajo entre hombres y mujeres?

Bueno, en Chile todavía hay diferencias entre hombres y mujeres. Mira, por ejemplo, si un hombre o una mujer van a postular al mismo trabajo, un trabajo que ambos pueden hacer perfectamente,... obviamente el hombre va a ser elegido y no la mujer.

¿Hay carreras tradicionalmente masculinas que excluyen a las mujeres?

Sí, mira, es muy común que en Chile los hombres estudian carreras como la ingeniería, como construcción, como arquitectura, ya, pero yo sé, según las estadísticas, que actualmente hay mucho más mujeres que están estudiando la carrera de ingeniería, por ejemplo.

vocabulario útil	
el día laboral	workday
pesado	strenuous
base económica	economic base
postular	to apply (for)
estadísticas	statistics
actualmente	currently
párvulo	nursery school; *pl.* young children
kínder *m.*	kindergarten

¿Tiene la mujer alguna ventaja en el mundo laboral?

Sí, se tienen ventajas, por ejemplo hay una carrera que es típicamente femenina, y ésa es la carrera de párvulo. La mujer parvularia es aquélla que cuida a los niños y enseña a los niños de kínder y prekínder. Y obviamente el hombre en esa carrera tiene ciertas desventajas porque es hombre. Es un poco difícil cuidar a niños, no sale muy natural.

B. La mujer en el trabajo. ¿Qué dijo Susana sobre la igualdad de los sexos en Chile? Indica si las siguientes oraciones son ciertas o falsas, según Susana. Luego, di si son ciertas o falsas para el lugar donde tú vives.

	CIERTO	FALSO
1. Hay carreras que excluyen a las mujeres.	☐	☐
2. Si un hombre y una mujer postulan a un trabajo que ambos pueden hacer igualmente bien, el hombre va a ser elegido.	☐	☐
3. Es común que los hombres estudien ciertas carreras y las mujeres otras.	☐	☐
4. Las mujeres no tienen ninguna ventaja en el mundo laboral.	☐	☐

C. El trabajo y la identidad. Contesta las siguientes preguntas y comparte tus respuestas con la clase.

1. Para un estudiante, ¿es preferible trabajar y estudiar o es mejor sólo estudiar? ¿Qué ventajas y desventajas tiene cada posibilidad?

2. En tu opinión, ¿tienen tanto los hombres como las mujeres aptitud natural para algunas carreras pero no para otras? Por ejemplo, ¿tienen los hombres aptitud natural para la ingeniería, pero no para la enseñanza de párvulos, y se inclinan por naturaleza las mujeres más hacia la enseñanza que hacia la ingeniería? Menciona otras carreras.

D. Un anuncio de trabajo. Estudia este anuncio de empleo de Santiago de Chile y comenta las preguntas con un compañero / una compañera de clase.

1. ¿Qué tipo de trabajo se anuncia? ¿Qué responsabilidades tiene este puesto (*position*)?

2. ¿Para quién es la oferta: para hombres o para mujeres? ¿De qué edad?

3. ¿Por qué crees que esta compañía prefiere personas del sexo masculino para este puesto? ¿Qué ventajas y desventajas podría aportar (*could bring*) cada sexo a este tipo de trabajo?

4. ¿Por qué limita la compañía la edad de los solicitantes (*applicants*)?

5. ¿Existen estas limitaciones de sexo y edad en tu país? En tu opinión, ¿es una forma de discriminación? Explica.

Compañía internacional hotelera[a] necesita

✴ VENDEDORES ✴

Residentes en distrito sur
(Valdivia-Puerto Montt-Concepción)
Buscamos: Sexo masculino, menos de 35 años de edad, experiencia en ventas y conocimientos[b] generales de hostelería. Transporte propio y flexibilidad de horarios.

Ofrecemos: Sueldo según experiencia, más comisión.

Para entrevista personal, contacte: Jesús Aguirre Backer, **744.39.32 *Puerto Montt***

---

[a]*hotel (adj.)*   [b]*knowledge*

Vocabulario

¿QUÉ HAGO PARA BUSCAR EMPLEO?

consultar con **una agencia de colocaciones**	to consult with a job placement agency
definir los objetivos personales	to define personal objectives
fijar una cita para la entrevista	to set up an appointment for the interview
leer **los anuncios (de empleo)**	to read (job) ads
llenar solicitudes	to fill out applications
pedir (i, i) **cartas de recomendación**	to ask for letters of recommendation
preparar **un currículum (vitae)**	to prepare a résumé

Las ofertas de empleo

Importante **empresa**[a]informática **requiere**

PROGRAMADOR(A)

REQUISITOS:
- **competencia**[b] en dos lenguas de programación
- inglés técnico, **nivel** alto
- **experiencia mínima** de 3 años
- **formación**[c] en negocios **deseable**[d]
- transporte propio

OFRECEMOS:
- horario fijo de 9 a 5, lunes a viernes
- sueldo acorde a[e] la experiencia
- **futuro prometedor**[f] con satisfacción profesional

los conocimientos	knowledge
el formulario	form
la fuerza física	physical strength
el puesto	job, position
exigir (j)	to demand
ganar	to earn
amplio/a	ample, broad
arriesgado/a	risk-taking
multilingüe	multilingual

[a]*company* [b]*skill* [c]*background* [d]*desirable* [e]*acorde… according to; commensurate with* [f]*futuro… promising future*

práctica

A. Requisitos. ¿Cuáles son los requisitos que probablemente se necesitan para los siguientes trabajos? Añade otros trabajos que te interesan e indica los requisitos de éstos.

1. ingeniero eléctrico / ingeniera eléctrica
2. profesor(a)
3. decorador(a) de interiores
4. mensajero/a ciclista
5. traductor(a)
6. hombre/mujer de negocios
7. vendedor(a) de *software*
8. ¿ ?

B. Ventajas y desventajas. ¿Qué ventajas y desventajas tienen los siguientes trabajos? Puedes añadir otros trabajos que se te ocurran.

1. enfermero/a
2. bombero / mujer bombero
3. entrenador(a) personal
4. hombre/mujer de negocios
5. profesor(a)
6. escritor(a)
7. asesor(a)
8. ¿ ?

C. Entrevista: Tu trabajo. Pregúntale a un compañero / una compañera de clase sobre su trabajo actual, previo o el que le gustaría tener. Usa las siguientes categorías. Apunta las respuestas de tu compañero/a para luego compartirlas con el resto de la clase.

Nombre de mi compañero/a: _____   Trabajo: _____

- el sueldo
- las prestaciones
- el horario
- el ambiente laboral
- el jefe / la jefa

D. El trabajo ideal. Usando las mismas categorías de **Práctica C,** describe las características de tu trabajo ideal.

Mi trabajo ideal es _____.
Me gustaría tener este trabajo porque _____.

- el sueldo
- las prestaciones
- el horario
- el ambiente laboral
- el jefe / la jefa

E. Prepárate para la entrevista. Antes de ir a una entrevista de trabajo, es importante considerar las siguientes preguntas. ¿Qué opinas tú?

1. ¿Qué tipo de horario deseas: fijo o flexible? ¿Por qué?
2. ¿Qué prestaciones buscas en un trabajo? (seguro médico/dental, vacaciones pagadas, estacionamiento [*parking*] gratis, acceso a un club deportivo, etcétera)
3. ¿Qué ropa te pones para la entrevista? (traje, vestido formal, ropa informal, etcétera) ¿Por qué?
4. ¿Cuáles son los puntos fuertes (*strong*) que quieres enfatizar en la entrevista? ¿Cuáles son los puntos débiles (*weak*) que debes evitar mencionar o explicar?
5. ¿Qué preguntas quieres hacerle al entrevistador / a la entrevistadora sobre el trabajo?

F.   En la entrevista. Eres director(a) de personal y vas a entrevistar a un compañero / una compañera de clase para un trabajo.

Paso 1. Escribe un anuncio de trabajo, siguiendo los modelos que has visto en este capítulo. Incluye tu nombre como persona de contacto y entrégale una copia a tu profesor(a). (También guarda una copia para ti.)

Paso 2. Usando las expresiones del **lenguaje funcional,** prepara una lista de preguntas apropiadas para el puesto que describiste en el anuncio.

Paso 3. El profesor / La profesora va a repartir (*distribute*) los anuncios a la clase, y tú vas a entrevistar a la persona que reciba tu anuncio. Usa las preguntas del **Paso 2.** Al terminar, tienes que anunciar a la clase si vas a darle el trabajo a la persona y explicar por qué sí o por qué no.

Suggestion F: If you have access to Spanish-language newspapers, you can use real ads instead of the student compositions from *Paso 1*. If students write their own, you may want to assign the composition as homework and correct their work before handing out the ads in *Paso 3*.

lenguaje funcional

La entrevista de trabajo

The job interview is the perfect opportunity for boss and employee to begin to get to know each other. Don't forget that the applicants also interview the boss! Here are some good questions to ask. Can you think of others?

PREGUNTAS DEL JEFE / DE LA JEFA

¿Es usted capaz (*capable*) de + *inf.*?
   (¿Sabe usted + *inf.*?)
¿Tiene los conocimientos necesarios
   para... ?
¿Dónde estudió?
¿Qué carrera estudió?
¿Tiene usted experiencia en... ?
¿A qué se dedica usted fuera del
   trabajo? ¿Cuáles son sus intereses?

PREGUNTAS DEL / DE LA SOLICITANTE

¿De cuántas horas es la jornada?
¿Cuáles son las responsabilidades de
   este puesto?
¿Qué ventajas ofrece esta empresa?
¿Qué prestaciones se ofrecen?

Estos astrónomos usan tecnología avanzada para mirar imágenes del universo. ¿Qué otras tareas crees que hacen los astrónomos en su trabajo?

Gramática

12.2 FAMILIAR COMMANDS

A. Although the politeness formulas and direct commands you learned in **Gramática 12.1** are used in formal situations, you should use familiar commands with people you address as **tú.** In general, these commands are equivalent to the **tú** form of the present indicative, minus the final **-s.** (Any irregularities, such as stem changes, are also present.)

INFINITIVE	**tú** FORM, PRESENT INDICATIVE	**tú** COMMAND	TRANSLATION
asistir	**asistes**	**Asiste** a esa reunión.	Attend that meeting.
cerrar	**cierras**	**Cierra** la puerta.	Close the door.
escuchar	**escuchas**	**Escucha** este anuncio.	Listen to this announcement.
leer	**lees**	**Lee** este reportaje.	Read this report.
pedir	**pides**	**Pide** ayuda.	Ask for help.
volver	**vuelves**	**¡Vuelve** aquí!	Come back here!

Eight common verbs have irregular **tú** commands.

INFINITIVE	**tú** COMMAND	TRANSLATION
decir	**¡Di** la verdad!	Tell the truth!
hacer	**Haz** la tarea.	Do the homework.
ir	**¡Ve** a la oficina.	Go to the office.
poner	**Pon** los libros allí.	Put the books over there.
salir	**¡Sal** de aquí!	Get out of here!
ser	**¡Sé** eficiente.	Be efficient.
tener	**¡Ten** cuidado!	Be careful!
venir	**Ven** a las 2:00.	Come at 2:000.

B. Negative **tú** commands, like negative **usted** commands, use the opposite vowel in the ending: **-es** for **-ar** verbs and **-as** for **-er/-ir** verbs.

INFINITIVE	**tú** FORM, PRESENT INDICATIVE	NEGATIVE **tú** COMMAND	TRANSLATION
asistir	**asistes**	**No asistas** a esa reunión.	Don't attend that meeting.
cerrar	**cierras**	**No cierres** la puerta.	Don't close the door.
escuchar	**escuchas**	**No escuches** este anuncio.	Don't listen to this announcement.
leer	**lees**	**No leas** este reportaje.	Don't read this report.
pedir	**pides**	**No pidas** ayuda.	Don't ask for help.
volver	**vuelves**	**¡No vuelvas** aquí!	Don't come back here!

You may have noticed that these negative **tú** commands could also be described as the negative **usted** commands plus a final **-s.** This fact will help you remember the negative forms of irregular verbs.

INFINITIVE	NEGATIVE **usted** COMMAND	NEGATIVE **tú** COMMAND
decir	no diga	no digas
hacer	no haga	no hagas
ir	no vaya	no vayas
poner	no ponga	no pongas
salir	no salga	no salgas
ser	no sea	no seas
tener	no tenga	no tengas
venir	no venga	no vengas

así se dice

Remember that in some countries, like Argentina for example, **vos** instead of **tú** forms are used. But the way they are formed varies from region to region. In Buenos Aires, affirmative **vos** commands are formed by removing the final **-r** from the infinitive and adding an accent to the final vowel (**pensar → pensá; beber → bebé; vivir → vivî**), whereas negative **vos** commands are the same as negative **tú** commands. (**Vos** forms will not be practiced in this book.)

C. Just as with formal commands, object pronouns are attached to the end of affirmative familiar commands (adding an accent mark if necessary to indicate the original stress of the verb form). They precede and are separated from negative familiar commands. **¡OJO!** Remember that reflexive pronouns fall under this rule as well.

Point out: *Tú* commands are **familiar, singular.** To address more than one person, *ustedes* commands are used in both familiar and formal contexts, except in most of Spain where *vosotros* commands would replace *ustedes* commands. (See the *Así se dice* box on p. 124.)

Tráeme el informe sobre ese proyecto.	*Bring me the report on that project.*
Pídele más información.	*Ask her for more information.*
Siéntate y **ponte** cómodo.	*Have a seat and make yourself comfortable.*
Díselo a mi secretario, por favor.	*Tell (it to) my secretary, please.*
No me traigas ese informe hoy.	*Don't bring me that report today.*
No le pidas más información.	*Don't ask her for more information.*
No te sientes allí, por favor.	*Don't sit there, please.*
No te pongas nervioso.	*Don't get nervous.*
No se lo digas a mi secretario.	*Don't tell (it to) my secretary.*

práctica

A. **¿Quién lo dijo?** Mario Sabater, de 18 años, trabaja en una oficina y vive con su familia. Todo el día le piden que haga o no haga ciertas cosas. ¿Quién le dio los siguientes mandatos: su jefe o alguien de su familia?

Note A: Before beginning this activity, remind students that in most office situations the boss and employee would use *usted* with each other, whereas most family members address each other as *tú*. These rules are not invariable, but they work for the purpose of this activity, which is to have students practice identifying formal and familiar command forms.

Expansion: Have students convert these commands into more polite requests in question form (*¿Me traes un vaso de agua, por favor?*).

	SE LO DIJO SU JEFE.	SE LO DIJO ALGUIEN DE SU FAMILIA.
1. Tráeme un vaso de agua.	☐	☐
2. Ponga los libros en mi escritorio.	☐	☐
3. Ayúdeme con esto.	☐	☐
4. Dame los papeles.	☐	☐
5. Léeme ese artículo.	☐	☐
6. Salga a tomar café.	☐	☐
7. Vete a buscar el correo.	☐	☐
8. Saca la basura.	☐	☐

así se dice

Recall that in most of Spain, you would address two or more people informally as **vosotros/as.** Affirmative **vosotros/as** commands are formed by removing the final **-r** of the infinitive and replacing it with a **-d: tomar → tomad; beber → bebed; asistir → asistid.** Negative **vosotros/as** commands are the same as the subjunctive forms you will study in **Capítulo 13.**

In colloquial speech in today's Spain, it is common to hear the infinitive used for **vosotros/as** commands: **¡Tomar esto!, ¡Sentaros allí!,** and so on.

Note (*Así se dice*): In standard language, *vosotros* commands of reflexive verbs are formed by dropping the final *-d* before adding the pronoun *-os: sentaos, divertíos.* There is one exception to this rule: *irse* becomes *idos.*

Point out C, item 6: The expression *no dudes en…* is the Spanish equivalent of "don't hesitate to . . ."

B. Buscar empleo. Uno de tus amigos quiere conseguir trabajo pero no sabe qué hacer. Convierte los siguientes verbos en mandatos informales y combina los verbos con las expresiones apropiadas para hacer oraciones lógicas. **¡OJO!** Algunos mandatos deben ser negativos.

MODELOS: Pon tu mejor camisa.

No llegues tarde a tu entrevista.

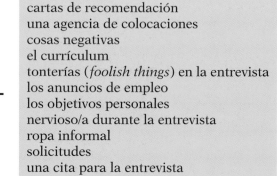

considerar
consultar (con)
criticar
decir
estar
fijar
leer
llenar
llevar
olvidar
pedir
preparar

\+

cartas de recomendación
una agencia de colocaciones
cosas negativas
el currículum
tonterías (*foolish things*) en la entrevista
los anuncios de empleo
los objetivos personales
nervioso/a durante la entrevista
ropa informal
solicitudes
una cita para la entrevista

C. El entrenamiento. Un estudiante de intercambio chileno ha conseguido trabajo como cajero (*cashier*) en la cafetería estudiantil donde trabajas. Tienes que ayudarlo a comportarse (*behave, act*) bien en el trabajo, dándole la siguiente información. Convierte los verbos entre paréntesis en mandatos informales (afirmativos o negativos, según el caso).

1. (ponerse) el uniforme antes de llegar
2. (llegar) treinta minutos antes de la hora de empezar
3. (verificar) todos los billetes (*bills [currency]*) grandes
4. no (dejar) la caja abierta
5. (contar) el cambio con cuidado
6. no (dudar) en (*to hesitate*) consultar con el jefe si hay algún problema
7. no (salir) de la cafetería
8. no (hablar) demasiado con los amigos
9. no (comer) ni (beber) en la caja
10. no (olvidarse) de marcar la ficha (*to punch out*) al salir

12.3 RECIPROCAL ACTIONS

In **Capítulo 6,** you learned how to express *reflexive actions:* **me visto, te preocupas, nos dormimos,** and so on, in which the subject is doing something to himself or herself. It is also possible to use the *plural* reflexive pronouns **(nos, os, se)** to express *reciprocal actions*—what people do to/for each other.

Los empleados **se saludan** al llegar.   *The employees greet each other upon arriving.*

Mi jefe y yo siempre **nos escribimos** por correo electrónico.   *My boss and I always write to each other through e-mail.*

Ustedes tienen que **conocerse** bien para poder trabajar juntos.   *You have to know each other well in order to work together.*

Point out: Remind students of the usage of *conocerse* in the preterite to mean "met (each other) for the first time."

Note that the last sentence is ambiguous: With a reciprocal reading **conocerse** means *to know each other,* but as a reflexive verb it could also mean *to know yourselves* (i.e., each person knows himself/herself well). In the first two examples, the reflexive meaning is possible but nonsensical.

autoprueba

Lee las siguientes oraciones y di si la interpretación más lógica es una acción reflexiva o recíproca.

1. Mis compañeros de oficina se hablan todos los días.
2. Las secretarias se llaman por teléfono.
3. Los candidatos se miran al espejo antes de empezar la entrevista.

Point out (*Autoprueba*): In the reciprocal cases (1, 2), each person in the group performs an action on another member of the group. Although both interpretations may be possible, one is usually more logical than the other, depending on the context.

Answers: 1. reciprocal (talk to each other) **2.** reciprocal (call each other) **3.** reflexive (each person looks at himself/herself)

práctica

A. El ambiente ideal. ¿Cómo se tratan las personas en el trabajo ideal? Usa los siguientes verbos para hacer oraciones lógicas, expresando tus recomendaciones. También añade otras sugerencias que se te ocurran.

MODELO: apoyarse (*to support each other*) →
Los empleados se apoyan en momentos difíciles.

- ayudarse
- conocerse bien
- considerarse amigos
- criticarse
- hablarse con cortesía
- gritarse
- respetarse
- verse fuera del trabajo
- ¿ ?

B. Comportamientos (*Behavior*) **apropiados.** En muchas empresas se recomienda evitar las relaciones personales entre empleados. Trabaja con un compañero / una compañera para completar las oraciones para decir qué cosas son apropiadas y cuáles no se deben hacer. En cada caso, explica el porqué de tus respuestas. Puedes usar las frases de la siguiente lista u otras que se te ocurran.

Note B: Students may have very different opinions on this topic. Also, point out that the acceptability of certain behaviors varies widely among cultures. What is considered sexual harrassment in this country may be seen as acceptable in another, and so on.

- escribirse cartas y mensajes electrónicos personales
- llamarse por teléfono
- verse en las reunions
- hablarse en los pasillos
- salir juntos/as fuera del trabajo
- mirarse con cariño
- ¿ ?

1. Dos empleados que son amigos pueden… / no deben…
2. Dos empleados enamorados (*in love*) pueden… / no deben…
3. Un empleado / Una empleada y el jefe / la jefa (no) deben…

portafolio cultural

Valdivia, Chile

nación

LA INMIGRACIÓN ALEMANA A CHILE

Hoffmann, Koch y Schmidt no son apellidos típicamente hispanos, pero en Chile se dan con bastante frecuencia.[a] Con la «Ley de inmigración selectiva» de 1845, el gobiero colonial de Chile quería atraer a inmigrantes de nivel sociocultural medio y alto a poblar[b] el sur del país. Los alemanes llegaron numerosos a esa zona, cambiaron el panorama étnica de la región sur y del país entero, y lograron[c] reactivar la economía nacional.

Desde el principio, los nuevos ciudadanos afirmaron su deseo de asumir la identidad chilena, como se nota en las palabras del inmigrante alemán Carlos Anwandter que llegó a Corral, Chile, en 1851:

> Seremos[d] chilenos honrados y laboriosos. . . , defenderemos a nuestro país adoptivo uniéndonos a las filas[e] de nuestros nuevos compatriotas, contra toda opresión extranjera y con la decisión y la firmeza del hombre que defiende a su familia . . .

Anwandter recibió terrenos[f] en la Isla Teja, Valdivia, donde contribuyó al desarrollo industrial de la región. Con su hijo Ricardo, Anwandter instaló una gran cervecería[g] que lanzó la vigorosa industria cervecera chilena. La cervecería fue destruida en el gran terremoto de 1960 en Valdivia, pero el sabor alemán aún pervive[h] por toda la ciudad, un gran centro turístico caracterizado por una hermosa arquitectura de influencia alemana.

1. ¿Qué opinas de la «Ley de inmigración selectiva» de 1845? ¿Crees que la inmigración a un país debe ser abierta o restrictiva? ¿Qué consideraciones o criterios te parecen apropiados para admitir o rechazar inmigrantes a un país?
2. ¿Cuál fue la actitud de los alemanes ante su nuevo país? ¿Se parece a la actitud de otros inmigrantes que se han establecido en otros países?
3. ¿Quién fue Carlos Anwandter y cuál fue su importancia? ¿Piensas que dejó una marca valiosa en la cultura chilena?

[a]*se... they occur quite frequently*   [b]*populate*   [c]*achieved*   [d]*We will be*   [e]*ranks*   [f]*lands*   [g]*brewery*   [h]*persists, survives*

actualidad

MICHELLE BACHELET, PRIMERA PRESIDENTA DE CHILE

El 11 de marzo de 2006 asumió la presidencia de Chile Michelle Bachelet, la primera mujer elegida a ese cargo[a] en Hispanoamérica. (Otras presidentas, como Isabel Perón en la Argentina y Violeta Chamorro en Nicaragua, llegaron al poder como viudas[b] de presidentes fallecidos.)

Michelle Bachelet nació en 1951, hija de un general que fue fiel al Presidente Salvador Allende tras el golpe militar[c] de Augusto Pinochet en 1973. El General

[a]*post*   [b]*widows*   [c]*golpe... coup d'état*

Bachelet murió poco después como consecuencia de las torturas sufridas a manos de sus compañeros del ejército[d] de Pinochet. Michelle y su madre también fueron encarceladas[e] por un tiempo bajo el régimen, y luego se exiliaron. Al regresar a Chile en los años 90, después de la restauración de la democracia en su país, Bachelet se concentró en pediatría y salud pública, además de cursar estudios de estrategia militar. Por estas dos carreras, el Presidente Ricardo Lagos la nombró[f] Ministro de Salud en 2000 y Ministro de Defensa en 2002.

Michelle Bachelet consiguió el 53.5 por ciento del voto en las elecciones presidenciales celebradas en 2006. Aunque socialista, ella ha expresado un deseo de lograr un gobierno equilibrado, al escoger un equipo de ministros con el mismo número de hombres que mujeres y de miembros de cada partido político. Sus teorías económicas abogan[g] por el mercado libre, pero al mismo tiempo quiere reducir la brecha[h] entre ricos y pobres en Chile, aumentando[i] las prestaciones sociales.

Michelle Bachelet, presidenta chilena, saluda a la gente durante su inauguración.

1. ¿Por qué es especial la presidencia de Michelle Bachelet?
2. Resuma la vida de Michelle Bachelet antes de llegar a la presidencia de Chile. ¿Es una carrera típica para un político? ¿Cómo pueden influir las experiencias de Michelle Bachelet en su orientación como presidente?
3. ¿Cuáles son las metas de Michelle Bachelet en su presidencia?

[d]*army*   [e]*imprisioned*   [f]*la... named her*   [g]*advocate*   [h]*gap*   [i]*by increasing*

cartelera

CHILE, TIERRA DE POETAS

Se dice que Chile es la tierra de los poetas, ya que los poetas allí son numerosos y muy creativos.

Gabriela Mistral (1889–1957) escribía poesía basada en temas y emociones universales y cotidianas,[a] tales como el amor, Dios, la naturaleza, la madre, los humildes y los olvidados. Educadora de carrera y vocación, el tema de los niños figura prominentemente en sus escritos.

Gabriela Mistral ganó el primer Premio Nobel de literatura para Hispanoamérica en 1945.

El poeta más famoso de Chile, sin lugar a dudas, es Pablo Neruda (1904–1973). Su producción es extensa y abarca[b] una gran variedad de temas, géneros y estilos poéticos. Por un lado, expresa una fuerte conciencia política, y por otro expresa sentimientos y afecto por las cosas sencillas de la vida.

1. ¿Quienes son los poetas más famosos de Chile? ¿Sabías de alguno(s) de los poetas mencionados? ¿Cuál es el más importante, según el texto? ¿Cuál te gustaría leer en el futuro? ¿Hay alguno que no leerías? Explica tu respuesta.
2. ¿Te gusta la poesía? ¿Conoces a otras personas a quienes les gusta la poesía? ¿Por qué (no) les gusta la poesía?
3. ¿Consideras que las letras de las canciones también son poesía? ¿Por qué sí/no?

[a]*everyday (adj.)*   [b]*encompasses*

El poeta Pablo Neruda ganó el Premio Nobel de literatura en 1971.

icono

Algunas de las estatuas de la Isla de Pascua

La Isla de Pascua, 45 millas cuadradas de roca volcánica, es una posesión chilena a 2.490 millas de la costa de Sudamérica. Sus cientos de estatuas de basalto son únicas en Oceanía. Su origen aún no se ha establecido con certidumbre, ya que[a] los datos de esta cultura prehistórica fueron destruidos por los europeos. Muchos investigadores creen que la Isla de Pascua fue poblada[b] por primera vez antes de 500 d.C.[c] por polinesios provenientes[d] de las Islas Marquesas. Estos pobladores permanecieron en aislamiento[e] total por 1.200 años, tiempo durante el cual desarrollaron[f] un sistema de escritura original y las famosas estatuas.

Describe las estatuas que se ven en la foto. ¿Qué emociones inspiran? ¿Sabes de otros monumentos históricos de origen desconocido?

[a]ya... *since* [b]fue... *was inhabited* [c]después de Cristo (A. D.) [d]*originating* [e]*isolation* [f]*they developed*

  You can watch this interview on the DVD to accompany *Portafolio* or on the Online Learning Center (**www.mhhe.com/portafolio**).

vocabulario útil

marcar (qu)	to emphasize
tendencia	trend
se les dice	they are called
que vaya	he should go
zapatos lustrados	polished shoes
detalles *m.*	details
ponte	put on
preocúpate de que sean	take care that they are
calidad *f.*	quality
norma europea	European style
cuadra con	matches

gente

HABLAN LOS CHILENOS

Nombre: Hernán Fuentes Estévez
Edad: 68 años
Nació en: Santiago de Chile

Lo positivo, lo negativo. Haz dos listas: una de las cosas positivas que ayudan a conseguir un trabajo en Chile, según don Hernán, y otra de las cosas negativas que causan una mala impresión.

COSAS POSITIVAS	COSAS NEGATIVAS

opinión

La siguiente cita tomada de una fuente escrita en inglés para anglohablantes va a aumentar tus conocimientos sobre algunos fenómenos culturales en Chile. Usa lo que has aprendido en este capítulo sobre Chile, más tu propia experiencia, para contestar las preguntas que siguen la cita.

"Although women were at the forefront of the political struggles of the early 1970s, they became even more involved under the military government [of Augusto Pinochet]. With political parties and trade unions, both traditionally male-dominated, banned, a new generation of grassroots social movements, such as shanty town organizations and soup kitchens, filled the political vacuum. Many of these were headed by women.

Suggestion: Remind students that the sources in this feature make certain assertions or generalizations about the country or region of focus in the chapter, but that these observations reflect just *one* point of view. Students should compare and contrast what they read in this feature with other points of view—such as those in the interviews they have seen.

Democracia en el país y en la casa (Democracy in the country and in the home) *was one of the most common rallying cries of this movement, which did have some success in changing ingrained male attitudes. However, many women's organizations have found it hard to cope with the return to democracy, during which power has largely reverted to male-run political parties.*

Figures from 1987 showed that women's average earnings were only 71 percent of those of men, and little progress has been made since. It also appears that it is middle-class, educated women who have made most economic and social advances in the past generation."

Source: *Chile in Focus: A Guide to the People, Politics and Culture*

1. ¿En qué aspectos de la sociedad de tu país tienen las mujeres igual o mayor representación o poder que los hombres? ¿Cómo se compara esto con Chile?
2. ¿Hay organizaciones de mujeres en tu país? ¿Cómo se comparan con las organizaciones en que participan las mujeres chilenas?
3. Con respecto a los sueldos y el poder económico que tienen las mujeres, ¿cómo se compara tu país con Chile?
4. Que tú sepas (*As far as you know*), ¿son iguales las oportunidades para mujeres de distintas clases sociales en tu país? ¿Tienen aspiraciones diferentes o todas quieren las mismas cosas?

mi portafolio

REDACCIÓN

El currículum. Imagina que estás solicitando un trabajo de verano en Chile. Escribe una carta de presentación (*letter of introduction*) y un currículum para informar a tu posible jefe/a de tus experiencias laborales y conocimientos. Sigue los pasos en el *Portafolio de actividades* para elaborar tus documentos.

EXPLORACIÓN

Investigación cultural. Busca más información sobre Chile en la biblioteca, en el *Portafolio* Online Learning Center (**www.mhhe.com/portafolio**) o en otros sitios del Internet y preséntala a la clase. El *Portafolio de actividades* contiene más ideas para tu presentación.

Note: In the United States, women were granted the right to vote in 1920 with the ratification of the 19th Amendment to the Constitution. In the same year, suffrage was extended to women in Canada under the Dominion Elections Act.

Vocabulario

Profesiones y oficios

el/la **abogado/a**	lawyer
el/la **arqueólogo/a**	archaeologist
el/la **artista**	artist
el/la **asesor(a)**	consultant
el/la **asistente social**	social worker
el/la **banquero/a**	banker
el/la **bibliotecario/a**	librarian
el **bombero** / la **mujer bombero**	firefighter
el/la **científico/a**	scientist
el/la **contable**	accountant
el/la **director(a)**	director
el/la **diseñador(a)**	designer
el/la **empleado/a**	employee
el/la **enfermero/a**	nurse
el/la **entrenador(a) (personal)**	(personal) trainer
el/la **escritor(a)**	writer
el/la **fontanero/a**	plumber
el/la **fotógrafo/a**	photographer
el **hombre** / la **mujer de negocios**	businessman/ businesswoman
el/la **ingeniero/a**	engineer
el **mecánico** / la **mujer mecánico**	mechanic
el/la **médico/a**	doctor
el/la **piloto/a**	pilot
el **político** / la **mujer político**	politician
el/la **programador(a)**	(computer) programmer
el/la **secretario/a**	secretary
el/la **traductor(a)**	translator
el/la **veterinario/a**	veterinarian

Para pedir con cortesía

¿**Le importaría...** ?	Would you (*form.*) mind . . . ?
¿**Me haría el favor de...** ?	Would you (*form.*) please . . . ?
¿**Podría usted...** ?	Could you (*form.*) . . . ?

Para conseguir trabajo

la **agencia de colocaciones**	job placement agency
el **anuncio (de empleo)**	(job) ad
la **carta de recomendación**	letter of recommendation
la **cita**	appointment
el **currículum (vitae)**	résumé
la **empresa**	company
el **formulario**	form
el **objetivo**	objective
la **oferta**	offer
el **puesto**	job, position
la **solicitud**	application
definir	to define
exigir (j)	to demand
fijar	to arrange, set up
ganar	to earn
llenar	to fill (in/out)
ofrecer (zc)	to offer
requerir (ie, i)	to require

Los requisitos

la **competencia**	skill
los **conocimientos**	knowledge
la **experiencia mínima**	minimum experience
la **formación**	background
la **fuerza física**	physical strength
el **nivel**	level
amplio/a	ample, broad
arriesgado/a	risk-taking
capaz (*pl.* **capaces**)	capable
deseable	desirable
multilingüe	multilingual

Las condiciones de trabajo

el **futuro prometedor**	promising future
el **horario (flexible)**	(flexible) schedule

la **jornada tradicional**   traditional workday

la **oportunidad de**   opportunity for
avanzar   advancement

las **prestaciones**   benefits

el **prestigio**   prestige

la **responsabilidad**   responsibility

el **sueldo (mínimo)**   (minimum) wage, salary

de tiempo completo/   full-time/part-time
parcial

según la experiencia   based on experience

CAPÍTULO

Los medios de comunicación

Note: Remind students that they learned about Costa Rica in *Capítulo 2;* this chapter focuses on the five other Spanish-speaking countries of Central America.

Note: Draw students' attention to the chapter title, photos, map, and graphics on this chapter opener. Ask them to predict what kinds of topics will probably come up throughout the chapter.

Los tejidos (*textiles*) tradicionales en Centroamérica siempre han comunicado información sobre el origen o estatus social de la persona que los lleva.

El volcán Concepción en el lago de Nicaragua es sólo uno de los muchos volcanes de Centroamérica.

En este capítulo...

Objetivos culturales

► The impact of technology on culture
► Cultural images in the media
► Conflict and peace in Central America

Los que no tienen computadora en casa pueden usar un café cibernético para mantenerse en contacto con sus amigos y parientes por Internet.

Vocabulario

► El periódico en línea
► La televisión y el cine
► La política y la comunicación en Centroamérica

Gramática

13.1 The Present Subjunctive
13.2 Basic Uses of the Present Subjunctive
13.3 The Subjunctive with Expressions of Doubt
13.4 The Subjunctive with Expressions of Emotion

Portafolio cultural: Centroamérica

► Nación: El canal de Panamá
► Actualidad: Transformación en Nicaragua
► Cartelera: La diversidad lingüística en Guatemala
► Icono: La ropa maya
► Gente: Hablan los salvadoreños
► Opinión: Los periódicos nicaragüenses
► Mi portafolio

Vocabulario

Suggestion: See the Instructor's Manual for suggestions on teaching vocabulary in *Portafolio*.

Suggestion: Use the cues in *Práctica A* to present new terms: Have students look at the vocabulary display as you ask in which section the different types of information occur. Have students repeat each term chorally to establish correct pronunciation.

EL PERIÓDICO EN LÍNEA

http://www.el-noticiero.com.ni

El-noticiero.com.ni
Managua, viernes 14 de noviembre de 2008
actualizada 13:30

Pronóstico del tiempo[a]
Pacífico: Nublado
Temp: 31°C / 88°F
MÁS

Secciones
Portada[b]
Nacionales
Internacionales
Editoriales
Anuncios
Cultura
Deportes

Revista semanal

Inundaciones causan daños de millones
Claudio Hernández Salcedo
chernandezs@el-noticiero.com.ni

Managua. Las recientes lluvias provocaron inundaciones (Foto) en la región capitalina que desplazaron a miles de ciudadanos y causaron daños que superarán los 17 millones de córdobas, según fuentes oficiales. MÁS

Cotización dólar
Oficial:
15,2954 córdobas

Mercado Negro
compra 14,95
venta 15,05

Economía

Servicios
Ediciones anteriores
Foros de opinión
Cartas al director
Cartelera de cine

Campaña de protección del Lago de Nicaragua
María Luz Gutiérrez Soto
mlgutierrezs@el-noticiero.com.ni

Granada. Los dirigentes de la Asociación de Municipios de la Cuenca del Gran Lago (AMUGRAN) se reunieron hoy en Granada para iniciar una campaña de protección de uno de los recursos naturales más importantes del país (Foto). MÁS

Encuestas
¿Es bueno que el dólar tenga tanta importancia en la economía nacional?

☐ Sí
☐ No

Ver resultados
(930 votos)

[a]Pronóstico… *Weather forecast*   [b]*Front page*

el crucigrama	crossword puzzle	**abonarse**	to subscribe
el/la lector(a)	reader	**estar al corriente**	to be up-to-date
la noticia	piece of news; *pl.* news	**estar desinformado/a**	to be uninformed
el obituario	obituary	**estar enterado/a de**	to know about
la prensa	press	**exponer** (*irreg.*)	to report; to expose
el reportaje	report	**mantenerse informado/a**	to stay informed
el/la reportero/a	reporter	**publicar (qu)**	to publish
la reseña	review		
la tira cómica	comic strip, cartoon	**actual(mente)**	current(ly)
el titular	headline		

La comunicación electrónica

el café cibernético	Internet café	**chatear**	to chat (online)
el *chat*	chatroom	**conectarse**	to get connected
el correo electrónico	e-mail	**estar conectado/a**	to be connected
el enlace	link	**hacer clic (en)**	to click (on)
el Internet	Internet	**navegar (gu)**	to surf (*the Internet*)
el *mail*	e-mail (message)	**platicar (qu)**	to chat (*in general*)
el mensaje	message		

práctica

A. ¿En qué sección? ¿En qué sección del periódico puedes encontrar la siguiente información?

VOCABULARIO ÚTIL

cultura y sociedad   culture and society
deportes   sports

1. el resultado del último partido de béisbol en Managua
2. opiniones sobre una cuestión política local
3. las temperaturas altas y bajas en la región
4. las noticias más importantes del día
5. el horario de los espectáculos, películas y conciertos de la semana
6. la crítica de un restaurante nuevo
7. las últimas aventuras de Mafalda y de Carlitos Brown
8. la noticia de una muerte

B. Los periódicos que tú lees. ¿Cómo es el periódico de tu ciudad, o el que lees con más frecuencia? Contesta las preguntas.

1. ¿Qué secciones tiene?
2. ¿Abarca (*Does it cover*) los eventos locales, nacionales e internacionales?
3. ¿Hay una sección dedicada a los deportes?
4. ¿Tiene crucigramas u otras diversiones? ¿Son difíciles o fáciles?
5. ¿Son objetivos o subjetivos los reportajes que contiene?
6. ¿Ofrece análisis de las noticias del día? ¿En qué sección?
7. ¿Hay muchos anuncios o pocos? ¿Qué venden?

C. Encuesta: ¿Estás enterado/a?

Paso 1. Pregúntales a cinco compañeros/as de clase sobre sus hábitos de lectura.

1. ¿Con qué frecuencia lees las noticias?
   - Las leo con frecuencia.
   - Las leo de vez en cuando.
   - Las leo _____ veces por semana.
   - No las leo nunca.
2. ¿Te has abonado a algún periódico o revista de noticias? ¿A cuál(es)?
3. ¿Cómo te mantienes informado/a de las actualidades (*current events*): por televisión, radio, Internet, etcétera? Explica por qué.

 Expansion C: Have students also discuss their roommates' and other peers' reading habits. Try to come to a general conclusion about their generation's attitudes toward the news and keeping up-to-date.

Paso 2. Presenta los resultados a la clase, resumiendo información cuando sea (*it is*) posible.

MODELOS: Melisa se mantiene informada, leyendo las noticias con frecuencia.

Alberto está muy desinformado porque no lee las noticias nunca.

LA TELEVISIÓN Y EL CINE

Optional: You may also wish to introduce other news-related vocabulary items: *la actualidad, el crimen, el golpe de estado, la guerra, la huelga, la violencia.* Also provide any other items students ask for during activities, making sure they always ask in Spanish: *¿Cómo se dice _____ en español?*

Encuesta televisiva[a]

1. ¿Cuál es su **canal** favorito?
2. ¿Prefiere usted **la televisión de antena parabólica** o **la televisión por cable**?
3. ¿Tiene usted **video** o **DVD**[b]?
4. ¿Cuántos **televidentes**[c] hay en su familia?
5. ¿Qué tipos de **programas** mira usted con frecuencia?

☐ **los concursos**[d]   ☐ **las películas**
☐ **los documentales**   ☐ **cómicas**
☐ **los noticieros**[e]   ☐ **de acción**
☐ **los programas educativos** ☐ **de amor**
☐ **las telenovelas**[f]   ☐ **de terror**

[a]*television (adj.)*   [b]*video... VCR or DVD player*   [c]*TV viewers*   [d]*game shows*   [e]*newscasts*   [f]*soap operas*

El contenido de los programas

el acontecimiento	event, happening	**mentir (ie, i)**	to lie
el chisme	bit of gossip; *pl.* gossip		
el desastre (natural)	(natural) disaster	**abrumador(a)**	overwhelming
la manifestación	demonstration	**chocante**	shocking
la mentira	lie	**cómico/a**	funny, comical
el suceso	event, happening	**controvertido/a**	controversial
la verdad	truth	**dudoso/a**	doubtful
		escandaloso/a	scandalous
dudar	to doubt	**lamentable**	lamentable, regretful
lamentar	to lament, regret	**ridículo/a**	ridiculous

infórmate

In recent years, Hispanic TV channels have had enormous success with programming similar to that offered in the United States. Two very popular programs are *Cristina,* an interview program in which experts participate along with laypeople from the audience, and *Sábado gigante,* a variety show that features artists, singers, games, comedy skits, and so on.

Cristina Saralegui, anfitriona de *Cristina,* le solicita opiniones a un espectador de su show.

práctica

A. Tipos de programas. ¿Qué tipo de emisión (*broadcast*) representan los siguientes programas estadounidenses?

1. *CNN News of the World*
2. *General Hospital*
3. *National Geographic*
4. *Gone with the Wind*
5. *NBC Nightly News*
6. *The Office*
7. *Jeopardy*
8. *Saw*

Expansion A: Have students name additional programs and state what type of show each is.

B. Géneros cinematográficos. ¿Qué suele ocurrir en los distintos tipos de películas? Escoge los detalles más comunes del argumento (*plot*) de cada género cinematográfico.

Suggestion B: You may want to make the expressions in the *características* column active vocabulary for the chapter.

Expansion: Have students give their favorite examples of each genre, reporting their choices in complete sentences: *Me gusta* The Shining *porque da miedo.*

GÉNERO

1. _____ la película de terror
2. _____ la película de acción
3. _____ la película de amor
4. _____ la película cómica
5. _____ la película histórica
6. _____ el documental

CARACTERÍSTICAS

a. Da miedo. (*It scares you.*)
b. Contiene escenas violentas.
c. Tiene un final feliz.
d. Relata información histórica.
e. Da risa. (*It makes you laugh.*)
f. Contiene escenas románticas.
g. Expone detalles sobre un suceso.
h. Es realista.
i. Hay monstruos y personajes supernaturales.

lenguaje funcional

Para expresar reacciones

The following formulas are useful to comment on things and events.

¡Qué + NOUN + **más/tan** + ADJECTIVE!

¡Qué noticia más triste!	What a sad piece of news!
¡Qué programas tan interesantes!	What interesting shows!

¡Qué + ADJECTIVE!

¡Qué triste!	How sad!

OTRAS EXPRESIONES

¡Qué barbaridad!	How awful!
¡Qué bien!	Great! How wonderful!
¡Qué escándalo!	What a scandal!

Suggestion C: Before starting this activity, model the expressions in the *Lenguaje funcional* box, exaggerating the intonation to show that they may express strong emotional reactions. To present these expressions, you may want to use some situations with which your students are familiar to personalize the new items (e.g., *Susana tuvo un accidente la semana pasada. —¡Qué horrible! En diciembre a mi vecino le robaron los regalos de Navidad. —Qué cosa más triste, ¿no?*)

C. Tus reacciones. ¿Cómo reaccionas a las siguientes noticias? Usa las expresiones de **Lenguaje funcional.**

> **MODELO:**   Un desastre natural →
> ¡Qué tragedia! / ¡Qué cosa más triste!

1. Ciudadanos pierden millones en fracaso (*failure*) bancario
2. Presidente vomita delante de líderes mundiales
3. Futbolista famoso acusado de robos
4. Ovejas (*Sheep*) clonadas en Escocia
5. Médicos franceses compran órganos humanos en el mercado negro
6. Nuevas tarifas en los cigarrillos
7. Deportista salvadoreño vuelve de Juegos Olímpicos con con siete medallas de oro.

Suggestion D: Before starting the interview, have the class brainstorm the necessary questions to elicit the requested information.

Expansion: Have students use the information from the interview to write up a review of a movie or program mentioned. When reporting their classmates' opinions, encourage students to use the phrases *según X… , en la opinión de X,… , X dice que…* , and so on.

D. Entrevista. Entrevista a un compañero / una compañera de clase para saber la siguiente información. Luego, haz un resumen de la información para la clase.

1. su película favorita
   a. título
   b. director(a) y actores principales
   c. breve resumen del argumento
   d. razón por la que le gusta tanto
2. el programa menos interesante para él/ella
   a. título
   b. razón por la que no le interesa
3. la revista que lee con mayor frecuencia
   a. título
   b. aspectos interesantes
4. su canal favorito
   a. nombre/número
   b. programas que presenta

Gramática

13.1 THE PRESENT SUBJUNCTIVE

Introduction

So far in your study of Spanish you have learned many verb forms that allow you to distinguish time frames (tense, e.g., present vs. past) and ways of carrying out actions (aspect, e.g., progressive vs. habitual). All of these forms are known as *indicative* forms because in each case, they *indicate* facts or report actions and states that speakers believe, to the best of their knowledge, to be true, valid, and real.

There is also a parallel set of verb forms in Spanish called the *subjunctive,* which is used to reveal a speaker's doubt, uncertainty, or negation of the reality of an action or state—a more *subjective* view of things. The subjunctive is not a tense, but it is rather a verbal *mood:* There are present, past, perfect, and progressive subjunctive forms that allow you to express many of the subtleties of time frame and aspect that are possible in the indicative.

As with any aspect of language that allows for subtlety of meaning, the subjunctive is a tricky feature of Spanish that English speakers may spend many years trying to perfect. In some cases, there are specific words or expressions in a sentence that make the subjunctive absolutely necessary; at other times, a speaker can use either the indicative or the corresponding subjunctive form, depending on the exact nuance intended. This textbook concentrates on the basic uses of the subjunctive mood.

Forms

The basic rules for the formation of the present subjunctive verb forms in Spanish are the same as those for the formal commands you learned in **Capítulos 4** and **12.** The subjunctive, however, has the entire range of personal endings, not just **usted** and **ustedes** forms. Thus, regular **-ar** verbs take the endings **-e, -es, -e, -emos, -éis, -en;** and regular **-er** and regular **-ir** verbs take **-a, -as, -a, -amos, -áis, -an.**

INFINITIVE	PRESENT SUBJUNCTIVE FORMS
lamentar	lamente, lamentes, lamente, lamentemos, lamentéis, lamenten
leer	lea, leas, lea, leamos, leáis, lean
transmitir	transmita, transmitas, transmita, transmitamos, transmitáis, transmitan

Just as with commands, the verb stem for the subjunctive is identical to the **yo** form of the indicative, minus the **-o;** that is, any irregularities in the indicative **yo** form are present throughout the subjunctive paradigm.

INFINITIVE	**yo** FORM, PRESENT INDICATIVE	PRESENT SUBJUNCTIVE FORMS
tener	tengo	tenga, tengas, tenga, tengamos, tengáis, tengan
traer	traigo	traiga, traigas, traiga, traigamos, traigáis, traigan
reducir	reduzco	reduzca, reduzcas, reduzca, reduzcamos, reduzcáis, reduzcan

Stem-changing verbs show the **-ie-** and **-ue-** in the same four forms of the subjunctive as the indicative.

INFINITIVE	**yo** FORM, PRESENT INDICATIVE	PRESENT SUBJUNCTIVE FORMS
pensar	pienso	piense, pienses, piense, pensemos, penséis, piensen
volver	vuelvo	vuelva, vuelvas, vuelva, volvamos, volváis, vuelvan

Stem-changing -ir verbs that have irregular third-person forms in the preterite (**e → i, o → u**) have this same stem change in the **nosotros/as** and **vosotros/as** forms of the present subjunctive. Note that such verbs maintain the present indicative stem changes found in the other conjugations (**e → ie, o → ue**).

INFINITIVE	**yo** FORM, PRESENT INDICATIVE	THIRD-PERSON, PRETERITE	PRESENT SUBJUNCTIVE FORMS
sentir	siento	sintió, sintieron	sienta, sientas, sienta, sintamos, sintáis, sientan
dormir	duermo	durmió, durmieron	duerma, duermas, duerma, durmamos, durmáis, duerman

As you saw with the preterite and the formal commands, some vowels in verb endings cause a change in the spelling of verb stems to ensure that the pronunciation remains the same. Before the vowels **e** and **i,** the consonant **c** becomes **qu, g** becomes **gu,** and **z** becomes **c.**

INFINITIVE	**yo** FORM, PRESENT INDICATIVE	PRESENT SUBJUNCTIVE FORMS
abarcar	abarco	abarque, abarques, abarque, abarquemos, abarquéis, abarquen
navegar	navego	navegue, navegues, navegue, naveguemos, naveguéis, naveguen
empezar	empiezo	empiece, empieces, empiece, empecemos, empecéis, empiecen

Before the vowels **a** and **o, g** becomes **j** in **-er** and **-ir** verbs.

INFINITIVE	**yo** FORM, PRESENT INDICATIVE	PRESENT SUBJUNCTIVE FORMS
escoger	escojo	escoja, escojas, escoja, escojamos, escojáis, escojan

A few verbs have completely irregular stems in the subjunctive, but notice the regularity of their endings.

INFINITIVE	PRESENT SUBJUNCTIVE FORMS
dar*	dé, des, dé, demos, deis, den
estar	esté, estés, esté, estemos, estéis, estén
haber	haya, hayas, haya, hayamos, hayáis, hayan
ir	vaya, vayas, vaya, vayamos, vayáis, vayan
saber	sepa, sepas, sepa, sepamos, sepáis, sepan
ser	sea, seas, sea, seamos, seáis, sean

autoprueba

Di si las siguientes formas verbales están en el indicativo **(I)** o el subjuntivo **(S)**. Después, di qué persona es el sujeto de cada verbo. Usa estos sujetos: **yo, tú, nosotros/as, ellos.**

MODELO:		I/S	SUJETO
hablar:	hablemos	S	nosotros/as
1. creer:	crea	_____	_____
2. crear:	creas	_____	_____
3. saber:	sepamos	_____	_____
4. desempeñar:	desempeñan	_____	_____
5. sentir:	sienten	_____	_____
6. sentar:	sienten	_____	_____

Es verdad que la tecnología hace la vida más fácil, pero al mismo tiempo la complica, ¿no crees?

*The accent on **dé** is needed to distinguish this subjunctive verb form from the preposition **de.**

práctica

A. Expectativas del público. Completa las siguientes oraciones con el presente del subjuntivo de los verbos entre paréntesis para describir algunas expectativas del público respecto a los medios de comunicación.

1. Los ciudadanos necesitan que los medios de comunicación (ser) fuentes fiables (*reliable*) de información.
2. Algunos reporteros insisten en que sus fuentes (mantenerse) secretas.
3. Muchos lectores prefieren que los periódicos sólo (publicar) noticias sobre eventos nacionales.
4. El gobierno debe prohibir que las estaciones de cable (transmitir) programas violentos o pornográficos.
5. Es necesario que el gobierno (limitar) la difusión de algunas noticias por razones de seguridad nacional.
6. Los televidentes quieren que los noticieros (informar) sobre los sucesos más trágicos del día.

B. Películas y programas. Completa las siguientes oraciones con el subjuntivo del verbo entre paréntesis. Luego, indica si estás de acuerdo o no con cada oración.

	ESTOY DE ACUERDO.	NO ESTOY DE ACUERDO.
1. No me gusta que los actores (ganar) tanto dinero por cada película.	☐	☐
2. Es importante que los directores (hacer) películas con temas educativos.	☐	☐
3. Prefiero programas que (abarcar) temas políticos.	☐	☐
4. Este verano no hay ninguna película que (tener) un argumento interesante.	☐	☐
5. No creo que (ser) posible convertir una telenovela en película.	☐	☐
6. Quiero que la compañía de cable (instalar) líneas digitales en mi barrio.	☐	☐

13.2 BASIC USES OF THE PRESENT SUBJUNCTIVE

Criteria and Cues

As stated previously, the subjunctive mood in Spanish is used to reveal the speaker's underlying subjective interpretation of some action, state, or entity. The expression of a subjective view of reality is quite common in everyday speech, and consequently many beginning students of Spanish tend to overuse the subjunctive. However, this verbal mood actually appears only under very strict circumstances. Specifically, the subjunctive occurs primarily in sentences that meet the following three criteria.

1. The sentence has a main clause **(una cláusula principal)** and a dependent clause **(una cláusula subordinada).** A dependent clause is a secondary clause within the main sentence that is introduced by a relative pronoun (the most common one is **que**).*

MAIN CLAUSE	RELATIVE PRONOUN	DEPENDENT CLAUSE
Quiero	**que**	*leas* este artículo.

2. The subject of the dependent clause is different from that of the main clause.

SUBJECT = **yo**		SUBJECT = **esa historia**
Dudo	**que**	**esa historia** *sea* **cierta.**

3. The main clause contains an expression that cues the subjunctive in the dependent clause (e.g., **Dudo,** above). In this and subsequent chapters you will learn which expressions can cue the use of the subjunctive in dependent clauses.

There are two broad categories of cues for the subjunctive:

*   Cues that *always* require a subjunctive verb form in the dependent clause
*   Cues that allow an indicative or subjunctive verb form in the dependent clause, depending on what nuance the speaker wishes to convey

When analyzing dependent clauses, you should determine right away which context you are dealing with and what changes of meaning each mood entails if both subjunctive and indicative moods are possible. In this chapter you will focus on the first category of cues; you will study the second category of cues in **Capítulo 14.**

Expressions of Volition

The subjunctive is obligatory in a dependent clause when the main clause contains a verb of *will, volition,* or *influence* over the subject of the dependent clause, and the subject of the dependent clause is different from that of the main clause.

Los jóvenes **quieren** que la televisión los **distraiga.**	*Young people want TV to distract them.*

In this example, the verb **quieren** cues the subjunctive in the dependent clause (**distraiga,** from **distraer**).

Here are some common expressions of will, volition, and influence that require the subjunctive in the dependent clause.

Quiero que lo **leas.**	*I want you to read it.*
Prefiero que lo **leas.**	*I prefer that you read it.*

---

*These secondary clauses are called "dependent" because they cannot stand alone as a sentence. For example, "that he reads the paper every day" is not a complete sentence, but it could be a dependent clause within a complex sentence such as "I didn't know that he reads the paper every day." The main clause, "I didn't know," can stand alone as a complete sentence.

Te **sugiero** que lo **leas.***	*I suggest that you read it.*
Te **recomiendo** que lo **leas.***	*I recommend that you read it.*
Es importante que lo **leas.†**	*It's important for you to read it.*
Es necesario que lo **leas.†**	*It's necessary for you to read it.*
Insisto en que lo **leas.**	*I insist that you read it.*
Prohíbo que lo **leas.**	*I prohibit you to read it.*
Permito que lo **leas.**	*I permit you to read it.*

Note that the English translation of many Spanish sentences with the subjunctive does not have an obvious two-clause structure. Instead, English often expresses this change of subject in Spanish with the construction (for) + *subject* + to + *verb*.

Quieren que la televisión los distraiga.	*They want (for) TV to distract them.*
Necesito que él lo haga.	*I need (for) him to do it.*

autoprueba

Analiza las siguientes oraciones, indicando estos aspectos.

[ ]	dependent clause
M-S	main-clause subject
D-S	dependent-clause subject
ind./subj.	dependent-clause verb in indicative or subjunctive
*	expression that cues the subjunctive in the dependent clause

MODELO: Nuestro profesor quiere que nosotros leamos el artículo. →

Nuestro
<u>profesor</u> <u>quiere</u> [que <u>nosotros</u> <u>leamos</u> el artículo].
   M-S   *   D-S   subj.

1. Mis padres prefieren que yo compre el periódico en ese quiosco.
2. Los reporteros insisten en que los censores no limiten la libertad de expresión.
3. La constitución estadounidense prohíbe que el gobierno establezca una religión oficial.
4. Es importante que los programas de televisión para niños sean educativos.
5. Muchos padres no permiten que sus hijos vean demasiada televisión.

Point out (Second Footnote):
Impersonal expressions can be followed by an infinitive (and **no** dependent clause) if the speaker wishes to express a completely impersonal idea: *Es importante estudiar.* (**It's important to study.** or **Studying is important.**)

---

*Sugerir (ie, i) and **recomendar (ie)** both require indirect object pronouns, which refer to the same person as the subject of the dependent clause: *I suggest (to you) that you read it.*
†The expressions **Es importante** and **Es necesario** are two of the many *impersonal expressions* that cue the subjunctive in a dependent clause. The subject of the dependent clause will *always* be different from the impersonal subject of the impersonal expression: **Es importante que estudies.** (*It's important for you to study.*)

práctica

A. El papel de la televisión. Usando los siguientes elementos, forma oraciones completas sobre el papel de la televisión en la vida de las personas. Después, indica si estás de acuerdo o no con las ideas mencionadas.

	ESTOY DE ACUERDO.	NO ESTOY DE ACUERDO.
1. los expertos / recomendar que / los niños / mirar / menos de una hora de televisión cada día	☐	☐
2. muchos padres / querer que / sus hijos / hacer la tarea / en vez de mirar la televisión	☐	☐
3. los profesores / insistir en que / sus alumnos / aprender a criticar / las noticias en la televisión	☐	☐
4. es necesario que / el gobierno / gastar más dinero / en programas educativos	☐	☐
5. yo / preferir que / los canales de televisión / limitar / los anuncios que ponen	☐	☐

B. Dos periódicos diferentes. ¿En qué se diferencian las opiniones en los periódicos conservadores y liberales? Escribe oraciones completas sobre cada actividad de la derecha, dando una versión que exprese una opinión conservadora y otra que exprese una opinión liberal.

MODELO: Es importante que el gobierno controle más la economía. (liberal)

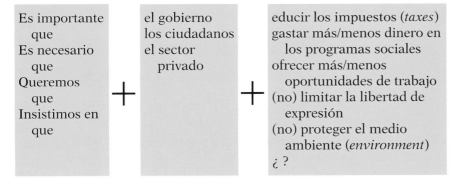

C. Un editorial. Completa la siguiente carta al editor de un periódico nicaragüense con el indicativo o subjuntivo de los verbos entre paréntesis.

Estoy de acuerdo con todos los lectores de su periódico que (expresar)[1] disgusto por los actos inhumanos cometidos en ciertas regiones en guerra (*at war*). Pero es importante que nosotros (reconocer)[2] que aquí en Centroamérica (existir)[3] las mismas condiciones de violencia. Recomiendo que nuestras autoridades (hacer)[4] los sacrificios necesarios para poner fin a estas conductas vergonzosas (*shameful*). Todos debemos insistir en que la represión (ser)[5] una cosa del pasado. Los centroamericanos queremos que nuestros hijos (tener)[6] una vida libre de la ansiedad y del miedo que vivieron sus abuelos.

José Serrano Villa, Managua

Charla con David

  You can watch this interview on the DVD to accompany *Portafolio* or on the Online Learning Center (**www.mhhe.com/portafolio**).

Suggestion: Have students look at the map in the chapter opener to locate Tegucigalpa, Honduras.

Suggestion: Before they read, have students find the new active vocabulary for this chapter in the text.

DATOS PERSONALES

Nombre: David Guzmán Arias
Edad: 29 años
Nació en: Tegucigalpa, Honduras

A. ¿Cómo se informa David? Vas a leer una entrevista con **David Guzmán Arias.** Primero, lee las siguientes oraciones. Luego, mientras lees, indica si son ciertas o falsas.

		CIERTO	FALSO
1.	David lee el periódico todos los días.	☐	☐
2.	David no tiene sección favorita: Lee todo el periódico.	☐	☐
3.	David piensa que más gente tiene acceso a la televisión que a los periódicos.	☐	☐
4.	Las telenovelas son importantes porque unen a las familias: Todos las ven.	☐	☐
5.	David se comunica por computadora desde su casa.	☐	☐
6.	David usa el Internet para su trabajo y sus asuntos económicos.	☐	☐

¿Con qué frecuencia lees el periódico?

Lo leo de dos a tres veces por semana.

¿Cuál es tu sección favorita del periódico?

En realidad no tengo sección favorita. Leo todo el periódico: el encabezado, los culturales, los deportes, los sociales... Leo todo el periódico.

¿Qué papel desempeñan los periódicos en la vida de los hondureños?

Pienso que la televisión tiene un papel más importante que el periódico porque la gente tiene más acceso a la televisión que al periódico. Si sucede algo, la gente lo primero que hace es prender la televisión porque no toda la gente tiene como un lugar cerca donde ir y comprar el periódico.

¿Qué es una telenovela?

Una telenovela es una historia de amor. Son importantes hasta cierto punto porque reúnen a toda la familia cuando ven las telenovelas. Pienso que las telenovelas tienen un papel muy importante en la televisión porque son muy populares y toda la gente las ve.

vocabulario útil

encabezado	titular
si sucede algo	if something happens
prender la televisión	to turn on the TV
hasta cierto punto	up to a point
trama	plot
dejo de verla	I stop watching it
sin embargo	however
por medio de	by means of

Suggestion (*Vocabulario útil*): Pronounce each item for students before they watch the interview so that the words will sound familiar. Then have students guess what the content will be, based on the chapter theme and on the *Vocabulario útil*.

¿Y te gustan a ti?

Sí, me gustan las telenovelas. Yo veo las telenovelas, pero en realidad no soy una persona que sigue la trama de una telenovela. Si la telenovela no está bien, dejo de verla y me espero hasta el final.

¿Se usa mucho el Internet?

Sí, se usa el Internet, sobre todo en las empresas del gobierno, las oficinas, tienen acceso al Internet. Y las personas que económicamente se encuentran bien pueden comprar una computadora, traerla a su casa, conectarse al Internet. Sin embargo, las personas que no podemos tener una computadora, hay lugares donde podemos ir, como un café cibernético y de esa manera comunicarnos con las otras personas.

Y tú, ¿usas el Internet?

Sí, uso el Internet. Me comunico con mi familia por medio del correo electrónico, y también podemos hablar por medio de una Red latina en donde chateamos, o mejor dicho platicamos.

B. ¿Entendiste? Contesta las siguientes preguntas. Puedes leer de nuevo la entrevista si es necesario.

1. ¿Qué hace la gente cuando sucede algo importante? ¿Cómo se mantiene informada?
2. ¿Qué tipo de programa de televisión es muy popular en Honduras?
3. ¿Qué palabras usa David para indicar la importancia de ese tipo de programa en la sociedad centroamericana?
4. Según David, ¿quién tiene acceso directo —en casa o en el trabajo— a las computadoras en su país?
5. ¿Para qué usa David el Internet?

C. Entrevista: En tu opinión. Hazle las siguientes preguntas a un compañero / una compañera de clase.

1. ¿Prefieres leer el periódico o mirar las noticias en la televisión? ¿Por qué?
2. En tu opinión, ¿quiénes usan más el Internet, los jóvenes o las personas mayores de 50 años? Explica tu respuesta.
3. ¿Están al corriente tus amigos de las actualidades nacionales e internacionales? ¿Cómo se enteran, en general (por televisión, radio, periódicos, revistas, oralmente, etcétera)?
4. ¿Cómo se enteran de las noticias universitarias los estudiantes de tu universidad?
5. ¿Te gustan las telenovelas? ¿Cuáles? ¿Por qué te gustan?
6. ¿Dónde crees que la gente usa más el Internet, en el trabajo o en la casa? ¿Y para qué lo usa? Explica tus respuestas.

Extension B: Have students discuss these follow-up questions: *¿En qué se parecen los medios de comunicación en tu país a los de la descripción de David? ¿En qué se diferencian?* Provide a model answer with *Se parecen en que...* or *Son similares/diferentes porque...*

Optional C: Some students might notice that the verb in the first question of item 6 is not conjugated in the present indicative: *¿Dónde crees que la gente use...?* Explain that in questions starting with *¿crees que...?*, the verb in the following clause is often in the subjunctive. Students will learn about the subjuntive in general in *Gramática 13.1* and *13.2*, and this particular use of the subjunctive is presented in *Gramática 13.3.*

Vocabulario

LA POLÍTICA Y LA COMUNICACIÓN EN CENTROAMÉRICA

Los **ciudadanos** de Centroamérica han tenido una **historia** tumultuosa, llena de **injusticias** sociales y económicas y de **abusos** a los **derechos**[a] humanos.

En las **décadas** de los años 80 y 90 los **nicaragüenses,** los **guatemaltecos** y los **salvadoreños** en particular experimentaron **revoluciones, guerras civiles** y **guerrillas**[b] que causaron mucha destrucción y muchas **muertes.** Durante esos años, los **gobiernos** frecuentemente **suspendían** los derechos básicos —como **la libertad de palabra,**[c] **la libertad de prensa**[d] y el derecho a reunirse— y se dificultaba la comunicación personal y pública.

Buscando **estabilidad** política y protección para su familia y sí mismos, muchos centroamericanos salieron de sus respectivos países en los años 80 y 90 como **refugiados** o **exiliados** políticos hacia otros lugares como México, Europa, el Canadá y los Estados Unidos. El **exilio,** para algunos, fue una oportunidad de atraer la atención de **la comunidad internacional** hacia la situación en Centroamérica. El libro *Me llamo Rigoberta Menchú*, por ejemplo, es

En una manifestación en Centroamérica

el **testimonio** de una joven **indígena** guatemalteca sobre **las atrocidades** cometidas contra su gente. Este testimonio presentó una **imagen** de Centroamérica que tuvo gran impacto **en el extranjero.** Menchú ganó el **Premio Nobel de la Paz** en 1992, y su libro contribuyó en gran medida[e] a **difundir**[f] una idea positiva de las culturas indígenas de la región.

En los años 90, los diferentes grupos y **partidos políticos** comenzaron a dialogar para **resolver** los conflictos. Como resultado, se firmaron **pactos**[g] y se celebraron **elecciones.** Ahora los centroamericanos pueden informarse de los acontecimientos actuales por todos los medios de **comunicación:** radio, televisión, teléfono, periódico, Internet y otros, y es más fácil que expresen sus opiniones sin miedo.

el desinterés	indifference
el ejército	army
la manifestación	demonstration
influir (y) en	to influence

[a]*rights* [b]*guerrilla wars* [c]libertad... *freedom of speech* [d]libertad... *freedom of the press* [e]en... *in great part* [f]*disseminate* [g]*truces*

práctica

A. Definiciones. Di qué palabra o frase corresponde a las siguientes definiciones.

1. un acuerdo entre dos grupos que quieren terminar una guerra
2. un conflicto organizado entre dos o más grupos dentro de un país
3. un derecho que permite la expresión libre en los periódicos, la televisión u otros medios de comunicación
4. una época de diez años
5. el fin de la vida de una persona
6. un grupo de personas que tienen la misma ideología política
7. una persona que tiene que salir de su país por razones políticas
8. tener impacto

Expansion A: Have students practice circumlocution by creating definitions for additional items from the vocabulary display. They can read their definitions aloud and have other class members guess which terms are being defined.

B. ¿Estás de acuerdo? Escoge la mejor palabra o expresión para completar cada oración. Luego, indica si estás de acuerdo o no con cada oración. Si no, trata de explicar por qué.

	ESTOY DE ACUERDO.	NO ESTOY DE ACUERDO.
1. Los (ciudadanos/extranjeros) en mi país han tenido estabilidad política.	☐	☐
2. Últimamente (*Recently*) los países de Centroamérica han tenido varios años de (guerra/paz).	☐	☐
3. Durante un período de inestabilidad política, es común suspender la libertad de (ejército/prensa).	☐	☐
4. Siempre se debe respetar (los derechos / la derecha) de los ciudadanos.	☐	☐
5. (La comunidad internacional / El prejuicio) siempre muestra interés por Centroamérica.	☐	☐
6. Las diferencias de opinión se (resuelven/suspenden) si se respetan las libertades básicas.	☐	☐

C. Cultura e imagen. ¿Qué imagen de tu país se transmite en los medios de comunicación? ¿Qué pensaría (*would think*) un centroamericano que sólo ve las películas y los programas de televisión producidos en tu país? Escoge entre las siguientes posibilidades o añade otras que se te ocurran. Explica tu respuesta.

- Mi país es violento.
- Hay mucha diversidad (cultural, étnica, etcétera) en mi país.
- Mi país es muy avanzado en cuanto a la tecnología.
- Todos son iguales en mi país.
- Todo el mundo es rico.
- Los reportajes de la prensa son muy superficiales; no contienen mucha información relevante.
- El público no está al corriente de lo que pasa en el mundo.
- ¿ ?

Suggestion C: Encourage students to give specific examples (TV programs or films) to support their answers.

D. Tus representantes políticos. ¿Qué esperas (*do you expect*) de los políticos que te representan? Combina las frases de la izquierda con las frases de la derecha para expresar tus opiniones. Puedes añadir otras ideas que se te ocurran. **¡OJO!** Es necesario usar el subjuntivo en la cláusula subordinada.

CLÁUSULA PRINCIPAL		CLÁUSULA SUBORDINADA
1. Quiero que mis representantes… 2. Prefiero que mis representantes… 3. Insisto en que mis representantes… 4. Les recomiendo a mis representantes que…	+	comunicarse con nosotros conocer las leyes del país contestar mis cartas y llamadas decirnos la verdad pertenecer a mi partido respetar nuestros derechos ser honestos y justos tener un sitio de Internet vivir en mi región ¿ ?

Note E: Structure this activity as follows. First, students read statements and answer individually. Then they form groups of 3 or 4 and 1 person acts as secretary to write down ideas. Later, another group member reports the group's ideas to the class.

E. Los efectos de la tecnología. Lee las siguientes oraciones y di si estás de acuerdo o no con cada una. Luego, con dos o tres compañeros/as, escribe una lista de ideas a favor o en contra de (*opposed to*) cada tema.

1. El correo electrónico es mejor que las cartas para mantenerse en contacto.
2. Va a haber menos conflictos entre los países gracias a la comunicación rápida entre todos los ciudadanos del mundo.
3. El Internet permite que todos tengan acceso instantáneo a muchísima información.
4. La comunicación global borra (*erases*) la distinción cultural de los diferentes grupos del mundo.

¡Escribe y habla mejor!

The consonant letters **p, t,** and **c** (the [k] sound, spelled **qu** before **i** and **e**) are similar but not quite the same as their English counterparts. Fine-tuning your pronunciation will help eliminate a foreign-sounding accent when you speak Spanish.

Find out more about this phenomenon by studying the information in Appendix A, and practice your pronunciation and spelling in the *Portafolio de actividades*.

Gramática

13.3 THE SUBJUNCTIVE WITH EXPRESSIONS OF DOUBT

In **Gramática 13.2** you learned that the subjunctive is used in dependent clauses after verbs of will, volition, and influence in the main clause. The subjunctive is also used to indicate doubt or uncertainty about actions and states in clauses after expressions such as **es (im)probable que, es (im)posible que, dudo que, no creo que,** and so on.

STATEMENT (INDICATIVE)	STATEMENT WITH DOUBT/ UNCERTAINTY (SUBJUNCTIVE)	TRANSLATION
La gente prefiere a los artistas internacionales.	Es posible que la gente prefiera a los artistas internacionales.	It's possible that people prefer international artists.
Las telenovelas son los programas más populares.	Es probable que las telenovelas sean los programas más populares.	It's likely that soap operas are the most popular shows.
Los turistas aprecian los aspectos más finos de la cultura guatemalteca.	Dudo que los turistas aprecien los aspectos más finos de la cultura guatemalteca.	I doubt that tourists appreciate the finer details of Guatemalan culture.

Conversely, if the expression in the main clause indicates certainty (to the best of the speaker's knowledge), the dependent-clause verb must be in the indicative.

STATEMENT (INDICATIVE)	STATEMENT AFFIRMED (INDICATIVE)	TRANSLATION
Las películas influyen en el desarrollo de la cultura.	Es obvio (No dudo) que las películas influyen en el desarrollo de la cultura.	It's obvious (I don't doubt) that films influence the development of culture.

In affirmative sentences, the verbs **creer** and **pensar** are frequently used to report what one believes to be true and valid, and consequently must be followed by **que** + *indicative verb.* But when using these verbs in questions (**¿Crees que... ?**) or in the negative (**No creo que, No pienso que**), the speaker is expressing doubt about the action in the dependent clause; therefore, the dependent-clause verb must be in the subjunctive.*

Creo que los medios de comunicación **contribuyen** al desarollo de El Salvador.

I think that the media contribute to the development of El Salvador.

Note: You may want to explain to students that the expressions *no creo/pienso que...* are not as common in Spanish as their exact translations in English. When we say, "I don't think he's coming," we really mean, "I think that he isn't coming." The best Spanish equivalent is *Creo que no viene,* which avoids the subjunctive altogether. The expression *no creo que...* is used when you want to avoid misinterpretation of your ideas: *No creo que sea perezoso, sino que no se esfuerza.* **(It's not that I think he's lazy, but rather that he doesn't try hard.)**

---

*The exact usage of the indicative and subjunctive with **creer** and **pensar** in questions is a matter of great subtlety, and you may hear much variation among native speakers. For now, stick to this rule of thumb: in the affirmative, use the indicative after **creer** and **pensar**; in questions and negative sentences, use the subjunctive.

Pues yo **no creo que contribuyan** al desarrollo de la cultura.	*Well, I don't think they contribute to the development of the culture.*
¿**Crees que** los medios de comunicación **contribuyan** a la creación de la identidad nacional?	*Do you think that the media contribute to the creation of the national identity?*

autoprueba

¿Cuáles de las siguientes frases expresan duda? ¿Cuáles *no* expresan duda?

	INDICA DUDA. (SUBJUNTIVO)	NO INDICA DUDA. (INDICATIVO)
1. Creemos que…	☐	☐
2. Ella no duda que…	☐	☐
3. Es cierto que…	☐	☐
4. Es completamente obvio que…	☐	☐
5. Es imposible que…	☐	☐
6. Es probable que…	☐	☐
7. No creen que…	☐	☐
8. No es verdad que…	☐	☐

práctica

Note A: If necessary, have students break this task down into two steps: First, identify the expression in the main clause that cues indicative or subjunctive in the dependent clause, then conjugate the dependent-clause verb.

A. La televisión en el siglo XXI. ¿Cuál va a ser el futuro de los medios de comunicación en el siglo XXI? Completa las siguientes oraciones usando la forma correcta de los verbos entre paréntesis. Luego, indica si estás de acuerdo con cada oración o no. **¡OJO!** Cuidado al escoger entre el subjuntivo y el indicativo.

	ESTOY DE ACUERDO.	NO ESTOY DE ACUERDO.
1. Creo que los estudios más importantes (ir) a mejorar la calidad de la programación.	☐	☐
2. No creo que nosotros (poder) limitar la violencia en la televisión.	☐	☐
3. No es probable que (haber) más de 800 canales por cable.	☐	☐
4. Dudo que (permitirse) la pornografía en la televisión.	☐	☐
5. Va a ser imposible que (verse) los crímenes en el acto de ser cometidos.	☐	☐
6. Es cierto que los programas (representar) muchas ideas preconcebidas (*preconceived*).	☐	☐
7. Es obvio que el dinero (jugar) un papel importante en la producción de las películas.	☐	☐
8. Es probable que la televisión (tener) menos importancia que las computadoras.	☐	☐

B. ¿Qué imagen proyectamos? Los siguientes temas representan comentarios de diferentes centroamericanos sobre los Estados Unidos y

Norteamérica en general; están basados en la imagen proyectada en los medios de comunicación. Pero, ¿es una imagen fiel (*accurate*)? Da tu opinión sobre los siguientes temas, usando las expresiones de la lista. Explica el porqué de tus respuestas.

Creo que…   No creo que…
Es cierto que…   No es cierto que…
Es obvio que…   Dudo que…

1. Los Estados Unidos es un país violento.
2. Hay mucha diversidad cultural en los Estados Unidos.
3. Los norteamericanos son muy avanzados en cuanto a la tecnología.
4. Todos los ciudadanos son iguales en los Estados Unidos.
5. Los norteamericanos tienen mucho dinero.
6. Existen muchas oportunidades de trabajo en Norteamérica.
7. Los padres norteamericanos no les enseñan a sus hijos los valores fundamentales.
8. Los jóvenes norteamericanos no respetan a los mayores.

C. Entrevista: Imágenes de nuestra sociedad. Habla con un compañero / una compañera de clase para saber sus opiniones sobre los siguientes temas. **¡OJO!** Cuidado con el uso del indicativo y del subjuntivo en las respuestas.

1. ¿Es verdad que muchas mujeres trabajen fuera de la casa?
2. ¿Es cierto que todos los norteamericanos tengan armas de fuego (*firearms*) en casa?
3. ¿Crees que la televisión contribuya a la violencia en nuestra sociedad?
4. ¿Es importante que los niños miren programas educativos en la televisión?
5. ¿Es posible que las películas puedan cambiar los valores sociales de un país?

Optional C: You could also set this activity up as a debate. In groups of 4 students, have each pair of students defend each side of an issue. Each pair brainstorms ideas and opinions to support its position, then presents its arguments in a debate with the opposing pair in front of the entire class. To encourage the other students to listen carefully, have them vote on which side provides the more convincing arguments.

13.4 THE SUBJUNCTIVE WITH EXPRESSIONS OF EMOTION

Since subjectivity is the hallmark of the subjunctive mood, it is not surprising that the subjunctive is required after expressions that indicate a speaker's subjective or emotional reactions to a statement.

STATEMENT (INDICATIVE)	SUBJECTIVE REACTION TO STATEMENT (SUBJUNCTIVE)	TRANSLATIONS
Ya no quieren vivir en El Salvador.	**Es triste que ya no quieran vivir en El Salvador.**	It's sad that they no longer want to live in El Salvador.
Va a seguir así.	**Siento que vaya a seguir así.**	I'm sorry that it is going to continue like that.
El exilio tiene un impacto fuerte en la cultura local.	**Lamento que el exilio tenga un impacto fuerte en la cultura local.**	I lament (the fact) that exile has a strong impact on the local culture.

There are many more expressions of emotion that require the subjunctive in a dependent clause. You cannot memorize all of them, but as you become more familiar with Spanish you will learn to recognize which expressions take the subjunctive just from the "feel of it." Here are some of the most common expressions of emotion that cue the subjunctive.

Es importante que...	*It's important that . . .*
Es mejor que...	*It's better that . . .*
Espero que...	*I hope that . . .*
Me gusta que...	*I like (the fact) that . . .*
Me sorprende que...	*It surprises me that . . .*
Siento que...	*I'm sorry that . . .*
Es lamentable que...	*It's too bad that . . .*
Es una lástima que...	*It's a shame that . . .*
Me molesta que...	*It bothers me that . . .*
Temo que...	*I'm afraid that . . . / I fear that . . .*

Note that the subjunctive is used only if the subject in the dependent clause is *not* the same as that of the main clause. If there is no **que,** the second verb in the sentence is in the infinitive. With impersonal expressions (**es triste, es necesario, es lamentable,** and so on), if the subject of the dependent clause is not specified, the infinitive is used.

Prefieren usar ropa común.	*They prefer to wear mainstream clothing.*
Prefieren que yo **use** ropa común.	*They prefer that I wear mainstream clothing.*
Es triste perder eso.	*It's sad to lose that.*
Es triste que perdamos eso.	*It's sad that we are losing that.*

Suggestion (*Autoprueba*): Lead students through this activity by asking focus questions with *¿Quién?*—for example, in item 5, *¿Quién quiere?* and *¿Quién controla?*

Answers: 1. I/I **2.** I/we **3.** "it" (or the whole dependent clause) / *los indígenas* **4.** "it" (or the whole dependent clause) / *los turistas* **5.** *el gobierno / el gobierno*

autoprueba

Identifica el sujeto lógico de los verbos subrayados en las siguientes oraciones.

1. Espero ver muchos espectáculos folclóricos durante mi viaje a Guatemala.
2. Espero que tengamos la oportunidad de ver a unos artistas nacionales.
3. Es una lástima que los indígenas guatemaltecos no puedan mantener su cultura.
4. Me molesta que los turistas no respeten las costumbres locales.
5. El gobierno quiere controlar la imagen nacional que proyectan los medios de comunicación.

práctica

A. ¿Cómo reaccionas? Si oyes las siguientes noticias en la radio, ¿cuál es tu reacción?

+		–
Me gusta que	←————————→	Es lamentable que
Me alegro de	Me sorprende que	Es triste que
(*I'm happy*) que		Siento que
Espero que		Me molesta que

MODELO: El presidente renuncia a su puesto. →
              ¡Me sorprende que el presidente renuncie a su puesto!

1. El gobierno va a limitar la libertad de expresión en el Internet.
2. Una nueva película con mi actor favorito sale en el verano.
3. La universidad ya no ofrece clases de periodismo (*journalism*).
4. El canal de televisión en mi ciudad reduce los noticieros.
5. Los actores de la telenovela más popular se declaran en huelga.
6. El gobierno de Guatemala contribuye con millones de quetzales (*Guatemalan currency*) a un fondo (*fund*) para grupos indígenas.

B. La vida en el exilio. Completa las siguientes oraciones con ideas lógicas, según la perspectiva de una persona que tuvo que salir de su país por razones políticas.

1. Lamento que las condiciones en mi país...
2. Espero que en el futuro...
3. Es importante que los extranjeros que visitan mi país...
4. Temo que en el futuro mis hijos...

C. Entrevista: Cambios culturales. Hazle las siguientes preguntas a un compañero / una compañera de clase para saber sus actitudes sobre la cultura actual de su país.

1. Cuando invitas a tus amigos o parientes a casa, ¿prefieres preparar platos nacionales o internacionales? ¿Son los mismos platos que preparaban tus padres o tus abuelos?
2. ¿Quieres que la televisión presente más programas educativos (documentales, deportivos, etcétera)?
3. En tu opinión, ¿es triste o es mejor que la cultura actual sea diferente a la de tus abuelos/antepasados?
4. Para ti, ¿es importante que tus hijos conozcan todas las obras más importantes de las generaciones anteriores (libros, obras de arte, películas, etcétera)? ¿Por qué sí o por qué no?

portafolio cultural

AMÉRICA CENTRAL

Origen del nombre: El Salvador: *The Savior* (Jesucristo); **Guatemala:** de Quauhtlemallan (nahua), que significa «tierra de muchos árboles»; **Honduras:** *Depths*—referencia a las aguas de la costa norteña; **Nicaragua:** de *Nicarao*, nombre de un cacique indígena; **Panamá:** «abundancia de peces (*fish*)»

Capital: El Salvador: San Salvador; **Guatemala:** la Ciudad de Guatemala; **Honduras:** Tegucigalpa; **Nicaragua:** Managua; **Panamá:** la Ciudad de Panamá

Población: El Salvador: 6.948.100; **Guatemala:** 12.728.100; **Honduras:** 7.483.800; **Nicaragua:** 5.675.400; **Panamá:** 3.242.200

Moneda: El Salvador: dólar estadounidense; **Guatemala:** quetzal, dólar estadounidense; **Honduras:** lempira; **Nicaragua:** córdoba; **Panamá:** balboa, dólar estadounidense

Lenguas: el español (oficial) varias lenguas indígenas, el nahua **(El Salvador),** varios dialectos maya quiche **(Guatemala),** el misquito **(Nicaragua),** el inglés **(Nicaragua y Panamá),** el ingles criollo **(Panamá)**

Suggestion: Have students investigate the Colombian perspective on the independence of Panama: The isthmus was originally a province of Colombia, which lost the territory in an insurrection supported by the U.S. in 1903.

nación

EL CANAL DE PANAMÁ

El Canal de Panamá conecta el Golfo de Panamá, en el Océano Pacífico, con el Mar Caribe y el Océano Atlántico. Antes de su construcción, los barcos tenían que navegar por el extremo sur del continente americano, recorriendo una distancia de 14.000 millas desde Nueva York hasta San Francisco. Esa misma distancia a través del canal se reduce a 6.000 millas.

Cuando fracasó[c] el primer intento de construir un canal en 1880, los Estados Unidos intervino para terminar la construcción. Como resultado de las negociaciones con Colombia, Panamá ganó la independencia y este nuevo país dejó a los norteamericanos el control de la zona del canal. La construcción del canal, el cual mide aproximadamente 48 millas de largo, se completó en 1914 después de muchos contratiempos.[d]

En 1974, se iniciaron negociaciones para devolver el canal al control de Panamá. El canal pasó finalmente a ser de Panamá el 31 de diciembre de 1999. Hoy día es un conducto[e] principal para el transporte marítimo por donde pasan más de 14.000 buques al año, transportando más de 203 millones de toneladas[f] de cargamento.

1. ¿Cuáles fueron los beneficios de este proyecto? ¿Conoces otros proyectos de equivalente importancia en la historia?
2. Describe la colaboración estadounidense en este proyecto. ¿Cuáles fueron los resultados para los Estados Unidos? ¿Y para Panamá?
3. Piensas que el Canal de Panamá tenga la misma importancia hoy en el siglo XXI que en el siglo XX? ¿Existe hoy una revolución en la comunicación equivalente a la del siglo XX?

[a]*ship* [b]*link* [c]*failed* [d]*setbacks* [e]*conduit, channel* [f]*tons*

Un barco pasa por el Canal de Panamá.

actualidad

TRANSFORMACIÓN EN NICARAGUA

A pesar de su historia turbulenta durante la época sandinista en los años 70 y 80, hoy día Nicaragua es una democracia constitucional, gracias a las reformas constitucionales de 1995. La libertad de expresión es un derecho garantizado por la constitución nicaragüense que el pueblo ejerce[a] con energía. Diversos puntos de vista se discuten abiertamente en la prensa, ya que en Nicaragua no hay censura.[b] También se respeta la libertad de asociación; por lo tanto, los trabajadores pueden asociarse a las uniones laborales y tienen el derecho de hacer huelga.[c] El gobierno no admite la discriminación por motivos de raza, religión, género, nacionalidad, lengua, orientación política, ni estado socio-económico.

Miembros del Partido Liberal Constitucionalista se reúnen antes de las elecciones presidenciales de 2006.

1. ¿A qué se refiere «la época sandinista»? Si no sabes, busca más información en Internet. ¿Cómo se compara la situación de esa época con el período después de 1995?
2. ¿Cuáles son algunas de las libertades de que disfrutan los nicaragüenses hoy en día? ¿Cómo se compara con los derechos que tienes donde vives tú? ¿Hay alguno de estos derechos que consideras más importante que los otros?

[a]*exercises* [b]*censorship* [c]*strike* [d]*teams*

cartelera

LA DIVERSIDAD LINGÜÍSTICA EN GUATEMALA

Hay gran diversidad dentro de cada país de Centroamérica, pero el caso de la diversidad lingüística en Guatemala es especialmente llamativo.[a] Aunque el español es la lengua oficial de Guatemala, no es la lengua universal. En las zonas rurales hay más de veinte lenguas maya, además de varios idiomas que se hablan en poblaciones de diferentes etnias indígenas. Los pueblos indígenas en general no usan el español y, lo que es más,[b] para muchos tampoco es un segundo idioma.

Aunque no son oficiales, las lenguas indígenas son reconocidas por decreto legal. Se apoya[c] la educación bilingüe y se ofrecen intérpretes bilingües en los tribunales[d] y traducciones de documentos oficiales.

El reconocimiento de las lenguas indígenas ha producido un aumento en el uso de ellas en los medios de comunicación, principalmente en la radio. Pero debido a la falta de acceso al Internet en Guatemala— menos de una persona de cada cien puede conectarse— existen pocos sitios en la Red en las lenguas indígenas. El español sigue siendo el medio de comunicación principal.

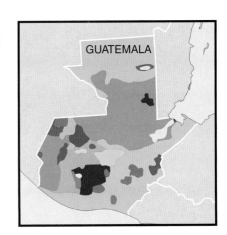

Los áreas verdes representan el español, pero los demás colores representan los muchos idiomas indígenas que se hablan en Guatemala.

1. ¿Por qué llama la atención la situación lingüística de Guatemala? ¿Cómo puede afectar tal (*such a*) diversidad el sentido de identidad nacional? ¿Cuál es la lengua oficial? ¿Quiénes (no) lo usan?
2. Menciona algunas formas en que la ley protege la diversidad lingüística en Guatemala. ¿Crees que estas protecciones sean adecuadas?
3. ¿Crees que sea mejor tener más páginas Web en las lenguas indígenas, o sea mejor que los indígenas aprendan a leer español?

[a]*attention-catching* [b]*lo… what is more* [c]*Se… is supported* [d]*courts of law*

icono

Los tejidos y bordados[a] mayas, decorados con diseños geométricos, florales y de animales, han sido una expresión artística desde hace más de dos milenios. Los trajes típicos sirven para identificar tanto una región o un pueblo particular como el estatus social de una persona.

El conjunto[b] de ropa femenina incluye una blusa multicolor que se llama huipil, una falda de un solo color o estampado,[c] un cinturón— o faja— tejido o bordado y un adorno para la cabeza o el pelo llamado listón.

Los hombres llevan pantalones cortos o camisa y pantalones teñidos[d] de una tela llamada jaspe, una corta saya[e] de lana o rodillera, sobretodo[f] de lana negra —llamado gabán— y sombrero.

¿Qué significado tienen ciertos tipos o ciertas marcas de ropa en tu país? ¿Visten los miembros de tu familia ropa que refleja su país de origen?

[a]tejidos... *textiles and embroidery* [b]*combination* [c]*embossed* [d]*dyed* [e]*kilt* [f]*robe*

Una mujer guatemalteca con su ropa típica.

  You can watch this interview on the DVD to accompany *Portafolio* or on the Online Learning Center **(www.mhhe.com/portafolio).**

vocabulario útil

por la razón de	on account of
por lo tanto	therefore
abiertamente	openly
lamento que haya	I regret that there may be
después de haber salido	after having left
delitos	crimes

gente

HABLAN LOS SALVADOREÑOS

Nombre: Claudia Bautista Nichola
Edad: 33 años
Nació en: San Salvador, El Salvador

¿Qué dice Claudia? Lee las siguientes oraciones y luego elige una de las palabras entre paréntesis según la entrevista con Claudia.

1. Me mantengo en contacto por medio (de las cartas / del teléfono).
2. Hoy, muchos de los salvadoreños nos sentimos más (inseguros/seguros) de hablar sobre la guerra.
3. Lamento que haya muchos problemas por razones (económicas/filosóficas).
4. Espero que las cosas se (resuelvan/suspendan).

opinión

Suggestion (*Opinion*): Remind students that the sources in this feature make certain assertions or generalizations about the country or region of focus in the chapter, but that these observations reflect just *one* point of view. Students should compare and contrast what they read in this feature with other points of view—such as those in the interviews they have seen.

LA SIGUIENTE CITA tomada de una fuente escrita en inglés para anglohablantes va a aumentar tus conocimientos sobre algunos fenómenos culturales en Nicaragua. Usa lo que has aprendido en este capítulo sobre Centroamérica, más tu propia experiencia, para contestar las preguntas que siguen la cita.

"*In the other countries of Central America, newspapers are devoted largely to the reporting of international news and local traffic accidents, either because it is too dangerous to report on national issues (witness Guatemala) or because there is just not that much to say about the polity (as in Honduras). In Nicaragua, though, everything is a big deal—or at least an attempt is made to make it a big deal. Nicaraguans avidly read their newspapers, but they do not read them to find out what has happened, or what is going to happen. Naked information is gleaned from rumors, which spread unbelievably fast, perhaps because of the prevalence of large families and Nicaraguans' penchant for gab. Newspapers are read to see the puffy reactions, the official [one] and that of the opposition, to events. Revealingly, sometimes front-page news is simply a commentary on (usually a denial of) a rumor sweeping through Managua.*"

Source: *My Car in Managua*

1. ¿Qué sabes de la situación política en los países mencionados en este texto (Guatemala, Honduras y Nicaragua)? ¿Por qué es peligroso o inútil escribir sobre la política en cada país?

2. ¿Qué papel juegan los rumores y los chismes en divulgar las noticias en Nicaragua? ¿Por qué crees que son tan importantes o frecuentes los rumores? ¿Es parecido en tu ciudad o región?

mi portafolio

REDACCIÓN

Un *mail* de Panamá. Imagina que has recibido un *mail* de un amigo / una amiga de Panamá que ve muchos de los programas de la televisión norteamericana que se difunden allí. Él/Ella te dice que no comprende algunos de los aspectos de la vida norteamericana que ha visto en la televisión. Escríbele una carta de respuesta en la que le describes lo que, en tu opinión, es un retrato más realista de tu país. Sigue los pasos en el *Portafolio de actividades* para elaborar tu respuesta.

EXPLORACIÓN

Investigación cultural.

Busca más información sobre Centroamérica en la biblioteca, en el *Portafolio* Online Learning Center (**www.mhhe.com/portafolio**) o en otros sitios del Internet y preséntala a la clase. El *Portafolio de actividades* contiene más ideas para tu presentación.

Vocabulario

El periódico en línea

el **anuncio**	advertisement
el **crucigrama**	crossword puzzle
el **editorial**	opinion page
el **titular**	headline
el/la **lector(a)**	reader
el **obituario**	obituary
la **noticia**	piece of news; *pl.* news
la **portada**	front page
la **prensa**	press
el **pronóstico del tiempo**	weather report
el **reportaje**	report
el/la **reportero/a**	reporter
la **reseña**	review
la **tira cómica**	comic strip, cartoon

abonarse	to subscribe
estar al corriente	to be up-to-date
estar desinformado/a de	to be uninformed about
estar enterado/a de	to know about
exponer (*irreg.*)	to report, expose
mantenerse informado/a	to stay informed
publicar (qu)	to publish

actual(mente)	current(ly)

La televisión y el cine

el **acontecimiento**	event, happening
el **canal**	channel
el **chisme**	bit of gossip; *pl.* gossip
el **cine**	movie theater; the movies
el **concurso**	game show
el **desastre (natural)**	(natural) disaster
el **documental**	documentary
el **DVD**	DVD; DVD player
la **mentira**	lie
el **noticiero**	newscast
la **película (cómica, de acción, de amor, de terror)**	(comedy, action, romance, horror) film, movie
el **programa (educativo)**	(educational) program
el **suceso**	event, happening
la **telenovela**	soap opera
el/la **televidente**	TV viewer
la **televisión por antena parabólica**	satellite TV
la **televisión por cable**	cable TV

la **verdad**	truth
el **video**	video; VCR

dudar	to doubt
lamentar	to lament, regret
mentir (ie, i)	to lie

abrumador(a)	overwhelming
chocante	shocking
cómico/a	funny, comical
controvertido/a	controversial
dudoso/a	doubtful
escandaloso/a	scandalous
lamentable	lamentable, regretful
ridículo/a	ridiculous
televisivo/a	television (*adj.*)

La comunicación electrónica

el **café cibernético**	Internet café
el *chat*	chatroom
el **correo electrónico**	e-mail
el **enlace**	link
el **Internet**	Internet
el *mail*	e-mail (message)
el **mensaje**	message

chatear	to chat (online)
conectarse	to get connected
estar conectado/a	to be connected
hacer clic (en)	to click (on)
navegar (gu)	to surf (*the Internet*)
platicar (qu)	to chat (*in general*)

La política y la comunicación

el **abuso**	abuse
la **atrocidad**	atrocity
la **comunidad internacional**	international community
la **década**	decade
los **derechos**	rights
el **desinterés**	indifference
el **ejército**	army
las **elecciones**	elections
la **estabilidad**	stability
el/la **exilado/a**	exile (*person*)
el **exilio**	exile
el **gobierno**	government
la **guerra civil**	civil war

la **guerrilla** — guerilla war
la **historia** — history
la **imagen** (*pl.* **imágenes**) — image
el/la **indígena** — indigenous person, native
la **injusticia** — injustice
la **libertad de palabra/prensa** — freedom of speech / the press
la **manifestación** — demonstration
la **muerte** — death
el **pacto** — truce, pact
el **partido político** — political party
el **Premio Nobel de la Paz** — Nobel Peace Price
el/la **refugiado/a** — refugee
la **revolución** — revolution
el **testimonio** — testimony

difundir — to disseminate
influir (y) en — to influence

resolver (ue) — to resolve
suspender — to suspend

guatemalteco/a — Guatamalan
nicaragüense — Nicaraguan
salvadoreño/a — Salvadoran
REPASO: **el/la ciudadano/a, en el extranjero**

Lenguaje funcional: Para expresar reacciones

¡Qué + *adj.*! — What a + *adj.*!
¡Qué + *noun* + **más/tan** + *adj.*! — What a/an + *adj.* + *noun*!
¡Qué barbaridad! — How awful!
¡Qué bien! — Great! How wonderful!
¡Qué escándalo! — What a scandal!

Regiones y etnias

Suggestion: Draw students' attention to the chapter title, photos, map, and graphics on this chapter opener. Ask them to predict what kinds of topics will probably come up throughout the chapter.

Estas mujeres indígenas viven en la sierra de Perú. ¿Cuáles son las otras regiones de Perú? ¿Qué grupos etnicos se encuentran allí?

En este capítulo...

NOTE: Throughout the chapter students will collect and learn information about these cultural objectives.

Objetivos culturales

▶ Ethnic groups: Recipe for diversity within a country

▶ Stereotypes: A necessary evil?

Suggestion: There is a brief cultural quiz in the Instructor's Manual. Ask students those questions to see how much they know about Peru before they begin the chapter. They can search for some answers in the chapter opener; others will be discovered as the chapter progresses.

Lima, en la costa de Perú, es una ciudad moderna.

En este pueblo de la Selva Amazónica, las casas son construidas sobre pilotes (*stilts*) para protegerlas de las inundaciones (*floods*).

Vocabulario

▶ La socieded peruana

▶ Los problemas sociales

Gramática

14.1   The Subjunctive with Noun Antecedents

14.2   Comparisons

14.3   The Future Tense

14.4   The Subjunctive with Future Actions

Portafolio cultural: Perú

▶ Nación: La cultura precolombina del Perú

▶ Actualidad: Laura Bozzo

▶ Cartelera: La cocina peruana

▶ Icono: Machu Picchu

▶ Gente: Hablan los peruanos

▶ Opinión: El prejuicio en el Perú

▶ Mi portafolio

Vocabulario

Suggestion: See the Instructor's Manual for suggestions on teaching vocabulary in *Portafolio.*

LA SOCIEDAD PERUANA

Los grupos étnicos

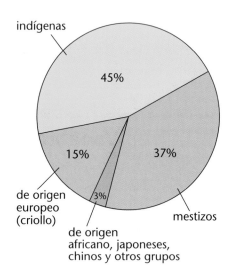

indígenas

45%

15%

37%

3%

de origen
europeo
(criollo)

de origen
africano, japoneses,
chinos y otros grupos

mestizos

Point out: The term *europeo/a* refers to European-born children of European-born parents (of pure European blood, born on European soil). The term *criollo* refers to American-born children of *europeos* or their American-born descendants (i.e., other *criollos*). The term *mestizo* refers to American-born children of one *europeo* or *criollo* parent and one *indígena* parent.

La mayoría de los **peruanos** es **indígena** quechua y aimara.
Entre los indígenas, el grupo más **numeroso** es de origen **incaico.**
Los mestizos son una mezcla de origen **europeo** e indígena.
Los criollos y los mestizos son **minorías,** pero juntos controlan el país.
Los asiáticos (japoneses y chinos) forman un grupo **minoritario** importante.

Las regiones

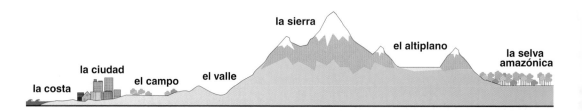

la sierra

el altiplano

la selva
amazónica

la ciudad

el campo

el valle

la costa

Point out: This cross-section map goes from the Pacific Ocean on the left side (west) to the Amazon area on the right (east). Have students relate this graphic to a typical political or physical map of Peru.

¿Cómo se distinguen los grupos étnicos?

Suggestion: Have students guess the meaning of the Aymara phrase *Camisaqui?* from context: **How are you?**

el habla   **el vestuario**   **la gastronomía**

el acento	accent
la costumbre	custom, practice
la creencia (tradicional)	(traditional) belief
el nivel de educación	level of education
la religión	religion
el territorio ancestral	ancestral land
la tradición	tradition

práctica

A. Definiciones. Di la palabra o expresión que corresponde a cada definición.

1. la región donde ha vivido un grupo durante siglos
2. la cocina típica de un grupo étnico
3. las prácticas culturales de un grupo
4. la manera de pronunciar las palabras
5. la región cerca del mar
6. los habitantes originales de una región
7. el grupo más grande dentro de una sociedad
8. una persona de origen europeo e indígena

Answers A: 1. *el territorio ancestral* **2.** *la gastronomía* **3.** *las costumbres, las tradiciones* **4.** *el acento* **5.** *la costa* **6.** *los indígenas* **7.** *la mayoría* **8.** *un mestizo / una mestiza*

B. La geografía peruana. Usando el mapa de Perú en la página 163, di dónde están los dos lugares, según el modelo.

MODELO: Lima / Arequipa →
Lima está en la costa, pero Arequipa está en la sierra, al sureste de Lima.

1. Lima / Cuzco
2. Iquitos / Machu Picchu
3. Chiclayo / Huancayo
4. Lima / Trujillo
5. el Lago Titicaca / el Río Amazonas

Suggestion B: Do a quick review of *estar* for expressing location and the contractions *al* and *del*. Review also the geographical vocabulary from *Capítulo 10*.

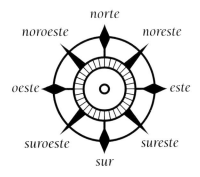

C. Diferencias regionales. Trabaja con un compañero / una compañera para contestar las siguientes preguntas sobre las diferencias regionales de tu país.

1. ¿Cuáles son las regiones culturales de tu país?
2. ¿Corresponden a regiones geográficas?
3. ¿Se diferencian los habitantes de las montañas de los de la costa? ¿En qué aspectos?
4. ¿En qué se diferencian los habitantes de las ciudades de los de las zonas rurales (del campo)?

Suggestion D: Try to elicit other ethnic, cultural, or generational groups your students may know, along with their symbols of identity. To avoid negative stereotypes, focus on symbols that each group is proud to display to show group membership.

D. Símbolos de identidad. Cada grupo cultural o social tiene sus propios símbolos de identidad. ¿Cómo se reconocen los siguientes grupos? Considera las categorías del habla, el vestuario, las costumbres y las creencias, y añade otro grupo que se te ocurra.

1. un(a) intelectual de Nueva York
2. un(a) aristócrata de Boston
3. un(a) tablista (*surfer*) de California
4. un(a) canadiense de Quebec
5. un programador / una programadora de computadoras
6. ¿ ?

Note E: Since *Práctica D* has so many possible answers, you could focus *Práctica E* only on 3 or 4 of the most interesting ones or on the most egregious stereotypes your students hold. If your students need model answers, suggest the following example. They may not be able to produce answers with this level of sophistication, but they will get the main idea—a stereotypical behavior. ***Modelo:*** *Símbolo de identidad: Los tablistas llevan ropa informal de una marca específica.*
1. La ropa es un símbolo visual fácil de reconocer, de cerca o de lejos. 2. Es algo consciente porque se visten de esa manera para llamar la atención. 3. [Respuestas variadas según el origen de la clase] Nosotros llevamos _____ porque _____. 4. Es un estereotipo decir que todos los tablistas siempre llevan la ropa típica. Algunas personas la llevan sólo en la playa; se ponen ropa distinta en otras situaciones.

E. Estereotipos. Para cada símbolo de identidad que identificaste en **Práctica D,** contesta las siguientes preguntas con la ayuda de un compañero / una compañera.

1. ¿Qué función tienen las costumbres, el habla, las creencias, etcétera, dentro de cada grupo? Es decir, ¿por qué es un símbolo importante para las personas de cada grupo?
2. ¿Crees que sea algo consciente o inconsciente? ¿Por qué?
3. ¿Qué costumbres, acentos, etcétera, existen en tu propio grupo cultural que sirven la misma función?
4. ¿Crees que todos los miembros del grupo compartan esta característica o es un estereotipo? ¿Entiendes esta característica de manera superficial o conoces el contexto del uso entre los miembros del grupo?

Gramática

14.1 THE SUBJUNCTIVE WITH NOUN ANTECEDENTS

In **Capítulo 13,** you learned many main-clause expressions that require a subjunctive verb form in the dependent clause; in each case the main-clause phrase was a verb (e.g., **quiero**) or an impersonal expression (e.g., **es necesario**). But what if the dependent clause follows (and describes) a *noun*? Not surprisingly, if the speaker views this noun as nonexistent or indefinite, Spanish uses a subjunctive verb form in the dependent clause to convey this nuance.

Note: You may want to introduce the grammatical terminology associated with this topic: In a construction where a noun is modified by a dependent clause, the noun is called the antecedent (*el ante-cedente*), and the clause is adjectival (*adjetival*).

	NOUN	DEPENDENT CLAUSE	
No hay	costumbres	que **se remonten** a los incas.	*There are no customs that date back to the Incas.*

In the preceding sentence, the dependent clause **que se remonten...** describes the noun antecedent **costumbres.** The dependent-clause verb is in the subjunctive (**se remonten,** from **remontarse**) because the speaker used **No hay** in the main clause, thus declaring the noun antecedent as nonexistent in his/her mind.

Contrast the preceding example with the following one.

	NOUN	DEPENDENT CLAUSE	
Hay muchas	costumbres	que **se remontan** a los incas.	*There are many customs that date back to the Incas.*

Here, by using the phrase **Hay muchas,** the speaker shows that he/she believes that the noun antecedent **costumbres** *does* exist. Thus, the dependent-clause verb is in the indicative **(se remontan)** and *not* in the subjunctive.

The use of negative indefinite expressions such as **nada, nadie,** and **ningún/ninguna** in a main clause will also trigger use of the subjunctive in a dependent clause, because these terms imply nonexistent entities.

No tengo **ningún amigo** que **sepa** hablar quechua.	*I don't have a single friend who knows how to speak Quechua.*
No veo a **nadie** aquí que **venga** de la costa.	*I don't see anyone here who comes from the coast.*

When the positive indefinite expressions **algo, alguien,** and **algún/ alguna** appear in a main clause, they may or may not trigger use of the subjunctive in a dependent clause. In general, if the speaker doubts or denies the existence of the indefinite entity (as in a question), the dependent verb is in the subjunctive. Otherwise, the indicative is used.

¿Conoces a **alguien** que **trabaje** en la sierra?	*Do you know anyone who works in the mountains?*
Sí, conozco a **alguien** que **trabaja** en el Parque Nacional Manú.	*Yes, I know someone who works in Manú National Park.*

The personal **a** is always used when **alguien** and **nadie** are objects of the verb, but it is *not* used with indefinite or nonexistent direct object nouns.

Busco **un señor** que **sepa** hablar quechua.

I'm looking for a man who knows how to speak Quechua. (I'm not sure if such a person exists.)

Busco *al* **señor** que **sabe** hablar quechua.

I'm looking for the man who knows how to speak Quechua. (I know he exists.)

autoprueba

Analiza las siguientes oraciones, indicando estos aspectos.

[ ]	dependent clause
ind./subj.	dependent-clause verb in indicative or subjunctive
*	noun antecedent that cues use of the subjunctive in the dependent clause

MODELO: No hay ningún grupo que tenga raíces indígenas. →
No hay <u>ningún grupo</u> [que <u>tenga</u> raíces indígenas].
                *   subj.

1. Aquí no tenemos mujeres que lleven hasta ocho faldas.
2. En la costa preparan comidas que vienen de tradiciones diferentes.
3. Pero en la sierra no hay platos que tengan influencia extranjera.
4. No conozco a ningún indígena que viva en la ciudad.
5. Tampoco hay gente de origen africano que trabaje en las minas de las sierras.
6. Mi amigo me presentó (*introduced*) a un hombre que sabe mucho de las tradiciones incaicas.

Suggestion A: Break this activity down into steps: First help students locate the **noun** + *que* + **dependent clause,** then have them decide whether the noun in question exists or not.

práctica

A. **La gastronomía peruana.** Completa estos comentarios sobre la gastronomía peruana con la forma apropiada (indicativo o subjuntivo) de los verbos entre paréntesis.

1. Los peruanos cultivan muchas variedades de papas que no (existir) en otros países.
2. ¿Conoces algún plato que (prepararse) en Perú?
3. No hay ninguna comida indígena que te (hacer) daño (*harms*).
4. En la televisión he visto programas que te (enseñar) a cocinar platos japoneses.
5. En la costa no se venden mariscos que (ser) de mala calidad.
6. Queremos probar las diferentes especies de maíz que (cultivarse) en la sierra.

B. Oraciones incompletas. Combina los siguientes elementos para formar oraciones completas, añadiendo las palabras necesarias. **¡OJO!** Cuidado con el uso del indicativo y del subjuntivo.

1. ¿tú / conocer / a alguien / que / hablar / quechua?
2. mi papá / tener / parientes / que / vivir / en la sierra
3. yo / pensar cocinar / un plato / que / venir / de la costa
4. en la ciudad / nosotros / no celebrar / costumbres que / ser / incaico
5. esa familia / buscar / una casa / que / estar / cerca del centro

C. Entrevista: Las personas que conoces. Entrevista a un compañero / una compañera para saber la siguiente información.

1. ¿Conoces a alguien que… tenga un acento diferente? ¿Por qué tiene ese acento? ¿Es de una región específica o de otro país? ¿Te gusta su acento?
2. ¿Conoces a alguien que… se vista con ropa tradicional? ¿Cómo es esa ropa?
3. ¿Conoces a alguien que… prepare recetas de sus antepasados? ¿Cómo son las comidas que prepara? ¿En qué ocasiones las prepara?
4. ¿Conoces a alguien que… trabaje en el mismo lugar (la misma profesión) que sus padres o abuelos? ¿Le gusta su trabajo? ¿Crees que la próxima generación también ejerza (*will practice*) esa carrera?

Suggestion C: Be careful to model answers for students: Affirmative answers will have the indicative, negative ones the subjunctive (*Sí, conozco a alguien que tiene… / No, no conozco a nadie que tenga…*).

Note: As mentioned in *Capítulo 13*, the subjunctive in dependent clauses is not common in the spontaneous speech of novice/intermediate-level speakers. This pair activity is designed to provide additional comprehensible input for the subjunctive in adjectival clauses. Students probably will not spontaneously produce the structure in their answers.

14.2 COMPARISONS

Throughout this text you have been comparing and contrasting Hispanic and North American cultures. This section presents a summary of the language you have used to carry out these important linguistic functions.

Unequal Comparisons

To make unequal comparisons of nouns, adjectives, adverbs, and verbs, use the constructions **más… que** and **menos… que.**

NOUNS

Hay **más** indígenas **que** europeos en Perú.

There are more indigenous people than Europeans in Peru.

Perú tiene **menos** chinos **que** japoneses.

Peru has fewer Chinese people than Japanese.

ADJECTIVES

Perú es **más** grande **que** Ecuador.

Peru is larger than Ecuador.

ADVERBS

Gustavo habla **más** rápidamente **que** tú.

Gustavo speaks more rapidly than you do.

VERBS

Pero habla **menos que** tú.*

But he talks less than you do.

---

*Note that when comparing verbs, nothing comes between **más/menos** and **que.**

A few adjectives and adverbs have irregular comparative forms.

mayor (*older*)	Mi hermana es **mayor que** yo.	*My sister is older than I am.*
menor (*younger*)	Mi tía es **menor que** mi madre.	*My aunt is younger than my mother.*
bueno (*adj.*) → mejor	Esta receta peruana es **mejor que** la otra.	*This Peruvian recipe is better than the other one.*
bien (*adv.*) → mejor	Muchos niños indígenas hablan español **mejor que** sus padres.	*Many indigenous children speak Spanish better than their parents.*
malo (*adj.*) → peor	La discriminación es **peor** en las grandes ciudades.	*Discrimination is worse in large cities.*
mal (*adv.*) → peor	Esa quena suena **peor que** la otra.	*That Andean flute sounds worse than the other one.*

Use the expression **más/menos de** when a number follows.

Hay **más de cinco** grupos étnicos en nuestra ciudad.	*There are more than five ethnic groups in our city.*
Menos del cuatro por ciento de la población es de origen asiático.	*Less than four percent of the population is of Asian origin.*

Equal Comparisons

To make equal comparisons of nouns, use the construction **tanto/a/os/as... como.**

No tienen **tanto** dinero **como** nosotros.	*They don't have as much money as we do.*
No hay **tantos** problemas allí **como** aquí.	*There aren't as many problems there as here.*
Este libro de cocina tiene **tantas** recetas **como** el otro.	*This cookbook has as many recipes as the other one.*

To make equal comparisons of adjectives and adverbs, use the construction **tan... como.**

Lima es **tan** grande **como** otras capitales sudamericanas.	*Lima is as big as other South American capitals.*

To make equal comparisons of verbs, use the expression **tanto como.**

Los indígenas de la ciudad trabajan **tanto como** los de la sierra.	*The indigenous people in the city work as much as those in the mountains.*

práctica

A. Las tres regiones de Perú. Completa las siguientes comparaciones con las palabras necesarias (+ significa **más,** − significa **menos**).

1. Hace ___más___ calor en la selva ___que___ en las montañas. (+)
2. La sierra tiene ___menos___ habitantes ___que___ la capital. (−)
3. La costa tiene un clima ___más___ seco ___que___ la selva tropical. (+)
4. Tienen ___tantos___ terremotos en la costa ___como___ en la sierra. (=)
5. La vida en las montañas es ___más___ difícil ___que___ en la selva. (+)
6. Hay ___tanto___ desempleo (*unemployment*) en la sierra ___como___ en la selva. (=)
7. Hay ___menos___ indígenas en la capital ___que___ en la selva. (−)
8. La sierra tiene ___menos___ diversidad étnica ___que___ la selva. (−)

Suggestion A: To focus more on meaning, reproduce this activity on the board, overhead transparency, or handout **without** the +, −, and = signs and have students figure out which type of comparison would make each sentence true.

B. ¿Por qué se van?

Paso 1. Estudia los siguientes datos sobre la distribución de la población peruana entre 1940 y 2003. ¿Qué cambios notas? Luego, completa las oraciones que siguen la tabla con la información apropiada.

DISTRIBUCIÓN DE LA POBLACIÓN PERUANA			
AÑO	COSTA (%)	SIERRA (%)	SELVA (%)
1940	25	62	13
1961	39	52	9
1972	45	44	11
1981	51	41	8
2003	52	38	10

1. Entre 1940 y 2003, muchos peruanos se mudaron de _____ a _____.
2. En 2003, la región más poblada de Perú era _____.
3. La región que no tuvo grandes cambios de población entre 1940 y 2003 es _____.

Answers B (*Paso 1*): 1. *la sierra; la costa* **2.** *la costa* **3.** *la selva*

Paso 2. ¿Por qué hubo tanta migración dentro de Perú? Explica este fenómeno comparando los datos de la costa con los de la sierra. Los siguientes aspectos pueden darte algunas ideas.

MODELO: la salud →
Hay más hospitales en las ciudades que en la sierra.

- las actividades culturales
- el clima
- las oportunidades de trabajo
- el terrorismo
- ¿ ?

C. Grupos étnicos. Trabaja con un compañero / una compañera para describir los grupos étnicos o regionales de tu país, hablando de los siguientes aspectos y otros que se te ocurran.

Note C: Caution students that when speaking in general, they risk making stereotypical statements. Encourage classmates to offer additional information to qualify the generalizations offered by each student.

1. el acceso a la educación
2. el número de personas
3. el mantenimiento de la cultura y las tradiciones
4. los trabajos y las oportunidades de avanzar
5. ¿ ?

Charla con Sandra

  You can watch this interview on the DVD to accompany *Portafolio* or on the Online Learning Center (**www.mhhe.com/portafolio**).

vocabulario útil

coloridas	colorful
anchas	wide
una encima de otra	one on top of another
cultivaban	(they) used to grow
aislados	isolated
tribus *f. pl.*	tribes
cazan	they hunt
pescar (qu)	to fish

DATOS PERSONALES

Nombre: Sandra Montiel Nemes
Edad: 34 años
Nació en: Lima, Perú

A. Diferencias regionales. Vas a leer una entrevista con **Sandra Montiel Menes.** Primero, lee las siguientes oraciones. Luego, mientras lees, indica a qué región de Perú corresponde cada descripción.

	SIERRA	SELVA	COSTA
1. Mucha gente es indígena.	☐	☐	☐
2. La gente vive en tribus cerca del río.	☐	☐	☐
3. Las mujeres llevan faldas coloridas.	☐	☐	☐
4. Está junto al desierto.	☐	☐	☐
5. Los hombres llevan chullo.	☐	☐	☐
6. Comen lo que pescan y cazan.	☐	☐	☐
7. Se come comida china y japonesa.	☐	☐	☐

¿Cuáles son los grupos étnicos de tu país?

Los grupos mas importantes en el Perú son los indígenas, que es la mayoría. Después tenemos los criollos, que es la mezcla del indígena con el español. Tenemos grupos de europeos. Y después la minoría, tenemos grupos de asiáticos, que la mayoría de las personas son del Japón y de China, y después tenemos a un pequeño grupo de negros.

¿En qué se diferencian los grupos?

Para entender esto, hay que saber que el Perú es muy rico geográficamente. Tiene el desierto, la sierra, la costa y la selva.

¿Cómo son las personas de la sierra?

Las personas en la sierra, por lo general, son indígenas. Siempre han vivido en sus pueblos y nunca han bajado a la ciudad y la mayoría nunca ha ido a la capital. Por lo general visten diferente. Las mujeres llevan unas faldas muy coloridas, y son muy anchas porque llevan una encima de otra, a veces ocho. Y llevan a veces sombreros. Y los hombres visten chullos, que es un sombrero hecho de lana. Por lo general la comida de ellos es comida que los incas preparaban y cultivaban, que siempre fue la papa y el maíz.

¿Cómo son las personas de la selva?

Las personas de la selva por lo general, las que viven lejos de la ciudad, que es Iquitos, la ciudad principal de la selva, viven muy aislados. Viven en tribus, siempre cerca al Amazonas, al río. Y comen por lo general comidas que ellos cazan, de los árboles, plantas, frutas, y también utilizan el río para pescar. Las ropas que llevan, si son muy aislados a la ciudad, son ropas hechas por ellos mismos, y si están cerca a la ciudad, llevan ropas más comunes como la gente europea.

¿Cómo son las personas de la costa?

En la costa, las personas son mucho como yo, que soy de la capital, que es Lima, y queda en la costa. En la costa está el desierto. Nosotros nos vestimos con ropas como los europeos. Y la comida tenemos un poco de todo, tenemos la influencia de los europeos y los asiáticos a nuestra manera. Comemos comida china, que se llama «chifa», también la comida japonesa y lo principal hay muchos mariscos y pescado.

Estos indígenas llevan el vestuario típico de la sierra peruana (Lima, Perú).

B. Comparaciones. Contesta las siguientes preguntas.

1. ¿Está de acuerdo la información de Sandra con otra información sobre Perú que has leído en este capítulo?
2. ¿En qué se diferencia la ropa de los que viven en la costa de la de los que viven en la selva o en la sierra? ¿Por qué?

C. ¿Existen todavía? ¿Hay grupos en tu país que todavía siguen costumbres tradicionales? Describe los siguientes aspectos de los grupos que conozcas.

- principios económicos (el trueque [*barter*], organizaciones agrícolas, etcétera)
- vestuario tradicional
- comidas especiales regionales o étnicas
- prácticas o creencias religiosas

Point out: Explain that Sandra's use of the term *negro/a* to refer to people of African descent is still widely accepted as nonoffensive language by many Spanish speakers, even by those of African descent. Even though African slaves were imported to virtually all areas of Spanish America, the term *negro/a* (in Spanish) does not necessarily carry the same socially sensitive meaning that similar terms in English carry in North America. **However,** in some areas, especially in those that receive much influence from the United States and thus from American English, this is changing. That is, the term *negro/a* **may** be viewed as offensive and as such the speakers in those areas are coming up with alternate, "politically correct" terms. Accordingly, you will see such phrases as *de origen africano* throughout this book.

¡Escribe y habla mejor!

The Spanish alphabet has three nasal letters: **m, n,** and **ñ.** But the pronunciation of nasal consonants does not always correspond to the letters used in spelling. Find out more about this phenomenon by studying the information in Appendix A, and practice your pronunciation and spelling in the *Portafolio de actividades*.

Vocabulario

LOS PROBLEMAS SOCIALES

¿Cuáles son los problemas sociales más graves?

Enrique Soto,
43 años, Lima

Rosa Echenique,
28 años, Arequipa

Ester Losada, 32 años,
Cuzco

Alejandro Yamada,
18 años, Callao

«En mi opinión, es **el crimen. Los delincuentes roban** y **engañan**[a] a la gente a toda hora.»

«En este país es **la desigualdad** entre las clases. **Los ricos** y **la clase media explotan**[b] a **los pobres,** quienes son **impotentes**[c] de cambiar su situación. Se sienten **rechazados**[d] y **marginados.**»

«Creo que hay mucha **discriminación.** Los pobres en las ciudades y los indígenas **son discriminados** de manera brutal.»

«La pobreza y la economía **subdesarrollada**[e] causan muchos problemas: **drogas,** crimen y **resentimiento** entre los pobres.»

[a]*trick, swindle*　[b]*exploit*　[c]*powerless*　[d]*rejected*　[e]*underdeveloped*

Cómo resolver los problemas

Suggestion: Remind students that the (*j*) with *proteger* refers to the *yo* form of the present indicative (*protejo*) and consequently to all the present subjunctive forms (*proteja, protejas,* and so on). Ask if they can think of other verbs with that spelling change.

evitar el lenguaje peyorativo	to avoid pejorative language
mantener los valores tradicionales	to maintain traditional values
mejorar las condiciones de vida	to improve living conditions
proteger (j) a los obreros	to protect (the rights of) workers
romper los obstáculos sociales	to break down social barriers
superar las barreras económicas	to overcome economic barriers
tener más acceso a la enseñanza	to have more access to education

práctica

A. Sinónimos y antónimos. Junta las palabras de la izquierda con sus sinónimos o antónimos de la derecha.

abusar	es lo mismo que	el acento
el antepasado	tiene que ver con	el ancestro
la igualdad	es lo opuesto de	la desigualdad
el habla	+	engañar +
poderoso		explotar
negativo		impotente
robar		marginado
rechazado		peyorativo
el vestuario		la ropa

lenguaje funcional

¿Qué quiere decir?

You can use the following expressions to help explain or define an abstract concept.

Es lo mismo que…	*It's the same as . . .*
Es lo opuesto de…	*It's the opposite of . . .*
Tiene que ver con…	*It has to do with . . .*

B. Definiciones. Completa las siguientes oraciones con una expresión apropiada del vocabulario.

1. Un país <u>subdesarrollado</u> no tiene mucha industria.
2. Las personas <u>marginadas</u> están excluidas de la sociedad.
3. Los habitantes originales de una región son <u>indígenas</u>.
4. Las personas que trabajan en las fábricas, por ejemplo, son <u>obreros</u>.
5. No tratar bien a una persona por su raza, clase, situación económica, etcétera, es <u>la discriminación</u>.
6. Los <u>pobres</u> no tienen mucho dinero.
7. Una persona sin control de una situación se siente <u>impotente</u>.
8. Las personas que cometen crímenes se llaman <u>delincuentes</u>.

C. Grupos minoritarios. ¿Cuáles son los grupos minoritarios más importantes de tu país? ¿Cómo contribuyen al país, qué discriminaciones experimentan y qué aspiraciones tienen? Apunta tus ideas, según las siguientes categorías. Luego, presenta tus ideas a la clase.

MODELOS: Un grupo importante son los…

Contribuyen mucho al país porque…

Experimentan discriminación cuando…

Quieren ser (hacer, llegar a ser [*to become*], etcétera)…

Gramática

14.3 THE FUTURE TENSE

Forms

From early on in your study of Spanish, you have been able to talk about future actions using either the *present tense* or the expression **ir** + **a** + *infinitive:* **Los niños *van a tener* más acceso a la enseñanza.** Spanish also has a *future tense,* which is formed by adding a special set of endings to the future stem, which is normally the infinitive of the verb. Unlike other tenses, the future tense has only one set of endings for verbs of all three conjugations (**-ar, -er,** and **-ir**).

FUTURE TENSE OF REGULAR VERBS		
-ar	**-er**	**-ir**
mejoraré	romperé	seguiré
mejorarás	romperás	seguirás
mejorará	romperá	seguirá
mejoraremos	romperemos	seguiremos
mejoraréis	romperéis	seguiréis
mejorarán	romperán	seguirán

La situación **mejorará.** — *The situation will get better.*

Los jóvenes **romperán** los obstáculos sociales. — *Young people will break down social barriers.*

Seguiremos luchando por los derechos de los grupos minoritarios. — *We will continue fighting for the rights of minority groups.*

A few verbs have irregular future stems, but they take the same endings used for regular verbs. Note the similarities among the irregular stems.

FUTURE TENSE OF IRREGULAR VERBS					
INFINITIVE	STEM	FUTURE TENSE	INFINITIVE	STEM	FUTURE TENSE
caber[a]	cabr-	cabré, cabrás, cabrá,...	poner	pondr-	pondré, pondrás, pondrá,...
poder	podr-	podré, podrás, podrá,...	salir	saldr-	saldré, saldrás, saldrá,...
querer	querr-	querré, querrás, querrá,...	tener	tendr-	tendré, tendrás, tendrá,...
saber	sabr-	sabré, sabrás, sabrá,...	valer[b]	valdr-	valdré, valdrás, valdrá,...
			venir	vendr-	vendré, vendrás, vendrá,...
decir	dir-	diré, dirás, dirá,...			
hacer	har-	haré, harás, hará,...			

[a]*to fit* [b]*to be worth*

NOTES:

- Most of the verbs similar to the preceding irregular verbs have corresponding irregular stems in the future tense: **mantener** → **mantendr-** → **mantendré, mantendrás, mantendrá,..** , *but* **predecir** (*to predict*) → **predecir-** → **prediceré, predecirás, predecirá,...**
- The future of **hay** is **habrá** (*there will be*).

Uses

The use of the future tense in Spanish corresponds closely to the English future: *will/shall* + *verb*. Just as in English, the Spanish future often implies more force of will than the **ir** + **a** + *infinitive* construction.

Van a superar las barreras económicas.	*They are going to overcome the economic obstacles.* (simple report of future action)
Superarán las barreras económicas.	*They will overcome the economic obstacles.* (implies determination)

In requests, English *will* often indicates willingness to do something, not future time. In these cases, Spanish uses other expressions, not the future.

Will you help me?	**¿Puedes** ayudarme?
Will you please close the window?	**¿Te importa** cerrar la ventana?

práctica

A. ¿Un futuro mejor? Las siguientes oraciones describen un futuro mejor para tu país. ¿Cuáles son ciertas, en tu opinión? Si no estás de acuerdo con una frase, cámbiala para que exprese tu verdadera opinión.

1. La economía global mejorará bastante en los próximos años.
2. Los niños de la próxima generación tendrán acceso a más oportunidades de estudio.
3. Habrá menos discriminación racial o sexual.
4. Las minorías de mi país superarán las barreras económicas y podrán encontrar trabajos dignos.
5. El terrorismo no será un problema.
6. Se mantendrá el nivel de vida (*standard of living*) de la generación de mis padres.

Suggestion A: Have students first identify the future tense verb and confirm the meaning of the sentences before they answer.

Suggestion C: Encourage students to incorporate as much review vocabulary as possible from previous chapters on family, work, leisure, and so on.

Follow-up D: Have students report the results of their pair work to the class. As they report, make a master list of the elements that all groups have in common.

B. ¿Cómo mejorar la vida? Escribe una lista de cinco cosas que harás para mejorar tu vida, usando verbos en el futuro.

MODELO: Terminaré mis estudios.

C. Mi vida en 2025. ¿Cómo será tu vida en el año 2025? Descríbele a un compañero / una compañera tus predicciones sobre los siguientes aspectos de tu vida, usando verbos en el futuro.

1. la carrera
2. la familia
3. el mundo
4. el país
5. los pasatiempos
6. ¿ ?

D. La utopía. Trabaja con un compañero / una compañera para describir una sociedad utópica o ideal del futuro. Comenten las siguientes ideas, usando verbos en el futuro.

MODELO: el crimen →
No habrá delincuentes en la sociedad ideal.

1. la comida
2. los medios de comunicación
3. la política
4. la tecnología
5. el trabajo
6. los viajes
7. ¿ ?

14.4 THE SUBJUNCTIVE WITH FUTURE ACTIONS

So far in your study of the subjunctive you have seen that certain verbs and impersonal expressions in the main clause (for example, **Quiero, Es necesario**) trigger the subjunctive in dependent clauses. These expressions imply that the action in the dependent clause has not yet happened or is not yet true. (If it were true already, the speaker would not try to influence it or have doubts about it!) Not surprisingly, Spanish requires the use of the subjunctive in *any* dependent clause that expresses an action that has not yet been carried out or is not yet true—that is, any future action.

Some expressions introduce dependent clauses that always imply future or as-yet-untrue actions and, therefore, *always* require the subjunctive. You should memorize them.

Note: Technically, *a no ser que, a menos que, sin que,* and *con tal de que* are **concessive** conjunctions (not future actions), but it is best to have students memorize them with other expressions that always take the subjunctive.

Point out: Some of the expressions presented in this section (*antes [de] que, con tal [de] que, después [de] que, en caso de que, hasta que, para que,* and *sin que*) can take an infinitive. The word *que* is used only when a conjugated verb follows the expression (i.e., when there is a dependent clause): *Estudio mucho para salir bien en los exámenes.* vs. *El/La profesor(a) nos ayuda para que salgamos bien en los exámenes.*

EXPRESSIONS THAT *ALWAYS* TRIGGER SUBJUNCTIVE IN A DEPENDENT CLAUSE			
a menos que	unless	**en caso de que**	in case
a no ser	unless	**para que**	so that, in order that
antes (de) que	before		
con tal (de) que	provided that	**sin que**	without

Muchos indígenas van a la ciudad **para que** sus hijos **puedan** tener acceso a una buena educación.	*Many indigenous people go to the city so that their children can have access to a good education.*
Habrá muchos policías **en caso de que** la manifestación se **ponga** violenta.	*There will be many police officers in case the demonstration turns violent.*

Other expressions introduce dependent clauses that may or may not imply future actions. If the actions are habitual or completed, the indicative is used; if future actions are implied, these dependent clauses take the subjunctive.

EXPRESSIONS THAT SOMETIMES TRIGGER SUBJUNCTIVE IN A DEPENDENT CLAUSE
(*IMPLIED FUTURE* = SUBJUNCTIVE; *HABITUAL* OR *COMPLETED* = INDICATIVE)

cuando	when(ever)	**hasta que**	until
después (de) que	after	**tan pronto como**	as soon as
en cuanto	as soon as		

Cuando **llego** a Lima, siempre me recoge mi tío Alberto.	*When(ever) I arrive in Lima* (habitual action: present indicative), *my uncle Alberto always picks me up.*
Cuando **llegué** a Machu Picchu, me impresionaron mucho las ruinas.	*When I arrived in Machu Picchu* (completed action: preterite), *I was surprised by the ruins.*
Cuando **llegue** a casa, estaré muy cansado del viaje.	*When I get home* (in the future), *I will be very tired from the trip.*

autoprueba

Estudia las siguientes oraciones y di si los verbos en la cláusula subordinada se refieren a acciones futuras, acciones habituales en el presente o acciones completas.

1. Los incas tenían un imperio grande cuando llegaron los españoles a Perú.
2. Los indígenas de la sierra mantienen algunas costumbres después de que llegan a las ciudades de la costa.
3. La gente del campo tendrá mejores oportunidades en cuanto aprenda a hablar español.
4. Seguiremos luchando contra la discriminación hasta que ya no exista.
5. Los pobres de las ciudades tendrán una vida mejor tan pronto como superen las barreras económicas que existen.

Point out: The dependent and main clauses can be in any order when using the expressions in either of the tables presented in this *Gramática* section. You may want to write out one of the sample sentences in this section to stress the point: *Siempre me recoge mi tío Alberto cuando llego a Lima.*

Suggestion (*Autoprueba*): Break this activity into steps if necessary: Have students identify the subordinating expression (*cuando, después de que,* and so on), then focus their attention on the time frame of the subordinate verb.

Answers: 1. *llegaron* (completed action: preterite) **2.** *llegan* (habitual action: present) **3.** *aprendan* (future: subjunctive) **4.** *obtengan* (future: subjunctive) **5.** *mejoren* (future: subjunctive) **6.** *superen* (future: subjunctive)

práctica

A. **Una carta desde Perú.** Completa la siguiente carta con la forma apropiada del subjuntivo de los verbos **dar, empezar, irse, poder, regresar** y **tener.**

Queridos papis:

¡Saludos desde Cuzco! Estoy pasándola bien aquí en Perú, y quería contarles mis planes para el resto de las vacaciones.

No me queda mucho tiempo aquí, pues pensaba viajar por esta zona hasta que mis amigos ___empiecen___[1] las clases. Son muy amables: me invitan a su casa y hemos hecho muchas excursiones juntos. Voy a invitarlos a visitarme en México para que ustedes ___puedan___[2] conocerlos también. Les van a caer muy bien.

Un problemita: Resulta que no me queda mucho dinero, entonces no podré comprar el boleto de avión de vuelta a menos que ustedes me ___den___[3] el dinero. ¿Podrían mandármelo antes de que yo ___me vaya___[4] de Cuzco? No se preocupen; cuando yo ___regrese___[5] a casa, ¡les devolveré todo el dinero que me prestaron[a]!

Les diré la fecha del vuelo de vuelta tan pronto como ___tenga___[6] el boleto comprado. Hasta muy pronto.

Un fuerte abrazo cariñoso de su hijo,
Antonio

[a]me... *you loaned me*

B. **Un viaje a Perú.** Ramón y su familia están planeando un viaje a Perú. Lee los siguientes comentarios de Ramón y complétalos con la forma apropiada (indicativo o subjuntivo) de los verbos subrayados.

1. Siempre llevo demasiadas cosas cuando ir de viaje. Pero cuando ir a Perú, sólo llevaré lo necesario.
2. Frecuentemente, cuando salir de viaje, no llevo mi pasaporte. Pero esta vez llevaré mis documentos en caso de que los agentes me los pedir en la frontera.
3. En general, no me gusta pleanear demasiado. Pero esta vez nuestro agente de viajes nos hará un itinerario antes de que nosotros viajar.
4. Según la página Web de nuestro hotel, será imposible conseguir una habitación a menos que yo tener una reserva.
5. ¡No estaré contento hasta que ver las ruinas de Machu Picchu!
6. Cuando estar en Lima, quiero ver todas las atracciones de la ciudad.
7. Pero no quiero visitar los monumentos sin que nuestro guía nos explicar su historia.
8. Normalmente, cuando yo cenar en restaurantes elegantes, pago con tarjeta de crédito. Pero cuando nosotros pagar en Perú, usaremos cheques de viajero.

C. ¿Un futuro prometedor? Trabaja con un compañero / una compañera para completar las siguientes oraciones con ideas originales sobre el futuro.

1. Siempre habrá problemas sociales a menos que…
2. El gobierno debe presentar un nuevo programa de educación para que…
3. Los indígenas se quedarán en la sierra cuando…
4. Nadie en Perú hablará quechua a no ser que…
5. Los grupos como Sendero Luminoso desaparecerán tan pronto como…

Point out (*Si te interesa*): The terrorist group that Héctor alludes to in the fifth question in his interview is the *Sendero Luminoso.*

así se dice

Sendero Luminoso (*Shining Path*) is a Communist-Maoist guerrilla organization formed in the late 1960s by then university professor Abimael Guzmán. The movement has attempted to destroy existing Peruvian institutions, replace them with a peasant revolutionary regime, and rid Peru of foreign influences by resorting to extraordinarily violent means (bombings, assassinations, and so on). The group has lost strength and influence in Peru after Guzmán's capture in September 1992 and after the subsequent arrest and defections of other SL leaders. President Fujimori's amnesty program for repentant terrorists and the public's distaste for its extreme violence also decimated support for the guerrilla movement.

La Plaza de Armas, Cuzco, Perú

portafolio cultural

Los mochica son famosos por sus objetos de cerámica como esta figura de un guerrero (*warrior*).

nación

LA CULTURA PRECOLOMBINA DEL PERÚ

La cultura *mochica* tuvo su origen en un valle de la costa norte de Perú llamado Moche y floreció entre 100 y 700 d.C.[a] Los mochicas se dedicaron en particular al desarrollo agrícola, cultivando maíz, camote, yuca, papa, calabaza y frutas. La necesidad de suministrar[b] agua a tierras secas dio lugar[c] a la construcción de canales que son notables obras de ingeniería hidráulica. También construyeron represas[d] que servían para irrigar las tierras en tiempo de sequía[e] y escasez.[f]

Entre las muchas muestras[g] culturales *moche* se destaca la cerámica por su excepcional riqueza expresiva: da testimonio vivo de las actividades, costumbres, ropas y herramientas[h] de su pueblo. Los *mochica* se dedicaron también a la metalurgia del oro, la plata y el cobre[i]: alcanzaron[j] un elevado grado de desarrollo, utilizando su producción en rituales, la fabricación de armas e instrumentos agrarios de construcción. Por último, a pesar de que existen pocos ejemplos de su producción textil, los objetos de algodón y de fibras animales son de excelente calidad.

1. ¿Cuáles fueron los orígenes de la cultura mochica? ¿Conoces otras culturas o civilizaciones contemporáneas a la mochica?
2. ¿Cuáles eran las actividades de particular interés en la cultura mochica? ¿Cuáles fueron algunos de los logros de esa civilización? ¿Cómo se compara con otras culturas o civilizaciones de su época?
3. ¿Ves alguna relación entre la antigua cultura mochica y la cultura peruana de hoy día?

[a]*A.D.*   [b]*supply*   [c]*dio... sparked*   [d]*reservoirs*   [e]*drought*   [f]*shortage*   [g]*samples*   [h]*tools*   [i]*copper*   [j]*reached, achieved*

actualidad

LAURA BOZZO

Son frecuentes hoy en día los programas de televisión donde personas del público discuten sus problemas personales. Aunque suelen ser muy populares, la opinión pública está dividida acerca de estos programas: algunos los critican por escandalosos, mientras que otros los ven como una fuente[a] de entretenimiento y amonestación.[b] El programa de Laura Bozzo, emitido desde Perú, figura entre los programas más controvertidos[c] en este género[d] de programa.

En el programa de Laura, casi siempre se presentan quejas de familias en que las mujeres y los niños han sido abandonados o abusados por sus respectivas parejas[e] o sus padres. También se consideran casos de enfermedades graves, adicciones y otros problemas personales.

Los casos que se resuelven en el programa son controvertidos por los temas en sí[f] como también por los gritos, lágrimas[g] y, a veces, ataques físicos entre los participantes, quienes por lo general contrastan con Laura, quien es atta, rubia y

[a]*source*   [b]*warning*   [c]*controversial*   [d]*genre*   [e]*partners*   [f]*los... the themes themselves*   [g]*tears*

de origen italiana, por sus rasgos[h] indígenas. No obstante,[i] el programa de Laura se ha exportado a muchos países de la América, donde goza de enorme popularidad.

1. ¿Quién es Laura Bozzo y por qué es famosa?
2. ¿Hay programas parecidos al de Laura en tu país? ¿Qué piensas tú de ellos? ¿Cómo explicas la popularidad de estos programas?
3. Describe algunas características del programa de Laura. ¿En qué consiste la controversia? ¿Piensas que representan realidades de la vida que necesitamos conocer y corregir, o piensas que son casos extremos que se deben discutir en privado?

[h]*features* [i]*No... Nevertheless*

Laura Bozzo se identifica como feminista que apoya a madres indefensas (*defenseless*) y jóvenes desorientados.

cartelera

LA COCINA PERUANA

La cocina peruana es de las más destacadas[a] en Sudamérica tanto por su exquisito sabor como por su variedad, ya que incorpora la influencia de diversas épocas y culturas.

La cocina peruana data de la época de los incas, quienes cultivaban papas y maíz. Esta base luego recibió mucha influencia española y africana y también la de inmigraciones posteriores[b] como la italiana, la china y la japonesa. Además, las distintas zonas geográficas —la selva, la sierra y la costa— aportan[c] ingredientes particulares.

Como ejemplo de la cocina de la costa se destaca el *ceviche.* Mostrando influencias europeas y africanas, consiste en pedazos[d] de pescado blanco crudo preparado con jugo de limón y chiles. Se sirve con camote (o batata), cebolla y cancha (maíz tostado).

Los *anticuchos* son típicos de la sierra: carne adobada[e] y asada servida con papas y maíz, aunque también se vende en la calle en forma de pincho moruno.[f] La *pachamanca*, originalmente de los Andes, consiste en una variedad de carnes y vegetales preparados durante horas en un fogón[g] de piedra. Por su difícil preparación, se suele comer en ocasiones especiales y en festivales regionales.

Debido a los inmigrantes chinos, se ha popularizado la cocina china en la capital. Conocidos como *chifa,* los restaurantes chinos, a su vez, han dejado huellas en la cocina peruana contemporánea.

El ceviche (o cebiche) es uno de los platos peruanos más famosos.

1. ¿Por qué tiene renombre la cocina peruana? ¿Cuáles han sido sus influencias principales?
2. Menciona algunos platos peruanos, sus orígenes y sus ingredientes más importantes. ¿Se parece(n) a otros platos que tú conoces? ¿Cuál(es) te gustaría probar?
3. Con tus conocimientos de la geografía y la historia del Perú, ¿qué otros platos te imaginas que forman parte de la gastronomía peruana?

[a]*noteworthy* [b]*later* [c]contribuye [d]*pieces* [e]*marinated* [f]pincho... *shish-kebab* [g]*stove*

icono

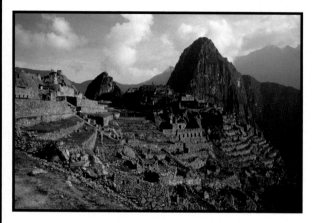

Machu Picchu: La ciudad perdida de los incas

Machu Picchu está situada en los Andes peruanos al norte de Cuzco, la antigua capital incaica. Considerada como la «ciudad perdida», Machu Picchu era desconocida por los españoles y su recuerdo se había perdido[a] aún entre los incas, hasta que fue «redescubierta»[b] en 1911.

Un punto de vista sostiene[c] que la ciudad fue construida para el emperador Pachacuti a fines del siglo XV, lo cual se confirma en el estilo imperial tardío[d] de los incas. Ya que no hay señales de ocupación después de la Conquista, Machu Picchu debió de haber sido[e] construida, ocupada y abandonada dentro de un período de cien años. El porqué del abandono sigue siendo un misterio.

Los arqueólogos especulan que Machu Picchu fue un sitio de importancia espiritual y ceremonial, además de tener destacadas[f] funciones agrícolas. Su función estratégica era probablemente secundaria.

¿Qué otras ciudades «sagradas»,[g] u otros sitios de templos abandonados, conoces? ¿Dónde están? ¿Cuál fue su importancia en el pasado? ¿Y ahora en el presente?

[a]se... *had been lost* [b]*rediscovered* [c]*maintains* [d]*estilo... late Imperial style* [e]debió... *must have been* [f]*marked* [g]*sacred*

Suggestion (*Vocabulario útil*):
Pronounce each item for students before they watch the interview so that the words will sound familiar. Then have students guess what the content of the interview will be, based on the chapter theme and on the *Vocabulario útil*.

  You can watch this interview on the DVD to accompany *Portafolio* or on the Online Learning Center (**www.mhhe.com/portafolio**).

vocabulario útil

despreció	scorned
aporte *m.*	contribution
a nivel mundial	worldwide
sacar... adelante	to improve
lamentablemente	unfortunately
alcanzar	to attain
conforman	comprise
marcada	marked, distinct
recae	falls upon
desenvolverse	to evolve
no se le menosprecia	(he/she) isn't underrated
no se le chulea	(he/she) isn't exploited
tienden a perder	tend to lose
se deprimen	get depressed

gente

HABLAN LOS PERUANOS

Nombre: Héctor Cabral Domínguez
Edad: 29 años
Nació en: Lima, Perú

Point out: The terrorist group to which Héctor alludes in the fifty question of the interview is the *Sendero Luminoso*. See the *Así se dice* box on p. 181 for more information about this group.

¿Cierto o falso? Indica si las siguientes oraciones son ciertas o falsas, según Héctor.

	CIERTO	FALSO
1. Históricamente, la gente despreció a los indígenas.	☐	☐
2. Hay gran interés internacional por la cultura indígena.	☐	☐
3. Las aspiraciones de los indígenas son diferentes a las de los otros grupos étnicos.	☐	☐
4. Los indígenas tienen las mismas oportunidades que todos los demás peruanos.	☐	☐
5. Si los indígenas estudian y alcanzan una profesión, no encuentran discriminación.	☐	☐
6. Algunos indígenas se integran fácilmente a la sociedad.	☐	☐

opinión

Suggestion: Remind students that the sources in this feature make certain assertions or generalizations about the country or region of focus in the chapter, but that these observations reflect just *one* point of view. Students should compare and contrast what they read in this feature with other points of view—such as those in the interviews they have seen.

LA SIGUIENTE CITA tomada de una fuente escrita en inglés para anglohablantes va a aumentar tus conocimientos sobre algunos fenómenos culturales en Perú. Usa lo que has aprendido en este capítulo sobre Perú, más tu propia experiencia, para contestar las preguntas que siguen la cita.

"Walk down the bustling central Lima pedestrian street, the Jirón de la Unión, and look into the sea of faces: the moneychangers, the street traders selling clothes, the shop assistants, the restaurant waiters, the stock market traders in ties on their lunch break, the policeman, the shoeshine boy, the beggar woman sitting with her hand held reverently outstretched. The spectrum of activities is mirrored in the variety of features. With migration from the highlands in recent years, Lima has become a more accurate reflection of all Peru's people . . . .

[Peru] is a society crisscrossed not only by its varied racial roots, but also by deep prejudices between rich and poor, and between those living in Lima and in the provinces. This prejudice survives despite the extent to which different communities have merged. Until recently, most television advertising contained almost exclusively white, European-type faces. Locally produced soap operas have generated a 'brat pack' of young actors selected because they share a similar look, with blue or green eyes and blond hair, the opposite of indigenous Peruvians' dark eyes and black hair. One study of advertising found that darker-skinned people appeared only rarely in commercials and when they did it was almost exclusively in government-paid spots."

Source: *Peru in Focus: A Guide to the People, Politics and Culture*

1. ¿Qué parte de tu ciudad refleja la diversidad de la sociedad en general?
2. ¿Ha experimentado tu ciudad una migración de recién llegados (*newcomers*) en los últimos años?
3. ¿Dónde vive la mayoría de la gente en tu país: en las ciudades, en las afueras o en el campo? ¿Hay una división parecida en tu país entre la capital y el resto de la nación?
4. ¿Hay alguna apariencia física «ideal» en tu país a la que muchas personas aspiren? ¿Cómo es? ¿Cómo se establece: en los anuncios, los programas de televisión, las películas, etcétera?

mi portafolio

Suggestion: Have students compare this information with the views of Sandra Montiel in *Charla con Sandra*.

REDACCIÓN
Encuesta. En esta actividad vas a entrevistar a otros estudiantes de tu universidad para saber qué problemas sociales les preocupan más. Sigue los pasos en el *Portafolio de actividades* para elaborar tu encuesta.

EXPLORACIÓN
Investigación cultural.
Busca más información sobre Perú en la biblioteca, en el *Portafolio* Online Learning Center **(www.mhhe.com/portafolio)** o en otros sitios del Internet y preséntala a la clase. El *Portafolio de actividades* contiene más ideas para tu presentación.

Vocabulario

Para hablar de la población de un país

el/la **asiático/a**	Asian (person)
el/la **criollo/a**	American-born children of European parents and their descendants
el/la **europeo/a**	European
la **mayoría**	majority
el/la **mestizo/a**	mixed-race (person)
la **minoría**	minority
REPASO: **el/la indígena**	

étnico/a	ethnic
incaico/a	Incan
minoritario/a	minority (*adj.*)
numeroso/a	numerous
peruano/a	Peruvian

Los rasgos distintivos de una cultura

el **acento**	accent
la **creencia (tradicional)**	(traditional) belief
la **gastronomía**	(style of) cooking, gastronomy
el **habla** (*pl.* las **hablas**)	speech
el **nivel de educación**	level of education
la **religión**	religion
el **territorio ancestral**	ancestral territory
la **tradición**	tradition
el **vestuario**	clothing, style of dress
REPASO: **la costumbre**	

distinguir (distingo)	to distinguish

Las regiones

el **altiplano**	plateau, high plain
la **costa**	coast
el **valle**	valley
REPASO: **el campo, la ciudad, la selva, la sierra**	

amazónico/a	Amazon (*adj.*)

Los problemas sociales

la **clase media**	middle class
el **crimen**	crime
el/la **delincuente**	delinquent (person)
la **desigualdad**	inequality
la **discriminación**	discrimination
la **droga**	drug
el **resentimiento**	resentment

engañar	to trick, swindle
explotar	to exploit
robar	to rob, steal
ser discriminado/a	to be discriminated against

impotente	powerless
marginado/a	marginalized
pobre	poor
rechazado/a	rejected
rico/a	rich, wealthy
subdesarrollado/a	underdeveloped

Cómo resolver los problemas

evitar el lenguaje peyorativo	to avoid pejorative language
mantener los valores tradicionales	to maintain traditional values
mejorar las condiciones de vida	to improve living conditions
proteger (j) a los obreros	to protect (the rights of) workers
romper los obstáculos sociales	to break down social barriers
superar las barreras económicas	to overcome economic barriers
tener más acceso a la enseñanza	to have more access to education

Repaso de las comparaciones

más/menos ___ que	more/less ___ than
más/menos de + *number*	more/less than + *number*
mayor/menor	older/younger
mejor/peor	better/worse
tan + *adj./adv.* + **como**	as + *adj./adv.* + as
tanto/a/os/as + *noun* + **como**	as much/many + *noun* + as
verb + **tanto como**	*verb* + as much as

Las conjunciones + *subjuntivo*

a menos que	unless
a no ser que	unless
antes (de) que	before
con tal (de) que	provided that
en caso de que	in case
para que	so that, in order that
sin que	without

Las conjunciones + *subjuntivo/indicativo*

cuando	when(ever)
después (de) que	after

en cuanto	as soon as
hasta que	until
tan pronto como	as soon as

Lenguaje funcional: Para explicar un concepto

Es lo mismo que...	It's the same as . . .
Es lo opuesto de...	It's the opposite of . . .
Tiene que ver con...	It has to do with . . .

CAPÍTULO

Amor y amistad

Suggestion: Draw students' attention to the chapter title, photos, map, and graphics on this chapter opener. Ask them to predict what kinds of topics will probably come up throughout the chapter.

Esta familia menonita (*Mennonite*) de Río Verde, Paraguay, es un ejemplo de la gran diversidad cultural y étnica que se encuentra en Hispanoamérica.

En este capítulo...

NOTE: Throughout the chapter students will collect and learn information about these cultural objectives.

Objetivos culturales

▶ Connecting with those around us: A universal necessity

▶ Friendship and love across cultures

Suggestion: There is a brief cultural quiz in the Instructor's Manual. Ask students those questions to see how much they know about Paraguay and Uruguay before they begin the chapter. They can search for some answers in the chapter opener; others will be discovered as the chapter progresses.

El Museo Casapueblo, en el balneario (*seaside resort town*) Punta del Este en Uruguay, es un destino popular para los veraneantes (*summer vacationers*) del Cono Sur.

La Represa (*Dam*) Hidroeléctrica Itaipú en el Río Paraná es la más grande del mundo y provee 78 por ciento de la electricidad que se usa en Paraguay.

Vocabulario

▶ Las amistades[a]

▶ Para formar pareja

Gramática

15.1 The Conditional

15.2 Results and Consequences

15.3 The Subjunctive (Summary)

Portafolio cultural: Paraguay y Uruguay

▶ Nación: El Chaco

▶ Actualidad: Uruguay, país moderno

▶ Cartelera: Citas en el ciberespacio

▶ Icono: El mate

▶ Gente: Hablan los uruguayos

▶ Opinión: Nombres similares, países diferentes

▶ Mi portafolio

[a]*friendships*

Vocabulario

Suggestion: See the Instructor's Manual for suggestions on teaching vocabulary in *Portafolio*.

Point out: Items in boldface are active vocabulary.

LAS AMISTADES

¿Qué significa ser buen amigo? Indica las afirmaciones que son verdaderas para ti.

El amigo ideal…

❏ sabe **expresar sus sentimientos.**[a]

❏ me **engaña** de vez en cuando.

❏ me hace favores **sin dudar.**[b]

❏ es paciente en **llegar a conocerme.**[c]

❏ mantiene la distancia entre los dos.

❏ muestra cariño en público.

❏ me hace reír.

❏ necesita mucha atención.

❏ nunca me **hace daño.**

❏ no me **avergüenza**[d] delante de **los demás.**[e]

❏ no me dice la verdad en ciertas situaciones.

❏ **revela mis secretos.**

❏ **se pelea**[f] conmigo.

❏ me **presta** dinero.

❏ siempre es **honesto/a** conmigo.

❏ **trata de** cambiarme.

❏ no deja que **me sienta** solo/a **(aislado/a).**

❏ no **duda en** demostrar su **amor.**[g]

[a]*feelings* [b]*sin… without hesitation* [c]*llegar… getting to know me* [d]*embarrass* [e]*los… others*
[f]*se… fights* [g]*love*

La historia de un amor

Rafael y Julieta **se enamoraron**[a] a los 16 años. Esta **pareja** moderna vivió junta antes de **casarse.**[b] Decidieron casarse a los 23 años. **La boda**[c] se celebró en la catedral de Montevideo. **Se quieren** mucho **a pesar de** los problemas con sus padres.

[a]*se… fell in love* [b]*getting married* [c]*wedding*

¿Qué problemas enfrentan[a] las parejas de hoy?

divorciarse	to divorce, get divorced
comunicarse (qu) bien/mal	to communicate well/poorly
llevarse bien/mal	to get along well/poorly
quejarse	to complain (about)
separarse	to separate, get separated
tener celos	to be jealous
tener personalidades/valores incompatibles	to have incompatible personalities/ values

[a]*face*

Esta pareja uruguaya celebra su boda en Montevideo.

Point out: *Tener celos* is another expression like *tener frío* that calls for a noun where English uses **to be** + adjective.

práctica

A. Asociaciones. ¿Qué acciones asocias con los diferentes tipos de personas? Completa las oraciones con expresiones del vocabulario. ¿Qué tipos de personas pueden ser buenos amigos, en tu opinión?

> **MODELO:** una persona indiscreta →
> Una persona indiscreta revela mis secretos, así que no es un buen amigo.

1. una persona generosa
2. una persona ofensiva
3. una persona que cuenta muchos chistes
4. una persona que roba mi dinero
5. una persona que tiene muchos problemas

Suggestion A: You may want to provide a list of actions from which students may choose (to make a matching activity).

B. Definiciones. ¿Qué palabra o expresión del vocabulario corresponde a las siguientes definiciones?

1. la ceremonia en que dos personas se casan
2. dejar de vivir juntos
3. una persona simpática, amable
4. sentirse lejos de los amigos y parientes
5. ser compatibles

Answers B: 1. *la boda* **2.** *separarse* **3.** *amigo/a* **4.** *sentirse aislado/a* **5.** *llevarse bien*

C. Comparaciones. Mira los siguientes dibujos y describe la relación que probablemente tiene cada pareja. ¿Qué hay de positivo o de negativo en cada caso?

los Martínez   los Guzmán

Optional C: Have students invent several sentences that each of the people in the drawings might say. *Modelos:* (el señor Guzmán) «*Tú siempre te quejas de todo.*» (la señora Guzmán) «*Tú nunca me escuchas cuando te hablo.*»

D. Entrevista: Una persona importante. Hazle las siguientes preguntas a un compañero / una compañera para saber más de una persona importante (amigo/a o pariente) en su vida.

1. ¿Con quién te llevas mejor?
2. ¿En qué te pareces a esa persona? ¿En qué te diferencias de él/ella?
3. ¿Cuánto tiempo pasas con él/ella, normalmente? ¿Qué hacen juntos/as?
4. Cuando él/ella no está, ¿te sientes aislado/a o solo/a? ¿Por qué sí o por qué no?
5. ¿Qué característica valoras más en esta persona? ¿Por qué?

Suggestion D and E: You may want to be sensitive to the fact that some students may not have a love interest to talk about. Also, don't rush to correct errors in adjective agreement; some students may have same-sex partners.

E. Anuncios personales

Paso 1. Busca algunos anuncios personales en un periódico hispano en línea de Paraguay o Uruguay, imprímelos y llévalos a clase para poder hacer el **Paso 2.**

Paso 2. Revisa tus anuncios y los de un compañero / una compañera, para hacer de trotaconventos (*matchmaker*) y tratar de unir a las parejas compatibles. Explica el porqué de tus ideas y compártelas con la clase.

> **MODELO:** Creo que [nombre] es bueno/a para [nombre] porque a los dos les gusta [actividad o cosa] y los dos buscan [características].

Gramática

15.1 THE CONDITIONAL

Forms

The conditional is frequently used to express what someone *would* do *if* a given set of circumstances were true. It is formed in Spanish by adding a set of personal endings to the conditional verb stem. As with the future tense, the conditional stem is generally the infinitive; there is only one set of endings for **-ar, -er,** and **-ir** verbs.

CONDITIONAL OF REGULAR VERBS		
-ar	**-er**	**-ir**
prestaría	recogería	mentiría
prestarías	recogerías	mentirías
prestaría	recogería	mentiría
prestaríamos	recogeríamos	mentiríamos
prestaríais	recogeríais	mentiríais
prestarían	recogerían	mentirían

The verbs that have irregular stems in the future tense have those same stems in the conditional.

CONDITIONAL OF IRREGULAR VERBS					
INFINITIVE	STEM	CONDITIONAL	INFINITIVE	STEM	CONDITIONAL
caber	cabr-	cabría, cabrías, cabría,...	poner	pondr-	pondría, pondrías, pondría,...
poder	podr-	podría, podrías, podría,...	tener	tendr-	tendría, tendrías, tendría,...
querer	querr-	querría, querrías, querría,...	salir	saldr-	saldría, saldrías, saldría,...
saber	sabr-	sabría, sabrías, sabría,...	valer	valdr-	valdría, valdrías, valdría,...
			venir	vendr-	vendría, vendrías, vendría,...
decir	dir-	diría, dirías, diría,...			
hacer	har-	haría, harías, haría,...			

Note: Be sure to contrast the conditional forms of *querer,* with double (trilled) *rr,* from the imperfect forms, with single *r:* *quería* (**I, you, he/she wanted**) vs. *querría* (**I, you, he/she would want**).

NOTES:
- The endings for the **yo** and **usted/él/ella** forms are identical; you will know which person is meant by the context.
- The conditional form of **hay** is **habría** (*there would be*).

Uses

You have already learned some forms of the conditional to make polite requests.

¿Te **gustaría** ir al cine conmigo?   *Would you like to go to the movies with me?*

¿Me **haría** el favor de mandar estas cartas?   *Would you please send these letters for me?*

The conditional forms of **querer, poder,** and **deber** are also useful for softening requests and expressing obligations.

¿**Querrías** tomar algo, Rafael?   *Would you like something to drink, Rafael?*

¿**Podría** usted venir a las 8:00?   *Could you (Would you please) come at 8:00?*

Deberíamos invitar a Alicia.   *We should invite Alicia.*

The conditional has other uses, but the most important one you should be aware of for now is the expression of reactions (what you *would* do) in a hypothetical circumstance (if certain conditions were true).

Yo, en tu lugar, no **iría** a Montevideo.   *If I were you, I wouldn't go to Montevideo.*

Ramón es un amigo muy discreto; nunca le **revelaría** mis secretos a nadie.   *Ramón is a very discreet friend; he would never reveal my secrets to anyone.*

Yo no **saldría** con él, Marisa. No es muy simpático.   *I wouldn't go out with him, Marisa. He's not very nice.*

NOTES:

- In some cases, English *would* is *not* a signal of the conditional tense. When *would + verb* describes a habitual action in the past, Spanish uses the imperfect, as you learned in **Capítulo 9.**

  My dad *would* always *give* us some money on the weekends.   Mi padre siempre nos **daba** dinero los fines de semana.

- When *wouldn't + verb* indicates *refusal* in the past, Spanish uses the preterite of **no querer.**

  Antonio *wouldn't help* us.   Antonio **no quiso ayudar**nos.

práctica

A. **Amigos diversos.** ¿Por qué sería interesante tener amigos de orígenes diferentes? Completa las siguientes oraciones con ideas originales.

1. Yo tendría la oportunidad de…
2. Podría aprender (a)…
3. Sería interesante…
4. Me ayudaría a…

B. El amigo / La amiga ideal. Primero, conjuga los verbos entre paréntesis en el condicional para describir las características del amigo / de la amiga ideal. Después, indica si estás de acuerdo o no con cada idea.

El amigo / La amiga ideal…

1. siempre (ayudarme) en una situación difícil.
2. (mentir) para protegerme.
3. (revelar) mis secretos.
4. (hacerme) favores sin explicación.
5. nunca (pelearse) conmigo.
6. (ser) honesto/a conmigo.
7. (acompañarme) a todas partes.
8. siempre (decirme) la verdad.

C. Situaciones difíciles. Las siguientes personas se encuentran en situaciones difíciles. ¿Qué harías por ellas? **¡OJO!** Contesta con el condicional; puedes usar los verbos entre paréntesis o ideas originales que se te ocurran.

Note D: You might want to do a quick review of the basic uses of *por* and *para* along with this exercise (see *Capítulo 11*).

1. A tu amigo Raúl le robaron la cartera y se quedó sin dinero. (prestarle dinero)
2. Un estudiante de intercambio está solo en su residencia todo el fin de semana. (invitarlo a mi casa)
3. Tu prima Cristina se encuentra sin trabajo después de terminar la escuela secundaria. (ayudarla a buscar trabajo)
4. Tu profesor(a) de español deja caer (*drops*) todos los papeles de la clase. (recogerlos)
5. Algunos amigos de tu residencia estudian hasta muy tarde en la biblioteca y tienen miedo de caminar a casa. (llamar un taxi)

D. Motivos para casarse

Paso 1. Lee los resultados de la encuesta a la izquierda sobre los motivos para casarse. ¿En qué se diferencian los motivos de los chicos y los de las chicas?

MODELOS: Los chicos se casarían _____, pero las chicas, no.

Las chicas _____, pero los chicos, no.

_____ sería más importante para los/las chicos/as.

Paso 2. Explícale a un grupo de compañeros/as el motivo más importante para ti y el motivo menos probable.

Yo me casaría _____.
No me casaría _____.

---

10 RAZONES PARA CASARSE

¿Por qué se casarían los chicos?

1. Por amor.
2. Para formar una familia.
3. Para compartir su vida con la persona a la que aman.
4. Para no quedarse solos de viejos.
5. Para entregarse totalmente a otra persona.
6. Para legalizar su situación.
7. Porque no encuentran otra solución.
8. Por educación.[a]
9. Por imposiciones familiares.
10. Por dinero o algo similar.

¿Por qué se casarían las chicas?

1. Por amor.
2. Para compartir su vida con la persona a la que aman.
3. Porque es una forma de demostrar su amor.
4. Para legalizar la relación.
5. Para tener a alguien en quien depositar toda su confianza.
6. Para formar una familia.
7. Por tradición.
8. Por causas morales, éticas o religiosas.
9. Por imposición de los padres.
10. Por dinero o algo similar.

[a]Por… *As a matter of courtesy.*

15.2 RESULTS AND CONSEQUENCES

Si Clauses

Note: Conditions and results can also be in the past time frame, but not contrary-to-fact: *Si tenía tiempo, ayudaba a mi hermano.* **(If I had time, I used to help my brother.)**

In English, the results and consequences of different situations are expressed in complex sentences with an *if . . . then . . .* pattern: *If you break it, (then) you'll have to pay for it.* Spanish has a similar construction using the word **si** (*if*). Note that the **si** clause can go before or after the main clause.

1. Habitual situations, habitual results: **si** clause → *present indicative,* main clause → *present indicative.*

Si mis amigos me **engañan,** ya no los **considero** amigos.	*If my friends deceive me, I no longer consider them friends.*
Ramón siempre me **ayuda si** se lo **pido.**	*Ramón always helps me if I ask him to.*

2. Possible (present) situations, future results: **si** clause → *present indicative,* main clause → *future tense.*

Si tratas de cambiarme, no **seré** tu amigo.	*If you try to change me, I won't be your friend.*
Podrás ir con nosotros **si** tu amigo te **presta** el dinero.	*You can (will be able to) go with us if your friend lends you the money.*

3. Hypothetical or contrary-to-fact situations, conditional results: **si** clause → *imperfect subjunctive,* main clause → *conditional.* As shown in the preceding formula, you can use the *conditional* verb forms that you learned in **Gramática 15.1** to express the results of a hypothetical situation. However, to express the hypothetical or contrary-to-fact situation (the **si** clause), Spanish uses the *imperfect* (also called *"past"*) *subjunctive.*

Si me **prestaras** el dinero, **iría** contigo.	*If you loaned me the money, I'd go with you.* (But you haven't loaned it to me.)
Si mis amigos **estuvieran** aquí, nos **divertiríamos** mucho.	*If my friends were here, we'd have a lot of fun.* (But they aren't here.)

Forms of the Imperfect Subjunctive

The imperfect subjunctive of *all* verbs is formed by deleting the **-ron** ending from the **ustedes/ellos/ellas** form of the preterite and adding the endings **-ra, -ras, -ra, -ramos, -rais, -ran.** Technically, there are *no* irregular verbs in the imperfect subjunctive; any apparent irregularities come from the preterite stem. As such, you should review the irregular preterite forms you learned in **Capítulo 8.**

Note: If you tell students about the other set of imperfect subjunctive endings (*-se, -ses, -se, -semos, -seis, -sen*), explain that they can use the same system of deleting the *-ron* from the third-person preterite to get the imperfect subjunctive stem, and that the vowel before the *-s-* of the *nosotros* ending requires an accent. Point out that the *-se* forms are not as common as the *-ra* forms. The *-se* forms are not practiced in *Portafolio.*

IMPERFECT SUBJUNCTIVE				
INFINTIVE	ustedes/ellos/ellas PRETERITE	STEM	IMPERFECT SUBJUNCTIVE FORMS	
prestar	prestaron	presta-	prestara	prestáramos
			prestaras	prestarais
			prestara	prestaran
aprender	aprendieron	aprendie-	aprendiera	aprendiéramos
			aprendieras	aprendierais
			aprendiera	aprendieran
salir	salieron	salie-	saliera	saliéramos
			salieras	salierais
			saliera	salieran
estar	estuvieron	estuvie-	estuviera	estuviéramos
			estuvieras	estuvierais
			estuviera	estuvieran
decir	dijeron	dije-	dijera	dijéramos
			dijeras	dijerais
			dijera	dijeran
ir/ser	fueron	fue-	fuera	fuéramos
			fueras	fuerais
			fuera	fueran
oír	oyeron	oye-	oyera	oyéramos
			oyeras	oyerais
			oyera	oyeran
sentir	sintieron	sintie-	sintiera	sintiéramos
			sintieras	sintierais
			sintiera	sintieran

NOTES:

- The vowel immediately preceding the **-r-** in the **nosotros** ending requires an accent: **anduviéramos, habláramos, leyéramos,** and so on.
- The imperfect subjunctive of **hay** is **hubiera** (**si hubiera...** = *if there were . . .*).

práctica

A. Tus reacciones. ¿Cómo reaccionarías en las siguientes situaciones? Escoge una de las posibilidades, o inventa una respuesta original.

1. Si mi mejor amigo/a no supiera expresar sus sentimientos,...
   a. le recomendaría un buen psicólogo.
   b. yo tomaría la iniciativa para empezar la conversación.
2. Si no me dijera la verdad,...
   a. ya no sería mi mejor amigo/a.
   b. le pediría una explicación.
3. Si revelara un secreto importante mío (*of mine*)...
   a. lo/la confrontaría.
   b. yo revelaría un secreto suyo (*of his/hers*).

4. Si me pidiera una gran cantidad de dinero,...
   a. se la daría sin preguntas.
   b. le preguntaría para qué la necesita.
5. Si no me dejara en paz (*leave me alone*),...
   a. le gritaría (*I would shout*).
   b. iría a otro lugar para estar solo/a.

B. Vivir lejos de la comunidad. Muchas personas prefieren vivir cerca de la comunidad o barrio donde crecieron, pero no siempre es posible. ¿En qué circunstancias vivirías tú lejos de tus raíces? Considera las siguientes posibilidades y añade otras que se te ocurran. Usa el imperfecto de subjuntivo.

Yo viviría lejos de mi comunidad si...

1. (conseguir) una oferta de trabajo muy buena en otra ciudad / otro país.
2. (tener) problemas o peleas (*fights*) con un(a) pariente.
3. ya no (tener) amistades en la comunidad.
4. (cometer) un crimen.
5. (enamorarse) de alguien de otra ciudad / otro país.
6. no (estar) de acuerdo con la política local.
7. ¿ ?

Expansion B: If students already live far from home, have them say under what circumstances they would return to live in their hometowns.

C. ¿En qué circunstancias? ¿En qué circunstancias harías las siguientes cosas? Completa las oraciones de manera lógica con el imperfecto de subjuntivo.

1. Me casaría con un extranjero / una extranjera si...
2. Contradiría (*I would contradict*) los deseos de mi familia si...
3. Tendría celos de mi novio/a (esposo/a) si...
4. Dejaría la universidad si...
5. Cambiaría de casa si...
6. Estaría enojado/a con un amigo / una amiga si...

D. Una comunidad mejor. ¿Qué cosas cambiarías para mejorar tu comunidad o la sociedad en general? Trabaja con un compañero / una compañera de clase para apuntar algunos problemas sociales que te gustaría cambiar. Después, di cómo se podrían mejorar esas cosas (un cambio posible) y cuáles serían las consecuencias o los resultados probables de ese cambio.

Note D: Be ready to offer more vocabulary for the problems students come up with; if you want to limit the activity, give a list of problems yourself.

Follow-up: Have classmates provide a counterargument to each student's proposal, for example, *Si tuviéramos leyes menos permisivas, habría más matrimonios tristes.*

MODELO: Si tuviéramos leyes menos permisivas tendríamos menos divorcios.

PROBLEMA SOCIAL	CAMBIO POSIBLE	CONSECUENCIA(S) O RESULTADO(S)

Charla con Gustavo

  You can watch this interview on the DVD to accompany *Portafolio* or on the Online Learning Center (**www.mhhe.com/portafolio**).

Suggestion: Before they read, have students find the new active vocabulary for this chapter in the text.

Suggestion: Have students look at the map in the chapter opener to locate Montevideo, Uruguay.

Point out: As in Argentina, it is common for people in Uruguay to have only one last name.

Answers A: 1. *buena amistad* **2.** *buena amistad* **3.** *amistad en peligro* **4.** *amistad en peligro* **5.** *pareja* **6.** *pareja* **7.** *pareja*

Suggestion (*Vocabulario útil*): Pronounce each item for students before they watch the video so that the words will sound familiar. Have students guess what the content of the interview will be, based on the chapter theme and on the *Vocabulario útil*.

vocabulario útil

ternura	affection, tenderness
transparente	open, sincere
transparencia	openness, sincerity
enteramente	entirely
confianza	trust
entrás* a desconfiar	you begin to mistrust
dañarse	to fall apart, get hurt
ateo	atheist
que te frene	that stops you
enfrentaron	they confronted, faced

DATOS PERSONALES

Nombre: Gustavo Camelot
Edad: 36 años
Nació en: Montevideo, Uruguay

A. ¿A quiénes se refiere? Vas a leer una entrevista con **Gustavo Camelo**. Primero, lee las siguientes oraciónes. Luego, mientras lees, indica a cuál de los tres tipos de relaciones se refiere Gustavo al decir las siguientes frases: a una buena amistad, a una amistad en peligro o a una pareja.

	BUENA AMISTAD	AMISTAD EN PELIGRO	PAREJA
1. …«ternura»…	☐	☐	☐
2. …brindarse (*give of oneself*) enteramente…	☐	☐	☐
3. …problemas de falta de confianza…	☐	☐	☐
4. …dicen cosas que no son lo que realmente quieren decir…	☐	☐	☐
5. …lo elegiste, la elegiste (*you chose him/her*)…	☐	☐	☐
6. …te llevás fantástico con esa persona…	☐	☐	☐
7. …querés convertirte en un equipo…	☐	☐	☐

¿Qué es un buen amigo?

Decir «amigo» es decir «ternura». Decir «amigo» es decir «hermano». Es decir «abrirse completamente a esta persona, ser totalmente transparente con él y contigo mismo». Respeto, que es la cualidad esencial en una amistad. Para mí es equivalente a la transparencia u honestidad, brindarse enteramente y estar siempre para esa persona cuando lo necesite. Eso… ser amigo.

¿Qué tipos de problemas surgen en una amistad?

Problemas de celos, problemas de falta de confianza, de cuando uno de los dos… la amistad no son tan transparentes como antes y dicen cosas que no son lo que realmente quieren decir y entrás a desconfiar de esa persona. Y la amistad entra a dañarse y entonces a separar y abrirte, y te quedás sin amigo.

---

*As in Argentina, many people in Paraguay and Uruguay use **vos** instead of **tú** forms. Some of the other **vos** forms Gustavo uses in this **charla** are **te llevás, te quedás**, and **querés (quieres)**.

¿Qué es una buena pareja?

Tu pareja es tu mejor amigo o tu mejor amiga, que lo elegiste, la elegiste porque te llevás fantástico con esa persona porque querés convertirte en un equipo con la función de mantenerte juntos por el resto de tu vida eventualmente.

¿Hay muchos divorcios en Uruguay?

En el caso de Uruguay la incidencia de divorcios es muy alta. Y creo que está relacionado con otra de las características de Uruguay, que es ser un país particularmente ateo. Que no hay la Iglesia que te frene el divorciarte. La razón por la cual se divorcian pienso que es porque no hay costumbre de irse a vivir juntos antes de casarse. Entonces, nunca enfrentaron los problemas de la rutina diaria que son los que traen después los problemas que producen el divorcio.

B. Comparaciones. Apunta las características de la amistad, según la opinión de Gustavo. Después, comenta si compartes esta opinión o no.

C. Discusión. Trabaja con dos o tres compañeros/as para comentar las siguientes preguntas. Luego, compartan sus opiniones con el resto de la clase.

1. ¿Cuál de las características que apuntaste en la **Práctica B** crees que sea la más esencial en una buena amistad?
2. En tu opinión, ¿cuáles son los factores que contribuyen a que una amistad se dañe?
3. ¿Es tu pareja necesariamente tu mejor amigo/a?
4. Gustavo dice que muchas parejas en Uruguay nunca enfrentan los problemas de la rutina diaria y que esto trae los problemas que producen el divorcio. ¿Estás de acuerdo con esta afirmación? ¿Hay otros factores más importantes que contribuyan a la alta incidencia de divorcios?

Answer B: *Según Gustavo, ser amigo es:* (1) *«abrirse completamente»,* (2) *«ser totalmente transparente»,* (3) *«brindarse enteramente»,* (4) *«la honestidad»* y (5) *«estar siempre para esa persona». También dice que* (6) *el respeto es «la cualidad esencial en una amistad».*

¡Escribe y habla mejor!

In previous chapters you have learned to use written accents for a variety of purposes. This chapter offers a summary and review of all of these uses.

Study the information in Appendix A, and practice your pronunciation and spelling in the *Portafolio de actividades*.

Vocabulario

PARA FORMAR PAREJA

Dicen que para los hispanos ser amigo es prácticamente como ser familia. Estás de acuerdo? ¿Por qué sí o por qué no?

Point out: *La pareja* is a feminine singular noun; it can refer to two people **(couple)** or to one person of either sex **(partner; mate).** Highlight the difference between *conocerse* **(to meet for the first time)** and *encontrarse* **(to meet [for a date] or to run into).** For many Spanish speakers, *cita* is closer in meaning to English **appointment;** they would use the verb **salir** *(¿Sales esta noche con David?)* instead of a noun *(¿Tienes [una] cita con David esta noche?)*

Answers A: 1. *para toda la vida* **2.** *comprometerse* **3.** *sano* **4.** *formar pareja* **5.** *frecuentar* **6.** *charlar* **7.** *lazos afectivos* **8.** *cita*

Cuando se trata de **formar pareja,** las costumbres en el Uruguay se parecen mucho a las de otras partes del mundo, pero quizá **el romanticismo** juegue un papel más importante que en otros lugares.

Los jóvenes típicamente **se conocen** en el colegio o en la universidad, en el trabajo, **de paseo**[a] por los parques, en las playas, en las discotecas, en los cines y en otros lugares que **frecuentan,** y vuelven a los mismos lugares cuando tienen una **cita.**

Debido[b] al estado de la economía, no se suele gastar mucho dinero cuando dos personas salen juntas. Por eso, la forma más popular de conocerse es pasar el tiempo **charlando.**

Por lo general,[c] los jóvenes empiezan a **salir en pareja** antes de los 20 años y a veces tardan en **comprometerse.**[d] Según muchos expertos, es muy **sano** desarrollar una **relación íntima** de esta manera, ya que la pareja llega a conocerse mejor.

Ya se sabe que la amistad es la base de una buena relación. Pero también es lindo pasar de la amistad a gestos[e] más románticos: regalarse flores, tomarse de la mano, comunicarse sin palabras y **mirarse profundamente a los ojos.** Así se fortalecen[f] los **lazos afectivos.**[g]

Sin duda, conseguir una buena pareja es una de las bases del **bienestar**[h] **emocional para toda la vida.**

[a]*de… on a walk* [b]*Due* [c]*Por… In general* [d]*getting engaged* [e]*gestures* [f]*se… are strengthened*
[g]*lazos… emotional bonds* [h]*well-being*

práctica

A. Definiciones. ¿A cuáles de las palabras o expresiones en negrita (*boldface*) del vocabulario anterior se refieren las siguientes definiciones?

1. para siempre
2. hacer la promesa de casarse con alguien
3. el opuesto de **dañino** (*harmful*)
4. establecer una relación íntima
5. ir a un mismo lugar varias veces
6. conversar informalmente
7. conexiones sentimentales
8. un acuerdo entre dos personas para ir al cine, por ejemplo

B. Relaciones lógicas. Explica la relación entre los tres elementos de las siguientes series. Puedes cambiar el orden de los elementos si te ayuda a explicar la relación lógica.

MODELO: conocer / compatible / frecuentar →
Las personas que frecuentan los mismos lugares pueden conocer a personas compatibles con los mismos intereses.

1. salir / comprometerse / formar pareja
2. salir / de paseo / frecuentar
3. la cita / conocerse / formar pareja
4. la relación íntima / sano/a / el bienestar emocional
5. el romanticismo / enamorarse / los lazos afectivos

C. Citas. Trabaja con dos o tres compañeros/as para comentar las siguientes preguntas. Después, compara las respuestas de tu grupo con las de otros grupos.

1. En tu opinión, ¿es difícil o fácil encontrar pareja?
2. ¿Dónde se conocen las personas de tu generación?
3. ¿Qué acciones o actividades consideras románticas? ¿Por qué?
4. ¿Te gusta salir con una persona romántica? ¿Por qué sí o por qué no?
5. Entre las parejas que conoces, ¿típicamente sale sola una pareja o con otras parejas?
6. En tu región/país, ¿quién paga generalmente en las citas: el hombre, la mujer, el/la que invita, etcétera?
7. ¿Cómo sería la cita perfecta para ti?

D. El bienestar emocional. Trabaja con un compañero / una compañera para comentar las siguientes preguntas.

1. ¿Qué cualidades (físicas, emocionales, intelectuales, de personalidad, etcétera) buscas en una pareja? ¿Son estas cualidades diferentes de las que buscas en un amigo / una amiga?
2. ¿Tardas mucho en establecer una relación íntima con alguien?
3. ¿Es la pareja ideal para ti como un amigo / una amiga, o es algo diferente?
4. ¿Crees que sea posible conocer a tu pareja ideal? ¿Por qué sí o por qué no?
5. ¿Puedes sentirte emocionalmente bien sin pareja, o necesitas tener a alguien a tu lado para sentirte feliz?

Gramática

15.3 THE SUBJUNCTIVE (SUMMARY)

Fully understanding and mastering the subjunctive can take many years for English speakers. Throughout *Portafolio*, we have strived to make your introduction to the subjunctive as simple and straightforward as possible, exposing you to only its most basic and most frequent uses. There are other uses and even other tenses of the subjunctive, but for now you need only concern yourself with the following summary table of what you learned in **Capítulos 13** and **14.** Note that most of the cue verbs (e.g., **quiero**) in the following tables are given in **yo** forms for ease of illustration.

CASES THAT REQUIRE THE SUBJUNCTIVE	
FUNCTION	CUES
possibility, probability	**Es posible que… , Es probable que…**
volition, hope	**Quiero que… , Necesito que… , Espero que…**
influence	**Insisto en que… , Permito que… , Prohíbo que…**
doubt; questioning beliefs	**Dudo que… , No creo que… , No pienso que… , ¿Crees que… ?**
emotion	**Es increíble que… , Me alegro de que… , Me sorprende que…**
judgments	**Es importante que… , Es mejor que… , Me gusta que…**
contingent actions	**a menos que… , antes de que… , con tal (de) que… , para que…**
implied future actions	**cuando… , después de que… , hasta que… , tan pronto como…**

CASES THAT DO *NOT* REQUIRE THE SUBJUNCTIVE	
FUNCTION	CUES
certainty	**Creo que… , Pienso que… , No dudo que… , Es obvio que…**
completed or habitual actions	**cuando… , después de que… , hasta que… , tan pronto como…**

NOTES:

- In general, the subjunctive is used in dependent clauses only if the subject is different from that of the main clause. If the subject of the dependent clause is the same as that of the main clause, the infinitive is normally used instead of a dependent clause.

Julia **quiere** que sus amigos **se casen.**	*Julia wants her friends to get married.*
Julia quiere **casarse.**	*Julia wants to get married.*

- After expressions like **cuando, después de que, hasta que,** and **tan pronto como,** the subjunctive is used if the action has not yet occurred (implied future); the indicative is used if the action is habitual or has already been completed.

Mi madre va a estar contenta **cuando me case.**	*My mother is going to be happy when I get married.* (implied future action)
Mi madre estaba muy contenta **cuando me casé.**	*My mother was very happy when I got married.* (completed action)
Normalmente, las madres están contentas **cuando** sus hijos **se casan.**	*Normally, mothers are happy when(ever) their children get married.* (habitual action)

- In a dependent clause that follows a noun, the choice of indicative or subjunctive depends on the speaker's certainty of the existence of the noun.

Rafael conoce a muchos paraguayos que **viven** en este país.	*Rafael knows many Paraguayans that live in this country.* (He knows them; they exist.)
No hay ningún paraguayo que **viva** en esta ciudad.	*There aren't any Paraguayans who live in this city.* (None exist.)
¿Hay alguien aquí que **hable** guaraní?	*Is there someone here who speaks Guaraní?* (The speaker is unsure of the existence of any Guaraní speakers.)

práctica

A. La primera cita. Completa las siguientes oraciones sobre las citas con el indicativo o el subjuntivo de los verbos entre paréntesis, según el contexto. Luego, di si estás de acuerdo o no con las afirmaciones.

1. La mujer debe esperar hasta que el hombre le (abrir) la puerta.
2. En una cita, es mejor que el hombre (pagar) la cuenta.
3. Es bueno que la mujer (escoger) las actividades de la cita.
4. El hombre siempre prefiere hacer actividades que no (costar) mucho.
5. A la mujer le gusta que el hombre la (recoger) en coche para que ella no (tener) que llegar al lugar de la cita en transporte público.
6. Cuando la cita (terminarse), la pareja debe besarse.

Answers A: 1. *abra* **2.** *pague* **3.** *escoja* **4.** *cuestan* **5.** *recoja; tenga* **6.** *se termina*

B. Actitudes diferentes. Completa lo que dicen las siguientes personas con el indicativo, el subjuntivo o el infinitivo de los verbos entre paréntesis, según el contexto. Luego, di si estás de acuerdo con sus opiniones o no.

1. «Muchas personas creen que los adolescentes no (ser) muy responsables hoy en día.»
2. «Muchos adolescentes necesitan que sus padres les (dar) dinero para poder salir.»

Answers B: 1. *son* **2.** *den* **3.** *conozcan* **4.** *sigan* **5.** *salga; salir* **6.** *hablar; tengan* **7.** *tengan; casarse* **8.** *viven; se casan*

3. «Muchos padres esperan que sus hijos (conocer) a personas de la misma clase social.»
4. «Por lo general, los padres insisten en que sus hijas (seguir) reglas diferentes de las de sus hijos.»
5. «Las chicas prefieren que la pareja (salir) en grupo, en cambio, los chicos prefieren (salir) solos con ellas.»
6. «Es importante (hablar) con los adolescentes sobre las relaciones sexuales antes de que (tener) su primera cita.»
7. «Los padres prohíben que sus hijos (tener) relaciones sexuales antes de (casarse).»
8. «En el Uruguay muchos jóvenes (vivir) en casa de sus padres hasta que (casarse).»

Suggestion C: Have students personalize their suggestions with information about the area where they live (e.g., specific places where young people tend to meet).

C. Consejos para Pascual. Pascual es estudiante de intercambio y ya lleva varios meses en tu ciudad sin conocer a muchas personas. ¿Qué le recomiendas? Completa las siguientes sugerencias con el indicativo, el subjuntivo o el infinitivo, según el contexto.

1. Es importante que tú…
2. Debes…
3. Te recomiendo que…
4. Es obvio que…
5. Tienes que…
6. No vas a estar contento a menos que…

¿Qué estarías haciendo con tus amigos sí no estuvieras en la clase de español en este momento?

D. La boda. La boda es originalmente una institución religiosa, pero hoy en día hay muchas bodas seculares. ¿Qué opinas tú sobre esta institución? Comenta las siguientes preguntas con dos compañeros/as. Luego, compara las respuestas de tu grupo con las de otros grupos.

Expresiones útiles: Es posible que… , Es importante que la pareja… , Dudo que la boda… , Es verdad que… , Cuando yo me case (mi hermano/a se case)… , Me gusta que… , Yo no me caso (Mi hermano/a no se casa) a menos que… , Creo que…

1. ¿Quieres casarte algún día? (Si ya estás casado/a, da tu opinión sobre los deseos de un hermano soltero / una hermana soltera u otro/a pariente que no esté casado/a.)
2. ¿Cómo quieres (quiere tu hermano/a) que sea la ceremonia?
3. ¿Crees que la boda sea una ceremonia anticuada e innecesaria?
4. ¿En qué circunstancias debe casarse una pareja?
5. ¿Es bueno que dos personas vivan juntas antes de casarse?
6. ¿Qué aspectos de las bodas te gustan en general?
7. ¿Qué ventajas e inconvenientes tiene el casarse? ¿Y el *no* casarse?

Una calle con típicas casas coloridas del Barrio Reus en Montevideo, Uruguay.

portafolio cultural

Los pantanos (*swamps*) del Chaco paraguayo.

nación

EL CHACO

El Chaco es una inmensa extensión de tierra que cubre aproximadamente el 61 por ciento del territorio paraguayo, aunque está habitado por solamente el 3 por ciento de la población. Este paisaje de llanuras[a] y bosques[b] está habitado mayormente por comunidades menonitas de origen alemán, quienes desarrollaron la agricultura, construyeron fincas y establecieron sus propias escuelas.

A partir de 1906, Bolivia comenzó a construir fortalezas[c] en la llanura del Chaco, avanzando sobre el territorio que Paraguay consideraba como propio. Paraguay respondió con la construcción de fuertes[d] y alentó[e] la instalación de colonias de menonitas en la zona para sostener su defensa. El descubrimiento de petróleo en las llanuras de Bolivia y la alegada[f] intervención de empresas petroleras estadounidenses condujo a una guerra abierta en 1932.

Los ejércitos[g] bolivianos, invadieron la región del Chaco, pero les resultó muy difícil, no por la resistencia sino por el terreno, y por las altas temperaturas a las que los indígenas andinos del ejército boliviano no estaban acostumbrados. En 1935 los paraguayos tomaron control de la mayor parte de la zona gracias a sus tácticas y el conocimiento del lugar. Un tratado fue firmado en 1938, dando al Paraguay las tres cuartas[h] partes de la región.

Cerca de 50.000 bolivianos y 35.000 paraguayos murieron en esta guerra.

1. ¿Dónde está El Chaco y quién(es) lo habitan? ¿Sabes de otros lugares geográficos parecidos?
2. ¿Cómo comenzó la guerra del Chaco? ¿Hubo algún factor que agravó el conflicto? ¿Hay otras partes del mundo que tienen conflictos por razones parecidas hoy en día?
3. Compara la fuerza de los ejércitos bolivianos y paraguayos en la *guerra del Chaco*. ¿Quién ganó, finalmente, y por qué?

[a]*plains* [b]*forests* [c]*fortresses* [d]*forts* [e]*encouraged* [f]*alleged* [g]*armies* [h]*tres... three-fourths*

actualidad

URUGUAY, PAÍS MODERNO

Actualmente, la sociedad uruguaya muestra un perfil[a] bien moderno. Uruguay tiene una economía estable, junto con una gran clase media urbana. El analfabetismo[b] es casi inexistente y el país tiene un índice de natalidad[c] más bajo que el de sus vecinos, Argentina y Brasil. Uruguay es el país mas laico[d] del hemisferio: Hay una clara separación de iglesia y estado y la mayoría no es devota de ningún culto.[e]

En años recientes Uruguay se ha distinguido por el desarrollo de la tecnología para uso comercial y se ha convertido en un país exportador de *software*. Aparte, es un gran consumidor de las tecnologías relacionadas con las comunicaciones: Hay aproximadamente 2 millones de radios, un millón de

[a]*profile* [b]*illiteracy* [c]*índice... birth rate* [d]*secular* [e]*religion*

líneas telefónicas tradicionales, medio millón de teléfonos móviles y medio millón de usuarios[f] de Internet entre los 3 millones de habitantes del país. Por lo tanto, a pesar de su tamaño, Uruguay reúne las condiciones para hacer conexiones y convivir [g] con la comunidad mundial.

1. ¿Cómo se compara la sociedad uruguaya con las de otros países vecinos y del hemisferio? ¿Y con otros países industrializados?
2. ¿Han sido aceptadas las tecnologías de la comunicación en Uruguay? ¿Qué implicaciones tiene esto para la sociedad uruguaya y para la comunidad mundial?
3. En tu opinión, ¿cuáles son las características de una sociedad moderna? ¿Piensas que Uruguay cumple la imagen?

[f]*users* [g]*coexist*

La muy moderna Torre ANTEL (Administración Nacional de Telecomunicaciones) en Montevideo, Uruguay.

cartelera

Citas en el ciberespacio
¡Donde los paraguayos encuentran el amor!

Ingreso a miembros

Nombre de usuario

Clave

Rosa120
Ubicación: Asunción, Paraguay
24 años, buscando solamente amistad, cabello rubio, ojos marrones, 188cm, delgada
Me considero una persona apasionada por la vida, y muy agradecida por todo lo bueno que he conquistado hasta hoy. Soy sociable, romántica, me encanta el deporte, me gusta salir a cenar, bailar con amigos y conocer a nuevas personas con quienes pueda entablar una amistad, ¿y por qué no?... una relación.

Arnaldito
Ubicación: Villarrica, Paraguay
24 años, cabello negro, ojos marrones, atlético, músculos definidos, atractivo, fumador ocasional
Hasta hoy día he tenido mala suerte en el amor. Sin embargo la esperanza es lo único que no se pierde. Sólo hay que perseverar y no dejar pasar las oportunidades que se presentan. Sé que algún día aparecerá esa mujer que haga de mi mundo un paraíso, y estoy preparado para darme por completo en nombre del amor.

Daniel90
Ubicación: San Lorenzo, Paraguay
26 años, delgado, atractivo, 180cm, ojos verdes, cabello castaño oscuro, ¡adrenalina a full!
Me gusta todo aquello que haga latir fuerte el corazón. Me gusta vivir el momento. Ya sea a alto o bajo voltaje. No tengo tabúes: cuánto más arriesgado, mejor.

PedroCanovas
Ubicación: Asunción, Paraguay
22 años, cabello negro, ojos cafés, 190cm
Soy una persona muy aventurera: me gusta descubrir cosas, viajar, charlar, conocer a gente. Mi profesión hace que esté en contacto con mucha gente. En mi país estoy preparando las maletas para emprender algún tipo de viaje. Estoy soltero y sin hijos todavía.

Crystell
Ubicación: Asunción, Paraguay
18 años, buscando un hombre con quien compartir actividades, solamente amistad, esbelta, atractiva, 165 cm, cabello castaño oscuro, ojos marrones
A ver... soy una joven a quien le gusta conocer a gente de diferentes nacionalidades, con buena onda. Me gusta conocer o hacer amigos para conocer sus ideas, pensamientos, etcétera. Me gustan los deportes extremistas, soy bastante aventurera y me encanta viajar.

¡Busca y encuentra tu media naranja!

1. ¿Cómo describirías la personalidad de cada persona, según su descripción física y lo que dice sobre sus pasatiempos e intereses?
2. ¿Qué piensas de los anuncios personales? ¿Son una buena manera de encontrar pareja? ¿Recomiendas algunas precauciones? ¿Piensas que el Internet cambia la dinámica de los anuncios personales?

icono

El mate, también conocido como el té paraguayo, es una bebida preparada con las hojas de la yerba[a] mate. Es una bebida no alcohólica pero cafeinada que toman uruguayos, paraguayos y argentinos de todas las clases sociales y económicas.

Típicamente, el mate se consume en grupos, pero se usa sólo una vasija[b] —llamada jícara— que todos comparten. La persona que lo sirve, llamada «cebador», llena la jícara con hojas picadas[c] de yerba mate y les añade agua casi hervida, lo cual produce una espuma.[d] Entonces, le pasa la vasija al primero del grupo, quien utiliza una pajita[e] de plata para tomar la infusión. Después de escurrir[f] la vasija, el que bebe se la devuelve al cebador, quien la llena de nuevo con agua caliente para pasársela a la persona que sigue.

¿Conoces otros ritos nacionales en torno a[g] una bebida? ¿Cuáles son?

[a]*herb* [b]*receptacle, often a hollowed-out gourd* [c]*crushed* [d]*foam* [e]*straw* [f]*emptying* [g]*en… surrounding*

  You can watch this interview on the DVD to accompany *Portafolio* or on the Online Learning Center (**www.mhhe.com/portafolio**).

gente

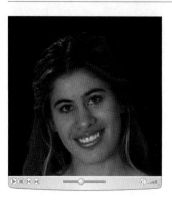

HABLAN LOS URUGUAYOS

Nombre: Wanda Solla
Edad: 26 años
Nació en: Montevideo, Uruguay

Suggestion (*Vocabulario útil*):
Pronounce each item for students before they watch the interview so that the words will sound familiar. Then have students guess what the content of the interview will be, based on the chapter theme and on the *Vocabulario útil*.

Las relaciones en Uruguay. Primero, lee las siguientes oraciones que Wanda dice en su entrevista. Luego, mientras ves la entrevista, apunta la información que falta.

1. « …a veces los jóvenes ___nos___ ___reunimos___ en la costa, ___tomamos___ ___mate___, que es la bebida típica de Uruguay como en Argentina también, y bueno ahí ___hay___ muchos jóvenes.»

2. «[El] Internet es algo ___muy___ ___nuevo___ en Uruguay. Se empezó a usar como una moda en el año ___1998___. Sí, se buscan parejas y sí, ___se___ ___chatea___ ___mucho___. Y se conoce a mucha gente también de otros países… y algunos hasta ___se___ ___han___ ___casado___.»

3. «A veces surge la circunstancia de que uno de los dos no ___está___ ___trabajando___, a veces es ___el___ ___hombre___,… Y bueno, a veces uno ___paga___ ___por___ los dos;… »

4. «Mi país es un país muy chiquito. Muy pocos ___lo___ ___conocen___ . A ésos, nos escuchan hablar y, parecemos ___argentinos___ porque somos nada más que ___3___ ___millones___ de habitantes en el país entero, un millón y medio en la ___ciudad___ .»

opinión

Suggestion: Remind students that the sources in this feature make certain assertions or generalizations about the country or region of focus in the chapter, but that these observations reflect just *one* point of view. Students should compare and contrast what they read in this feature with other points of view—such as those in the interviews they have seen.

Lᴀ sɪɢᴜɪᴇɴᴛᴇ cɪᴛᴀ tomada de una fuente escrita en inglés para anglohablantes va a aumentar tus conocimientos sobre algunos fenómenos culturales en Paraguay y Uruguay. Usa lo que has aprendido en este capítulo sobre Paraguay y Uruguay, más tu propia experiencia, para contestar las preguntas que siguen la cita.

"*Those untutored in Latin American affairs frequently confuse Uruguay and Paraguay because the names have a similar sound and because of the two countries' geographic proximity. Two more dissimilar nations, however, could not be found. Landlocked Paraguay is still Indian country; half the population is bilingual and speaks Guaraní as well as Spanish; there is even a literature in the language, and newspapers print a portion of their news in it. The people of Paraguay are poor in a land of potential wealth; the women still far out- number the men; about 500,000 Paraguayans live in exile because of the unpleasant political and economic conditions in the country, for General Alfredo Stroessner, who was in power from 1954 to 1989, maintained the ancient tradition of Francia and López, and ruled the nation with a stern hand. Asunción, the capital, is a picturesque city of about 500,000, but it is a far cry from Uruguay's bustling Montevideo. There are no other cities of consequence in Paraguay.*

Uruguay, in contrast, is one of the most literate, intelligent, and homogeneous countries in Latin America. Its population is almost entirely Spanish and Italian, the Indian influence is practically nil, and it has the one large capital in Latin America with no sprawling slums. The extremes of rich and poor are not obvious in Uruguay; the middle class predominates in the national life."

Source: *The Epic of Latin America, Fourth Edition*

1. ¿A qué se debe la confusión que tienen muchas personas respecto a Paraguay y Uruguay? ¿Conoces otros casos de nombres geográficos que causen confusión?
2. ¿En qué se parecen Paraguay y Uruguay? ¿En qué son diferentes? Piensa en los siguientes temas: la etnicidad de la población, las lenguas que se hablan en cada país, el nivel socioeconómico de la población.
3. ¿Cuáles son los factores que, en tu opinión, contribuyen al alto nivel de pobreza en Paraguay? ¿Y qué factores ayudan a Uruguay a estar en una mejor situación socioeconómica?
4. Basándote en la cita y en lo que has aprendido en éste y otros capítulos, ¿cómo crees que se manifiesta el espíritu de comunidad en estos dos países?

mi portafolio

REDACCIÓN
Manual de vida. Vas a desarrollar un manual en el que explicas tus recomendaciones para mantener el bienestar en la vida. Vas a resumir tus opiniones y consejos sobre muchos de los temas estudiados en *Portafolio* y así revelar mucho sobre tu personalidad. Sigue los pasos en el *Portafolio de actividades* para elaborar tu manual.

EXPLORACIÓN
Investigación cultural.
Busca más información sobre Paraguay o **Uruguay** en la biblioteca, en el *Portafolio* Online Learning Center (**www.mhhe.com/portafolio**) o en otros sitios del Internet y preséntala a la clase. El *Portafolio de actividades* contiene más ideas para tu presentación.

Vocabulario

La amistad, el amor y las bodas

el **amor**	love
la **pareja**	couple; partner; mate
casarse	to marry, get married
enamorarse (de)	to fall in love (with)
expresar los sentimientos	to express one's feelings
llegar (gu) a conocer	to get to know
mostrar (ue) cariño en público	to show affection in public
prestar	to loan
quererse (ie)	to love each other
REPASO: **engañar, tratar de** + *inf.*	
honesto/a	honest
a pesar de	in spite of, despite
los demás	others
sin dudar	without hesitation

Problemas entre amigos/parejas

avergonzar (üe) (c)	to embarrass
comunicarse (qu) bien/mal	to communicate well/poorly
divorciarse	to divorce, get divorced
dudar en + *inf.*	to hesitate to (*do something*)
hacer daño	to hurt, harm
llevarse bien/mal	to get along well/poorly
mantener la distancia entre los dos	to maintain distance between the two
pelearse	to fight

quejarse	to complain
revelar los secretos	to reveal one's secrets
separarse	to separate, get separated
tener celos	to be jealous
tener personalidades/ valores incompatibles	to have incompatible personalities/values
aislado/a	isolated

Para sugerir/pedir con cortesía

Deberíamos...	We should . . .
¿Querría usted... ?	Would you (*form.*) . . . ?

Para formar pareja

el **bienestar emocional**	emotional well-being
la **cita**	date
los **lazos afectivos**	emotional bonds
la **relación íntima**	intimate relationship
el **romanticismo**	romanticism
comprometerse	to get engaged
frecuentar	to frequent
mirarse (profundamente) a los ojos	to stare (deeply) into each other's eyes
salir en pareja	to go out as a couple
REPASO: **charlar, conocerse**	
sano/a	healthy
de paseo	on a walk
para toda la vida	for life

APPENDIX A: ¡Escribe y habla mejor!

Basic Pronunciation Guide

LETTER(S)	PRONUNCIATION (OR CLOSEST ENGLISH SOUND)	EXAMPLES
a	like *a* in *father*	casa, gato
b	hard **b:** like *b* in *boy* at the beginning of an utterance or after **m, n**	bien, en Bogotá
(same as **v**)	soft **b:** upper and lower lips do not close completely; used everywhere else	muy bien, La Habana
c	hard **c:** like *c* in *car;* used before **a, o, u,** but with no puff of air (aspiration)	acá, costar, cuna
	soft **c:** before **e, i;** like *th* in *think* (Spain only); like *s* in *see* (other countries)	cena, cinco
ch	like *ch* in *church*	chicle, muchacho
d	like *d* in *dog* at the beginning of an utterance or after **n, l**	doy, un día, el día
	like *th* in *this* everywhere else	nada, hay dos
e	like *e* in *café*	café, echar
f	like *f* in *fun*	folclórico, fijar
g	hard **g** (before **a, o, u**): like *g* in *go*	gota, tengo
	soft **g** (before **e, i**): like *h* in *hotel;* stronger in some dialects	general, gitano
h	always silent	hora, huerto
i	like *i* in *machine*	cita, rubí
j	like *h* in *hotel;* stronger in some dialects	jugar, fijar
k	like *k* in *kite;* used only in foreign words	kilómetro
l	like *l* in *light*	leche, ala
ll	like *y* in *yes* in most dialects	llámame, calle
m	like *m* in *mother*	mamá, mudarse
n	like *n* in *nest*	no, negar
	like *m* in *mother* before **b, m, p**	un beso, en peso
ñ	like *ny* in *canyon*	año, panameño
o	like *o* in *joke*	bobo, choque
p	like *p* in *pat,* but with no puff of air (aspiration)	padre, apio
qu	like hard **c:** used only before **e, i**	quien, que
r	single flap **r:** single tap of tongue against roof of mouth between vowels, at end of word, or after a consonant except **l, n**	caro, hablar
	trilled **r:** trilled like **rr** at beginning of word or after **l, n**	rojo, Enrique, alrededor
rr	trilled **r:** multiple flaps of tongue against roof of the mouth	carro, puertorriqueño
s	like *s* in *sing*	sandía, música
t	like *t* in *touch* but with no puff of air (aspiration)	todo, atún
u	like *oo* in *pool* but never like *u* in *music*	tú, abuso
v	hard **b/v:** like *b* in *boy* at the beginning of an utterance or after **m, n**	¡Vamos!, en Venezuela
(same as **b**)	soft **b/v:** upper and lower lips do not close completely; used everywhere else	Las Vegas, una ventana
w	like *w* in *will;* used only in foreign words	Washington
x	like *x* in *extra*	examen
	like *h* in *hotel*	México
y	like *y* in *yes* at beginning of syllable	yo, maya
	like *i* in *machine* at end of a syllable	hoy, estoy
z	like *th* in *think* (Spain only); like *s* in *sing* (other countries)	zapato, cazar

¡Escribe y habla mejor!

This section focuses on various aspects of Spanish pronunciation and spelling **(ortografía).** It is important to pay close attention to these details. They will make your spoken Spanish comprehensible to native speakers and your spelling more accurate—something many Spanish speakers consider to be culturally important!

The *Portafolio de actividades* contains activities to practice the material explained in this section.

capítulo 1

Vowels

Spanish has five vowels—**a, e, i, o,** and **u**—and each is pronounced as a short, clear sound, whether in a stressed or an unstressed syllable.

LETTER	SOUND	EXAMPLES	AVOID ENGLISH SOUNDS
a	similar to *a* in *father*	**papá, casa**	schwa ("uh") sound: *a*bove
e	similar to *a* in *day*	**café, cerveza**	[ei] diphthong: m*a*ke; schwa sound: tel*e*phone
i	similar to *i* in *machine*	**imposible, días**	schwa sound: imposs*i*ble
o	similar to *o* in *go*	**todo, donde**	[ou] diphthong: g*o* [gou]; [a] sound: h*o*spital, d*o*ctor; schwa sound: aut*o*matic
u	similar to *oo* in *food*	**uso, música**	[yu] sound: *u*se

Consonants

Many Spanish consonants sound similar to their English counterparts, so you can probably read aloud the majority of Spanish words you have not heard before. A few consonants deserve special mention because their mispronunciation can seriously impede your listener's comprehension.

LETTER	SOUND	EXAMPLES	AVOID ENGLISH SOUNDS
j, ge, gi*	similar to English *h,* but stronger	**Tejas, general, gigante**	[j]: *j*ump
ll	similar to *y* in *yes*	**me llamo**	[l] sound: hi*ll*
h	always silent; *never* pronounced	**hola, horóscopo**	[h]: *h*elp
ñ	similar to *ny* in *canyon*	**señor, mañana**	[n] sound: *n*o

---

* The sound of the letter **g** before **a, o,** and **u** is similar to the *g* in *again:* **g**ato, **g**ota, **g**usto.

capítulo 2

Intonation in Questions

It might have surprised you to learn in **Gramática 2.2** that Spanish questions do not always exhibit changes in word order. Native speakers seldom get confused, however, because of the hint that intonation—the rise and fall in your voice—provides. The exact intonation in questions varies from dialect to dialect in Spanish, just as in English, so listen carefully and imitate your instructor and the audio sources that accompany this book.

Spelling Conventions in Questions

Since written language cannot convey intonation, Spanish gives you several clues to indicate that a sentence is a question.

1. All question words have a written accent mark.

    ¿**Có**mo estás?

    ¿**Dó**nde estudian los costarricenses?

2. An inverted question mark precedes and indicates the actual beginning of the question phrase. Other phrases (e.g., the name of the person addressed) are written outside the pair of question marks.

    Señor Márquez, ¿cómo está usted?

    En general, ¿dónde estudian los costarricenses? (*But:* ¿Dónde estudian los costarricenses en general?)

capítulo 3

Written Accents (I)

You have probably noticed an acute accent mark (**´: acento escrito**) on many of the Spanish words you have seen. This mark serves a number of purposes:

- to mark question words (**cuál, qué, quién,** and so on)
- to distinguish homophones (**tú** = *you,* **tu** = *your,* **sí** = *yes,* **si** = *if*)
- to indicate the stressed syllable on many words

This last purpose is a very important function of the accent mark. Not all words have a written mark to show you which syllable is stressed. Nonetheless, you can read and pronounce words without an accent mark with confidence if you keep in mind the following simple rules. Any deviation from these rules is *always* indicated by a written accent mark.

Note: This section focuses on reading and pronouncing Spanish words, not writing them. Students must know how to pronounce a word before they can use accent marks correctly, so teach reading and writing accent marks separately to avoid confusion.

RULE	EXAMPLES	EXCEPTIONS
1. A word that ends in a *vowel* or the consonants *n* or *s* is stressed on the next-to-last syllable.	pa-dre tie-nen her-ma-nos	te-lé-fo-no, ca-fé va-rón in-glés
2. A word that ends in a *consonant* other than *n* or *s* is stressed on the last syllable.	es-pa-ñol ma-yor	ú-til a-zú-car

These rules explain why one form of a word may have a written accent mark and another form does not. For example, the noun **relación (re-la-ción)** is stressed on the last syllable even though it ends in the letter **n;** the accent mark shows that it is an exception to Rule 1. The plural **relaciones (re-la-cio-nes),** however, does not need a written accent: It ends in the letter **s** and is therefore stressed on the next-to-last syllable, in accordance with Rule 1.

capítulo 4

As you may have noticed in the **Charla con María,** there are some pronunciation features that distinguish the Spanish spoken in Spain from other dialects of Spanish around the world. Here are two of these features.

ll and y

As you have heard in previous interviews, the letters **ll** and **y** are pronounced the same in most dialects. In parts of northern Spain and in some of the Andean regions of South America, however, the **ll** is pronounced more like the combination *-lli-* in the English word *million.* Since María is from *southern* Spain, her **ll** resembles the South American pronunciation [y].

In all countries, the Spanish **y** (or **ll** pronounced like **y**) is generally stronger than the English *y.* Compare the pronunciation of English *yes* with a native speaker's pronunciation of **yeso** (*plaster*); the first sound of **yeso** may be so strong that it sounds like an English *j* or *zh.* A common mistake made by English speakers is to use a weak **y** in Spanish, failing to distinguish between words like **ahí** [aí] and **allí** [ayí]. You should be able to distinguish the [y] sound in the second word.

Note also that **ll** can never be written or pronounced at the end of a word in Spanish. That's why we say **aquel edificio,** but **aquella casa.** When you see a word-final **-ll,** it is probably a Catalonian name: **el Parque Güell, Sabadell, Carbonell.**

z

In most of the Spanish-speaking world, the letter **z** and the letter **c** in the combinations **ce** and **ci** are all pronounced just like the English *s.* (The Spanish letter **z** is *never* pronounced like the English *z* in *zip*!) One of the most recognizable features of standard Spanish from Spain, however, is the pronunciation of these letters like the English *th* in *think.* Not all Spaniards use this pronunciation, but even in regions where it is not common, as in Andalusia, it is completely recognized and understood. It is not used in Spanish America, however.

You may have noticed that the Spanish spelling system uses **z** before the hard vowels **a, e,** and **o,** and **c** before the soft vowels **i** and **e.** This gives rise to some tricky spelling changes when different endings are added to the same stem. Study the four forms of the adjective **andaluz:**

andalu**z**	andaluza
andalu**c**es	andaluzas

In future chapters, you will see that some verb forms also alternate between **z** and **c,** depending on the vowel that follows.

capítulo 5

Special Letter Combinations

The Spanish spelling system is extremely regular in representing sounds. There are a few combinations you must be careful with, however, in order to pronounce and spell words correctly. Study how the following sounds are written.

1. The [k] sound is represented by **c** before **a, o,** and **u,** but by **qu** before the vowels **e** and **i:**

    carne   rico   cultura   queso   mantequilla

2. The [g] sound is spelled with **g** before **a, o,** and **u,** but with **gu** before the vowels **e** and **i:**

    gamba   jugo   agudo   hamburguesa   guisante

    Suggestion: You can also introduce the combination *gü* before *e* and *i,* as in *vergüenza, güero, pingüino,* and so on, to represent the sound [gw].

3. The [x] sound (like English *h* in *happy* but stronger) is normally represented by **j** before **a, o,** and **u,** but by **g** before the vowels **e** and **i.** However, there are many exceptions to this rule (e.g., **jinete, ají**), so be careful to remember the spelling of new words with this sound!

    jamón   viejo   jugo   vegetal   gigante

capítulo 6

Written Accents (II)

As you saw in **Capítulo 3,** the written accent mark in Spanish serves a number of purposes. This section expands on the basic uses presented earlier.

Suggestion: Review the rules for reading words with accent marks from *Capítulo 3.*

1. A written accent mark can distinguish two words that are otherwise spelled the same.

tu	*your*	**tú**	*you* (fam. s.)
el	*the* (m. s.)	**él**	*he*
si	*if*	**sí**	*yes*
te	*you* (object pron.)	**té**	*tea*

se	*himself, herself, . . .*	**sé**	*I know*
solo	*alone* (m. s.)	**sólo**	*only*
como	*like, as*	**¿cómo?**	*how?*
que	*that, who*	**¿qué?**	*what?*

Dice **que** está enfermo.	*He says that he is sick.*
No sé **qué** pedir.	*I don't know what to order.*

2. The accent mark also helps clarify syllabication and the pronunciation of certain vowel combinations. In Spanish, the vowels **a, e,** and **o** are considered "strong" vowels. Two adjacent strong vowels always belong to separate syllables.

> a-<u>ho</u>-ra (= [a-<u>o</u>-ra])   le-<u>er</u>   te-<u>a</u>-tro

The other vowels, **i** and **u,** are "weak": They can be joined with an adjacent vowel to make a combination called a diphthong, in which the two vowel letters belong to the same syllable.

> b**ue**-no   c**ie**-rro   c**ui**-da-do   Ma-r**io**   res-t**au**-ran-te

In some words, however, the **i** or **u** is pronounced as a separate syllable. As you would expect, these exceptions are indicated with a written accent mark.

> grú-a   Ma-rí-a   re-ú-no   va-rí-o

capítulo 7

This section examines two important aspects of the Spanish spelling system that affect how verb forms are written in the preterite.

Written Accents (III)

If you are not yet convinced of the importance of written accent marks in Spanish, learning the preterite forms of verbs should do the trick. Confusion would ensue if a reader saw **compro** (the present tense **yo** form) instead of **compró** (the preterite, **usted/él/ella** form). The two forms sound different to the ear, and in writing the accent mark is essential to distinguish them.

Remember that in words that end in a vowel, the stress normally falls on the second-to-last syllable. The preterite endings **-é, -í, -ó,** and **-ió** must, therefore, have a written accent to show that they deviate from the expected pattern of pronunciation.

Verb forms of only one syllable do not need this accent mark in the **yo** and **usted/él/ella** forms of the preterite: **vi, vio** (from **ver**).

Consonant + Vowel Combinations

The vowels **e** and **i** affect the pronunciation of certain consonants that precede them. Since these two vowels are common in preterite endings, spelling changes occur when writing some preterite forms in order to preserve the sound of the verb stem. For example, the [k] sound in **buscar** is spelled with the letter **c** in the infinitive and in the present tense: **busco, buscas,** and so on. In the **yo** form of the preterite, however, the verb undergoes a spelling change, **busqué,** to retain the [k] sound of the verb stem. Without the spelling change, the word would be incorrectly written as **buscé** and would be pronounced with an [s] sound rather than a [k] sound.

   Similar changes occur in verbs that have infinitives ending in **-zar (z → c)** and **-gar (g → gu).**

INFINITIVO	PRESENTE	PRETÉRITO
buscar	yo **busco**	yo **busqué**
comenzar	yo **comienzo**	yo **comencé**
llegar	yo **llego**	yo **llegué**

These preterite verb forms with spelling changes are not really irregular; they are the *only* way to maintain the sound of the verb stem. From *Capítulo 7* on, verbs with these preterite spelling changes will be indicated in vocabulary lists with **(qu), (gu),** and **(c).** Verbs that have both stem and spelling changes will be indicated as follows: **comenzar (ie) (c), negar (ie) (gu),** and so on.

capítulo 8

l

In English, there are two sounds associated with the letter *l*, depending on where the sound occurs in the word. You can distinguish the two by contrasting the syllable-initial "light" [l] of *lazy* with the syllable-final "dark" [l] of *hill*.

   One of the features that makes a person's accent in Spanish more native-like is the articulation of the [l] sound. Spanish uses only the "light" [l] sound, so English speakers have to be very careful to avoid the "dark" [l] in syllable-final position in Spanish.

   Listen as your instructor pronounces the following pairs of words, focusing on the different [l] sounds in the syllable-final position.

Note: Pronounce these pairs of words aloud with emphasis on the syllable-final [l] so that students can hear the Spanish "light" sound clearly contrasted with the English "dark" sound.

ENGLISH	SPANISH	ENGLISH	SPANISH
hotel	hotel	goal	gol
mall	mal	dell	del

r and rr

The *single flap* and the *trill* are two sounds of the Spanish language often referred to as "**r** sounds." The single flap is made by touching the roof of the mouth with the tongue only once. This produces a sound similar to what American English speakers think of as the *t* or *d* sound in the words *butter* or *ladder*. In Spanish, the single flap is always represented by the letter **r: caro, verde, hablar.**

   The trill is made by touching the tongue to the roof of the mouth several times in rapid succession. The trill is represented by **rr** between vowels (**ca<u>rr</u>o, guita<u>rr</u>a**) and by a single **r** at the beginning of a word (**<u>R</u>oberto, <u>r</u>ojo**) or after **n** or **l** (**En<u>r</u>ique, al<u>r</u>ededor**).

Note how the single flap / trill distinction can sometimes change the meaning of words.

caro	*expensive*	carro	*car*
pero	*but*	perro	*dog*
varios	*several*	barrios	*neighborhoods*

capítulo 9

Written Accents (IV)

As you have seen, many forms of the imperfect require the use of a written accent. Do you know why? You can review the rules for the written accent **(el acento escrito)** in **Capítulos 3, 6,** and **7,** but the ones relevant for these verb forms are repeated here.

1. **Bailábamos:** This word is called **una palabra esdrújula,** which means that it is stressed on the antepenultimate syllable, or third syllable from the end: **bai-lá-ba-mos.** All words with this stress pattern must bear a written accent in Spanish (e.g., **católico, gramática, único**).
2. **Vivía:** This verb has a written accent to show that the **i** and the **a** are pronounced as separate syllables **(vi-ví-a).** Normally the combination of the weak vowel **i** with a strong vowel such as **a** forms a diphthong, meaning that the two vowel sounds are pronounced as one syllable: **previa (pre-via,** which is pronounced more or less like the *-b ya* of the phrase *grab ya*).

capítulo 10

b and v

Note: Point out to students that the same word can have either a soft or hard sound, depending on the sounds around it. At the beginning of a sentence (after a pause), *Buenos Aires* has a hard [b], but in the phrase *Voy a Buenos Aires* it has a soft [b] because it is between vowels. Remind students that both of the letters *b* and *v* can have two pronunciations each: *bailo, voy* (with hard *b*), *no bailo, no voy* (with soft *b*).

The Spanish spelling system uses both the letters **b** and **v** to represent the same sounds. Thus, **vaca** (*cow*) and **baca** (*luggage rack on a car*) sound exactly the same.

Even though the letters **b** and **v** represent the same sounds, there are actually two different [b] sounds in Spanish, depending on the surrounding sounds.

The "hard" [b] occurs after a pause or after the letters **m** and **n.** It is also called the *stop* [b], because the flow of air out of the mouth is completely stopped by closing the upper and lower lips. Listen to your instructor's pronunciation of the following words and phrases and observe how his/her upper and lower lips close completely when pronouncing the letters **b** and **v.**

ambos	Buenos Aires	vaca
baca	cambio	vacaciones
bailando	invierno	viajando

The "soft" [b] occurs everywhere else (between vowels and after consonants other than **m** and **n**). It is also known as the *fricative* [b], because the flow of air out of the mouth is *not* completely stopped. That is, the upper and lower lips come close to touching but they don't actually close completely, creating friction in the airstream. Listen to your instructor's pronunciation of the following words and phrases and observe his/her upper and lower lips as he/she pronounces the letters **b** and **v.**

a Buenos Aires	¿Cuándo te vas?	las vacaciones
acabo	el viernes	lavar
al banco	las bases	

¡OJO! Resist the temptation to use the English [v] sound when you see the letter **v** in Spanish!

capítulo 11

d and g

In **Capítulo 10,** you learned that there are two variants, "hard" and "soft," of the Spanish [b] sound, depending on where the letters **b** or **v** occur in a word or phrase. The same is true for the letters **d** and **g.**

Both hard sounds are also called *stops,* because the flow of air out of the mouth is completely stopped. For the hard [d], the tip of the tongue touches the back side of the top front teeth. To produce the hard [g], which is similar to the [g] in English *go,* the tongue touches the soft palate (the rear portion of the roof of the mouth). Listen to your instructor pronounce the following words and phrases. Note that all hard sounds occur after a pause or after the letter **n.** The hard [d] also occurs after the letter **l.**

angustia	tengo	aldea	derecha
Guadalajara	un grupo	conducir	un director

The soft sounds occur everywhere else—between vowels and after consonants other than **n** (and other than **l** for [đ]). They are also known as *fricatives,* because the flow of air out of the mouth is *not* completely stopped. For the soft [đ], the tip of the tongue goes between the front teeth and produces a sound similar to the **th** in English *they.* To produce the soft [g̶], the tongue nears the back of the soft palate as if pronouncing the hard [g], but the flow of air is not completely stopped. Listen to your instructor pronounce the following words and phrases.

aduana	agua
catedral	seguir
a la derecha	a Guadalajara

¡OJO! Remember that the letter **g** followed by **e** or **i** has neither a hard nor soft **g** sound; it has the same sound as **j (jota): agente, Villa Gesell, región.**

capítulo 12

The Spanish s

By now you have seen many examples of the pronunciation of both **s** and **z** as [s] in Spanish. One major error to avoid in pronunciation is the use of the English [z] sound in cognate words that should have an [s] sound in Spanish.

ENGLISH [Z]	SPANISH [S]
music	música
president	presidente

Point out: *Comerse las eses* has become a marker of social class in some Spanish-speaking regions. It is perceived as a less educated form of speech and implies lower social status. Consequently, job candidates are often encouraged to pronounce *todassss lassss letrassss*, emphasizing the syllable-final [s] sound.

Suggestion: Ask students what pronunciations, words, or expressions they would avoid in a job interview in English.

Make sure you pronounce the letter **z** as [s], unless you are imitating Castilian Spanish, in which case **z** = English *th* as in *think*. Listen to your instructor pronounce the following words.

almuerzo	taza
cazar (*to hunt*)	zapato

In many dialects of Spanish, the **s** at the end of a syllable has a different pronunciation. Instead of [s], you hear a puff of air (or *aspiration*, symbolized by a superscripted *h*), and some speakers delete the [s] altogether.

SPELLING	ASPIRATED [S]	DELETED [S]
es-tar	[e^h-tar]	[e-tar]
los nuevos	[lo^h nue-vo^h]	[lo nue-vo]
mis-mo	[mi^h-mo]	[mi-mo]

capítulo 13

p, t, and c/qu

The consonants **p**, **t**, and **c** (the [k] sound, spelled **qu** before **i** and **e**) have similar pronunciations in English and Spanish, with one important difference. The English consonants are pronounced with a puff of air, which can be quite strong when the sound begins a stressed syllable. In Spanish, it is important to avoid this aspiration or puff of air if you want to have a native-like accent. Listen to the [p], [t], and [k] sounds as your instructor contrasts the following English and Spanish words. The vowels will be different as well, of course, but focus your attention on the consonants.

ENGLISH (WITH ASPIRATION)	SPANISH (WITH NO ASPIRATION)
attack	**ataque**
capable	**capaz**
key	**¿quién?**
pan	**pan**
periodical	**periódico**
quad	**¿cuánto?**
too	**tú**

capítulo 14

m, n, and ñ

The sounds associated with nasal consonants are made by allowing air to pass through the nose as when you hum, "mmmmmm." (Your mouth is closed and the air passes through the nasal cavity). English has the nasal sounds [m] (as in *map*), [n] (as in *note*), and [n] (the *ng* sound in *sing*). Spanish has a different set of nasal sounds: [m] (as in **mapa**), [n] (as in **nota**), [n] as in **húngaro** (*Hungarian*), and [ñ] (as in **señor**). The [ñ] sound does not exist in English. The closest equivalent is the *ny* combination in *canyon;* it is pronounced at more or less the same place in the mouth as the *y* in English *yes*.

The pronunciation of nasal consonants in Spanish does not always correspond to the letter used in spelling. When a nasal consonant is followed by another consonant, the nasal sound is pronounced at the same place in the mouth as the following consonant sound. For example, the word **un** (written with **n**) in **un año** is pronounced [un], but in the phrase **un beso** it is pronounced [um], because the **b** that follows is made with the lips. Observe the following patterns.

SPELLING	PRONUNCIATION	NOTES
un beso **un mapa** **un peso**	[um beso] [um mapa] [um peso]	The sounds [m], [b], and [p] are all made with the lips.
un carro **un gato**	[uŋ karro] [uŋ gato]	[ŋ] = the *ng* sound of English *sing;* the sounds [ŋ], [k], and [g] are all made in the back of the throat.

capítulo 15

Written Accents (Summary and Review)

In previous chapters you have learned to use written accent marks in the following situations:

- to mark question words (**¿Cómo?**)
- to distinguish homophones in spelling (**tú** = *you* vs. **tu** = *your*)
- to help locate the stressed syllable in unfamiliar words

The rules you studied in **Capítulo 3** are for *reading* words already printed. The rules for *writing* accent marks in your original compositions are just the opposite: They assume that you already know both how to pronounce the word (i.e., which syllable is stressed) and the word ending. When native speakers of Spanish learn how to spell, they phrase the rules in the following way.

1. Words stressed on the next-to-last syllable (called **palabras llanas** in Spanish) that end in a vowel, **n,** or **s** *do not* need an accent.
2. Words stressed on the last syllable **(palabras agudas)** that end in a consonant other than **n** or **s** *do not* need an accent.
3. Any deviation from the two previous patterns requires a written accent. Note the following cases.
   - Words stressed three syllables from the end (**úl-ti-mo, có-mi-co,** and so on) have the special name **palabras esdrújulas;** since they always break rules 1 and 2, **esdrújulas** always bear a written accent mark.
   - Use a written accent to show that the vowels **i** or **u** are pronounced in a separate syllable from an adjacent **a, e,** or **o** (i.e., to break up a diphthong: **Ma-rí-a, frí-o, con-ti-nú-a, re-ú-no,** and so on).

For example, suppose you want to write the word pronounced **[a-mo-ro-so].** You hear the stress on the next-to-last syllable; the word ends in a vowel, so rule 1 says that no accent is necessary **(amoroso).** To write **[u-til],** you also hear the stress on the next-to-last syllable, but the word ends in a consonant other than **n** or **s,** so you must write an accent on the **u** to indicate this exception to rule 1 **(útil).**

Appendix B: Verb Charts

A. Regular Verbs: Simple Tenses

INFINITIVE / PRESENT PARTICIPLE / PAST PARTICIPLE	INDICATIVE					SUBJUNCTIVE		IMPERATIVE
	PRESENT	IMPERFECT	PRETERITE	FUTURE	CONDITIONAL	PRESENT	IMPERFECT	
hablar	hablo	hablaba	hablé	hablaré	hablaría	hable	hablara	
hablando	hablas	hablabas	hablaste	hablarás	hablarías	hables	hablaras	habla / no hables
hablado	habla	hablaba	habló	hablará	hablaría	hable	hablara	hable
	hablamos	hablábamos	hablamos	hablaremos	hablaríamos	hablemos	habláramos	hablemos
	habláis	hablabais	hablasteis	hablaréis	hablaríais	habléis	hablarais	hablad / no habléis
	hablan	hablaban	hablaron	hablarán	hablarían	hablen	hablaran	hablen
comer	como	comía	comí	comeré	comería	coma	comiera	
comiendo	comes	comías	comiste	comerás	comerías	comas	comieras	come / no comas
comido	come	comía	comió	comerá	comería	coma	comiera	coma
	comemos	comíamos	comimos	comeremos	comeríamos	comamos	comiéramos	comamos
	coméis	comíais	comisteis	comeréis	comeríais	comáis	comierais	comed / no comáis
	comen	comían	comieron	comerán	comerían	coman	comieran	coman
vivir	vivo	vivía	viví	viviré	viviría	viva	viviera	
viviendo	vives	vivías	viviste	vivirás	vivirías	vivas	vivieras	vive / no vivas
vivido	vive	vivía	vivió	vivirá	viviría	viva	viviera	viva
	vivimos	vivíamos	vivimos	viviremos	viviríamos	vivamos	viviéramos	vivamos
	vivís	vivíais	vivisteis	viviréis	viviríais	viváis	vivierais	vivid / no viváis
	viven	vivían	vivieron	vivirán	vivirían	vivan	vivieran	vivan

B. Regular Verbs: Perfect Tenses

INDICATIVE										SUBJUNCTIVE			
PRESENT PERFECT		PAST PERFECT		PRETERITE PERFECT		FUTURE PERFECT		CONDITIONAL PERFECT		PRESENT PERFECT		PAST PERFECT	
he		había		hube		habré		habría		haya		hubiera	
has	hablado	habías	hablado	hubiste	hablado	habrás	hablado	habrías	hablado	hayas	hablado	hubieras	hablado
ha	comido	había	comido	hubo	comido	habrá	comido	habría	comido	haya	comido	hubiera	comido
hemos	vivido	habíamos	vivido	hubimos	vivido	habremos	vivido	habríamos	vivido	hayamos	vivido	hubiéramos	vivido
habéis		habíais		hubisteis		habréis		habríais		hayáis		hubierais	
han		habían		hubieron		habrán		habrían		hayan		hubieran	

C. Irregular Verbs

INFINITIVE PRESENT PARTICIPLE PAST PARTICIPLE	INDICATIVE					SUBJUNCTIVE		IMPERATIVE
	PRESENT	IMPERFECT	PRETERITE	FUTURE	CONDITIONAL	PRESENT	IMPERFECT	
andar andando andado	ando andas anda andamos andáis andan	andaba andabas andaba andábamos andabais andaban	anduve anduviste anduvo anduvimos anduvisteis anduvieron	andaré andarás andará andaremos andaréis andarán	andaría andarías andaría andaríamos andaríais andarían	ande andes ande andemos andéis anden	anduviera anduvieras anduviera anduviéramos anduvierais anduvieran	anda / no andes ande andemos andad / no andéis anden
caer cayendo caído	caigo caes cae caemos caéis caen	caía caías caía caíamos caíais caían	caí caíste cayó caímos caísteis cayeron	caeré caerás caerá caeremos caeréis caerán	caería caerías caería caeríamos caeríais caerían	caiga caigas caiga caigamos caigáis caigan	cayera cayeras cayera cayéramos cayerais cayeran	cae / no caigas caiga caigamos caed / no caigáis caigan
dar dando dado	doy das da damos dais dan	daba dabas daba dábamos dabais daban	di diste dio dimos disteis dieron	daré darás dará daremos daréis darán	daría darías daría daríamos daríais darían	dé des dé demos deis den	diera dieras diera diéramos dierais dieran	da / no des dé demos dad / no deis den
decir diciendo dicho	digo dices dice decimos decís dicen	decía decías decía decíamos decíais decían	dije dijiste dijo dijimos dijisteis dijeron	diré dirás dirá diremos diréis dirán	diría dirías diría diríamos diríais dirían	diga digas diga digamos digáis digan	dijera dijeras dijera dijéramos dijerais dijeran	di / no digas diga digamos decid / no digáis digan
estar estando estado	estoy estás está estamos estáis están	estaba estabas estaba estábamos estabais estaban	estuve estuviste estuvo estuvimos estuvisteis estuvieron	estaré estarás estará estaremos estaréis estarán	estaría estarías estaría estaríamos estaríais estarían	esté estés esté estemos estéis estén	estuviera estuvieras estuviera estuviéramos estuvierais estuviera	está / no estés esté estemos estad / no estéis estén
haber habiendo habido	he has ha hemos habéis han	había habías había habíamos habíais habían	hube hubiste hubo hubimos hubisteis hubieron	habré habrás habrá habremos habréis habrán	habría habrías habría habríamos habríais habrían	haya hayas haya hayamos hayáis hayan	hubiera hubieras hubiera hubiéramos hubierais hubieran	

C. Irregular Verbs (continued)

INFINITIVE / PRESENT PARTICIPLE / PAST PARTICIPLE	INDICATIVE					SUBJUNCTIVE		IMPERATIVE
	PRESENT	IMPERFECT	PRETERITE	FUTURE	CONDITIONAL	PRESENT	IMPERFECT	
hacer / haciendo / hecho	hago haces hace hacemos hacéis hacen	hacía hacías hacía hacíamos hacíais hacían	hice hiciste hizo hicimos hicisteis hicieron	haré harás hará haremos haréis harán	haría harías haría haríamos haríais harían	haga hagas haga hagamos hagáis hagan	hiciera hicieras hiciera hiciéramos hicierais hicieran	haz / no hagas haga hagamos haced / no hagáis hagan
ir / yendo / ido	voy vas va vamos vais van	iba ibas iba íbamos ibais iban	fui fuiste fue fuimos fuisteis fueron	iré irás irá iremos iréis irán	iría irías iría iríamos iríais irían	vaya vayas vaya vayamos vayáis vayan	fuera fueras fuera fuéramos fuerais fueran	ve / no vayas vaya vamos / no vayamos id / no vayáis vayan
oír / oyendo / oído	oigo oyes oye oímos oís oyen	oía oías oía oíamos oíais oían	oí oíste oyó oímos oísteis oyeron	oiré oirás oirá oiremos oiréis oirán	oiría oirías oiría oiríamos oiríais oirían	oiga oigas oiga oigamos oigáis oigan	oyera oyeras oyera oyéramos oyerais oyeran	oye / no oigas oiga oigamos oíd / no oigáis oigan
poder / pudiendo / podido	puedo puedes puede podemos podéis pueden	podía podías podía podíamos podíais podían	pude pudiste pudo pudimos pudisteis pudieron	podré podrás podrá podremos podréis podrán	podría podrías podría podríamos podríais podrían	pueda puedas pueda podamos podáis puedan	pudiera pudieras pudiera pudiéramos pudierais pudieran	
poner / poniendo / puesto	pongo pones pone ponemos ponéis ponen	ponía ponías ponía poníamos poníais ponían	puse pusiste puso pusimos pusisteis pusieron	pondré pondrás pondrá pondremos pondréis pondrán	pondría pondrías pondría pondríamos pondríais pondrían	ponga pongas ponga pongamos pongáis pongan	pusiera pusieras pusiera pusiéramos pusierais pusieran	pon / no pongas ponga pongamos poned / no pongáis pongan
querer / queriendo / querido	quiero quieres quiere queremos queréis quieren	quería querías quería queríamos queríais querían	quise quisiste quiso quisimos quisisteis quisieron	querré querrás querrá querremos querréis querrán	querría querrías querría querríamos querríais querrían	quiera quieras quiera queramos queráis quieran	quisiera quisieras quisiera quisiéramos quisierais quisieran	quiere / no quieras quiera queramos quered / no queráis quieran

C. **Irregular Verbs** (*continued*)

INFINITIVE PRESENT PARTICIPLE PAST PARTICIPLE	INDICATIVE						SUBJUNCTIVE		IMPERATIVE
	PRESENT	IMPERFECT	PRETERITE	FUTURE	CONDITIONAL		PRESENT	IMPERFECT	
saber sabiendo sabido	sé sabes sabe sabemos sabéis saben	sabía sabías sabía sabíamos sabíais sabían	supe supiste supo supimos supisteis supieron	sabré sabrás sabrá sabremos sabréis sabrán	sabría sabrías sabría sabríamos sabríais sabrían		sepa sepas sepa sepamos sepáis sepan	supiera supieras supiera supiéramos supierais supieran	sabe / no sepas sepa sepamos sabed / no sepáis sepan
salir saliendo salido	salgo sales sale salimos salís salen	salía salías salía salíamos salíais salían	salí saliste salió salimos salisteis salieron	saldré saldrás saldrá saldremos saldréis saldrán	saldría saldrías saldría saldríamos saldríais saldrían		salga salgas salga salgamos salgáis salgan	saliera salieras saliera saliéramos salierais salieran	sal / no salgas salga salgamos salid / no salgáis salgan
ser siendo sido	soy eres es somos sois son	era eras era éramos erais eran	fui fuiste fue fuimos fuisteis fueron	seré serás será seremos seréis serán	sería serías sería seríamos seríais serían		sea seas sea seamos seáis sean	fuera fueras fuera fuéramos fuerais fueran	sé / no seas sea seamos sed / no seáis sean
tener teniendo tenido	tengo tienes tiene tenemos tenéis tienen	tenía tenías tenía teníamos teníais tenían	tuve tuviste tuvo tuvimos tuvisteis tuvieron	tendré tendrás tendrá tendremos tendréis tendrán	tendría tendrías tendría tendríamos tendríais tendrían		tenga tengas tenga tengamos tengáis tengan	tuviera tuvieras tuviera tuviéramos tuvierais tuvieran	ten / no tengas tenga tengamos tened / no tengáis tengan
traer trayendo traído	traigo traes trae traemos traéis traen	traía traías traía traíamos traíais traían	traje trajiste trajo trajimos trajisteis trajeron	traeré traerás traerá traeremos traeréis traerán	traería traerías traería traeríamos traeríais traerían		traiga traigas traiga traigamos traigáis traigan	trajera trajeras trajera trajéramos trajerais trajeran	trae / no traigas traiga traigamos traed / no traigáis traigan

C. Irregular Verbs (*continued*)

INFINITIVE PRESENT PARTICIPLE PAST PARTICIPLE	INDICATIVE					SUBJUNCTIVE		IMPERATIVE
	PRESENT	IMPERFECT	PRETERITE	FUTURE	CONDITIONAL	PRESENT	IMPERFECT	
venir viniendo venido	vengo vienes viene venimos venís vienen	venía venías venía veníamos veníais venían	vine viniste vino vinimos vinisteis vinieron	vendré vendrás vendrá vendremos vendréis vendrán	vendría vendrías vendría vendríamos vendríais vendrían	venga vengas venga vengamos vengáis vengan	viniera vinieras viniera viniéramos vinierais vinieran	ven / no vengas venga vengamos venid / no vengáis vengan
ver viendo visto	veo ves ve vemos veis ven	veía veías veía veíamos veíais veían	vi viste vio vimos visteis vieron	veré verás verá veremos veréis verán	vería verías vería veríamos veríais verían	vea veas vea veamos veáis vean	viera vieras viera viéramos vierais vieran	ve / no veas vea veamos ved / no veáis vean

D. Stem-Changing and Spelling Change Verbs

INFINITIVE PRESENT PARTICIPLE PAST PARTICIPLE	INDICATIVE					SUBJUNCTIVE		IMPERATIVE
	PRESENT	IMPERFECT	PRETERITE	FUTURE	CONDITIONAL	PRESENT	IMPERFECT	
construir (y) construyendo construido	construyo construyes construye construimos construís construyen	construía construías construía construíamos construíais construían	construí construiste construyó construimos construisteis construyeron	construiré construirás construirá construiremos construiréis construirán	construiría construirías construiría construiríamos construiríais construirían	construya construyas construya construyamos construyáis construyan	construyera construyeras construyera construyéramos construyerais construyeran	construye / no construyas construya construyamos construid / no construyáis construyan
dormir (ue, u) durmiendo dormido	duermo duermes duerme dormimos dormís duermen	dormía dormías dormía dormíamos dormíais dormían	dormí dormiste durmió dormimos dormisteis durmieron	dormiré dormirás dormirá dormiremos dormiréis dormirán	dormiría dormirías dormiría dormiríamos dormiríais dormirían	duerma duermas duerma durmamos durmáis duerman	durmiera durmieras durmiera durmiéramos durmierais durmieran	duerme / no duermas duerma durmamos dormid / no durmáis duerman

D. Stem-Changing and Spelling Change Verbs (*continued*)

INFINITIVE PRESENT PARTICIPLE PAST PARTICIPLE	INDICATIVE					SUBJUNCTIVE		IMPERATIVE
	PRESENT	IMPERFECT	PRETERITE	FUTURE	CONDITIONAL	PRESENT	IMPERFECT	
pedir (i, i) pidiendo pedido	pido pides pide pedimos pedís piden	pedía pedías pedía pedíamos pedíais pedían	pedí pediste pidió pedimos pedisteis pidieron	pediré pedirás pedirá pediremos pediréis pedirán	pediría pedirías pediría pediríamos pediríais pedirían	pida pidas pida pidamos pidáis pidan	pidiera pidieras pidiera pidiéramos pidierais pidieran	pide / no pidas pida pidamos pedid / no pidáis pidan
pensar (ie) pensando pensado	pienso piensas piensa pensamos pensáis piensan	pensaba pensabas pensaba pensábamos pensabais pensaban	pensé pensaste pensó pensamos pensasteis pensaron	pensaré pensarás pensará pensaremos pensaréis pensarán	pensaría pensarías pensaría pensaríamos pensaríais pensarían	piense pienses piense pensemos penséis piensen	pensara pensaras pensara pensáramos pensarais pensaran	piensa / no pienses piense pensemos pensad / no penséis piensen
producir (zc) produciendo producido	produzco produces produce producimos producís producen	producía producías producía producíamos producíais producían	produje produjiste produjo produjimos produjisteis produjeron	produciré producirás producirá produciremos produciréis producirán	produciría producirías produciría produciríamos produciríais producirían	produzca produzcas produzca produzcamos produzcáis produzcan	produjera produjeras produjera produjéramos produjerais produjeran	produce / no produzcas produzca produzcamos producid / no produzcáis produzcan
reír (i, i) riendo reído	río ríes ríe reímos reís ríen	reía reías reía reíamos reíais reían	reí reíste rió reímos reísteis rieron	reiré reirás reirá reiremos reiréis reirán	reiría reirías reiría reiríamos reiríais reirían	ría rías ría riamos riáis rían	riera rieras riera riéramos rierais rieran	ríe / no rías ría riamos reíd / no riáis rían
seguir (i, i) (g) siguiendo seguido	sigo sigues sigue seguimos seguís siguen	seguía seguías seguía seguíamos seguíais seguían	seguí seguiste siguió seguimos seguisteis siguieron	seguiré seguirás seguirá seguiremos seguiréis seguirán	seguiría seguirías seguiría seguiríamos seguiríais seguirían	siga sigas siga sigamos sigáis sigan	siguiera siguieras siguiera siguiéramos siguierais siguieran	sigue / no sigas siga sigamos seguid / no sigáis sigan

D. Stem-Changing and Spelling Change Verbs (*continued*)

INFINITIVE PRESENT PARTICIPLE PAST PARTICIPLE	INDICATIVE					SUBJUNCTIVE		IMPERATIVE
	PRESENT	IMPERFECT	PRETERITE	FUTURE	CONDITIONAL	PRESENT	IMPERFECT	
sentir (ie, i) sintiendo sentido	siento	sentía	sentí	sentiré	sentiría	sienta	sintiera	siente /
	sientes	sentías	sentiste	sentirás	sentirías	sientas	sintieras	no sientas
	siente	sentía	sintió	sentirá	sentiría	sienta	sintiera	sienta
	sentimos	sentíamos	sentimos	sentiremos	sentiríamos	sintamos	sintiéramos	sintamos
	sentís	sentíais	sentisteis	sentiréis	sentiríais	sintáis	sintierais	sentid / no sintáis
	sienten	sentían	sintieron	sentirán	sentirían	sientan	sintieran	sientan
volver (ue) volviendo vuelto	vuelvo	volvía	volví	volveré	volvería	vuelva	volviera	vuelve /
	vuelves	volvías	volviste	volverás	volverías	vuelvas	volvieras	no vuelvas
	vuelve	volvía	volvió	volverá	volvería	vuelva	volviera	vuelva
	volvemos	volvíamos	volvimos	volveremos	volveríamos	volvamos	volviéramos	volvamos
	volvéis	volvíais	volvisteis	volveréis	volveríais	volváis	volvierais	volved / no volváis
	vuelven	volvían	volvieron	volverán	volverían	vuelvan	volvieran	vuelvan

APPENDIX C

1.1 SUBJECT PRONOUNS

Subject pronouns **(Los pronombres de sujeto)** are the words that indicate the subject of the sentence—the person or thing performing the main action. Here are the subject pronouns in Spanish, with their English equivalents.

SINGULAR		PLURAL	
yo	I	**nosotros/nosotras**	we
tú	you (*familiar*)	**vosotros/vosotras**	you all, you guys (*familiar*)
usted	you (*formal*)	**ustedes**	you all (*formal*)
él	he	**ellos**	they (*masculine*)
ella	she	**ellas**	they (*feminine*)

Although English differentiates gender only in the third-person singular (he/she), Spanish has a number of plural feminine forms as well: **nosotras, vosotras,** and **ellas** are used to refer to groups of women or girls.

Spanish also distinguishes between two levels of formality when addressing a person directly (*you*). The familiar (informal) forms are used generally with a friend, a pet, an unknown person your own age in an informal social setting, and a family member. The formal forms are used to show respect to an elder or to an unknown person in a formal setting.

		FAMILIAR	FORMAL
Spain	*Singular*	**tú**	**usted**
	Plural	**vosotros/as**	**ustedes**
Spanish America	*Singular*	**tú**	**usted**
	Plural	**ustedes**	**ustedes**

así se dice

The singular pronoun **vos** is used instead of **tú** in many countries. In *Portafolio* you will only practice **tú** and its corresponding verb forms for familiar usage, but you will see the **vos** form in future chapters that focus on the countries in which it is frequently used.

One of the most common uses of the verb **ser** is to give the nationality or origin of people and things, in two different patterns. One way is to use the appropriate form of **ser** with an adjective of nationality.

Yo **soy española.** — *I am Spanish.*
El señor Castillo **es colombiano.** — *Mr. Castillo is Colombian.*

The other way is to use a form of **ser** with the preposition **de** (*from*).

¿**De** dónde **eres**? — *Where are you from?*
Soy de Misisipí. — *I'm from Mississippi.*
¿**De** qué origen **es** el café? — *Where is the coffee from?*
Es de Colombia. — *It's from Colombia.*

1.2 THE VERB *SER*

One of the most common uses of the verb **ser** is to give the nationality or origin of people and things, in two different patterns. One way is to use the appropriate form of **ser** with an adjective of nationality.

| Yo **soy española.** | *I am Spanish.* |
| El señor Castillo **es colombiano.** | *Mr. Castillo is Colombian.* |

The other way is to use a form of **ser** with the preposition **de** (*from*).

¿**De** dónde **eres**?	*Where are you from?*
Soy de Misisipí.	*I'm from Mississippi.*
¿**De** qué origen **es** el café?	*Where is the coffee from?*
Es de Colombia.	*It's from Colombia.*

1.3 GENDER AND NUMBER AGREEMENT

Definite and indefinite articles

So far, you have seen and used expressions like **los colombianos** (*the Colombians*), **la gente** (*the people*), and **el pelo** (*the hair*). The first word in each phrase is the definite article, which in English is expressed as *the*. Spanish has different forms of the definite article due to the phenomena of *gender* and *number*.

Every Spanish noun, even those that refer to entities with no biological sex, is either of masculine or feminine gender, and singular or plural number. All words associated with a noun in a sentence (i.e., articles and adjectives) have to match or *agree* with the gender and number of the noun. Thus, there are four different forms of the definite article (*the*) and the indefinite articles (*a, an, some*): masculine singular, masculine plural, feminine singular, and feminine plural. These forms are shown below.

	SINGULAR		PLURAL	
Masculine	el **pueblo**	the town	los **pueblos**	the towns
Feminine	la **cas**a	the house	las **cas**as	the houses
Masculine	un* **pueblo**	a town	unos **pueblos**	some towns
Feminine	una **cas**a	a house	unas **cas**as	some houses

How do you know which form of the article to use with a noun? Here are a few guidelines.

1. Most nouns that end in **-o** are masculine, and most that end in **-a** are feminine: **el pelo, la fiesta.**
2. Nouns that end in **-ción/-sión** and **-dad** are generally feminine: **la nación, la extensión, la identidad.**
3. Nouns that end in **-ista** are either masculine or feminine, depending on biological sex: **el artista** (male), **la artista** (female).

In general, grammatical gender is arbitrary and must be memorized for each new item. Biological sex can provide a good hint—**el padre, la madre**—but watch out for exceptions! In *Portafolio* the singular definite article (**el** or **la**) is listed with every noun in the end-of-chapter vocabulary lists and in most lists within the chapter; Get into the practice of memorizing the article along with the word. You also should consult a dictionary if you are not sure of the gender of a noun; look for the labels *masc.* / *n. m.* (noun, masculine) and *fem.* / *n. f.* (noun, feminine).

Adjectives

Not only do articles change form to agree with nouns; adjectives must also agree with the nouns they modify. They can have up to four different forms: masculine singular, masculine plural, feminine singular, and feminine plural.

	SINGULAR	PLURAL
Masculine	**El pueblo es pequeño.** The town is small.	**Los pueblos son pequeños.** The towns are small.
Feminine	**La ciudad es pequeña.** The city is small.	**Las ciudades son pequeñas.** The cities are small.

You will have to learn exactly what changes in form are required for each adjective, but there are three basic patterns.

TYPE 1: **o/a/os/as**	
El pueblo es típico.	**Los pueblos son típicos.**
La casa es típica.	**Las casas son típicas.**

The base form of Type 1 adjectives ends in **-o.** This type of adjective is indicated in vocabulary lists by **/a: típico/a.**

TYPE 2: **—/—/(e)s/(e)s**	
El pueblo es diferente. **La casa es diferente.**	**Los pueblos son diferentes.** **Las casas son diferentes.**
El pueblo es tradicional. **La casa es tradicional.**	**Los pueblos son tradicionales.** **Las casas son tradicionales.**
El hombre (*man*) **es optimista.** **La mujer** (*woman*) **es optimista.**	**Los hombres son optimistas.** **Las mujeres son optimistas.**

The base form of Type 2 adjectives ends in **-e, -ista,** or a consonant. Words that end in a vowel form their plural by adding **-s;** words that end in a consonant form their plurals by adding **-es.** These adjectives have no special designation in vocabulary lists.

TYPE 3: **—/a/es/as**	
El pueblo es encantador. **La casa es encantadora.**	**Los pueblos son encantadores.** **Las casas son encantadoras.**
El hombre es inglés. **La mujer es inglesa.**	**Los hombres son ingleses.** **Las mujeres son inglesas.**

The base form of Type 3 adjectives ends in a consonant, and the feminine singular ends in **-a.** Many adjectives of nationality fall into this group. This type of adjective is indicated in vocabulary lists by **(a): encantador(a).** If the adjective undergoes a spelling change in different forms, it is indicated in vocabulary lists with the entire feminine singular form: **inglés / inglesa; alemán / alemana.**

There are three more details you should know about using adjectives to describe things in Spanish.

1. When masculine and feminine nouns are mixed, the adjective must be in the masculine plural form: **El hombre y la mujer son colombianos.** The feminine plural form of the adjective is used only when *all* the nouns being described are feminine: **Las mujeres son colombianas.**

2. Unlike in English, most adjectives are placed *after* the nouns they describe.

> Es un pueblo **pequeño.**   *It's a small town.*

3. A few common adjectives often go before the noun—for example, **bueno** and **malo.** Like **uno,** these adjectives also have short forms before a masculine singular noun.

> un **buen** café   *a good cup of coffee*
> un **mal** café   *a bad cup of coffee*

Before plural nouns, however, they follow the normal pattern of agreement.

> **buenos** perros   *good dogs*
> **malos** perros   *bad dogs*

2.1 REGULAR -*AR* VERBS; NEGATION

A. The verb is the most important word in a Spanish sentence. Every verb in Spanish falls into one of three groups; each group is identified by the ending of the infinitive form of the verb (the *infinitive* is the form you will find in the dictionary, which corresponds to the English word to + verb, e.g., to *speak*). The three infinitive endings are **-ar, -er,** and **-ir.**

Each of these verb groups (or *conjugations*) has a distinctive set of endings for each verb tense. These endings let you know who the subject of the sentence is even when the subject pronoun is not stated explicitly. The endings are attached to the stem of the verb, which is the infinitive without the ending (e.g., **llevar → llev-** is the stem). Here are the present tense endings for the regular verb **llevar** (to *take, carry*).

LLEVAR			
(yo)	**llevo**	(nosotros/as)	**llevamos**
(tú)	**llevas**	(vosotros/as)	**lleváis**
(usted, él/ella)	**lleva**	(ustedes, ellos/as)	**llevan**

—¿Cuántas clases **llevas?**   *How many classes are you taking?*
—**Llevo** cuatro clases.   *I'm taking four classes.*

Recall that in Spanish the subject pronouns are used only for emphasis or clarification. Since the form **lleva** could refer to **usted, él,** or **ella,** it is likely that you will hear these pronouns more frequently with this verb form than you would hear **yo** with the unambiguous **llevo.**

The **-ar** verbs that you have seen so far are all regular: Their endings follow the same pattern as those for **llevar.**

B. To make a sentence negative, add **no** immediately before the verb.

No hablo francés.	*I don't speak French.*
La clase de español **no es** fácil.	*Spanish class isn't easy.*

When replying to a question or statement that isn't true, you will generally use the word **no** twice: once to mean no, and once to mean not.

—¿Estudias aleman?	*Do you study German?*
—**No, no** estudio alemán.	*No, I don't study German.*
Estudio español.	*I study Spanish.*

2.2 QUESTION FORMATION

Asking questions is a very useful tool for learning about another culture and keeping a conversation going. You have already heard and used a number of question words **(palabras interrogativas)** in Spanish. In general, questions with these words follow this pattern.

QUESTION PHRASE + VERB + SUBJECT + COMPLEMENT(S)
    ¿Cuándo   estudias   (tú)   en la biblioteca?

¿Qué clases llevas?	*What classes are you taking?*
¿Cuál es tu clase favorita? / **¿Cuáles** son tus clases favoritas?	*What is your favorite class? /* *What are your favorite classes?*
¿Cómo llegas a la universidad?	*How do you get to the university?*

NOTES:
- The English term *what?* is expressed with **¿qué?** when a definition of a term is asked for (first example above) and as **¿cuál(es)?** in all other uses (second example). **¿Cuál(es)?** can also be translated as *Which one(s)?*
- **¿Cuánto?** can be used either as an adjective or as an adverb. As an adjective, it agrees with the noun it modifies **(-o/-a/-os/-as).** As an adverb, it does not change form: **¿Cuánto es la matrícula?**
- **¿Cómo?** usually means *How?* With the verb **ser,** however, it asks for a description: **¿Cómo es?** *What is he (she, it) like?*
- Spanish sentences cannot end in a preposition. Rather than dangle a preposition at the end of a sentence, you must place it before the question word, at the beginning of the question: **¿Con quién estudias?** *Who do you study with?*

In addition to the preceding questions, which use interrogative words to elicit information, Spanish has *yes/no* questions that require simply **sí** or **no** as the answer. You can form this type of question in two ways.

1. Use the same word order as you would for a statement, but with rising intonation at the end.

Statement	Muchos costarricenses estudian por la noche.
Question	¿Muchos costarricenses estudian por la noche?

2. Invert the order of the subject and the verb; the intonation also changes to match the pattern in 1.

	SUBJECT	VERB
Statement	Muchos costarricenses estudian	por la noche.

	VERB	SUBJECT
Question	¿Estudian	muchos costarricenses por la noche?

2.3 THE VERB *IR*; *IR A* + INFINITIVE

Although **ir** is irregular in all its forms, its present tense endings do resemble those of the **-ar** verbs you have studied.

In general you can use the verb **ir** just as you do the English verb to go.

Los estudiantes **van** a la cafetería a la 1:00.	*Students go to the cafeteria at 1:00.*
Voy a la clase de biología a las 10:00.	*I go (I'm going) to biology class at 10:00.*
¿Adónde **vas** ahora?	*Where are you going (to) now?*

The verb **ir** implies motion to some place; note the special question word **¿adónde?** (*to where?*).

B. Use a form of **ir** + **a** + the infinitive form of a verb (*to be going to* [*do something*]) to refer to future actions. (There is also a future tense in Spanish, which you will study in **Capítulo 14.**)

Voy a estudiar en la biblioteca mañana.	*I'm going to study in the library tomorrow.*
¿Cuántas clases **vas a llevar** este semestre?	*How many classes are you going to take this semester?*
Vamos a mirar un video en la clase de español.	*We're going to see a video in Spanish class.*

2.4 THE VERB *ESTAR*

In **Capítulo 1** you saw several forms of the irregular verb **estar** (*to be*): **¿Cómo estás? Estoy bien, gracias.**

In addition to describing a person's health, **estar** is used to indicate the location of people and things.

La Facultad de Educación **está** detrás de la biblioteca.	*The School of Education is behind the library.*
Las canchas de tenis **están** a la izquierda del estadio.	*The tennis courts are to the left of the stadium.*
Esta semana **estamos** en el laboratorio.	*This week we are in the lab.*

infórmate

Throughout *Portafolio* you will study the different uses of **ser** and **estar.** Both verbs can sometimes be translated as *to be* in English, but they are not interchangeable. Even when you can substitute one for the other in the same sentence, there is a definite change in meaning, usually in other words in the sentence. For example, the noun **la clase** can mean *the event of holding the class* or *the students who make up the class,* depending on whether it is used with **ser** or **estar.** Note the following contrast.

La clase **es** en el laboratorio.
The class is (held) in the lab.

La clase **está** en el laboratorio.
The class (i.e., the students) is in the lab.

In future lessons, you will see similar contrasts when **ser** and **estar** are combined with adjectives and other verb forms. For now, just pay close attention to the usage at hand.

3.1 EXPRESSING POSSESSION

A. The verb **tener** (*to have*) is used to express possession, just like its English equivalent. You have already seen some forms of **tener** used to express age in Spanish.

Tengo 23 años.	*I am 23 years old.* (lit., *I have 23 years.*)
¿**Tienes** una familia grande?	*Do you have a large family?*

B. Another way to express possession in Spanish is by using the construction *noun* + **de** + *noun*. There is no suffix equivalent to English *-'s/s'*.

Roberto es **el hijo de una amiga.**	*Roberto is a friend's son.* (*Roberto is the son of a friend.*)

To ask about possession, use the question ¿**De quién es/son... ?**

—¿**De quién es** el libro?	*Whose book is it?* (lit., *Of whom is the book?*)
—**Es de** mi madre.	*It's my mother's.*
—¿**De quién son** los lápices?	*Whose pencils are they?*
—**Son del** estudiante nuevo.	*They are the new student's.*

3.2 POSSESSIVE ADJECTIVES

Another way to express possession in Spanish is by using possessive adjectives.

LOS ADJETIVOS POSESIVOS			
mi(s)	my	**nuestro**/a/os/as	our
tu(s)	your (*fam. s.*)	**vuestro**/a/os/as	your (*fam. pl.*)
su(s)	your (*form. s.*), his, her, its	**su**(s)	your (*form. pl.*), their

These forms are used before nouns. Like all adjectives in Spanish, they agree with the noun they modify.

Mi familia es muy unida.	*My family is very close-knit.*
Nuestros padres son estrictos.	*Our parents are strict.*
Sus parientes son de Quito.	*His relatives are from Quito.*

Note that in the last example, **su(s)** could mean *his, her, its, your* (form. sing., pl.), or *their*, depending on the context. To avoid ambiguity in this situation, it is common to express possession with definite article + noun + **de** + pronoun.

Los parientes de él son de Quito.	*His relatives are from Quito.*
Los parientes de ellos son de Quito.	*Their relatives are from Quito.*
Los parientes de usted son de Quito, ¿no?	*Your relatives are from Quito, right?*

3.3 REGULAR -*ER* AND -*IR* VERBS

Regular verbs whose infinitives end in **-er** and **-ir** form their conjugations in a way similar to regular **-ar** verbs: A set of regular endings is attached to the stem of the verb. Here are the present tense forms of the regular verbs **comer** (*to eat*) and **vivir** (*to live*).

COMER			
(yo)	**com**o	(nosotros/as)	**com**emos
(tú)	**com**es	(vosotros/as)	**com**éis
(usted, él/ella)	**com**e	(ustedes, ellos/as)	**com**en

VIVIR			
(yo)	**viv**o	(nosotros/as)	**viv**imos
(tú)	**viv**es	(vosotros/as)	**viv**ís
(usted, él/ella)	**viv**e	(ustedes, ellos/as)	**viv**en

Other **-er** and **-ir** verbs that are regular in the present tense include: **beber, discutir, escribir,** and **leer.**

Siempre **discuto** la política con mi tío.	*I always discuss politics with my uncle.*
Mi abuelo **lee** el periódico todos los días.	*My grandfather reads the newspaper every day.*

3.4 IRREGULAR VERBS: *DAR, HACER, SALIR, VER*

These verbs have irregularities only in the **yo** form; otherwise, their forms follow the pattern for regular **-ar, -er,** and **-ir** verbs.

DAR		HACER		SALIR		VER	
doy	**damos**	**hago**	**hacemos**	**salgo**	**salimos**	**veo**	**vemos**
das	**dais***	**haces**	**hacéis**	**sales**	**salís**	**ves**	**veis***
da	**dan**	**hace**	**hacen**	**sale**	**salen**	**ve**	**ven**

---

*__Vosotros/as__ forms that are only one syllable need no written accent mark.

4.1 DEMONSTRATIVE ADJECTIVES

A. Here are some descriptions of Arcos de la Frontera (Cádiz), Andalucía. Notice that the demonstrative adjectives precede the nouns they modify.

Esta casa está pegada a **ese** edificio.	*This house is attached to that building.*
Ese tipo de casa es muy típico en Andalucía.	*That type of house is very common in Andalusia.*
Aquellas tierras, en las afueras del pueblo, son de nuestros vecinos.	*Those lands, on the outskirts of the town, belong to our neighbors.*

Like all adjectives, demonstrative adjectives change form to agree in gender and number with the noun they modify.

SINGULAR			PLURAL		
MASCULINE	**FEMININE**		**MASCULINE**	**FEMININE**	
este	**esta**	this	**estos**	**estas**	these
ese	**esa**	that	**esos**	**esas**	those
aquel	**aquella**	that (over there)	**aquellos**	**aquellas**	those (over there)

English has a two-way distinction between *this/these* and *that/those*. Spanish has a third distinction: *that (over there) / those (over there)*. The following adverbs correspond to these distinctions and will help you figure out what person, place, or thing the speaker is indicating.

aquí / acá	here
ahí	there
allí / allá	(way) over there

B. When it is clear to what person or object the demonstrative adjective refers, you can use it without the noun. In that case, it becomes a demonstrative pronoun and carries a written accent mark to distinguish it from the adjective used with a noun. English often uses the word *one(s)* when no noun is present.

De todas las casas, me gusta **ésta,** pero no **aquéllas.**	*Of all the houses, I like this one, but not those ones (over there).*

C. To refer to a general idea or a group of things without a specific gender or number, use the forms of the demonstrative pronouns that end in **-o** (called neuter forms): **esto, eso, aquello.** These pronouns never carry a written accent mark.

Compartimos la luz, el agua y los sótanos. Eso es lo único que compartimos.	*We share electricity, water, and the cellars. That (stuff) is the only thing that we share.*
Todo **esto** es muy típico en las casas andaluzas.	*All of this is common in Andalusian houses.*

4.2 STEM-CHANGING VERBS (E → IE, O → UE)

In **Capítulo 3** you saw that a small number of verbs have a slight irregularity in the **yo** form **(hago, salgo),** but otherwise follow the regular pattern of personal endings **(haces, hace,... ; sales, sale,...).** Several of the new verbs in this chapter have changes in their stems while the endings are perfectly regular. For these verbs, the stem vowels **-e-** and **-o-** in the infinitive change to **-ie-** and **-ue-,** respectively, in the forms in which the stress falls on the stem.

Prefiero esta casa.	*I prefer this house.*
¿**Duermes** bien la noche antes de un examen?	*Do you sleep well the night before an exam?*

Since the stress in the **nosotros/as** and **vosotros/as** forms does not fall on the stem vowel, these two forms do not undergo any stem change.

In *Portafolio,* the verbs that have this type of stem change will be indicated by the symbols **(ie)** and **(ue)** after the infinitive. For example, **soñar (ue)** means that this verb is conjugated in the present tense as **sueño, sueñas, sueña, soñamos, soñáis, sueñan.**

4.3 THE PRESENT PROGRESSIVE

The present indicative can be used to express the following types of actions.

HABITUAL	(Siempre) **Comemos** en la cocina.	*We (always) eat in the kitchen.*
ONGOING	**Comemos** en la cocina.	*We are eating in the kitchen.*
FUTURE	Mañana **comemos** con nuestra abuela.	*Tomorrow we (will) eat with our grandmother.*

To avoid ambiguity, you can add adverbs (**siempre, ahora, mañana,** and so on) to indicate the type of action. But Spanish has another present tense that specifies and emphasizes that the action is ongoing and in progress, the present progressive.

Está hablando con la vecina en este momento.	*She's talking to the neighbor right now.*
Estamos bebiendo café.	*We're drinking coffee.*
Estoy escribiendo una carta.	*I'm writing a letter.*

Thus the ongoing action **Comemos en la cocina** could also be expressed as **Estamos comiendo en la cocina.**

Unlike the simple, or one-word, verbs you have seen so far in Spanish, the progressive is a compound tense: It uses a form of the verb **estar** and the present participle, or **-ndo** form, of another verb. Present participles are formed in Spanish by adding **-ando** to the stem of an **-ar** verb and **-iendo** to the stem of an **-er** or **-ir** verb.

hablar: habl- + -ando = **hablando**
beber: beb- + -iendo = **bebiendo**
escribir: escrib- + -iendo = **escribiendo**

NOTES:

- The **-i-** of **-iendo** changes to **-y-** when it is between two vowels.

  leer: le- + -iendo = le**y**endo
  construir (*to build*): constru- + -iendo = constru**y**endo

- The **-o-** in **dormir (ue)** and **morir (ue)** (*to die*) changes to **-u-**.

  Está d**u**rmiendo.   *She's sleeping.*
  ¡Estoy m**u**riendo de celos!   *I'm dying of jealousy!*

4.4 AFFIRMATIVE COMMANDS

"You're always telling me what to do!" is a common complaint of teenagers to their parents. It's true: Commands can be a big part of family communication. They are also useful in the classroom; you have probably heard the following, or similar, commands related to classroom activities.

	ADDRESSED TO **tú**	ADDRESSED TO **usted**	ADDRESSED TO **ustedes**
Answer the question. *Write your name.*	**Contesta** la pregunta. **Escribe** tu nombre.	**Conteste** la pregunta. **Escriba** su nombre.	**Contesten** la pregunta. **Escriban** su nombre.

The complete system for commands in Spanish is quite complex, and you will study it in **Capítulo 12.** For now, just note that **tú** commands are like the present indicative **tú** form minus the final **-s. Usted** and **ustedes** commands seem to have the "wrong" vowel in the endings: **-ar** verbs end in **-e/-en,** and **-er/-ir** verbs end in **-a/-an.** (Actually, these endings are borrowed from another mood, the subjunctive, which you will learn in **Capítulo 13.**)

Changing a verb's ending vowel can necessitate some spelling changes in the verb's stem consonant.

	ADDRESSED TO **tú**	ADDRESSED TO **usted**	ADDRESSED TO **ustedes**
Begin! *Look for another one!* *Pick one!*	**¡Empieza!** **¡Busca** otro! **¡Escoge** uno!	**¡Empiece!** **¡Busque** otro! **¡Escoja** uno!	**¡Empiecen!** **¡Busquen** otro! **¡Escojan** uno!

Most verbs that have irregularities in the **yo** form repeat these same irregularities in the **usted** and **ustedes** commands. The **tú** forms may be irregular, but in general they are close enough to the verb stem spelling to be easily recognized.

	ADDRESSED TO *tú*	ADDRESSED TO **usted**	ADDRESSED TO **ustedes**
Leave! Get out!	**¡Sal!**	**¡Salga!**	**¡Salgan!**
Hold (Have) this.	**Ten** esto.	**Tenga** esto.	**Tengan** esto.
Do your homework.	**Haz** la tarea.	**Haga** la tarea.	**Hagan** la tarea.

Affirmative **vosotros/as** commands never retain any of these irregularities. They are always formed quite simply by replacing the final **-r** of the infinitive with a **-d: hablar → hablad; comer → comed; escribir → escribid; salir → salid; tener → tened.** You probably have not heard many of these in class (unless your instructor is from Spain), but they are quite common in Spain.

5.1 SPEAKING IMPERSONALLY: *SE* + VERB

It's often useful to avoid having to say who is doing an action. In English, such impersonal descriptions use the passive voice (*is eaten, are seen, are bought,* and *so on*) or impersonal expressions like *you, people, they,* or *one.* In Spanish, the equivalent impersonal descriptions are formed with the **se +** *verb* construction, in which the verb is conjugated in the third-person singular or plural form, depending on the number of nouns you are referring to.

se + SINGULAR VERB + SINGULAR NOUN

Se come mucha lechosa.	*People eat (One eats, You eat) a lot of papaya.*
Se compra el pan en la panadería.	*People buy bread at the bakery. (One buys bread . . . , Bread is bought . . .)*

se + PLURAL VERB + PLURAL NOUN

Se ven muchas verduras frescas en los mercados.	*You see a lot of fresh vegetables at the markets. (A lot of vegetables are seen . . .)*
Se hacen los tamales al vapor.	*You make tamales by steaming (One makes . . . , Tamales are made . . .)*

If one or more infinitives follow **se** + *verb,* the verb is conjugated in the singular.

Se **puede comer** mariscos en el Caribe.	*One (People, You) can eat shellfish in the Caribbean.*
Se **debe bailar, tomar** el sol y **dormir** mucho en las vacaciones.	*One (People, You) should dance, sunbathe, and sleep a lot on vacation.*

5.2 *POR* AND *PARA*

You may have noticed that there are two prepositions in Spanish that can be translated as *for* in English: **por** and **para.** The two are not interchangeable, so take note of the basic uses of each one as outlined in this section. You will encounter more uses of these prepositions as you continue your studies of Spanish.

por

A. "through" space and time

Vas **por** el comedor.
Se comen cereales **por** la mañana.

You go through the dining room.
They eat cereal in (during) the morning.

B. length or duration of time

Vamos a Caracas **por** tres días.   *We're going to Caracas for three days.*

C. fixed expressions

por ejemplo   *for example*
por eso   *for that reason, that's why*
por favor   *please*
por lo menos   *at least*

para

A. purpose or goal

To express purpose, use **para** + *infinitive*. Note that the English equivalent is in *order to.*

Para encontrar las frutas más frescas, tienes que ir al mercado libre.

(In order) To find the freshest fruit, you have to go to the open-air market.

B. recipient or destination

Estas lechosas son **para** mi abuela.
La carne es **para** la sopa.
Mañana salimos **para** Caracas.

These papayas are for my grandmother.
The meat is for the soup.
Tomorrow we are leaving for Caracas.

5.3 STEM-CHANGING VERBS (E → I)

In **Capítulo 4** you saw two groups of verbs with stem changes: those that change their stem vowels from **e** to **ie** and those that change from **o** to **ue.** There is a third group of verbs that change the last stem vowel from **e** to **i** when that vowel is stressed.

Mi tío **dice** que **sirven** buenos mariscos aquí.

My uncle says they serve good seafood (shellfish) here.

The present participle (used to form the present progressive, which you studied in **Capítulo 4**) of all these **e** → **i** stem-changing verbs also has **i** in the stem instead of **e.**

decir: diciendo   pedir: pidiendo
freír: friendo   servir: sirviendo

Están **sirviendo** la cena ahora.   *They are serving supper now.*

5.4 DIRECT OBJECT PRONOUNS

So far in your study of Spanish, you have learned to make sentences with the following pattern: *subject + verb + complement,* with the complement being any type of phrase that completes the sentence (a noun, a prepositional phrase, an adverb, and so on). In many cases, the complement is a *direct object* (**un complemento directo**): a noun (other than the subject) that receives the action of the verb and answers the questions *whom?* or *what?*

I eat *cereal* for breakfast.	*What* do I eat for breakfast? Cereal.
He sees *his family* on the weekends.	*Whom* does he see on the weekends? His family.

In English, you can replace the direct object (*cereal, his family*) with pronouns (*me, you, it, him/her, us, them*) when the objects or people you are referring to have already been mentioned. Pronouns that function in this way are known as *direct object* pronouns.

I eat it for breakfast.
He sees *them* on the weekends.

The same is true in Spanish: direct object pronouns **(los pronombres de complemento directo)** can replace direct object nouns in a sentence. Here are the direct object pronouns in Spanish:

LOS PRONOMBRES DE COMPLEMENTO DIRECTO			
me	me	**nos**	us
te	you (*fam. s.*)	**os**	you (*fam. pl.*)
lo/la	him, her, it (*m., f.*), you (*form. s., m., f.*)	**los/las**	them (*m., f.*), you (*form. pl. m., f.*)

NOTES:

- Although the pronouns **lo/la** and **los/las** can mean *it, him, her, you* (form. s.), and *them, you* (form. pl.) respectively, the context should make the meaning clear.

- The direct object pronoun is placed immediately before the conjugated verb.

Su amiga **la** espera en la cafetería.	*Her friend waits (is waiting) for her in the cafeteria.*
Señorita Márquez, su amiga **la** espera en la cafetería.	*Miss Márquez, your friend is waiting for you in the cafeteria.*

- When a conjugated verb combines with an infinitive, direct object pronouns can precede the conjugated verb or can be attached to the end of the infinitive.

Tu madre **te** va a necesitar en la cocina. (Tu madre va a necesitar**te** en la cocina.)	*Your mother is going to need you in the kitchen.*

- When a conjugated verb combines with a present participle, the direct object pronoun can precede the conjugated verb or be attached to the present participle. If it is attached, note that a written accent is needed to maintain the stress on the correct syllable.

Lo estoy preparando ahora.	*I'm preparing it now.*
(Estoy prepar**á**ndo**lo** ahora.)	

the personal a

If in a sentence there is a stated direct object (not a direct object pronoun) referring to a person, or to something considered as important as a person (such as the family pet), it must be preceded by the preposition **a.**

Veo **a** Juan.	*I see John.*
Marta está paseando **al** perro.	*Marta is walking the (family) dog.*
Mi padre llama **a** mi hermano.	*My father is calling my brother.*

There is no direct translation for the personal **a** into English, but it will help you identify the object of a sentence.

6.1 REFLEXIVE PRONOUNS

Many verbs in Spanish take a direct object, which may be a noun or a direct object pronoun. (Remember that when the direct object is a specific person, the **a personal** is used.)

El padre mira el coche.	*The father is looking at the car.*
El padre mira **al** hijo.	*The father is looking at his son.*

But what if the object of the verb is the same person as the subject? In English we show this relationship by using the pronouns -*self/-selves*.

I hit *myself* by accident.
They saw *themselves* on TV.

To show that the subject and direct object are the same, Spanish uses a special set of pronouns called *reflexive pronouns*.

Margarita **se mira** en el espejo.	*Margarita looks at herself in the mirror.*

Here are the forms using the verb **mirarse** (*to look at oneself* [*in a mirror*]).

MIRARSE			
(yo) **me miro**	I look at myself	(nosotros/as) **nos miramos**	we look at ourselves
(tú) **te miras**	you (*fam. s.*) look at yourself	(vosotros/as) **os miráis**	you (*fam. pl.*) look at yourselves
(usted) **se mira**	you (*form. s.*) look at yourself	(ustedes) **se miran**	you (*form. pl.*) look at yourselves
(él/ella) **se mira**	he (she, it) looks at himself (herself, itself)	(ellos/as) **se miran**	they look at themselves

The infinitive can include any form of the reflexive pronoun, depending on the meaning of the sentence (**voy** a bañar**me, vas** a bañar**te,** and so on); dictionaries and vocabulary lists usually show which verbs take reflexive pronouns by including **se** (for example, **bañarse**).

Reflexive verbs are used much more commonly in Spanish than in English, and at first it may not be obvious to you why certain Spanish verbs need a reflexive pronoun. For instance, in English we say *I bathe* (*take a bath*), with the understanding that it is ourselves we are bathing. In Spanish, however, this verb is always reflexive **(me baño)** unless the action is *not* being performed on oneself: **Yo baño al niño** (*I bathe the child* [*give the child a bath*]). At this point in your language study, it is best for you simply to memorize the verbs that can appear with reflexives and their meanings, rather than attempt to analyze each occurrence.

6.2 *SABER* AND *CONOCER*

Spanish has two verbs that can be translated in English as *to know:* **saber** (*to know facts and information*) and **conocer** (*to know* [*be familiar with*] *a person, place, or thing*). Both are regular in the present tense, except for the **yo** forms.

The key to choosing the correct verb, **saber** or **conocer,** lies in *what* is known.

1. **saber** + *noun,* **saber** + **que,** or **saber** + *question word* all mean *to know facts and information*

¿**Sabes el nombre** de esta medicina?	*Do you know the name of this medicine?*
No **saben que** la oficina cierra a las 2:00.	*They don't know (that) the office closes at 2:00.*
No **sé cómo**† se llama ese doctor.	*I don't know what that doctor's name is.*

2. **saber** + *infinitive* = to know how to (*do something*)

No **saben reducir** el estrés.	*They don't know how to reduce their stress.*

3. **conocer** + **a** + *name/person* = to know, be familiar with, a person

¿**Conoces al doctor Guzmán?**	*Do you know Dr. Guzmán?*
Ellos no **conocen a mi familia.**	*They don't know my family.*

4. **conocer** + *places or things* = to be familiar with a place or thing

Conocemos una buena clínica en Sucre.	*We know a good clinic in Sucre.*
No **conozco ese tratamiento.**	*I'm not familiar with that treatment.*
¿**Conoces La Paz?**	*Do you know (Are you familiar with) La Paz?*

6.3 USES OF *SER* AND *ESTAR* (SUMMARY)

So far you have learned two Spanish verbs that can be translated as *to be:* **ser** and **estar.** Here is a summary of the most frequent uses of each verb.

Uses of estar

You have already learned various uses of the verb **estar.**

1. To talk about health.

¿Cómo **estás**?	*How are you?*
Estoy bien, gracias.	*I'm fine, thanks.*

2. To express location of people and objects.

Estamos en el hospital.	*We are in (at) the hospital.*

3. To express actions currently in progress.

Está lloviendo.	*It's raining.*

Estar can also be used with adjectives to describe a variety of states that are in some way a change from the normal state of the subject, or to describe things that do not really have a normal way of being.

Julieta **está** nerviosa hoy.	*Julieta is (acting) nervous today.* (The use of **estar** represents a change from her normal, calm state of being.)
Ellos **están** estresados.	*They are stressed.* (They are normally *relaxed* people.)
Este plato **está** rico.	*This dish is (tastes) delicious.* (The food in front of me tastes great, even though sometimes the recipe doesn't turn out well.)
El café **está** caliente.	*The coffee is hot.* (I just made it; it could get cold.)

Uses of ser

Here are the uses of **ser** you have already seen.

1. To express definition, occupation, or nationality, or otherwise equate the subject of the sentence with the word(s) following the verb.

Soy médico.	*I'm a doctor.*
Las enfermeras **son** bolivianas.	*The nurses are Bolivian.*
Esta medicina **es** un nuevo tratamiento para la malaria.	*This drug is a new treatment for malaria.*

2. To express origin, composition, or possession.

Somos de Cochabamba.	*We're from Cochabamba.*
Los instrumentos **son de** madera.	*The instruments are (made of) wood.*
Son de María Luz.	*They belong to María Luz.*

3. To tell time.

    Son las 8:20.   *It's 8:20.*

4. To indicate the time and location of events (*to take place* in English).

La operación va a **ser** en este hospital.	*The operation is going to be (take place) in this hospital.*
La reunión **es** a las 9:00.	*The meeting is (takes place) at 9:00.*

Whereas **estar** + *adjective* describes a change from the norm, **ser** + *adjective* expresses the normal condition of the subject. Compare the following examples of **ser** with the examples of **estar** you saw previously.

Julieta **es** nerviosa.	*Julieta is nervous.* (She's a nervous person.)
Este plato **es** rico.	*This dish is delicious.* (In general, I like this recipe.)
El hielo **es** frío.	*Ice is cold.* (By definition, it's a cold substance.)

7.1 THE PRETERITE

So far in your study of Spanish you have spoken only about the present (using present tense verb forms) and the future (using present tense verb forms or **ir** + **a** + 1 *infinitive*). The preterite is one of two tenses used to express actions in the past; you will learn about the other, the imperfect, in **Capítulo 9.**

Forms of Regular Verbs

Here are the regular preterite forms of -ar, -er, and -ir verbs.

	LLEVAR	DEVOLVER (UE)	RECIBIR
(yo)	**llevé**	**devolví**	**recibí**
(tú)	**llevaste**	**devolviste**	**recibiste**
(usted, él/ella)	**llevó**	**devolvió**	**recibió**
(nosotros/as)	**llevamos**	**devolvimos**	**recibimos**
(vosotros/as)	**llevasteis**	**devolvisteis**	**recibisteis**
(ustedes, ellos/as)	**llevaron**	**devolvieron**	**recibieron**

NOTES:

• The endings for **-er** and **-ir** verbs are identical in all persons.
• **-ar** and **-er** verbs that have **ie** and **ue** stem changes in their present tense forms do not show these changes in the preterite. (You will study a different change in **-ir** verbs in **Capítulo 8.**)

Basic Uses

The differences in meaning between the two past tenses in Spanish—the preterite and the imperfect—are subtle; learning to distinguish between the two can be a long-term enterprise for English speakers. There is no single verb form in English that corresponds exactly to the preterite in Spanish. However, all the uses of the preterite share one important element: They focus on completed actions.

Compré estas botas en el almacén ayer.	*I bought these boots yesterday.*
Devolví esa camisa a la tienda el fin de semana pasado.	*I returned that shirt to the store last weekend.*

Specifically, the preterite is used in two main situations.

1. To narrate a series of completed actions in the past: Each action in the series is completed before the next happens; each must end before the next begins. Transition words, such as **primero, después, luego, por fin,** and so on, help signal this use of the preterite.

Primero el dependiente me **mostró** un vestido verde, pero **luego decidí** comprar una falda azul.	*First the clerk showed me a green dress, but later I decided to buy a blue skirt.*

2. To express completed actions that lasted for a precise period of time, with a definite start and/or finish: Note the use of phrases that indicate an exact time period.

Tardamos <u>media hora</u> en llegar.	*It took us half an hour to get there.*
Estudié <u>por tres horas.</u>	*I studied for three hours.*
Se quedó con nosotros <u>todo el verano.</u>	*He stayed with us all summer long.*

7.2 INDIRECT OBJECTS AND PRONOUNS

You already know that Spanish, like English, uses a special set of pronouns to replace the direct object (the *who?* or *what?* associated with a verb) when that object has been explicitly or implicitly referred to. Unlike English, however, Spanish uses a different set of pronouns to express the *indirect object* of the verb, which tells *to whom* or *for whom* the action of the verb is performed.

SUBJECT	VERB	INDIRECT OBJECT	DIRECT OBJECT	
		(to whom?)	*(what?)*	
I	gave	*my mother*	*a datebook*	for her birthday.

Here are the indirect object pronouns in Spanish.

LOS PRONOMBRES DE COMPLEMENTO INDIRECTO	
me to/for me	**nos** to/for us
te to/for you (*fam.*)	**os** to/for you (*fam. pl.*)
le to/for him (her, you) (*form.*)	**les** to/for them/you (*form. pl.*)

Indirect object pronouns differ from direct object pronouns only in the third-person forms **(le, les).**

Like direct object pronouns, indirect object pronouns can precede a conjugated verb or be attached to the end of an infinitive or present participle (the **-ndo** form of the verb). Remember that when a pronoun is attached to a present participle, a written accent must be added to the participle to maintain the stress on the correct syllable.

Él **me** regaló una agenda.	*He gave me a datebook.*
Te va a regalar (Va a regalar**te**) un CD.	*He is going to give you a CD.*
La profesora **le** está explicando (está explic**á**ndo**le**) la gramática a una estudiante.	*The professor is explaining the grammar to a student.*

For clarity or emphasis, indirect object nouns and pronouns can be accompanied by a prepositional phrase (**a mí, a él,** and so on) that repeats the same person as the indirect object noun or pronoun. Note the special forms **a mí** (with accent, to distinguish it from the possessive **mi**) and **a ti** (no accent mark).

A mí me regaló un libro.	*He gave me a book.*
A mi hermano le compré un CD.	*I bought my brother a CD.*

Since **le** and **les** can refer to so many different people (*him, her, it, you* [form.], and *you* [pl.] and *they*), these two pronouns are almost always used in conjunction with a prepositional phrase.

Los padres **les** regalaron **a sus hijos** un estéreo nuevo.	*The parents gave their children a new stereo.*
El dependiente **le** mostró un vestido elegante **a la cliente.**	*The salesperson showed the customer an elegant dress.*
¿**A quién le** vas a regalar ese anillo?	*Who are you going to give that ring to?*

Many verbs that are useful for talking about shopping and gift giving take indirect objects. **¡OJO!** Many of these verbs also take direct objects—you *buy* something (direct) for someone (indirect), *show* something (direct) to someone (indirect), *ask* something (direct) of someone (indirect), and so on.

7.3 MORE ABOUT THE VERB GUSTAR

In **Capítulo 2,** you learned to ask and answer basic questions about likes and dislikes using the patterns **me gusta(n)** and **te gusta(n).**

—¿**Te gustan** estos zapatos?	*Do you like these shoes?*
—Sí, **me gustan** mucho.	*Yes, I like them a lot.*

Here are the patterns for expressing other people's preferences in the present tense.

USOS DE **GUSTAR** EN EL PRESENTE	
(A mí) Me gusta regatear.	I like to haggle over prices.
(A ti) Te gustan las muñecas.	You (*fam.*) like dolls.
(A usted) Le gusta la música latina.	You (*form.*) like Latin music.
(A él/ella) Le gusta comprar regalos.	He/She likes buying gifts.
(A nosotros/as) Nos gustan las gangas.	We like bargains.
(A vosotros/as) Os gusta el mercado.	You (*fam. pl. Sp.*) like the market.
(A ustedes) Les gusta el centro comercial.	You (*form. pl. Sp.*) like the mall.
(A ellos/as) Les gusta la última moda.	They like the latest fashion.

NOTES:

- Pay special attention to the word before **gusta(n)** in the preceding examples. You should recognize these as the indirect object pronouns **(me, te, le, nos, os, les).** Don't confuse them with the reflexive pronouns **(me, te, se, nos, os, se),** because you should *never* use **se** in a **gustar** construction.
- You can clarify or emphasize indirect objects with prepositional phrases (**a mí, a él, a nosotros,** and so on).
- In this construction, nouns (the things you like) must be preceded by the appropriate definite article **(el/la/los/las)** when you are describing likes or dislikes in general.
- You can express a preference between two items by adding **más que** to a sentence with **gustar.**

Me gusta el mercado **más que** el centro comercial.	*I like the market more than the mall.*

7.4 THE VERB *QUEDAR*

The verb **quedar** has many translations in English and is found in several different sentence patterns. Here are the most common.

1. **Quedar,** when used with a reflexive pronoun **(quedarse),** means *to stay, remain*.

Me quedo en casa los viernes.	*I stay at home on Fridays.*
Los comerciantes **se quedan** en su quiosco todo el día.	*The merchants stay in their kiosks all day*

2. You have also used **quedar** like **gustar,** with indirect object pronouns, to mean *to fit*. **Quedarle** can also mean *to have left, have remaining;* context will make it clear which meaning is intended. As with **gustar,** only the third-person verb forms are used in this way; note the singular-plural agreement between the verb and the subject.

Esta chaqueta **me queda** bien.	*This jacket fits me well / looks good on me.*
Sólo **me quedan** trescientos pesos.	*I have only 300 pesos left.*

3. **Quedar** by itself can be used instead of **estar** to express location or to mean *to (agree to) meet*.

El cine **queda** al lado del tianguis.	*The movie theater is next to the market.*
Esta tarde **quedamos** a las 5:00 para ir de compras.	*This afternoon we are meeting at 5:00 to go shopping.*

Vocabularies

This Spanish-English vocabulary contains all of the words that appear in the text, with the following exceptions: (1) most identical cognates that do not appear in the chapter vocabulary lists; (2) conjugated verb forms, with the exception of certain forms of **haber** and expressions found in the chapter vocabulary lists; (3) diminutives in **-ito/a;** (4) absolute superlatives in **ísimo/a;** and (5) some adverbs in **-mente.** Active vocabulary is indicated by the number of the chapter in which a word or given meaning is first

listed; vocabulary that is glossed in the text is not considered to be active vocabulary and is not numbered. Only meanings that are used in this text are given. The gender of nouns is indicated, except for masculine nouns ending in **-o** and feminine nouns ending in **-a.** Stem changes and spelling changes are indicated for verbs: **dormir (ue, u); llegar (gu).** The English-Spanish vocabulary contains only the active vocabulary items that appear in the end-of-chapter lists. The following abbreviations are used:

adj. adjective
adv. adverb
Carib. Caribbean
conj. conjunction
def. art. definite article
d.o. direct object
f. feminine
fam. familiar
form. formal

gram. grammatical
indef. art. indefinite article
inf. infinitive
inv. invariable
i.o. indirect object
irreg. irregular
Lat. Am. Latin America

m. masculine
Mex. Mexico
neut. pron. neuter pronoun
n. noun
obj. of prep. object of preposition
pl. plural
poss. possessive

p.p. past participle
P.R. Puerto Rico
prep. preposition
pron. pronoun
refl. pron. reflexive pronoun
s. singular
Sp. Spain
sub. pron. subject pronoun

SPANISH-ENGLISH VOCABULARY

A

a to (2); at
abandonado/a abandoned
abandono abandonment
abarcar (qu) to take in; to comprise
abierto/a (*p.p. of* **abrir**) open
abogado/a lawyer (12)
abolir to abolish
abonarse to subscribe (13)
abordar to board; **abordar un avión/barco/tran** to board an airplane / a ship / a train
abrazo hug
abrigo overcoat (7)
abril *m.* April (6)
abrir (*p.p.* **abierto/a**) to open; **abra la boca** open your (*form. s.*) mouth (6)
abrumador(a) overwhelming (13)
absoluto/a absolute
abuelo/a grandfather/grandmother (3); *pl.* grandparents (3)

abundar to abound, be plentiful
aburrido/a boring (2); **estar** (*irreg.*) **aburrido/a** to be bored (6)
aburrir(le) to bore (*someone*) (9)
abusar to abuse
abuso abuse (13)
acá here (4)
academia academy
académico/a academic
acampar to camp (8)
acaso: por si acaso just in case (11)
accesible accessible
acceso access; **tener** (*irreg.*) **más acceso a la enseñanza** to have more access to education (14)
accesorio accessory
accidente *m.* accident
acción *f.* action; **Día** (*m.*) **de Acción de Gracias** Thanksgiving (9); **película de acción** action film/movie (13)
aceite *m.* oil (5); **aceite de oliva** olive oil (5)

acento accent (14)
aceptable acceptable
aceptar to accept; **¿aceptan tarjetas de crédito?** do you accept credit cards? (7)
acerca de *prep.* about
ácido/a sour, tart
acogedor(a) welcoming (4)
acogida reception, welcome
acompañar to accompany, go with
acontecimiento event, happening (13)
acordarse (ue) de to remember
acorde a according to (12); depending on (12)
acordeón *m.* accordion
acostarse (ue) to go to bed (6)
acostumbrarse a to get used to, become accustomed to (10)
acreditación *f.* accreditation
acreditado/a accredited
actitud *f.* attitude
actividad *f.* activity

activista *m., f.* activist
activo/a active
acto: en el acto on the spot
actor *m.* actor
actriz *f.* (*pl.* **actrices**) actress
actual current; contemporary (13)
actualidad *f.* present time; *pl.* current events
actualizado/a modern, up-to-date
actualmente currently (13)
actuar (actúo) to act
acuerdo agreement; **estar** (*irreg.*) **de acuerdo** to agree; **llegar (gu) a un acuerdo** to come to an agreement; **ponerse** (*irreg.*) **de acuerdo** to agree
acusado/a accused
adaptarse to adapt
adecuado/a appropriate
adelante: sacar (qu) adelante to improve
además moreover; **además de** besides
adentro *adv.* inside
adicción *f.* addiction
adicional additional (2)
adiós good-bye (1)
adivinar to guess
adjetivo adjective (2)
administración *f.* administration; **administración de empresas** business administration; **edificio de administración** administration building (2)
admirador(a) fan, admirer
admirar to admire
admitir to admit
admonición *f.* warning
adobado/a marinated
adolescencia adolescence (9)
adolescente *m., f.* adolescent, teenager (9)
¿adónde? (to) where? (2)
adopción *f.* adoption
adoptar to adopt
adoptivo/a adoptive, adopted
adorno adornment, decoration
adosado/a semi-detached
adrenalina adrenaline
aduana *s.* customs (10)
adulto/a adult (9); **edad** (*f.*) **adulta** adulthood (9)
adverbio adverb (11)

aeróbico/a aerobic; **hacer** (*irreg.*) **ejercicio aeróbico** to do aerobic exercise (6)
aeropuerto airport (10)
afectar to affect
afectivo/a emotional; **lazos afectivos** emotional bonds (15)
afecto affection
afeitarse to shave (6)
aficionado/a fan (8)
afilador(a) knife grinder
afín similar
afirmación *f.* statement
afirmar to affirm
afirmativo/a *adj.* affirmative
africano/a *n., adj.* African
afrocaribeño/a *n., adj.* Afro-Caribbean
afuera *adv.* outside; *n. pl.* suburbs, outskirts (4)
agarrado/a cheek-to-cheek
agarrar to grab, seize
agencia agency; **agencia de colocaciones** job placement agency (12); **agencia de empleados temporarios** temporary employment agency; **agencia de viajes** travel agency (10)
agente *m., f.* agent; **agente de inmigración** immigration officer (11); **agente de viajes** travel agent (10)
agitado/a agitated, shaken
agosto August (6)
agradable pleasant, nice
agradecido/a thankful
agrario/a agrarian
agravar to aggravate, worsen
agregar (gu) to add
agresivo/a aggressive
agresor(a) aggressor, attacker
agrícola *adj. m., f.* agricultural
agricultor(a) farmer
agricultura agriculture
agrio/a sour (5)
agua *f.* (*but* **el agua**) water (5); **agua mineral** mineral water (5); **cortar el agua** to shut off the water; **esquiar (esquío) en el agua** to water-ski (8)
aguacate *m.* avocado (5)
águila *f.* (*but* **el águila**) eagle
ahí there (4)
ahogar (gu) to drown

ahora now; **ahora mismo** at once; right now
ahorrar to save (11)
aimara *m.* Aymara (*indigenous language of the Andes*)
aire *m.* air; **al aire libre** outdoors
aislado/a isolated (15)
aislamiento isolation
ajedrez *m.* chess; **jugar (ue) (gu) al ajedrez** to play chess (8)
ajo garlic (5); **diente** (*m.*) **de ajo** clove of garlic
al (*contraction of* **a** + **el**) to the (2); **al igual que** just like (3); **al lado (de** + *noun*) beside (+ *noun*) (2)
alarmante alarming
álbum *m.* album
alcanzar (c) to reach; to attain
alcohólico/a alcoholic; **bebida alcohólica** alcoholic drink (8)
alebrije *m. brightly colored wood-carvings of fantastical animals* (*Mex.*)
alegado/a alleged
alegrarse de to be happy about
alegre happy (1)
alegría happiness
alemán, alemana *n., adj.* German (1)
Alemania Germany
alergia allergy
alérgico/a allergic
alfabeto alphabet
alfombra rug, carpet (4)
álgebra *m.* algebra
algo something, some; somewhat (5); **algo de** some (5); **si sucede algo** if something happens
algodón *m.* cotton (7)
alguien someone; **ponerle** + *adj.* **a alguien** to make someone feel + *adj.* (9); **sacar (qu) a alguien a bailar** to ask someone to dance (8)
algún, alguno/a some (5); any
alimentación *f.* food
alimento food
allá over there (4)
allí there (4)
alma *f.* (*but* **el alma**) soul
almacén *m.* department store
almorzar (ue) (c) to eat lunch (4)
almuerzo lunch (5)
alojamiento lodging
alojarse to lodge, stay

alquilar to rent; **alquilan cuartos** they rent rooms

alrededor de *prep.* around

alternancia alternation

alternativo/a alternative

altiplano high plain (14)

altivo/a arrogant, conceited

alto/a tall (1); high; **en voz alta** aloud; **hasta altas horas de la noche** until late at night; **pasar por alto** to overlook, miss

altura height

alubia bean

alumno/a student

amable friendly (1)

amar to love

amargo/a bitter (5)

amarillo/a yellow (7)

Amazonas *m. s.* the Amazon; **Río Amazonas** Amazon River

amazónico/a *adj.* Amazon (14)

ambiente *m.* atmosphere (4); **encontrarse (ue) en ambiente** to be in the mood (8); **medio ambiente** environment

ambos/as *pl.* both

ambulante: vendedor(a) ambulante street vendor

amenaza threat

América America; **América Central** Central America; **América del Sur** South America; **América Latina** Latin America

americano/a *n., adj.* American; **fútbol** (*m.*) **americano** football (8)

amigo/a friend (2); **charlar con amigos** to chat with friends (8); **encontrarse (ue) con amigos** to get together (meet) with friends (8); **reunirse (me reúno) con amigos** to get together with friends (6)

amistad *f.* friendship (15); **amistades** friends

amnistía amnesty

amonestación *f.* reprimand, reprehension

amor *m.* love (15); **película de amor** romance film/movie (13)

amplio/a ample, broad (12)

analfabetismo illiteracy

análisis *m. s., pl.* analysis

analista *m., f.* analyst

analizar (c) to analyze

anaranjado/a orange (*color*) (7)

ancestral: territorio ancestral ancestral territory (14)

ancestro/a ancestor

ancho/a wide

anciano/a *n.* elderly person (9); *adj.* old

andaluz(a) *adj.* (*m. pl.* **andaluces**) Andalusian

andar *irreg.* to walk; **andar en bicicleta** to ride a bicycle (8); **andar en motocicleta** to ride a motorcycle (8)

andino/a *n., adj.* Andean

anécdota anecdote

anfitrión, anfitriona host, hostess (8)

anglohablante *m., f.* English speaker; *adj.* English-speaking

anillo ring (7); **anillo de diamantes** diamond ring (7)

animal *m.* animal; **animal doméstico** pet

aniversario anniversary

anoche *adv.* last night

anochecer (zc) to get dark

anónimo/a anonymous

ansiedad *f.* anxiety; **sufrir de ansiedad** to suffer from anxiety (6)

ansioso/a: estar (*irreg.*) **ansioso/a (por)** to be anxious (about) (11)

Antártida Antarctica

ante *prep.* before; faced with; in the presence of

antecedente *m.* antecedent

antelación: con antelación in advance

antena: televisión (*f.*) **de antena parabólica** satellite TV (13)

antepasado/a ancestor (13)

anterior previous

antes *adv.* before; **antes de** (*prep.*) + *inf.* before (*doing something*) (11); **antes (de) que** (*conj.*) before (14)

antibiótico antibiotic

anticuado/a antiquated, old-fashioned

anticucho *popular dish in Andean states similar to kebab*

antiguo/a old, ancient; former

antipático/a unfriendly (1)

antisemita *n. m., f.* anti-Semite; *adj.* anti-Semitic

antónimo antonym

antropología anthropology (2)

antropológico/a anthropological

anual annual

anunciar to announce; to advertise

anuncio advertisement; announcement; **anuncio de empleo** job ad (12)

añadir to add

año year; **cada año** each year (9); **¿cuántos años (tiene)?** how old (are you [*form. s.*] / is he/she)? (3); **el año pasado** last year; **tener** (*irreg.*) ____ **años (y medio)** to be ____ (and a half) years old (3); **todos los años** every year

añorar to long for, yearn for

aparato appliance

aparecer (zc) to appear

aparentemente apparently

apariencia appearance

aparte *adv.* apart; besides; **hoja de papel aparte** separate piece of paper

apasionado/a por la vida passionate about life

apellido last name

aperitivo: tomar un aperitivo to snack

apestar a to reek of

aplastar to crush

aplicar (qu) to apply

aportar to contribute

aporte *m.* contribution

apoyar to support

apoyo support

apreciar to appreciate

aprender to learn (11)

aprobación *f.* approval

aprobar (ue) to approve, pass

apropiado/a appropriate

aproximado/a approximate (6)

aptitud *f.* aptitude; ability

apuesto/a good-looking

apuntar to note, jot down

aquel, aquella *adj.* that (over there) (4); **en aquella época** in those days

aquél, aquélla *pron.* that one (over there) (4)

aquello that; that thing (4)

aquí here (4); **aquí lo/la/los/las tiene** here you go (7)

arbitrario/a arbitrary

árbol *m.* tree

archivo archive, file
área *f.* (*but* **el área**) area
arepa cornmeal griddlecake
arete *m.* earring (7)
argentino/a *n., adj.* Argentine
argolla large ring
argumento argument; plot (*of a play, film*)
aristócrata *m., f.* aristocrat
arma *f.* (*but* **el arma**) weapon, arm; **arma de fuego** firearm
armado/a armed
armar to assemble, prepare
armario closet (4)
armonioso/a harmonious
armonizar (c) to harmonize
arqueológico/a archaeological
arqueólogo/a archaeologist (12)
arquitecto/a architect (12)
arquitectónico/a architectural
arquitectura architecture (2); **arquitectura paisajista** landscape architecture
arrabales *pl.* slums
arreglo arrangement
arriba *adv.* up
arriesgado/a risk-taking (12); risky
arrogante arrogant; brave
arroz *m.* rice (5)
arte *m.* (*but* **las artes**) art (2); **hacer** (*irreg.*) **artes marciales** to practice martial arts (8); **obra de arte** work of art
artesanía *s.* crafts; **mercado de artesanías** handicrafts market (7)
artesano/a artisan
artículo article (1)
artista *m., f.* artist (12)
artístico/a artistic
arveja green pea
asado *n.* Argentine grilled beef
asar to roast
asegurarse to make sure
asesor(a) consultant (12)
así thus, so; **así que** so (that), therefore; **y aun así** and despite that
asiático/a *n., adj.* Asian (14)
asiduidad: con asiduidad regularly
asignatura course, subject (*school*)

asimilarse to assimilate
asimismo *adv.* moreover
asistente (*m., f.*) **social** social worker (12)
asistir (a) to attend
asociación *f.* association
asociar to associate; to combine
asopao *popular Dominican dish*
aspecto aspect; appearance
aspiración *f.* aspiration, hope
aspirar (a) to aspire (to)
aspirina aspirin
asumir to assume, take upon oneself; **asumir el poder** to assume control
asunto subject, topic, issue
atacar (qu) to attack
ataque *m.* attack; **ataque de nervios** nervous breakdown
atención *f.* attention; **llamar la atención** to attract attention
atentado *n.* attack
ateo/a atheist (15)
atlántico/a: Océano Atlántico Atlantic Ocean
atleta *m., f.* athlete
atlético/a athletic
atormentar to torment, torture
atracción *f.* attraction; *pl.* amusements
atraco robbery
atractivo *n.* charm, appeal
atractivo/a *adj.* attractive
atraer (*like* **traer**) to attract
atrapar to trap
atravesar (ie) to cross
atribuir (y) to attribute
atrocidad *f.* atrocity (13)
atún *m.* tuna
auditorio auditorium, hall
aula *f.* (*but* **el aula**) classroom (2)
aumentar to augment, increase
aumento increase, growth
aun *adv.* even
aún *adv.* still, yet
aunque although
ausentarse to disappear
auto car (10)
autobús *m.* bus (10); **bajar de un autobús** to get off a bus; **estación** (*f.*) **de autobuses** bus station; **ir** (*irreg.*) **en autobús** to go by bus (10); **parada de autobuses** bus stop (10); **perder (ie) un autobús** to miss a

bus; **subir a un autobús** to get on a bus (10)
autóctono/a aboriginal, native
automóvil *m.* automobile
autonomía autonomy
autónomo/a autonomous
autopista superhighway (10)
autoprueba self-check
autor(a) author
autoridad *f.* authority
avanzar (c) to advance; **oportunidad** (*f.*) **de avanzar** opportunity for advancement (12)
avenida avenue
aventura adventure
aventurero/a adventurous
avergonzar (üe) (c) to embarrass (15)
avión *m.* airplane (10); **abordar un avión** to board an airplane; **desbordar un avión** to get off an airplane; **ir** (*irreg.*) **en avión** to go by airplane (10)
ayer yesterday
ayuda help; **pedir (i, i) ayuda** to ask for help
ayudar to help (11)
ayuntamiento city/town hall (10)
azteca *adj. m., f.* Aztec
azúcar *m.* sugar (5)
azul blue; **ojos azules** blue eyes (1)

B

bachiller *m. fam.* high school degree
bachillerato bachelor's degree
bailable danceable
bailar to dance; **bailar (pegados, separados)** to dance (close, apart) (8); **sacar (qu) a alguien a bailar** to ask someone to dance (8); **salir** (*irreg.*) **a bailar** to go out dancing (3)
baile *m.* dance (8)
bajar de to get off, get down from (10); **bajar de un autobús** to get off a bus; **bajar de un coche/taxi** to get out of a car/taxi
bajo *prep.* under
bajo/a *adj.* short (*height*) (1); low; **clase baja** lower class; **planta baja** first floor
bala bullet
balompié *m.* soccer

balón *m.* large ball

baloncesto basketball (*Sp.*) (8); **jugar (ue) (gu) al baloncesto** to play basketball (4)

balonmano handball; **jugar (ue) (gu) al balonmano** to play handball

banana banana (5)

bancario/a *adj.* banking, financial

banco bank (10)

banda sonora soundtrack

bandera flag

bandoneón *m.* large concertina

banquero/a banker (12)

bañarse to bathe, take a bath (6)

bañera bathtub (4)

baño bathroom; **cuarto de baño** bathroom (4); **traje** (*m.*) **de baño** bathing suit (7)

barato/a inexpensive, cheap

barbacoa barbecue

barbaridad: ¡qué barbaridad! how awful!

barco ship, boat (10); **abordar un barco** to board a ship; **desbordar un barco** to get off a ship; **perder (ie) un barco** to miss a boat

barmitzvah *m.* bar mitzvah (9)

barra bar

barrer to sweep

barrera barrier; **superar las barreras económicas** to overcome economic barriers (14)

barrio neighborhood (4); **mercado del barrio** neighborhood market (5)

barro mud; clay

basalto basalt

basar to base, support

base *f.* base, foundation; **base económica** economic base

básico/a basic

básquetbol *m.* basketball (8); **jugar (ue) (gu) al básquetbol** to play basketball

bastante *adv.* rather, very (11)

bastón *m.* walking stick, cane

basura garbage

bata bathrobe

batata sweet potato

batido milkshake

batir to beat, whip

batmitzvah *f.* bat mitzvah (9)

bebé *m., f.* baby (9); **de bebé** as a baby

beber to drink (3); **beber un refresco** to drink a soft drink (3); **beber una cerveza** to drink a beer (3); **beber vino** to drink wine (3)

bebida drink (5); **bebida alcohólica** alcoholic drink (8)

beca scholarship

béisbol *m.* baseball (8); **jugar (ue) (gu) al béisbol** to play baseball (4)

belleza beauty

bello/a beautiful

beneficios *pl.* benefits (12)

benigno/a benign

besar to kiss

beso kiss

biblioteca library (2)

bibliotecario/a librarian (12)

bicicleta bicycle; **andar** (*irreg.*) **en bicicleta** to ride a bicycle (8)

bicultural bicultural (11)

bien *adv.* well; **caerle** (*irreg.*) **bien** to like (*someone*) (9); to make a good impression (*on someone*) (9); **(no) comunicarse (qu) bien** to (not) communicate well (15); **estar** (*irreg.*) **hecho/a bien** to be well made (7); **estoy (muy) bien, gracias** I'm (very) fine, thanks (1); **irle** (*irreg.*) **bien** to go well (*for someone*) (11); **(no) llevarse bien** to (not) get along well (15); **pasarlo bien** to have a good time; **¡qué bien!** great!, how wonderful! (13); **quedarle bien** to fit well (7); **sentirse (ie, i) bien** to feel good (6)

bienes *m. pl.* goods; wealth

bienestar *m.* **(emocional)** (emotional) well-being (15)

bife *m.* steak

bilingüe bilingual (11)

bilingüismo bilingualism

billar *m. s.* billiards, pool; **jugar (ue) (gu) al billar** to play billiards (pool) (8)

billete *m.* ticket (10); bill, banknote; **billete de ida** one-way ticket; **billete de ida y vuelta** round-trip ticket

billetera wallet

biográfico/a biographical

biología biology (2)

bistec *m.* steak (5)

blanco/a white (7)

blando/a soft

bloque *m.* block; **bloque de pisos** apartment building (4)

bloqueado/a blocked

blusa blouse (7)

boca mouth; **abra la boca** open your (*form. s.*) mouth (6)

boda wedding (15)

boleto ticket (10); **boleto de ida** one-way ticket; **boleto de ida y vuelta** round-trip ticket

bolígrafo ballpoint pen (2)

boliviano/a *n., adj.* Bolivian

bollo little roll

bolsa purse (7)

bolsillo pocket

bolso pocketbook; handbag

bomba bomb; *popular musical genre from Puerto Rico;* **coche** (*m.*) **bomba** car bomb

bombardeo bombing

bombero, mujer (*f.*) **bombero** firefighter (12)

bombilla electric lightbulb

bongó bongo drum

boniato sweet potato

bonito/a pretty (1); **lo más bonito** the most beautiful thing

bordado/a embroidered

borde: al borde de on the verge of

boricua *n., adj. m., f.* Puerto Rican

Borinquén *f. indigenous name for Puerto Rico*

borracho/a: estar (*irreg.*) **borracho/a** to be drunk (8); **ponerse** (*irreg.*) **borracho/a** to get drunk

borrar to erase

bosque *m.* forest (10)

botas *pl.* boots (7)

botella bottle

brasileiro/a *n., adj.* Brazilian Portuguese

brazo arm; **tener** (*irreg.*) **el brazo roto** (*p.p. of* **romper**) to have a broken arm

brecha gap

breve *adj.* brief

brindar to offer, give; **brindarse** to give of oneself

británico/a *adj.* British
bucear to snorkle (8)
buceo snorkeling
buen, bueno/a good (1); **buena suerte** good luck; **buenas noches** good night (1); **buenas tardes** good afternoon/evening (1); **bueno, me lo/la/los/las llevo** OK, I'll take it/them (7); **buenos días** good morning (1); **en buena forma** in good shape; **hace buen tiempo** it's nice/good weather (6); **¡qué buena idea!** what a good idea! (8); **un buen equipo** a good set of equipment
bueno *interj.* well
busca: en busca de in search of
buscar (qu) to look for (11); **busco** I'm looking for (7)

C

caballo horse; **montar a caballo** to go horseback riding (8)
cabello hair
caber *irreg.* to fit
cabeza head; **dolor** (*m.*) **de cabeza** headache (6)
cable: televisión (*f.*) **por cable** cable TV (13)
cabo cape (*geography*); **llevar a cabo** to carry out, perform
cada *inv.* each; **cada año/mes** each year/month (9); **cada uno** each one; **cada vez** each time
caer *irreg.* to fall; **dejar caer** to drop
caerse *irreg.* to fall; **caerle bien/mal** to (dis)like (*someone*) (9); to make a good/bad impression (*on someone*) (9)
café *n. m.* coffee (5); café; **café cibernético** Internet café (13); **café con leche** coffee with milk; **tomar un café** to drink / have a coffee (6); *adj.* brown
cafeinado/a caffeinated
cafetería cafeteria (2)
caída *n.* drop; **caída del sol** sunset
caja box; cash register, checkout (7)
cajero/a cashier
calabaza pumpkin
calcetín *m.* sock (7)
calcomanía transfer

calculadora calculator
calcular to calculate
cálculo calculus
calendario calendar
calentar (ie) to warm up
calidad *f.* quality (7)
cálido/a warm
caliente hot
calificación *f.* rating; grade
calle *f.* street (4); **calle (residencial, transitada)** (residential, busy) street (4); **calle de mucho tráfico** busy street
calor *m.* heat; warmth, closeness; **hace calor** it's hot (6)
cama bed (4); **hacer** (*irreg.*) **la cama** to make the bed; **quedarse en cama** to stay, remain in bed (6)
camarero/a waiter/waitress
camarón *m.* shrimp, prawn (5)
cambiar (por) to change, exchange (for) (7)
cambio change; exchange; **casa de cambio** money-changer; **en cambio** on the other hand (10); **tasa de cambio** exchange rate
cambur *m.* plantain
caminar to walk (10)
camino road; **en camino** en route
camión *m.* truck
camisa shirt (7)
camiseta T-shirt (7)
camote *m.* sweet potato
campamento camp
campaña campaign; **campaña electoral** election campaign
campesino/a rural;, country; **gente** (*f. s.*) **campesina** people who live in rural areas
camping: hacer (*irreg.*) **camping** to go camping
campo country(side) (10)
Canadá *m.* Canada
canadiense *n., adj. m., f.* Canadian (1)
canal *m.* canal; channel (13)
canario/a *n., adj.* Canarian, native of the Canary Islands
cancelar to cancel; **cancelar una reserva** to cancel a reservation
cancha field (*football, baseball*); court (*tennis*)
canción *f.* song
candelabro candelabra

candidato/a candidate
cangrejo crab (5)
canoa canoe
cansado/a tired; **estar** (*irreg.*) **cansado/a** to be tired (6)
cantante *m., f.* singer
cantar to sing (8)
cantidad *f.* quantity (5)
cantina bar
capacidad *f.* capacity
capaz (*pl.* **capaces**) capable (12)
capitalino/a *person from the capital*
capitolio Capitol
capítulo chapter
cara face
carácter *m.* (*pl.* **caracteres**) character, personality
característica characteristic
caracterizar (c) to characterize
caramelo candy
caraota bean
cárcel *f.* jail
cargador(a) carrier
cargamento cargo, load
cargo post, position
Caribe *n. m.* Caribbean (Sea)
caribeño/a *adj.* Caribbean; *n. person of the Caribbean*
caries *f. s., pl.* (tooth) decay
cariño affection; **mostrar (ue) cariño en público** to show affection in public (15)
cariñoso/a affectionate (3)
carnaval *m.* carnival
carne *f.* **(de cerdo, de res/vaca)** meat (pork, beef) (5)
carnicería butcher's shop (5)
caro/a expensive (5)
carrera major (*university*) (2); career (2)
carretera highway
carro car (10)
carroza float (*parade*)
carta letter (3); playing card; **carta de presentación** letter of introduction; **carta de recomendación** letter of recommendation (12); **escribir cartas** to write letters (3); **jugar (ue) (gu) a las cartas** to play cards
cartel *m.* poster (4)
cartelera billboard
cartera wallet (7)

casa house (4); **casa de cambio** money-changer; **casa particular** private/single-family house (4); **estar** (*irreg.*) **pegado/a a otras casas** to be attached to other houses; **quedarse en casa** to stay, remain at home (6)
casado/a married (3); **estar** (*irreg.*) **casado/a** to be married (3)
casarse to marry, get married (15)
cascada waterfall
casero/a landlord, landlady
casi almost; **casi nunca** almost never (9); **casi siempre** almost always (9)
caso case; **en caso de que** *conj.* in case
castaño/a brown; **ojos castaños** brown eyes (1); **pelo castaño** brown hair (1)
castellano/a Castilian
castillo castle
castrista *adj. m., f. pertaining to* (*Fidel*) *Castro*
casualidad *f.* chance; coincidence; **por casualidad** by chance
catalán, catalana *n., adj.* Catalonian
cataratas waterfalls (10)
catedral *f.* cathedral (10)
categoría category; class
católico/a *n., adj.* Catholic (15)
catorce fourteen (1)
causa: a causa de because of
causar to cause
caza hunting
cazar (c) to hunt
cebador(a) *person who serves* mate, *a popular Argentinian drink*
cebolla onion (5)
ceiba silkwood tree
celebración *f.* celebration
celebrar to celebrate (9)
celos *pl.* jealousy; **tener** (*irreg.*) **celos** to be jealous (15)
celoso/a jealous
celular: teléfono celular cell phone
cementerio cemetery
cena dinner (5)
cenar to eat dinner (2)
censura censorship
centavo cent
centígrado/a centigrade

centímetro centimeter
Central: América Central Central America
centro center; downtown (10); **centro comercial** shopping center, mall (7)
Centroamérica Central America
centroamericano/a *n., adj.* Central American
cepillarse los dientes to brush one's teeth (6)
cerámica *n. s.* ceramics, pottery
cerca near, close; **cerca de** *prep.* close to
cercano/a *adj.* near, close
cerdo pork; **carne** (*f.*) **de cerdo** pork (5)
ceremonia ceremony
cerrar (ie) to close (4)
cerro mount(ain) (10)
certidumbre *f.* certainty
cervecería brewery
cervecero/a *adj.* beer
cerveza beer (3); **beber una cerveza** to drink a beer (3); **tomar una cerveza** to drink/ have a beer (6)
ceviche *m. raw fish dish*
chachachá *m.* cha-cha-cha
chambelán *m.* young gentleman
champiñón *m.* mushroom (5)
changüí *popular musical genre from Cuba*
chaqueta jacket (7)
charanga *traditional Cuban celebration*
charlar to chat (4); **charlar con amigos** to chat with friends (8)
chat *m.* online chat (13)
chatear to chat online (13)
cheque *m.* check; **cheque de viajero** traveler's check
¡chévere! cool!; great! (*Carib.*) (8); **¡qué chévere!** how cool/great! (*Carib.*) (8)
chícharo green pea
chico/a *n. m., f.* young man / young woman; *adj.* small
chileno/a *n., adj.* Chilean
chimenea fireplace (4)
chimichurri *Argentinean steak sauce made with olive oil, garlic, and parsley*
chino/a *n., adj.* Chinese (1)
chinola sour orange

chisme *m.* gossip (13)
chismear to gossip
chiste *m.* joke; **contar (ue) chistes** to tell jokes (8)
chocante shocking (13)
choque *m.* shock
chulear: no se le chulea he/she isn't exploited
chullo *hat made out of wool*
ciberespacio cyberspace
cibernauta *m., f.* Internet user
cibernético *adj.* Internet; **café** (*m.*) **cibernético** Internet café (13)
ciclismo *n.* cycling (8)
ciclista *m., f.* cyclist
cielo sky; heaven
cien, ciento one hundred (3); **por ciento** percent (11)
ciencia science (2); **ciencia ficción** science fiction; **ciencias sociales** social sciences (2); **Facultad** (*f.*) **de Ciencias** School of Sciences (2)
científico/a *n.* scientist (12); *adj.* scientific
cierto/a certain; true; **hasta cierto punto** up to a point; **por cierto** by the way
cigarrillo cigarette
cigarro cigar
cinco five (1)
cincuenta fifty (3)
cine *m.* movie theater (13); the movies (13); **ir** (*irreg.*) **al cine** to go to the movies (8)
cinematográfico/a *adj.* movie, film
cinturón *m.* belt (7)
circulación *f.* circulation
circular to move
circunstancia circumstance
cirujano/a surgeon (12)
cita appointment, date (12); **fijar citas** to set appointments
ciudad *f.* city (4); **ciudad universitaria** campus (2)
ciudadanía citizenship; **tener** (*irreg.*) **la ciudadanía** to have citizenship (11)
ciudadano/a citizen (11)
civil: guerra civil civil war (13); **la Guerra Civil** Civil War
civilización *f.* civilization
claridad *f.* clarity

claro/a *adj.* clear; light; **piel** (*f.*) **clara** light(-colored) skin (1); *interj.* of course!
clase *f.* class (2); **clase baja** lower class; **clase media** middle class (14); **compañero/a de clase** classmate; **la clase más difícil** the most difficult class
clásico/a classical
clasificación *f.* classification
clasificar (qu) to classify
cláusula clause; **cláusula principal** main clause; **cláusula subordinada** dependent clause
clavar to hammer in, nail
claves *f. pl. percussion instrument from Cuba*
clic: hacer (*irreg.*) **clic (en)** to click (on) (13)
cliente *m., f.* customer (7)
clima *m.* climate
clínica *n.* clinic
clonado/a cloned
cobre *m.* copper
cocaína cocaine
coche *m.* car (10); **bajar de un coche** to get out of a car; **coche bomba** car bomb; **subir a un coche** to get in a car (10)
cocina kitchen (4); cuisine; **cocina de gas** gas stove (4); **cocina eléctrica** electric stove (4)
cocinar to cook (5)
cocinero/a cook
coco (de agua) coconut
codificar (qu) to codify
codo elbow
cofradía brotherhood
cognado cognate
coincidir to coincide
cola tail (*of an animal*); line (*of people*); **hacer** (*irreg.*) **cola** to stand in line
colaboración *f.* collaboration
colapso collapse
colección *f.* collection
coleccionar (estampillas/ monedas) to collect (stamps/ coins) (8)
colectivo bus (*Bolivia*) (10)
colegio high school
cólera cholera
colesterol *m.* cholesterol

colgante *m.* pendant
colina hill; **encima de una colina** on top of a hill
collar *m.* **(de plata)** (silver) necklace (7)
colocaciones: agencia de colocaciones job placement agency (12)
colocar (qu) to place
colombiano/a *n., adj.* Colombian (1)
colonia colony; neighborhood
colonización *f.* colonization
colonizador(a) colonist
colonizar (c) to colonize
color *m.* color (7)
colorido/a colorful
columna column
coma comma
combinar to combine
comedor *m.* dining room (4)
comentar to comment, make comments on
comentario comment; remark; *pl.* commentaries
comentarista *m., f.* commentator
comenzar (ie) (c) to begin
comer to eat (3); **¿qué desea(n) de comer?** what would you like to eat? (5)
comercial: centro comercial shopping center, mall (7); **local comercial** retail space
comerciante *m., f.* businessperson
comercio business; **Tratado de Libre Comercio** NAFTA
cometer to commit; **cometer un error** to make a mistake
cómico/a funny, comical (13); **película cómica** comedy film/ movie (13); **tira cómica** comic strip, cartoon (13)
comida food (5); meal (5); **comida rápida** fast food; **preparar la comida** to prepare the meal/ food (4); **puesto de comida** food stand
comienzo *n.* beginning
comino cumin (*spice*)
comisión *f.* commission
como as, like (1); **tan pronto como** as soon as
¿cómo? how (2); **¿cómo es/son _____?** what is/are _____ like? (1); **¿cómo está(s)** how are you?

(1); **¿cómo se dice _____ en español?** how do you say _____ in Spanish? (1); **¿cómo se escribe _____?** how do you write/spell _____? (1); **¿cómo te llamas? / ¿cómo se llama usted?** what's your name? (1)
cómoda dresser, chest of drawers (4)
cómodo/a comfortable
compañero/a companion; **compañero/a de clase** classmate; **compañero/a de cuarto** roommate
compañía company
comparación *f.* comparison (5)
comparar to compare
comparsa *group of people in carnival dress* (*Cuba*)
compartir to share (4)
compatriota *m., f.* compatriot
competencia skill (12)
competir (i, i) to compete
complementar to complement
complemento *gram.* object, complement; **complemento directo** *gram.* direct object; **complemento indirecto** *gram.* indirect object; **pronombre** (*m.*) **de complemento directo** direct object pronoun (5); **pronombre de complemento indirecto** indirect object pronoun
completar to complete
completo/a complete; **de tiempo completo** full-time (12); **por completo** completely; **trabajo de tiempo completo** full-time job (12)
complicar (qu) to complicate
componer (*like* **poner**) to compose
comportamiento behavior
comportarse to behave, act
composición *f.* composition
compositor(a) composer
compra: hacer (*irreg.*) **la compra** to do the shopping (5); **ir** (*irreg.*) **de compras** to go shopping (3)
comprar to buy (5)
comprender to understand
comprometerse to get engaged (15)
compromiso commitment; engagement
computación *f.* computer science (2)

computadora (portátil) (laptop) computer

común *adj.* common

comunicación *f.* communication

comunicar (qu) to communicate; **(no) comunicarse bien** to (not) communicate well (15); **comunicarse mal** to communicate poorly (15)

comunidad *f.* community; **comunidad internacional** international community (13)

comunión: primera comunión first communion (9)

con with (2); **con frecuencia** frequently (9); **con respecto a** with regard to; **con tal de que** *conj.* provided that

conceder to grant, concede

concentración *f.* concentration

concentrar to concentrate; to focus; **concentrarse en** to concentrate on; to be concentrated in (10)

concepción: Día (*m.*) **de la Inmaculada Concepción** Feast of the Immaculate Conception; **Inmaculada Concepción** Immaculate Conception

concepto concept, idea

conciencia conscience

concierto concert

conclusión *f.* conclusion

concreto/a concrete, specific

concurso contest; game show (13)

condición *f.* condition (12); **condiciones de trabajo** working conditions (12); **mejorar las condiciones de vida** to improve living conditions (14)

condominio condominium (4)

conducir *irreg.* to drive (10)

conducta conduct, behavior

conducto channel

conectado: estar (*irreg.*) **conectado/a** to be connected (*to the Internet*) (13)

conectar to connect; **conectarse** to get connected (*to the Internet*) (13)

conexión *f.* connection

conferencia lecture; conference

confiable trustworthy

confiado/a trusting (9)

confianza trust

confirmación *f.* confirmation (9)

confirmar to confirm; **confirmar una reserva** to confirm a reservation (10)

conflicto conflict; **conflicto cultural** cultural conflict (11); **conflicto generacional** generational conflict (11)

conformar to conform

conformista *adj. m., f.* conformist

confrontar to confront

confusión *f.* confusion

congelado/a frozen

congelador *m.* freezer

congreso congress

conjugar (gu) to conjugate

conjunción *f.* conjunction

conjunto collection; band (*of musicians*); outfit

conmigo with me

conocer (zc) to know, be familiar with (*someone, something*); to meet; **conocer a otras personas** to meet new/other people (8); **llegar (gu) a conocer** to get to know (15)

conocimiento awareness; *pl.* knowledge (12)

conquista conquest

conquistar to conquer

consciente conscious; aware; **ser** (*irreg.*) **consciente de** to be conscious of (11)

consecuencia consequence

conseguir (i, i) (g) to get, obtain (5)

consejo advice

conservador(a) *adj.* conservative

conservante *m.* preservative

conservar to preserve, conserve

consideración *f.* consideration

considerar to consider

consistente consistent

consistir en to consist of

consorcio consortium

constante *adj.* constant

constitución *f.* constitution

constituir (y) to constitute

construcción *f.* construction

construir (y) to build

consuelo consolation, comfort

consulado *n.* consulate

consultar to consult

consultorio doctor's office (6)

consumidor(a) consumer

consumir to consume

consumo consumption

contable *m., f.* accountant (12)

contactar to contact

contacto contact

contaminación *f.* pollution

contar (ue) to count; to tell; **contar chistes** to tell jokes (8); **contar con** to count on; **cuéntame más** tell me more

contemplar to contemplate

contemporáneo/a contemporary

contener (*like* **tener**) to contain

contento/a happy; **estar** (*irreg.*) **contento/a** to be happy (6)

contestar to answer

contexto context

contigo *fam. s.* with you

continente *m.* continent

continuación *f.* continuation; **a continuación** next, following

continuar (continúo) to continue

contra against; **en contra** opposed

contrabajo double bass

contradecir (*like* **decir**) to contradict

contraer (*like* **traer**) **matrimonio** to get married

contrario: al contrario de in contrast to

contrastar to contrast

contraste *m.* contrast (10)

contratar to hire

contratiempo mishap

contribución *f.* contribution

contribuir (y) to contribute

controlar to inspect; to control

controversia controversy

controvertido/a controversial (13)

conveniencia convenience

convento convent

conversación *f.* conversation

conversar to chat, talk (3)

convertir (ie, i) to change; **convertirse en** to turn into

convivir to live together

copa (wine) glass; **copa de vino** a glass of wine; **tomar una copa** to have a drink (6)

copia copy

corazón *m.* heart

corbata tie (7)

cordillera mountain range (10)

Corea Korea
coro chorus
correcto/a correct
corregir (i, i) (j) to correct
correo mail; post office; **correo electrónico** e-mail (13); **oficina de correos** post office (10)
correr to run (8); **correr el riesgo** to run the risk (11)
correspondencia correspondence
corresponder to correspond
correspondiente corresponding
corriente *adj.* current, present; **estar** (*irreg.*) **al corriente** to be up-to-date (13)
corrupción *f.* corruption
cortar to cut; **cortar el agua** to shut off the water; **cortar en trozos** to cut into pieces/chunks
cortés courteous, polite
cortesía courtesy, politeness
corto/a short (*in length*); **pantalones** (*m. pl.*) **cortos** shorts (7); **pelo corto** short hair (1)
cosa thing
cosecha harvest (11)
coser to sew (8)
cosmopolita *adj. m., f.* cosmopolitan (10)
costa coast (14)
costar (ue) to cost (7); **¿cuánto cuesta(n)?** how much does it / do they cost? (7); **cuesta(n)** it costs / they cost (7)
costarricense *n., adj.* Costa Rican
costearse to cover the cost of
costumbre *f.* custom (11); **tratar de mantener las costumbres** to try to maintain one's customs (11)
cotidiano/a daily
cotización *f.* exchange rate
coyote *m. smuggler of illegal immigrants* (11)
creación *f.* creation
creacionismo *n.* creationism (*a literary movement*)
creador(a) creator
crear to create
creatividad *f.* creativity
creativo/a creative
crecer (zc) to grow
creciente *adj.* growing
crecimiento growth

crédito credit; **¿aceptan tarjetas de crédito?** do you accept credit cards? (7); **tarjeta de crédito** credit card
creencia (tradicional) (traditional) belief (14)
creer (y) to believe; **no me lo puedo creer** that's unbelievable
creíble believable
crema cream
cremoso/a creamy
crianza upbringing
crimen *m.* crime (14)
criollo/a Creole; *American-born person of European parents and their descendants* (14)
crisis *f. inv.* crisis
criterio criterion
crítica criticism
criticar (qu) to criticize
crítico/a *n.* critic
crónico/a chronic
cronológico/a chronological
cruce *m.* crossing
crucigrama *m.* crossword puzzle (13); **hacer** (*irreg.*) **crucigramas** to do crossword puzzles (3)
crudo/a raw (5)
cruz *f.* cross
cruzar (c) to cross (10); **para cruzar la frontera** getting across the border (11)
cuaderno notebook (2)
cuadra (city) block (10)
cuadrar con to match
cuadrado/a *adj.* square
cuadro picture, painting (4)
cual what; which; **en la cual** in which; **lo cual quiere decir** which means
¿cuál(es)? what?; which? (2)
cualidad *f.* quality; **cualidades gerenciales** managing abilities
cualquier(a) any
cuando when(ever) (14); **de vez en cuando** sometimes
¿cuándo? when? (2)
cuanta: unas cuantas a few
cuanto: en cuanto as soon as; **en cuanto a** with regard to
¿cuánto/a? how much? (2); **¿cuánto cuesta(n)?** how much does it / do they cost? (7)
¿cuántos/as? how many? (2); **¿cuántos años (tiene)?** how

old (are you [*form. s.*]) / is he/she)? (3)
cuarenta forty (3)
cuarenta y uno forty-one (3)
cuaresma Lent
cuarto *n.* quarter (*of an hour*); room; bedroom; **alquilan cuartos** they rent rooms; **compañero/a de cuarto** roommate; **cuarto de baño** bathroom (4); **cuarto de estar** family room, den; **cuarto de servicio** utility room; **menos cuarto** a quarter to (*hour*) (6); **y cuarto** a quarter past (*hour*) (6)
cuarto/a *adj.* fourth
cuatro four (1)
cuatrocientos/as four hundred (7)
cubano/a *n., adj.* Cuban
cubanoamericano/a *n., adj.* Cuban American
cubierta *n.* cover
cubo cube
cubrir (*p.p.* **cubierto/a**) to cover
cucharada: una cucharada de a spoonful of
cucharadita teaspoon
cuchillo knife
cuenca basin
cuenta bill (*restaurant*), check (5)
cuenta: tener (*irreg.*) **en cuenta** to keep in mind
cuento story; **escribir cuentos** to write stories (8)
cuerda string
cuero leather (7)
cuerpo body
cuestión *f.* question, matter
cuidado care; **con cuidado** carefully; **tener** (*irreg.*) **cuidado** to be careful
cuidar (de) to take care (of); **la gente se cuida por sí misma** people take care of themselves
culinario/a culinary
culpable guilty
cultivar to cultivate
culto worship
cultura culture; **cultura y sociedad** (*f.*) culture and society; **estar** (*irreg.*) **entre dos culturas** to be (caught) between two cultures (11)

cultural: conflicto cultural cultural conflict (11); **patrimonio cultural** cultural heritage
cumbe *m. African Guinean musical genre*
cumbia *popular Colombian dance*
cumbre *f.* summit, top; pinnacle
cumpleaños *m. s., pl.* birthday (9)
cumplir (con) to fulfill, carry out
cuñado/a brother-in-law/sister-in-law (3); *pl.* siblings-in-law (3)
curandero/a healer
curar(se) to heal, cure (oneself); **curarse de** to be cured of
curioso/a curious
currículum *m.* **(vitae)** résumé (12)
cursar to take classes
cursillo short course, training course
curso course
cuyo/a/os/as whose

D

dama lady; **primera dama** First Lady
danza dance
dañarse to fall apart, get hurt (15)
dañino/a harmful
daño damage, hurt; **hacer** *(irreg.)* **daño** to hurt, harm (15)
dar *irreg.* to give; **dar a** to face; **dar lugar** *(m.)* **a** to cause; **dar miedo** to be scary; **dar risa** to make laugh; **dar un paseo** to take a walk (3); **dar vueltas** to go around
datar (de) to date (from)
datos *pl.* data, facts
de *prep.* of; from
debajo de under, below
debate *m.* debate; dispute
deber *+ inf.* ought to, should (*do something*) (6); **debe descansar más** you (*form. s.*) must get more rest (6); **deberíamos...** we should . . . (15)
debido a due to
débil weak
década decade (13)
decidir to decide
decir *irreg.* (*p.p.* **dicho/a**) to say; to tell (5); **¿cómo se dice _____ en español?** how do you say _____ in Spanish? (1); **diga**

«**aaaa**» say (*form. s.*) "ahhh" (6); **es decir** that is to say; **lo cual quiere decir** which means; **no te dice nada** it is nothing to brag about; **por un decir** in a manner of speaking; **se dice** you say (1); **se puede decir** one might say
decisión *f.* decision
declarar to declare
decoración *f.* decoration; decor
decorador(a) decorator; **decorador(a) de interiores** interior decorator
decorar to decorate
decreto decree
dedicar (qu) to dedicate; **dedicarse a** to dedicate oneself to (12)
dedo finger
defectuoso/a defective
defender (ie) to defend
defensa defense
déficit *m.* (*pl.* **déficits**) deficit
definición *f.* definition
definido/a defined
definir to define (12)
dejar to leave; to quit; **dejar caer** to drop; **dejar de** *+ inf.* to stop (*doing something*); **dejar en paz** to leave alone; **dejarle** *+ inf.* to let, allow (*someone*) to (*do something*) (11); **dejarle pasar** to allow (*someone*) to pass (11); **dejo de verla** I stop watching it
del (*contraction of* **de** + **el**) of/from the (2)
delante de in front of
delgado/a thin (1)
delicioso/a delicious; rich (5)
delincuente *n. m., f.* delinquent (14)
delineado/a outlined
delito crime, offense
demandar to demand
demás: los/las demás others (15)
demasiado *adv.* too, too much (11)
demasiado/a *adj.* too much; *pl.* too many
democracia democracy
democrático/a democratic
demografía demography
demográfico/a demographic

demostrar (ue) to demonstrate
densidad *f.* density
dentista *m., f.* dentist
dentro (de) in, within, inside (2); **por dentro** on the inside (4)
departamento department
depender de to depend on
dependiente/a salesperson (7)
deportación *f.* deportation
deportar to deport (11)
deporte *m.* sport (8); **practicar (qu) un deporte** to practice a sport (8)
deportista *m., f.* sports player (8); sports-minded person
deportivo/a *adj.* sports
depositar to deposit
deprimido/a depressed (9); **estar** *(irreg.)* **deprimido/a** to be/feel depressed
deprimirse to get depressed
derecha *n.* right; **a la derecha (de)** to the right (of) (2); **a mano** *(f.)* **derecha** on the right; **de la derecha** on the right; **doblar a la derecha** to turn right (10)
derecho *n.* right (*legal*) (13); straight ahead; **derecho al voto** right to vote; **seguir (i, i) (g) derecho** to continue straight ahead (10)
desafortunadamente unfortunately
desaparecer (zc) to disappear
desarrollar to develop
desarrollo development
desastre *m.* **(natural)** (natural) disaster (13)
desayunar to eat breakfast (2)
desayuno breakfast
desbordar to overflow; **desbordar (un avión/barco/tren)** to get off (an airplane / a ship / a train)
descansar to rest (3); **debe/tiene que descansar más** you (*form. s.*) must/have to get more rest (6); **tiempo para descansar** time to rest
descanso rest; break
descendiente *m., f.* descendant
desconfianza distrust
desconfiar (desconfío) to distrust
desconocido/a unknown

descontrolado/a uncontrolled

describir (*p.p.* **descrito/a**) to describe

descripción *f.* description

descriptivo/a descriptive

descubierto/a (*p.p. of* **descubrir**) discovered

descubrimiento discovery

descubrir (*p.p.* **descubierto/a**) to discover

descuento discount (7)

desde *prep.* from; **desde la(s) ____ hasta la(s) ____** from ____ until ____ (time) (6); **desde hace** + *period of time* for + *period of time*

deseable desirable (12)

desear to want, desire (5); **¿qué desea(n) (de comer)?** what would you like (to eat)? (5)

desempeñar to carry out

desempleo unemployment

desenvolverse (*like* **volver**) (*p.p.* **desenvuelto/a**) to evolve

deseo wish, desire

desesperado/a desperate

desfavorecido/a disadvantaged

desfilar to march in single file

desfile *m.* parade

desgraciado/a unhappy

deshidratación *f.* dehydration

desierto desert (10)

desigualdad *f.* inequality (14)

desilusionado/a disillusioned, deceived (9)

desinformado/a: estar (*irreg.*) **desinformado/a de** to be uninformed about (13)

desinterés *m.* indifference (13)

desmechado/a shredded

desorientado/a confused

despedida farewell

despedirse (i, i) to say good-bye

despegue *m.* takeoff (*airplane*)

despertador *m.* alarm clock

despertarse (ie) to wake up (6)

desplazar (c) to displace

despoblado/a depopulated

desposeído/a homeless

despreciar to despise, scorn

después *adv.* after; next, then; **después de** *prep.* after (11); **después de haber salido** after having left; **después (de) que**

conj. after; **¿qué pasó después?** what happened next?

desregulación *f.* deregulation

destacado/a outstanding

destacar (qu) to emphasize; to stand out

destape *m.* liberalization

destinado/a destined (for)

destino destination (10); destiny, fate

destrucción *f.* destruction

destruir (y) to destroy

desván *m.* attic

desventaja disadvantage

detalle *m.* detail

detallista *m., f.* detail-oriented

detener (*like* **tener**) to stop, detain (11); **para detenérselo** to hold it back

detenido/a thorough, slow

deterioro deterioration

determinar to determine

detrás (**de** + *noun*) behind (*something*) (2)

deuda debt

devastado/a devasted

devolver (ue) (*p.p.* **devuelto/a**) to return (*something*) (7)

devoto/a devout (15)

día *m.* day (1); **buenos días** good morning (1); **de día** during the day; **día a día** day by day; **Día de (Acción de) Gracias** Thanksgiving (9); **Día de la Hispanidad** Hispanic Awareness Day; **Día de la Independencia** Independence Day; **Día de la Inmaculada Concepción** Feast of the Immaculate Conception; **Día de la Madre (del Padre)** Mother's (Father's) Day; **Día de la Raza** Hispanic Awareness Day; **Día de los Enamorados (de San Valentín)** St. Valentine's Day; **Día de los Muertos** All Souls' Day (November 2) (9); **Día de los Reyes Magos** Epiphany (January 6) (9); **Día de los Santos** All Saints' Day (November 1) (9); **Día de Santa Bárbara** Saint Barbara's feast day (9); **día del santo** saint's day (9); **Día del**

Trabajador Labor Day (May 1) (9); **día laboral** workday; **días de entresemana** weekdays; **hoy en día** nowadays; **todos los días** every day (9)

diabético/a diabetic

dialecto dialect

dialogar (gu) to dialogue

diálogo dialogue

diamante *m.* diamond; **anillo de diamantes** diamond ring (7)

diario *n.* diary, journal

diario/a *adj.* daily (6); **mi diario vivir** (*m.*) my daily living

dibujar to draw (8)

dibujo drawing

diccionario dictionary

dicho/a (*p.p. of* **decir**) said

diciembre *m.* December (6)

dictador(a) dictator

diecinueve nineteen (1)

dieciocho eighteen (1)

dieciséis sixteen (1)

diecisiete seventeen (1)

diente *m.* tooth; **cepillarse los dientes** to brush one's teeth (6); **diente de ajo** clove of garlic

dieta diet

diez ten (1)

diferencia difference; **a diferencia de** unlike (3)

diferenciarse to be different, distinguish oneself (10)

diferente (de) different (from/than) (1)

difícil difficult (2); **la clase más difícil** the most difficult class

dificultad *f.* difficulty

dificultar to make difficult

difundirse to diffuse, spread (13)

difunto/a deceased

difusión *f.* diffusion

digitales: huellas digitales fingerprints

digno/a decent, good

Dinamarca Denmark

dinámica *s.* dynamics

dinero money

dios *m.* god

directo/a direct; straight; **complemento directo** *gram.* direct object; **pronombre de complemento directo** direct object pronoun (5)

director(a) director (12)
dirigente *m., f.* director
discoteca discotheque (8)
discreto/a discreet, tactful
discriminación *f.* discrimination (14)
discriminado/a: ser (*irreg.*) **discriminado/a** to be discriminated against (14)
discriminar to discriminate (11)
disculpar to excuse; **disculpe** excuse me
discurso speech
discusión *f.* discussion
discutir to discuss (3); to argue (3)
diseñador(a) designer (12); **diseñador(a) de moda** fashion designer
diseñar to draw; to design
diseño design (2)
disfraz *m.* (*pl.* **disfraces**) disguise, costume
disfrutar to enjoy, have fun
disgustarle to not be pleasing to someone (9)
disgusto annoyance; irritation; dislike
disponible available
dispuesto/a (*p.p. of* **disponer**) ready
disputa dispute
disputado/a disputed
distancia distance
distinción *f.* distinction
distinguir (**distingo**) to distinguish (14)
distintivo/a distinctive
distinto/a different, distinct (from) (3)
distraer (*like* **traer**) to distract
distribución *f.* distribution
distrito district
diurno/a daytime (*person*)
diverso/a various
diversidad *f.* diversity
diversión *f.* entertainment, amusement
divertido/a *adj.* fun
divertirse (ie, i) to enjoy oneself, have fun (6)
dividir to divide
divinamente wonderfully
divisa currency
división *f.* division

divorciado/a divorced (3); **estar** (*irreg.*) **divorciado/a** to be divorced (3)
divorciarse to divorce, get divorced (15)
divorcio divorce
divulgar (**gu**) to divulge
doblar to turn; **doblar a la derecha/izquierda** to turn right/left (10)
doble double
doce twelve (1)
docena dozen
doctor(a) doctor
documental *m.* documentary (13)
documento document (11)
dólar *m.* dollar
doler (ue) to hurt, ache; **me/te duele(n)** _____ my/your _____ hurt(s) (6)
dolor *m.* pain; **dolor de cabeza** headache (6); **dolor de estómago** stomachache
doméstico/a domestic; **animal** (*m.*) **doméstico** pet
dominado/a dominated
dominante dominant
domingo Sunday (1)
dominguero/a Sunday driver
dominicano/a *n., adj.* of or from the Dominican Republic; **República Dominicana** Dominican Republic
don *m.* gift, skill; *title of respect used with a man's first name*
donde where
¿dónde? where?; **¿de dónde eres?** where are you (*fam. s.*) from? (1); **¿de dónde es?** where are you (*form. s.*) / is he/she from? (1)
doña *title of respect used with a woman's first name*
dorar to brown (*meat*)
dormir (ue, u) to sleep (4); **dormir la siesta** to take a siesta (nap) (4); **dormirse** to fall asleep (6)
dormitorio bedroom (4)
dos two (1); **dos mil** two thousand (7); **mantener** (*like* **tener**) **un espacio entre los dos** to maintain a distance between the two (15)
doscientos/as two hundred (7)

drama *m.* drama
dramático/a dramatic
droga drug (14)
dualidad *f.* duality
ducha shower (4)
ducharse to shower, take a shower (6)
duda doubt; **sin duda** without a doubt; **sin lugar a dudas** undoubtedly
dudar to doubt (13); **dudar en +** *inf.* to hesitate to (*do something*) (13); **sin dudar** without hesitation (15)
dudoso/a doubtful (13)
dueño/a owner
dulce *n. m.* sweet, candy; cake; *adj.* sweet (5)
dulzón, dulzona *adj.* overly sweet
duna dune
duración *f.* duration
duradero/a lasting
durante during
durar to last
durazno peach
duro/a hard; firm
DVD DVD; DVD player (13)

E

e and (*used instead of* **y** *before words beginning with* **i** *or* **hi**)
echar una siesta to take a siesta (nap) (3)
ecológico/a ecological
economía economy
económico/a economic; inexpensive; **base** (*f.*) **económica** economic base; **superar las barreras económicas** to overcome economic barriers (14)
ecuador *m.* equator
ecuatoriano/a *n., adj.* Ecuadorian
edad *f.* age; **edad adulta** adulthood (9); **¿qué edad (tiene)?** how old (are you [*form. s.*] / is he/she)? (3)
edición *f.* edition
edificio building; **edificio de administración** administration building (2); **estar** (*irreg.*) **pegado/a a otros edificios** to be attached to other buildings
editor(a) editor
editorial *m.* editorial, opinion page

educación *f.* education (2); **Facultad** (*f.*) **de Educación** School of Education (2); **nivel** (*m.*) **de educación** level of education (14)

educador(a) educator

educativo/a educational; **programa** (*m.*) **educativo** educational program (13)

efectivo cash; **en efectivo** in cash

efecto effect

efectuar (efectúo) to carry out, make, do

eficaz (*pl.* **eficaces**) effective

eficiente efficient

egoísta *adj. m., f.* selfish, egotistical

ejecución *f.* execution

ejemplo example; **por ejemplo** for example

ejercer (z) to engage in

ejercicio exercise; **hacer** (*irreg.*) **ejercicio (aeróbico)** to do (aerobic) exercise (6)

ejército army (13)

el *def. art. m.* the (1); **el más/ menos** + *adj.* the most/least + *adj.* (5); **el mejor/peor** + *noun* the best/worst + *noun* (5)

él *sub. pron.* he (1); *obj. of prep.* him

elaborar to manufacture, produce

elección *f.* election (13)

electoral: campaña electoral election campaign

electricidad *f.* electricity

eléctrico/a electric; **cocina eléctrica** electric stove (14)

electrodoméstico electric appliance

electrónico/a electronic; **correo electrónico** e-mail (13)

elegancia elegance

elegante elegant (4)

elegir (i, i) (j) to choose; to elect

elemental elementary

elemento element

elenco cast (*of actors*)

ella *sub. pron.* she (1); *obj. of prep.* her

ellos/as *sub. pron.* they (1); *obj. of prep.* them

embargo: sin embargo *conj.* however

emborracharse to get drunk

embotellamiento traffic jam

emigración *f.* emigration

emigrar to emigrate

emisión *f.* broadcast

emitir to transmit

emoción *f.* emotion

emocionado/a emotional; moved (9)

emocional emotional; **bienestar** (*m.*) **emocional** emotional well-being (15)

emotivo/a emotional

empanada *turnover pie or pastry*

emparejar to match

empate *m.* tie (*sports*)

emperador(a) emperor/empress

empezar (ie) (c) to begin; **empezar a** + *inf.* to begin to (*do something*)

empleado/a employee (12); **agencia de empleados temporarios** temporary employment agency

empleo job; **anuncio de empleo** job ad (12)

emprender un viaje to take a trip

empresa company (12); **administración de empresas** business administration

en in (2)

enamorado/a (de) in love (with); **Día** (*m.*) **de los Enamorados** St. Valentine's Day

enamorarse (de) to fall in love (with) (15)

encabezado *n.* headline (13)

encantado/a nice to meet you (1)

encantador(a) delightful, charming (1)

encantar to charm, delight (7); **encantarle** to charm, delight (*someone*); to love (*a thing*) (7)

encapsular encapsulate

encarcelado/a jailed

encarcelamiento imprisonment

encender (ie) to turn on

encima de on top of; **encima de una colina** on top of a hill; **una encima de otra** one on top of the other

encontrar (ue) to find; **encontrarse** to feel; **encontrarse con amigos** to get together (meet) with friends (8); **encontrarse en ambiente** to be in the mood (8)

encuentro *n.* get-together; (chance) meeting

encuesta survey

energía energy

enero January (6)

enfadarse to get angry

enfatizar (c) to emphasize

enfermarse to get sick

enfermedad *f.* sickness (6)

enfermero/a nurse (12)

enfermo/a sick; **estar** (*irreg.*) **enfermo/a** to be sick (6)

enfrentarse to face, confront

enfrente (de) across (from) (2)

engañar to deceive; to trick, swindle (14)

enlace *m.* link (13)

enlatado/a canned

enojado/a angry; **estar** (*irreg.*) **enojado/a** to be angry (6)

enorme enormous

enriquecer (zc) to enrich (13)

ensalada salad (5)

enseñanza teaching; **tener** (*irreg.*) **más acceso a la enseñanza** to have more access to education (14)

enseñar to teach (2)

entablar to begin, start

entender (ie) to understand (4)

enterado/a: estar (*irreg.*) **enterado/a de** to know about (13)

enteramente entirely

enterarse de to find out about

entero/a entire, whole

entonces then

entrada entrance, foyer; entry; beginning; **(de) entrada** (as) an appetizer (5)

entrar (en + *place*) to enter (*a place*) (2)

entre between; among (2); **entre otras** among others; **estar** (*irreg.*) **entre dos culturas** to be (caught) between two cultures (11); **estar** (*irreg.*) **entre medio** to be in the middle; **mantener** (*like* **tener**) **un espacio entre los dos** to maintain a distance between the two (15)

entregar (gu) to hand in

entrenador(a) coach; **entrenador(a) personal** (personal) trainer (12)

entrenamiento training

entresemana: días (*m. pl.*) **de entresemana** weekdays

entrevista interview
entrevistador(a) interviewer
entrevistar to interview
envasado/a canned, packed
envase *m.* container
enviar (envío) to send
envolver (ue) to wrap; **se envuelve** it is wrapped
época era, age; **en aquella época** in those days
equilibrado/a well-balanced
equipado/a equipped
equipaje *m.* baggage, luggage; **facturar el equipaje** to check luggage (10)
equipo team (8); equipment; **un buen equipo** a good set of equipment
equitación *f.* horseback riding (8)
equivalente *n. m.* equivalence; *adj.* equivalent
equivocado/a mistaken
equivocarse (qu) to be mistaken
error *m.* error, mistake; **cometer un error** to make a mistake
eructar to burp
esbelto/a graceful, slender
escala scale; ladder
escalador(a) mountain climber
escalar to climb; **escalar montañas** to go mountain climbing (8)
escándalo scandal; **¡qué escándalo!** what a scandal! (13)
escandaloso/a scandalous (13)
escapar (de) to escape (from) (11); **escaparse (de)** to escape (from)
escasamente scarcely
escasez *f.* (*pl.* **escaseces**) lack, shortage
escena scene
escenario stage
esclavitud *f.* slavery
esclavo/a slave
Escocia Scotland
escoger (j) to choose
escolar *n. m., f.* schoolboy, schoolgirl
esconder to hide (11)
escribir (*p.p.* **escrito/a**) to write (3); **¿cómo se escribe _____?** how do you write/spell _____? (1); **escribir cartas** to write letters (3); **escribir cuentos/**

poesía to write stories/poetry (8); **se escribe _____** it's spelled _____ (1)
escrito/a (*p.p. of* **escribir**) written
escritor(a) writer (12)
escritorio desk (4)
escritos *pl.* writings, works
escritura writing
escuchar to listen (to) (2)
escuela school; **escuela secundaria** high school
escultura sculpture
escurrir to drain
ese/a *adj.* that (4)
ése/a *pron.* that (one) (4)
esencial essential
esfuerzo effort
eso *neut. pron.* that (stuff) (4); **a eso de la(s) _____** around _____; **por eso** for that (reason), that's why
espacio space; **mantener (***like* **tener) un espacio entre los dos** to maintain distance between the two (15)
espaguetis *m. pl.* spaghetti
espalda back (*of a person*)
España Spain
español *n. m.* Spanish (*language*) (2) **¿cómo se dice _____ en español?** how do you say _____ in Spanish? (1)
español(a) *n.* Spaniard; *adj.* Spanish (1); **tortilla española** *omelette made of eggs, potatoes, and onions (Sp.)*
especia spice
especial special
especialidad *f.* specialty
especialista *m., f.* specialist
especialización *f.* major
especializado/a: tienda especializada specialty store/shop (7)
especializarse (c) to specialize
especie *f. s.* species; kind, sort; **especie protegida** protected species
especificar (qu) to specify
específico/a specific
espectacular spectacular
espectáculo spectacle, sight
espectador(a) spectator
especulación *f.* speculation
especular to speculate
espejo mirror
espera: sala de espera waiting room

esperanza hope; **tener (***irreg.***) esperanza** to have hope, be hopeful (11)
esperar to hope; to wait for
espinacas *pl.* spinach
espíritu *m.* spirit
espiritual spiritual
espontáneo/a spontaneous
esposo/a husband/wife (3); spouse; **esposos** spouses (3); **primer(a) esposo/a** first husband/wife; **segundo/a esposo/a** second husband/wife
espuma foam
esquela obituary
esquí *m.* skiing; ski (8)
esquiar (esquío) (en el agua) to (water) ski (8)
esquina corner
estabilidad *f.* stability (13)
estable *adj.* stable
establecer (zc) to establish
estación *f.* season (*of the year*) (6); station; **estación de autobuses / trenes / del metro** bus/train/subway station (10)
estacionamiento parking lot
estacionar to park
estadio stadium (2)
estadística statistic
estado *n.* state
Estados Unidos United States
estadounidense *n., adj.* American (*from the United States*) (1)
estampado/a embossed
estampilla stamp; **coleccionar estampillas** to collect stamps (8)
estancado/a stuck
estancia stay
estantería shelving, bookcase (4)
estaño tin
estar *irreg.* to be (2); **¿cómo está(s)?** how are you? (1); **cuarto de estar** family room, den; **está nublado** it's cloudy (6); **estar a _____ manzanas de** to be _____ blocks from; **estar aburrido/a** to be bored (6); **estar al corriente** to be up-to-date (13); **estar ansioso/a (por)** to be anxious (about) (11); **estar borracho/a** to be drunk (8); **estar cansado/a** to be tired (6); **estar casado/a** to be

married (3); **estar conecta-do/a** to be connected (*to the Internet*) (13); **estar conten-to/a** to be happy (6); **estar de acuerdo** to agree; **estar de moda** to be in fashion; **estar de vacaciones** to be on vacation (10); **estar de viaje** to be on a trip (10); **estar deprimido/a** to be/feel depressed; **estar desinformado/a de** to be uninformed about (13); **estar divorciado/a** to be divorced (3); **estar en peligro (de + *inf.*)** to be in danger (*of doing something*); **estar en su punto** to be at one's best (8); **estar enfermo/a** to be sick (6); **estar enojado/a** to be angry (6); **estar enterado/a de** to know about (13); **estar entre dos culturas** to be (caught) between two cultures (11); **estar entre medio** to be in the middle; **estar fatal** to feel awful; **estar hecho/a a mano** *f.* to be made by hand (7); **estar hecho/a bien/mal** to be well/poorly made (7); **estar hecho/a de** to be made of; **estar irritado/a** to be/feel irritated; **estar jubilado/a** to be retired (3); **estar listo/a** to be ready; **estar muerto/a de** to be dying of; **estar nervioso/a** to be/feel nervous; **estar orgulloso/a** to feel proud, be proud; **estar pegado/a a (otras casas / otros edificios)** to be attached to (other houses/buildings); **estar pre-ocupado/a** to be/feel worried; **estar relajado/a** to be relaxed (8); **estar resfriado/a** to have a cold; **estar rodeado/a de** to be surrounded by; **estar tran-quilo/a** to be calm (8); **estar triste** to be sad (6); **estoy (muy) bien, gracias** I'm (very) fine, thanks (1)
estatidad *f.* statehood
estatua statue
estatus *m.* status
este *n.* east; **hacia el este** toward the east (10)

este... uh . . . (*pause sound*) (8)
este/a *adj.* this (4)
éste/a *pron.* this (one) (4)
estéreo stereo
estereotipado/a stereotyped
estereotipo stereotype
estilo style
estimar to estimate
esto *neut. pron.* this (*stuff*) (4)
estómago stomach; **dolor** (*m.*) **de estómago** stomachache
estornudar to sneeze
estrategia strategy
estratégico/a strategic
estrecho/a close (3)
estrella star
estrellarse to shatter, crash
estrés *m.* stress; **sufrir de estrés** to suffer from stress (6)
estresado/a stressed
estricto/a strict
estrofa verse
estructura structure
estudiante *m., f.* student (2)
estudiantil *adj.* student; **residencia estudiantil** dormitory, residence hall (2)
estudiar to study (2)
estudio study; *pl.* studies, schooling (2)
estupendo/a stupendous
etapa step, stage (9)
etcétera and so on
ética *s.* ethics
etnia ethnic group
etnicidad *f.* ethnicity
étnico/a ethnic (14)
etnografía ethnography
Europa Europe
europeo/a *n., adj.* European (14); **norma europea** European style; **Unión Europea** European Union
evaluar (evalúo) to evaluate
evento event
evidencia evidence
evitar to avoid; **evitar el lenguaje peyorativo** to avoid pejorative language (14)
evolución *f.* evolution
exacto/a exact (6)
exageración *f.* exaggeration
examen *m.* test, exam
examinar to examine
excelencia excellence
excelente excellent

excepcional exceptional
excepto *adv.* except
excesivo/a excessive
excluir (y) to exclude
exclusivo/a exclusive
excursión *f.* excursion; **hacer (*irreg.*) una excursión** to go on an excursion/outing (10)
excusa excuse
exhibir to exhibit
exigente demanding
exigir (j) to demand (12)
exilado/a, exiliado/a *n.* exile (*person*) (13)
exiliarse to be exiled
exilio exile (13)
existir to exist
éxito success; **tener (*irreg.*) éxito** to be successful (11)
exitoso/a successful
éxodo exodus
exótico/a exotic
expansión *f.* expansion
expectativa: tener (*irreg.*) expectativas to have expectations (11)
expedir (i, i) to expedite; to issue
experiencia experience; **experien-cia (mínima)** (minimum) experience (12); **según la experiencia** based on experience (12)
experimentar to test, try out
experimento experiment
experto/a *n., adj.* expert
explicación *f.* explanation
explicar (qu) to explain
exploración *f.* exploration
explorar to explore
explosión *f.* explosion
explosivo/a explosive
explotación *f.* exploitation
explotar to exploit (14)
exponer (*like* poner) to expose, report (13)
exportación *f.* exportation, export
exportador(a) exporter
exportar to export
expresar (los sentimientos) to express (one's feelings) (15)
expresión *f.* expression
expresivo/a expressive
expreso/a *adj.* express
exquisito/a exquisite
extendido/a extended

extensión *f.* extension
extenso/a extensive
exterior *m.* exterior (4)
externo/a external
extranjero abroad (11)
extranjero/a *n.* foreigner; *adj.* foreign (13)
extraño/a strange
extraordinario/a extraordinary
extremista *n., adj. m., f.* extremist
extremo *n., adj.* extreme
extrovertido/a extroverted

F

fábrica factory
fabricación *f.* making
fabricar (qu) to make
fachada facade
fácil easy (2)
factor *m.* factor, cause
facturar el equipaje to check luggage (10)
facultad *f.* school, college (2); **Facultad de Ciencias** School of Sciences (2); **Facultad de Educación** School of Education (2); **Facultad de Letras** School of Liberal Arts (Humanities) (2)
faja sash
falda skirt (7)
fallecido/a deceased
fallo fault, defect
falsificación *f.* falsification
falso/a false
falta lack
faltar to be missing/lacking; **falta(n)** _____ **minuto(s) para la(s)** _____ it is _____ minute(s) to _____ (6); **te falta** you lack
fama fame
familia family (3)
familiar *adj.* pertaining to a family
famoso/a famous
fanático/a fan (*sports*)
fantasía fantasy
fantástico/a fantastic (9)
farmacéutico/a *n.* pharmacist; **el farmacéutico/a me receta** the pharmacist prescribes for me
farmacia pharmacy
fascinar(le) to fascinate (*someone*) (9)
fatal awful (9); **estar** (*irreg.*) **fatal** to feel awful

favor *m.* favor; **a favor de** in favor of; **¿me haría el favor de** _____? would you (*form.*) please _____? (12); **¿me pasa(s)** _____, **por favor?** could you pass (me) _____, please?; **¿me trae** _____, **por favor?** could you bring me _____, please?; **por favor** please
favorecer (zc) to favor
favorito/a favorite
febrero February (6)
fecha date (*calendar*)
feliz (*pl.* **felices**) happy (9); **ser** (*irreg.*) **feliz** to be happy
femenino/a feminine
feminista *n. m., f.* feminist
fenómeno phenomenon
feo/a ugly (1)
feria fair
festejos *pl.* festivities
festividad *f.* festivity
festivo/a festive
fiable reliable
fibra fiber
ficción *f.* fiction; **ciencia ficción** science fiction
ficha index card; filing card; **marcar (qu) la ficha** to punch out (*time clock*)
fiebre *f.* fever; **tener** (*irreg.*) **fiebre** to have a fever (6)
fiel accurate, faithful
fiesta party (8); **fiesta patronal** patron saint's day
figura figure
figurar to stand out, be important
fijar to arrange, set up (12); **fijar citas** to set appointments
fijo/a set; fixed; **horario fijo** fixed schedule (12); **mantener** (*like* **tener**)/**seguir (i, i) (g) una rutina fija** to maintain/follow a fixed (regular) routine (6)
fila line, row
Filipinas Philippines
filosofía philosophy (2)
filósofo/a philosopher
fin *m.* end; **fin de semana** weekend; **por fin** finally
final *n. m.* end; *adj.* final
finca farm
fino/a *adj.* fine
firma signature
firmar to sign
firmeza firmness

física *s.* physics
físico/a physical (6); **fuerza física** physical strength (12); **salud** (*f.*) **física** physical health (6)
flan *m. type of custard topped with caramel*
flexibilidad *f.* flexibility
flexible: horario flexible flexible schedule (12)
flor *f.* flower
florecer (zc) to flourish
florería flower shop
floristería flower shop
folclore *m.* folklore (14)
folclórico/a folkloric
folleto brochure
fondo fund
forma form, shape; **en buena forma** in good shape; **mantenerse** (*like* **tener**) **en forma** to keep oneself in shape
formación *f.* background (12)
formal formal (4)
formar to form; **formar pareja** to form a romantic relationship, find a mate (15); **formar parte** (*f.*) **de** to be a part of
fórmula formula
formulario form, application (12)
foro forum
fortalecer (zc) to strengthen
fortaleza fort
foto *f.* picture, photograph
fotocopia photocopy
fotografía photograph; photography
fotógrafo/a photographer (12)
fracaso failure
fragancia fragrance
fragmento excerpt
francés *n. m.* French (*language*) (2)
francés, francesa *n., adj.* French (1)
Francia France
frase *f.* sentence; phrase
fraude *m.* fraud
frecuencia frecuency (9); **con frecuencia** frequently (9)
frecuentar to visit often, frequent (15)
frecuente frequent
fregadero sink (*kitchen*) (4)
freír (i, i) (*p.p.* **frito/a**) to fry (5)
frenar to stop
frenético/a frenzied, frantic
frente a *prep.* in front of; versus

fresco/a fresh (5); cool; **hace fresco** it's cool (*weather*) (6)
frigorífico refrigerator
frijol *m.* bean (5)
frío *n.:* **hace frío** it's cold (6)
frío/a *adj.* cold
frito/a (*p.p. of* **freír**) fried (5)
frontera border (11); **para cruzar (c) la frontera** getting across the border (11)
fronterizo/a *adj.* frontier, border
frustración *f.* frustration
frustrado/a frustrated (9)
fruta fruit (5)
frutería fruit store (5)
fuego fire; **arma** (*f.* [*but* **el arma**]) **de fuego** firearm
fuente *f.* source; fountain
fuera de outside (of); **por fuera** on the outside (4)
fuerte strong
fuerza strength; **fuerza física** physical strength (12)
fumador(a) smoker
fumar to smoke (8)
función *f.* function
funcional functional; **lenguaje** (*m.*) **funcional** functional language (1)
funcionamiento: en funcionamiento functioning
funcionar to function, work
fundamental basic
fundar to found, be founded
fútbol *m.* soccer; **fútbol americano** football (8); **jugar (ue) (gu) al fútbol** to play soccer (4)
futbolista *m., f.* soccer player
futuro *n.* future; **futuro prometedor** promising future (12)
futuro/a *adj.* future

G

galería gallery
gallego/a *n., adj.* Galician
gamba shrimp, prawn (5)
ganador(a) winner
ganar to win (8); to earn (12); **ganarle a** to defeat
ganas: tener (*irreg.*) **ganas de +** *inf.* to feel like (*doing something*) (8)

ganga bargain (7)
garaje *m.* garage (4)
garantizar (c) to guarantee
garganta throat (6); **tiene la garganta inflamada** your (*form. s.*) throat is inflamed (6)
gas *m.* gas; **cocina de gas** gas stove (4); **horno de gas** gas oven
gastar to spend (*money*)
gasto expense
gastronomía (style of) cooking, gastronomy (14)
gastronómico/a gastronomic
gato/a cat (3)
gaucho/a Argentine cowboy
gaviota seagull
gélido/a icy cold
gemelo/a twin (3)
generación *f.* generation
generacional: conflicto generacional generational conflict (11)
general *n. m.* general (*military*); *adj.* general; **en general** in general; **por lo general** generally
genérico/a generic
género genre
generoso/a generous
genio/a genius
gente *f. s.* people; **gente campesina** people who live in rural areas; **la gente se cuida por sí misma** people take care of themselves
geografía geography
geográfico/a geographical
geología geology
geométrico/a geometric
gerencial: cualidades gerenciales managing abilities
gerente *m., f.* manager
gesto gesture
gimnasio gymnasium (2)
girar to turn
glaciar *m.* glacier
globalización *f.* globalization
gobernador(a) governor
gobernante governing
gobernar (ie) to govern, rule
gobierno government (13)
golf *m.* golf (8); **jugar (ue) (gu) al golf** to play golf
golfo gulf
golpe (*m.*) **militar** military coup
gordo/a fat (1)

gorra cap
gozar (c) de to enjoy
grabado engraving
gracias thank you; **estoy (muy) bien, gracias** I'm (very) fine, thanks (1); **Día** (*m.*) **de (Acción de) Gracias** Thanksgiving (9); **gracias a** thanks to; **gracias por** thanks for (11)
grado degree
graduación *f.* graduation
gráfico *n.* graph, diagram
gráfico/a *adj.* graphic
gramática grammar
gran, grande big, large (1); great; **quedarle grande** to be too big (*clothing*) (7)
granizado small snow cone
granjero/a farmer
grano grain
grasa *n.* fat
gratis *adv. inv.* free (*of charge*)
gratuito/a free (*of charge*)
grave serious
gregario/a gregarious (3)
griego/a *n., adj.* Greek
gripe *f.* flu; **tener** (*irreg.*) **gripe** to have the flu (6)
gris gray (7)
gritar to yell, shout
grito shout, yell
grupo group
guacamole *m. mashed avocado dip* (*Mex.*)
guapo/a handsome, good-looking, pretty (1)
guaraní *m.* Guarani (*indigenous language of Paraguay*)
guardar to keep; to save; **guardar cama** to stay in bed
guardería day care center
guatemalteco/a *n., adj.* Guatemalan (13)
guay: ¡qué guay! cool! (*Sp.*)
guayabera *embroidered shirt of light material worn in tropical climates*
gubermental governmental
guerra war; **guerra civil** civil war (13); **la Guerra Civil** Civil War
guerrero/a *adj.* war
guerrilla guerilla war (13)
guía *m., f.* guide; *f.* guidebook
guiar (guío) to guide

guineo banana
güiro *musical instrument made from a gourd*
guisante *m.* green pea
guitarra guitar
gustar(le) to be pleasing (*to someone*) (9); **(no) me gusta(n)** I (don't) like (2); **(no) te gusta(n)** you (*fam. s.*) (don't) like (2); **me gustaría +** *inf.* I would like to (*do something*) (8); **me/te gustaría** I/ you (*fam. s.*) would like (5); **¿te gustaría +** *inf.***?** would you (*fam. s.*) like to (*do something*)? (8)
gusto like, preference, taste; pleasure (7); **mucho gusto** nice (pleasure) to meet you (1); **uno se siente a gusto** one feels relaxed, happy

H

haber *irreg.* (*inf. of* **hay**) to have (*auxiliary*); **después de haber salido** after having left; **hay** there is/are; **hay que +** *inf.* you (one) must (*do something*) (6)
habichuela bean
hábil skillful
habilidad *f.* ability; skill
habitación *f.* (bed)room (4)
habitante *m., f.* inhabitant
habitar to live
hábito habit
hablador(a) talkative
hablar to speak, talk (2)
hacer *irreg.* (*p.p.* **hecho/a**) to make (3); to do (3); **desde hace +** *period of time* for + *period of time;* **hace (mucho tiempo)** (a long time) ago (11); **hace buen/mal tiempo** it's nice (good)/bad weather (6); **hace fresco** it's cool (*weather*) (6); **hace frío/calor** it's cold/hot (6); **hace sol** it's sunny (6); **hace viento** it's windy (6); **hacer artes marciales** to practice martial arts (8); **hacer camping** to go camping; **hacer clic (en)** to click (on) (13); **hacer cola** to stand in line; **hacer crucigramas** to do crossword puzzles (3); **hacer daño** to hurt, harm (15); **hacer ejercicio (aeróbico)** to do (aerobic) exercise (6); **hacer la cama** to make the bed; **hacer la compra** to do the shopping (5); **hacer la rabona** to play hookey; **hacer preguntas** to ask questions; **hacer un viaje** to take a trip (10); **hacer una excursión** to go on an excursion/outing (10); **hacer una pregunta** to ask/pose a question; **¿me haría el favor de ____?** would you (*form. s.*) please ____? (12); **¿qué tiempo hace?** what's the weather like? (6); **se me hace** it seems to me (*Mex.*) (11)
hacia toward; **hacia el norte (sur, este, oeste)** to the north (south, east, west) (10)
haitiano/a *n., adj.* Haitian
hallaca *main Venezuelan Christmas dish*
hallar to find
hambre *f.* (*but* **el hambre**) hunger; **tener** (*irreg.*) **hambre** to be hungry (5)
hamburguesa hamburger
harina de maíz corn flour
hasta *prep.* until; **desde la(s) ____ hasta la(s) ____** from ____ until ____ (*time*) (6); **hasta altas horas de la noche** until late at night; **hasta cierto punto** up to a point; **hasta luego/mañana/pronto** until (see you) later/tomorrow/soon (1); **hasta que** *conj.* until
hay (*form of* **haber**): **(no) hay** there is/are (not); **hay hielo** it's icy; **hay niebla** it's foggy; **hay que +** *inf.* you (one) must (*do something*) (6)
hecho *n.* fact; **de hecho** in fact
hecho/a (*p.p. of* **hacer**) made; **estar** (*irreg.*) **hecho/a a mano** to be made by hand (7); **estar** (*irreg.*) **hecho/a bien/mal** to be well/poorly made (7); **estar** (*irreg.*) **hecho/a de** to be made of
helado *n.* ice cream

hemisferio hemisphere
heredar to inherit
herencia heritage; inheritance
hermanastro/a stepbrother/ stepsister (3)
hermandad *f.* close relationship
hermano/a brother/sister (3); *m. pl.* siblings (3)
hermoso/a beautiful
herramienta tool
hervir (ie, i) to boil
hidráulico/a hydraulic
hielo ice; **hay hielo** it's icy; **patinar (sobre hielo)** to (ice) skate (8)
higiene *f.* hygiene
higiénico/a hygienic
hijo/a son/daughter (3); *m. pl.* children (3); **hijo/a único/a** only child (3); **pasar tiempo con los hijos** to spend time with the (one's) children (3)
himno hymn
hipermercado hypermarket
hispánico/a *adj.* Hispanic
hispanidad: Día (*m.*) **de la Hispanidad** Hispanic Awareness Day
hispano/a *n., adj.* Hispanic
Hispanoamérica Latin America
hispanoamericano/a *n., adj.* Hispanic-American
hispanohablante *m., f.* Spanish speaker
historia story; history (13)
histórico/a historical
hogar *m.* home
hoja leaf; **hoja de papel aparte** separate piece of paper
hola hello (1)
Holanda Holland
hombre *m.* man; **hombre de negocios** businessman (12)
homenaje *m.* homage
homólogo/a *n.* opposite number
hondureño/a *n., adj.* Honduran
honestidad *f.* honesty
honesto/a honest, sincere (15)
honrado/a honest
hora hour (6); time; **a la hora** on time; **hasta altas horas de la noche** until late at night; **¿qué hora es?** what time is it? (6); **¿tiene(s) la hora?** do you have the time? (6)

horario (fijo/flexible) (fixed/flexible) schedule (12)

horizonte *m.* horizon

hornear to bake

horno oven (4); **al horno** baked; **horno de gas** gas oven

horrible terrible, horrible (9)

hospital *m.* hospital

hospitalario/a hospitable

hostal *m.* inexpensive hotel, youth hostel

hostelería hotel management

hotelero/a *adj.* hotel

hoy today; **hoy en día** nowadays

huaraches *pl. traditional Mexican sandals*

huelga strike

huella footprint; trace; **huellas digitales** fingerprints

huevo egg (5)

huipil *m.* blouse (*Mexico, Central America*)

humanidad *f.* humanity

humanitario/a humanitarian

humano *n.* human; **ser** (*n. m.*) **humano** human being

humano/a *adj.* human

humedad *f.* humidity

húmedo/a humid, damp

humilde humble (4)

humo smoke

humor *m.* humor; mood; **sentido del humor** sense of humor

huracán *m.* hurrricane

I

icono icon

ida: de ida *adj.* one-way (10); **de ida y vuelta** *adj.* round-trip (10); **billete de ida** one-way ticket; **billete de ida y vuelta** round-trip ticket; **boleto de ida** one-way ticket; **boleto de ida y vuelta** round-trip ticket

idea: ¡qué buena idea! what a good idea! (8)

identidad *f.* identity (11)

identificación *f.* identification

identificar (qu) to identify; **identificarse con** to identify with (11)

ideología ideology

ideológico/a ideological

idioma *m.* language

ídolo idol

iglesia church (15)

igual equal; **al igual que** just like (3)

igualdad *f.* equality

igualmente likewise, same here (1)

ilegal illegal (11)

ilógico/a illogical

imagen *f.* (*pl.* **imágenes**) image (13)

imaginar to imagine

imaginario/a imaginary

impacto impact

imparable unstoppable

impartido/a imparted, granted

impedir (*like* **pedir**) to impede, hinder

imperfecto *gram.* imperfect (*tense*)

imperio empire

impermeable *m.* raincoat (7)

implicación *f.* implication

implicar (qu) to implicate

implícito/a implicit

importación *f.* import

importado/a imported

importancia importance

importante important (2); **es importante** + *inf.* it's important to (*do something*) (6)

importar to matter, be important; **(no) importar(le)** to (not) matter (*to someone*) (9); **¿le importaría ____?** would you (*form. s.*) mind ____? (12)

imposibilidad *f.* impossibility

imposible impossible

imposición *f.* imposition

impotente impotent, powerless (14)

imprescindible indispensable

impresión *f.* impression

impresionable impressionable; emotional

impresionante impressive

impresionar to impress

imprimir to print

impuesto *n.* tax

impulsar to give impulse to; to promote

inca *n. m., f.* Inca; *adj. m., f.* Incan

incaico/a Incan (14)

incertidumbre *f.* uncertainty; **vivir con la incertidumbre** to live with uncertainty (11)

incidencia incidence

incidente *m.* incident

incierto/a uncertain

inclinarse por to prefer

incluir (y) to include

inclusive *adv.* inclusive

incluso *prep.* even

incompatible: tener (*irreg.*) **personalidades/valores incompatibles** to have incompatible personalities/values (15)

incompleto/a incomplete

inconsciente unconscious

inconveniente inconvenient

incorporar to incorporate

increíble incredible, unbelievable; **la/lo pasamos increíble** we had an incredible time

indefenso/a defenseless, helpless

independencia independence; **Día** (*m.*) **de la Independencia** Independence Day

independiente independent

indicar (qu) to indicate

indicativo *gram.* indicative (*mood*)

índice *m.* rate

indígena *n. m., f.* indigenous person, native (13); *adj. m., f.* indigenous, native

indirecto/a indirect; **complemento indirecto** *gram.* indirect object; **pronombre de complemento indirecto** indirect object pronoun

indiscreto/a indiscreet

indocumentado/a undocumented person (11)

industria industry

industrializado/a industrialized

ineficaz (*pl.* **ineficaces**) ineffective

inesperado/a unexpected

inestabilidad *f.* instability

inexistente nonexistent

infancia infancy (9)

infantil *adj.* childlike, children's

infección *f.* infection

infeliz (*pl.* **infelices**) unhappy (9)

inferioridad *f.* inferiority

inferir (ie, i) to infer

infinitivo *gram.* infinitive

inflación *f.* inflation

inflamado/a inflamed; **tiene la garganta inflamada** your (*form. s.*) throat is inflamed (6)

influencia influence (11)

influenciado/a influenced

influir (y) en to influence (13)

información *f.* information

informado/a: mantenerse (*like* **tener**) **informado/a** to stay informed (13)
informal informal (2)
informar to inform
informática *n.* computer science (2)
informático/a *adj.* computer
informe *m.* report
infusión *f.* infusion
ingeniería engineering
ingeniero/a engineer (12)
Inglaterra England
inglés *n. m.* English (*language*) (2)
inglés, inglesa *n., adj.* English (1)
ingrediente *m.* ingredient
iniciar to initiate
iniciativa initiative
injusticia injustice (13)
inmaculado/a: Inmaculada Concepción Immaculate Conception; **Día** (*m.*) **de la Inmaculada Concepción** Feast of the Immaculate Conception
inmediato/a immediate
inmenso/a immense
inmigración *f.* immigration; **agente** (*m., f.*) **de inmigración** immigration officer (11)
inmigrante *n. m., f.* immigrant
inmigrar to immigrate
inmobiliario/a *adj.* real-estate, property
innecesario/a unnecessary
inocente naive, inexperienced (9)
inolvidable unforgettable
insatisfacción *f.* dissatisfaction
inseguridad *f.* insecurity
inseguro/a insecure
insistir en + *inf.* to insist on (*doing something*)
insomnio insomnia; **sufrir de insomnio** to suffer from insomnia (6)
insoportable unbearable
inspirar to inspire
instalación *f.* installation
instalar to install
instantáneo/a instantaneous
institución *f.* institution
instituto institute
instrucción *f.* instruction
instrumento instrument
integración *f.* integration
integrarse to integrate oneself

integridad *f.* integrity
intelectual *n., adj. m., f.* intellectual
inteligente intelligent
intención *f.* intention; **tener** (*irreg.*) **la intención de** + *inf.* to intend to (*do something*) (11)
intentar to try
intento *n.* attempt
intercambio *n.* exchange
interés *m.* interest
interesado/a interested (9)
interesante interesting (2) **este... (no) me parece muy interesante** um . . . that seems (doesn't seem) very interesting (8)
interesar(le) to interest (*someone*) (9); **(no) me interesa(n)** it/that does (not) interest me (8)
interior *n. m.* (4) interior; **decorador(a) de interiores** interior decorator; **ropa interior** underwear (7)
internacional international; **comunidad internacional** international community (13)
Internet *m.* Internet (13); **sitio del Internet** website
interno/a internal
interpretación *f.* interpretation
intérprete *m., f.* interpreter; performer
interrogativo/a interrogative (2)
interrumpir to interrupt
intervención *f.* intervention
intervenir (*like* **venir**) to intervene
intimidado/a intimidated, threatened (9)
íntimo/a: relación (*f.*) **íntima** intimate relationship (15)
intocable untouchable
intriga intrigue
introvertido/a introverted
inundación *f.* flood
inútil useless
invadir to invade
inventar to invent, discover
inversión *f.* investment
investigación *f.* research
investigador(a) researcher
investigar (gu) to research
invierno winter (6)
invitación *f.* invitation
invitado/a guest (8)

invitar to invite
ir *irreg.* to go (2); **ir a pie** to go on foot (walk) (10); **ir al cine/ teatro** to go to the movies/ theater (8); **ir de compras** to go shopping (3); **ir de vacaciones** to go on vacation (10); **ir de viaje** to go on a trip (10); **ir en (autobús/avión/tren)** to go by (bus/airplane/train) (10); **irle bien/mal** to go well/poorly (*for someone*) (11); **irse** to go away, leave; **¡vamos!** let's go! (8)
Irlanda Ireland
irlandés, irlandesa *n., adj.* Irish
irónico/a ironic
irresponsabilidad *f.* irresponsibility
irrigar (gu) to irrigate, water
irritado/a irritated (9); **estar** (*irreg.*) **irritado** to be/feel irritated
irritante irritating, annoying
irritar(le) to irritate (*someone*) (9)
irrumpir to burst into, erupt
isla island
israelí (*pl.* **israelíes**) *n., adj. m., f.* Israeli
Italia Italy
italiano Italian (*language*)
italiano/a *n., adj.* Italian (1)
itinerario itinerary (10)
izquierda *n.* left-hand side; **a la izquierda** (**de** + *noun*) to the left (of + *noun*) (2); **a mano** (*f.*) **izquierda** on the left; **de la izquierda** on the left; **doblar a la izquierda** to turn left (10)

J

jabón *m.* soap
jamaicano/a *n., adj.* Jamaican
jamás never, not ever (8); **nunca jamás** never ever (8)
jamón *m.* ham (5)
Januká *m.* Hanukkah (9)
Japón *m.* Japan
japonés, japonesa *n., adj.* Japanese (1)
jarabe *m.* **(para la tos)** (cough) syrup
jardín *m.* garden (4)
jefe/a boss, chief
jerarquía hierarchy
jerez *m.* (*pl.* **jereces**) sherry
Jesucristo Jesus Christ

jícara cup, small bowl

jitomate *m.* tomato (*Mex.*)

jornada tradicional traditional workday (12)

joven *n. m., f.* (*pl.* **jóvenes**) young person (9); *adj.* young

joyería jewelry store (7)

jubilado/a: estar (*irreg.*) **jubilado/a** to be retired (3)

jubilarse to retire

judaísmo Judaism

judío/a *n., adj.* Jewish

juego game; **Juegos Olímpicos** Olympics

jueves *m. s., pl.* Thursday (1)

juez(a) (*m. pl.* **jueces**) judge

jugador(a) player (8)

jugar (ue) (gu) to play (4); **jugar a las cartas** to play cards; **jugar a los naipes** to play cards (8); **jugar a los videojuegos** to play video games (8); **jugar al ajedrez** to play chess (8); **jugar al baloncesto** to play basketball (*Sp.*) (4); **jugar al balonmano** to play handball; **jugar al básquetbol** to play basketball; **jugar al béisbol** to play baseball (4); **jugar al billar** to play billiards (pool) (8); **jugar al fútbol** to play soccer (4); **jugar al golf** to play golf; **jugar al voleibol** to play volleyball

jugo juice

juguete *m.* toy

juicio trial, lawsuit

julio July (6)

jungla jungle

junio June (6)

junto *adv.*: **junto a** near, close to; **junto con** along with, together with

junto/a *adj.* together (3)

jurisdicción *f.* jurisdiction

justificar (qu) to justify

justo/a fair

K

kínder *m.* kindergarten

Kwanzaa *m.* Kwanzaa (9)

L

la *def. art. f.* the (1); *d.o. f.* her, it, you (*form. s.*); **la más/menos** + *adj.* the most/least + *adj.* (5); **la mejor/peor** + *noun* the best/worst + *noun* (5)

laboral *adj.* pertaining to work or labor; **día** (*m.*) **laboral** workday

laboratorio (de lenguas/química) (language/chemistry) lab (2)

laborioso/a hardworking

lado *n.* side; **al lado** (**de** + *noun*) beside (+ *noun*) (2); **por otro lado** on the other hand (10); **por un lado** on one hand (10)

lago lake (10)

lágrima tear

laico/a secular

lamentable lamentable, regretful (13)

lamentablemente unfortunately

lamentar to lament, regret (13)

lámpara lamp (4)

lana wool (7)

langosta lobster (5)

lanzar (c) to throw, fling; to launch

lápiz *m.* (*pl.* **lápices**) pencil (2)

laredense *n., adj. m., f.* Laredoan (*from Laredo, TX*)

largo/a long; **a lo largo de** throughout; **pelo largo** long hair (1)

largura length

las *def. art. f. pl.* the (1); *d.o. f.* you (*form. pl.*); them; **las más/menos** + *adj.* the most/least + *adj.* (5); **las mejores/peores** + *noun* the best/worst + *noun* (5)

lástima shame; **es una lástima** it is a shame

lata (tin) can

latino/a *adj.* Latino; **America Latina** Latin America

Latinoamérica Latin America

latinoamericano/a *n., adj.* Latin American

latir to beat (*heart*)

lavabo sink (*bathroom*) (4)

lavadora washing machine (4)

lavaplatos *m. s., pl.* dishwasher (4)

lavar to wash; **lavar los trastes** to wash the dishes; **lavarse** to wash oneself; **lavarse las manos** to wash one's hands

lazo tie, bond; **lazos afectivos** emotional bonds (15)

le *i.o. s.* to/for him, her, it, you (*form. s.*)

lección *f.* lesson

leche *f.* milk (5); **café** (*m.*) **con leche** coffee with milk

lechosa papaya

lechuga lettuce (5)

lector(a) reader (13)

lectura *n.* reading

leer (y) to read (3); **leer el periódico** to read the newspaper (3); **leer novelas** to read novels (3); **leer revistas** to read magazines (3)

legal legal (11)

legalizar (c) to legalize

legislatura legislature

lejos *adv.* far away; **lejos de** far from

lengua tongue; language; **laboratorio de lenguas** language lab (2); **lengua nativa** native language (11); **saque la lengua** stick out your (*form. s.*) tongue (6)

lenguaje *m.* language (1); **evitar el lenguaje peyorativo** to avoid pejorative language (14); **lenguaje funcional** functional language (1)

lento/a slow

les *i.o. pl.* to/for you (*form. pl.*), them

letra letter (*of the alphabet*); lyrics; *pl.* humanities; arts, letters (2); **Facultad** (*f.*) **de Letras** School of Liberal Arts (Humanities) (2)

levantar to lift, raise up; **levantar pesas** to lift weights (8); **levantarse** to get up (6)

léxico vocabulary

ley *f.* law (11)

leyenda legend

liberalización *f.* liberalization

libertad *f.* liberty, freedom; **libertad de palabra** freedom of speech (13); **libertad de prensa** freedom of the press (13)

libertador(a) liberator

libra pound

libre free; **al aire libre** outdoors; **mercado libre** farmers' market (5); **pasar el tiempo libre** to spend free time (3); **tiempo libre** free time; **Tratado de Libre Comercio** NAFTA

librería bookstore (2)

libro book (2); **libro de texto** textbook (2)

licenciatura university degree
líder *m.* leader
liga league
ligado/a connected, linked
ligero/a light (*not heavy*); **ropa ligera** light clothing
limitación *f.* limitation
limitar to limit
limítrofe: países limítrofes bordering countries
limón *m.* lemon (5)
limpiar to clean
limpio/a clean
lindo/a pretty
línea line
lingüístico/a linguistic
líquido liquid
lista list
listo/a ready; **estar** (*irreg.*) **listo/a** to be ready; **ser** (*irreg.*) **listo/a** to be clever
literario/a literary
literatura literature (2)
llamada (telephone) call
llamar to call; **¿cómo te llamas? / ¿cómo se llama usted?** what's your name? (1); **llamar la atención** to attract attention; **llamarse** to be called; **me llamo _____** my name is _____ (1)
llamativo/a striking
llanera: música llanera *popular musical genre (Colombia)*
llano *n.* plain
llanura flatland, prairie (10)
llavero key chain, key ring
llegada arrival
llegar (gu) to arrive (2); **llegar a conocer** to get to know (15); **llegar a ser** to become; **llegar a un acuerdo** to come to an agreement
llenar to fill (out, in) (12)
lleno/a full
llevar to take (*a class*) (2); to carry (2); to wear (*clothing*) (7); to lead; **bueno, me lo/la/los/las llevo** OK, I'll take it/them (7); **llevar a cabo** to carry out, perform; **(no) llevarse bien** to (not) get along well (15); **llevarse mal** to get along poorly; **¿qué número/talla lleva?** what size (*shoes/clothing*) do you (*form. s.*) wear? (7)

llorar to cry (9)
Llorona Weeping Woman (*Mexican legend*)
llover (ue) to rain; **llueve** it's raining (6)
lo *d.o. m.* him, it, you (*form. s.*)
local comercial retail space
localidad *f.* village, town
loco/a mad, crazy
locrio *popular dish from the Dominican Republic*
lógico/a logical
lograr to achieve, attain
logro achievement, accomplishment
lonche *m.* lunch
los *def. art. m. pl.* the (1); *d.o.* them, you (*form. pl.*); **los/las demás** others (15); **los más/ menos** + *adj.* the most/least + *adj.* (5); **los mejores/ peores** + *noun* the best/worst + *noun* (5)
lucha *n.* fight
luchar to fight
luego then; **hasta luego** until (see you) later (1)
lugar *m.* place; **dar lugar a** to cause
lujo luxury (4)
lujoso/a luxurious (4)
luminoso/a luminous, bright
luna moon
lunes *m. s., pl.* Monday (1)
lustrado/a: zapatos lustrados polished shoes
luz *f.* (*pl.* **luces**) light(ing) (4); (overhead) light (4); electricity (4)

M

maceta flowerpot
madera wood
madrastra stepmother (3)
madre *f.* mother (3); **Día** (*m.*) **de la Madre** Mother's Day
madrileño/a *n., adj.* Madrilenian; **movida madrileña** the Madrid Movement (*sociocultural movement in Madrid*)
madrina godmother (3)
madurar to mature
maduro/a ripe (5); mature
maestría mastery, skill; master's degree
maestro/a teacher

magnesio magnesium
magnífico/a magnificent; great
magos: los Reyes Magos the Magi; **Día** (*m.*) **de los Reyes Magos** Epiphany (January 6) (9); Day of the Magi (9)
magro/a lean (*meat*)
mail *m.* e-mail (*message*) (13)
maíz *m.* corn (5); **harina de maíz** corn flour
majestad *f.* majesty
mal, malo/a *adj.* bad (1); **caerle** (*irreg.*) **mal** to dislike (*someone*) (9); to make a bad impression (*on someone*) (9); **comunicarse (qu) mal** to communicate poorly (15); **estar** (*irreg.*) **hecho/a mal** to be poorly made (7); **hace mal tiempo** it's bad weather (6); **irle** (*irreg.*) **mal** to go poorly for (*someone*) (11); **llevarse mal** to get along poorly; **me parece mal** that seems bad to me; **pasarlo mal** to have a bad time; **quedarle mal** to fit poorly (7); **sentirse (ie, i) mal** to feel badly (6)
maldad *n. f.* evil
maldito/a cursed, damned
maleta suitcase (10)
maltratar to mistreat
mamá mother
mamón *m.* papaya
mandar to send; to order; **mandar de regreso** to deport (11)
mandato command
manejar to drive (10)
manera manner, way
manganzón, manganzona lazy, idle
maní *m.* (*pl.* **manises**) peanut
manicero/a peanut vendor
manifestación *f.* demonstration (13)
manifestar (ie) to manifest; to show
mano *f.* hand; **a mano derecha/ izquierda** on the right/left; **estar** (*irreg.*) **hecho/a a mano** to be made by hand (7); **lavarse las manos** to wash one's hands; **tomarse de la mano** to hold hands
mantener (*like* **tener**) to follow; to maintain (6); **mantener los valores tradicionales** to maintain traditional values (14);

mantener un espacio entre los dos to maintain distance between the two (15); **mantener una rutina fija** to maintain a fixed (regular) routine (6); **mantenerse a raya** to keep away; **mantenerse en forma** to keep oneself in shape; **mantenerse informado/a** to stay informed (13); **tratar de mantener las costumbres** to try to maintain one's customs (11)

mantenimiento maintenance

mantequilla butter (5)

manual (*m.*) **de práctica** workbook

manzana apple (5); city block; **estar** (*irreg.*) **a _____ manzanas de** to be _____ blocks from

mañana *n.* morning; *adv.* tomorrow; **de la mañana** in the morning (*specific time*) (2); **hasta mañana** until (see you) tomorrow (1); **por la mañana** in/during the morning (*in general*) (2)

mapa *m.* map

maqueta scale model

máquina machine

mar *m., f.* sea, ocean

maravilla: de maravilla wonderfully

maravilloso/a marvelous (9)

marca mark; brand

marcado/a marked, distinct

marcar (qu) to emphasize; **marcar la ficha** to punch out (*time clock*)

marcha: sobre la marcha off the cuff

marchar to work, function

marcial: hacer (*irreg.*) **artes marciales** to practice martial arts (8)

marginado/a marginalized (14)

marina navy

marisco shellfish (5)

marítimo/a maritime

marrón brown

martes *m. s., pl.* Tuesday (1)

marzo March (6)

más *adv.* more; more or less; **el/la/los/las más** + *adj.* the most + *adj.* (5); **más** + *adj.* + **que** more + *adj.* + than (5); **más o menos** so-so (1); **¡qué** + *noun* + **más** +

adj.! what a/an + *adj.* + *noun*! (13)

masa dough, mix

máscara mask

mascota *n.* pet

masculino/a masculine

masivo/a massive

máster *m.* master's degree

mate *m.* popular beverage similar to tea (*Argentina*)

matemáticas mathematics (2)

materia subject (*school*)

materno/a maternal (3)

matrícula tuition

matrimonio matrimony, marriage; **contraer** (*like* **traer**) **matrimonio** to get married

maya *n., adj. m., f.* Maya(n)

mayo May (6)

mayor *n. m., f.* adult; *adj.* older; oldest; greater; greatest; **la mayor parte del tiempo** most of the time; **mayor (que)** older (than) (3); **persona mayor** older person (9)

mayoría majority (14)

mayoritario/a *adj.* majority

mayormente mainly

me *d.o.* me; *i.o.* to/for me; *refl. pron.* myself

mecánico, la mujer mecánico mechanic (12)

mechado/a shredded

medalla medal

medallón *m.* medallion

mediados: a mediados de... about the middle of . . .

mediano/a *adj.* medium; average

medianoche *f.* midnight; **a medianoche** at midnight (6)

medias *pl.* stockings

medicamento medicine

medicina medicine; **tomar medicina** to take medicine

médico/a *n.* doctor (12); *adj.* medical

medida measure

medio *n. s.* means; **medio ambiente** environment; **por medio de** by means of

medio/a *n.* half; middle; average; **a la(s) _____ y media** at half past _____ (2); **en medio de** in the middle of; **se paga a medias** the bill is split; **tener** (*irreg.*) **_____ años y medio** to be _____ and a

half years old (3) *adj.* **clase media** middle class (14)

mediodía *m.* noon, midday; **a mediodía** at noon (6)

medir (i, i) to measure (5)

mediterráneo/a *adj.* Mediterranean

mejor better (5); **el/la/los/las mejor(es)** + *noun* the best + *noun;* **mejor que** better than (5)

mejorar to improve; **mejorar las condiciones de vida** to improve living conditions (14)

mejoría improvement

melocotón *m.* peach

melón *m.* melon

memoria memory

mencionar to mention

menonita *n., adj. m., f.* Menonite

menor (que) younger (than) (3)

menos less; least; **a menos que** *conj.* unless; **el/la/los/las menos** + *adj.* the least + *adj.* (5); **más o menos** so-so (1); **menos** + *adj.* + **que** less + *adj.* + than (5); **menos cuarto** a quarter to (*hour*) (6); **menos quince** fifteen minutes to (*hour*) (6); **por lo menos** at least

menospreciar to despise, scorn (13); **no se le menosprecia** (he/she) isn't underrated

mensaje *m.* message (13)

mensajero/a messenger

mental: salud mental mental health (6)

mentir (ie, i) to lie (13)

mentira lie (13)

menú *m.* menu

menudo: a menudo frequently

mercado market; **mercado de artesanías** handicrafts market (7); **mercado del barrio / libre** neighborhood / farmers' market (5); **mercado sobre ruedas** market on wheels

merecer (zc) to deserve

merendar (ie) to snack (5)

merengada milkshake

merengue *m.* merengue (*dance*)

merienda (afternoon) snack (5)

mermelada marmalade

mes *m.* month (6); **cada mes** each month (9)

mesa table (4); **poner** (*irreg.*) **la mesa** to set the table

mesero/a waiter/waitress (5)
mesilla de noche night table (4)
mestizaje *m.* crossbreeding
mestizo/a *n.* mixed-race (person) (14)
meta goal
metafórico/a metaphoric
metalurgia metallurgy
meteorológico/a meteorological
meteorólogo/a meteorologist
meter to put
método method
metro meter; subway (10); **estación** (*f.*) **del metro** subway station (10)
mexicano/a *n., adj.* Mexican (1)
mexicanoamericano/a *n., adj.* Mexican-American
mexicoestadounidense *n., adj. m., f.* Mexican-American
mezcla mixture (11)
mezclar to mix; to blend
mezclilla denim
mezquita mosque
mi(s) *poss.* my
miedo fear; **dar** (*irreg.*) **miedo** to be scary; **tener** (*irreg.*) **miedo** to be afraid (11)
miembro/a member (3)
mientras *adv.* meanwhile; **mientras que** *conj.* while (10)
miércoles *m. s., pl.* Wednesday (1)
migración *f.* migration
mil thousand, one thousand (7); **dos mil** two thousand (7)
milenario/a millenary, pertaining to the millennium
milenio millennium
militar *adj.* military; **golpe** (*m.*) **militar** military coup
milla mile
millón *m.* million
mimar to spoil (*child*)
mina mine
mineral: agua (*f.* [*but* **el agua**]) **mineral** mineral water (5)
minidiálogo minidialogue
minifalda miniskirt
mínimo/a *adj.* minimum; **experiencia mínima** minimum experience (12); **sueldo mínimo** minimum wage
ministro/a minister
minoría minority (14)
minoritario/a *adj.* minority (14)

minuto minute; **falta(n)** ____ **minuto(s) para la(s)** ____ it is ____ minute(s) to ____ (6)
mío/a/os/as *poss.* my, (of) mine
mirar to look (at), watch; **mirar la televisión** to watch TV (3); **mirarse (profundamente) a los ojos** to stare (deeply) into each other's eyes (15)
misión *f.* mission
Misisipí Mississippi
mismo/a same; self; **ahora mismo** at once; right now; **la gente se cuida por sí misma** people take care of themselves; **misma sangre** *f.* same blood
misterio mystery
misterioso/a mysterious
mitad *f.* half
mixto/a mixed
mochila backpack (2)
moda fashion; fad; **de moda** fashionable; **de última moda** the latest fashion; **diseñador(a) de moda** fashion designer; **estar** (*irreg.*) **de moda** to be in fashion
modales *m. pl.* manners, behavior
modalidad *f.* form, category
modelo model; *m., f.* model (*fashion*)
modernidad *f.* modernity
moderno/a modern (4)
modificar (qu) to modify
modisto/a fashion designer
modo way, manner
molestarle to bother, annoy (*someone*) (8)
molesto/a annoyed; annoying (9)
molido/a ground, grated
molondrones *m. pl.* okra
momento moment, instant
monarquía monarchy
moneda currency; coin; **coleccionar monedas** to collect coins (8)
monstruo monster
montaña mountain; **escalar montañas** to go mountain climbing (8); **las Montañas Rocosas** the Rocky Mountains
montar a caballo to go horseback riding (8)
monte *m.* mount(ain)
montón *m.*: **un montón de** a lot of

monumento monument (10)
morado/a purple (7)
moreno/a dark-skinned (1); **piel** (*f.*) **morena** dark(-colored) skin (1)
morir(se) (ue, u) (*p.p.* **muerto/a**) to die
moro *typical dish from the Dominican Republic*
mortalidad *f.* mortality
moruno/a: pincho moruno kebab
mostrador *m.* display counter (7)
mostrar (ue) to show (*something to someone*) (7); **mostrar cariño en público** to show affection in public (15)
motivo motive, reason
motocicleta motorcycle; **andar** (*irreg.*) **en motocicleta** to ride a motorcycle (8)
moverse (ue) to move (around)
movida madrileña the Madrid Movement (*sociocultural movement in Madrid*)
móvil: teléfono móvil cell phone
movimiento movement
muchacho/a boy/girl
mucho *adv.* a lot, much (2)
mucho/a *adj.* much, a lot (of) (2); *pl.* many; **hace mucho tiempo** a long time ago (11); **mucho gusto** nice (pleasure) to meet you (1)
mudarse to move (*to another house*)
mueble *m.* piece of furniture
muerte *f.* death (13)
muerto/a (*p.p. of* **morir**) dead; **Día** (*m.*) **de los Muertos** All Souls' Day (November 2) (9); **estar** (*irreg.*) **muerto/a de** to be dying of
mujer *f.* woman; **mujer bombero** (female) firefighter (12); **mujer de negocios** businesswoman (12); **mujer mecánico** (female) mechanic (12); **mujer policía** police woman; **mujer político** (female) politician; **mujer soldado** (female) soldier
mullo bead (*rosary*)
multicolor multicolored
multilingüe multilingual (12)
multinacional multinational

mundial *adj.* world; **a nivel** (*m.*) **mundial** worldwide
mundo world
municipio municipality
muñeca wrist; doll
músculo muscle
museo museum (10)
música music (2); **música llanera** *popular musical genre* (*Colombia*); **tocar (qu) música** to play music (8)
músico/a musician
muslo thigh
muy very

N

nacer (zc) to be born (11)
nacimiento birth
nación *f.* nation
nacional national
nacionalidad *f.* nationality (1)
nada nothing (5); none; **nada de** no, not any (5); **no te dice nada** it's nothing to brag about; **no tiene nada que ver con** it has nothing to do with; **para nada** (not) at all
nadar to swim (8)
nadie nobody, not anybody (8)
nahua *m.* Nahuatl (*indigenous language of the Aztecs*)
náhuatl *m.* Nahuatl (*indigenous language of the Aztecs*)
nailón *m.* nylon
naipes: jugar (ue) (gu) a los naipes to play cards (8)
naranja orange (*fruit*) (5)
narcótico drug, narcotic
nariz *f.* (*pl.* **narices**) nose
narración *f.* narration
narrador(a) narrator
narrar to narrate
natación *f.* swimming (8)
natalidad *f.* birth
nativo/a *adj.* native, indigenous; **lengua nativa** native language (11)
natural: desastre (*m.*) **natural** natural disaster (13); **recursos naturales** natural resources
naturaleza nature
naturalización *f.* naturalization

nave *f.* ship, vessel
navegable navigable
navegar (gu) to navigate; to surf (*the Internet*) (13)
Navidad *f.* Christmas (9); *pl.* Christmas (holiday) season
navideño/a *adj.* Christmas; **posada navideña** traditional Mexican Christmas celebration
necesario/a necessary (2); **es necesario** + *inf.* it is necessary to (*do something*) (6)
necesidad *f.* necessity (4)
necesitar + *inf.* to need to (*do something*) (6); **lo que necesites** whatever you may need
negar(se) (ie) (gu) to deny
negativo/a negative
negociación *f.* negotiation
negociar to negotiate
negocio business; **hombre** (*m.*) **de negocios** businessman (12); **mujer** (*f.*) **de negocios** businesswoman (12)
negrita: en negrita boldface
negro/a *adj.* black (10); **ojos negros** black eyes (1); **pelo negro** black hair (1)
neolaredense *n. m., f. person from Nuevo Laredo, Mexico*
nervio: ataque (*m.*) **de nervios** nervous breakdown
nervioso/a nervous (9); **estar** (*irreg.*) **nervioso/a** to be/feel nervous
nevar (ie) to snow; **nieva** it's snowing (6)
nevera freezer (4)
ni... ni neither . . . nor (8)
nicaragüense *n., adj. m., f.* Nicaraguan (13)
niebla fog, mist; **hay niebla** it's foggy
nieto/a grandson/granddaughter (3); *pl.* grandchildren (3)
nieve *f.* snow
ningún, ninguno/a *adj.* no, not any (5)
ninguno/a *pron.* none, not any (8)
niñez *f.* (*pl.* **niñeces**) childhood (9)
niño/a child (3); boy/girl
nivel *m.* level (12); **a nivel mundial** worldwide; **nivel de educación** *f.* level of education (14); **nivel de vida** standard of living

no no; not (2)
Nobel: Premio Nobel de la Paz Nobel Peace Prize (13)
noche *f.* night; **buenas noches** good night (1); **de la noche** at night; in the evening (*specific time*) (2); **hasta altas horas de la noche** until late at night; **mesilla de noche** night table (4); **por la noche** in/during the evening, at night (*in general*) (2); **todas las noches** every night (9)
Nochebuena Christmas Eve
nocturno/a *adj.* nighttime
nombre *m.* name
noreste *m.* northeast
norma norm; **norma europea** European style
noroeste *m.* northwest
norte *m.* north; **hacia el norte** to the north (10)
Norteamérica North America
norteamericano/a *n., adj.* North American
nos *d.o.* us; *i.o.* to/for us; *refl. pron.* ourselves; **nos vemos** see you around (1)
nosotros/as *sub. pron.* we (1); *obj. of prep.* us
nostálgico/a nostalgic
nota note (*music*); grade
notar to note, notice
noticia piece of news; *pl.* news (13)
noticiero newscast, news show (13)
novecientos/as nine hundred (7)
novela *n.* novel; **leer (y) novelas** to read novels (3); **novela romántica** romance novel
noventa ninety (3)
noviembre November (6)
novio/a boyfriend/girlfriend
nublado cloudy; **está nublado** it's cloudy (6)
nuestro/a/os/as *poss.* our
nueve nine (1)
nuevo/a new
número number (1); **¿qué número lleva?** what size (*shoes*) do you (*form. s.*) wear? (7)
numeroso/a numerous (14)
nunca never, not ever (8); **casi nunca** almost never (9); **nunca jamás** never ever (8)

Ñ

ñame *m.* sweet potato

O

o or
obedecer (zc) to obey
obituario obituary (13)
objetivo objective (12)
objeto object
obligación *f.* obligation
obligar (gu) to compel, force
obligatorio/a required (2)
obra work; **obra de arte** work of art
obrero/a *n.* worker; **proteger (j) a los obreros** to protect (the rights of) workers (14)
observación *f.* observation
observar to observe
obstáculo obstacle; **romper** (*p.p.* **roto/a**) **los obstáculos sociales** to break down social barriers (14)
obstante: no obstante nevertheless
obtener (*like* **tener**) to obtain, get
obvio/a obvious
ocasión *f.* occasion
ocasional occasional
occidental western
océano ocean (10); **Océano Atlántico** Atlantic Ocean; **Océano Pacífico** Pacific Ocean
ochenta eighty (3)
ocho eight (1)
ochocientos/as eight hundred (7)
octavo/a eighth; **octavo piso** eighth floor
octubre *m.* October (6)
ocupación *f.* occupation
ocupado/a busy
ocupar to occupy
ocurrir to occur
oeste *m.* west; **hacia el oeste** toward the west (10)
ofensivo/a offensive
oferta offer (12)
oficial *adj.* official
oficina office; **oficina de correos** post office (10); **oficina del profesor / de la profesora** the professor's office
oficio job, profession; trade (12)
ofrecer (zc) to offer (12)

oír *irreg.* to hear
ojo eye (1); **mirarse (profundamente) a los ojos** to stare (deeply) into each other's eyes (15); **¡ojo!** careful!; **ojos (azules, castaños, negros, verdes)** (blue, brown, black, green) eyes (1)
ola wave
oleada wave
olímpico: Juegos Olímpicos Olympics
oliva: aceite (*m.*) **de oliva** olive oil (5)
olivo olive tree
olvidar to forget (11)
ombligo navel
once eleven (1)
onda wave
onza ounce
opción *f.* option; **varias opciones** various options
operación *f.* operation
operar to operate
opinar to think, believe
opinión *f.* opinion; **en mi opinión** in my opinion
oportunidad *f.* opportunity; **oportunidad de avanzar** opportunity for advancement (12)
opresión *f.* oppression
optativo/a elective, optional (2)
optimista *n. m., f.* optimist; *adj.* optimistic (9)
opuesto/a opposite; **es lo opuesto de...** it is the opposite of . . .
oración *f.* sentence
orden *m.* order (*chronological*)
ordenador computer (*Sp.*) (4)
organización *f.* organization
organizar (c) to organize
órgano organ
orgullo pride
orgulloso/a proud (9); **estar** (*irreg.*) **orgulloso/a** to feel proud, be proud
orientación *f.* orientation, direction
orientarse: para orientarse en la ciudad getting around (*lit.* orienting oneself in) the city
origen *m.* (*pl.* **orígenes**) origin (1); **¿de qué origen es/son _____?** what is/are _____'s/_____s' (national) origin(s)? (1); **país** (*m.*) **de origen** country of origin (11)
originario/a originating, native

originarse to originate, have its origin
oro gold; **pulsera de oro** gold bracelet (7)
os *d.o.* you (*fam. pl. Sp.*); *i.o.* to/for you (*fam. pl. Sp.*); *refl. pron.* yourselves (*fam. pl. Sp.*)
oscuro/a dark; **piel** (*f.*) **oscura** dark (-colored) skin (1)
otoño fall (6)
otro/a other; another (3); **conocer (zc) a otras personas** to meet new/other people (8); **entre otras** among others; **estar** (*irreg.*) **pegado/a a (otras casas / otros edificios)** to be attached to (other houses/buildings); **por otro lado** on the other hand (10); **una encima de otra** one on top of the other
oveja sheep

P

pachamanca *traditional Peruvian dish*
paciente *n., adj. m., f.* patient
pacífico/a peaceful; **Océano Pacífico** Pacific Ocean
pacto pact, truce (13)
padrastro stepfather (3)
padre *m.* father (3); *pl.* parents (3); **Día** (*m.*) **del Padre** Father's Day
padrino godfather (3)
paella *rice dish with meat, fish, or seafood and vegetables (Sp.)*
pagar (gu) to pay (7); **se paga a medias** the bill is split
página page
pago payment
país *m.* country; **país de origen** *m.* country of origin (11); **países limítrofes** bordering countries; **País Vasco** Basque Country
paisaje *m.* landscape
paisajista: arquitectura paisajista landscape architecture
paja straw
palabra word; **libertad** (*f.*) **de palabra** freedom of speech (13)
palacio palace

pampa pampa, prairie
pan *m.* bread (5)
pana corduroy
panadería bakery (5)
panadero/a baker
panameño/a *n., adj.* Panamanian
pancito little roll
panecillo little roll
panorama *m.* panorama, view
pantalón, pantalones *m.* pants (7); **pantalones cortos** shorts (7); **pantalones vaqueros** jeans (7)
panteón *m.* pantheon
papa potato (5)
papá *m.* dad, father; daddy (*Sp.*)
papel *m.* role, part; paper; **hoja de papel aparte** separate piece of paper
paquete *m.* package
par *m.* pair; **a la par** the same
para for; in order to; toward; **para + inf.** in order to (*do something*) (2); **para cruzar (c) la frontera** getting across the border (11); **para detenérselo** (*like* **tener**) to hold it back; **para nada** (not) at all; **para orientarse en la ciudad** getting around (*lit.* orienting oneself in) the city (10); **para que** so that, in order that; **para toda la vida** for life (15); **tiempo para descansar** time to rest
parabólico/a: televisión (*f.*) **por antena parabólica** satellite TV (13)
parada de autobuses/taxis bus stop/taxi stand (10)
paraguayo/a *n., adj.* Paraguayan
paraíso paradise
paralelo/a *adj.* parallel
parar to stop; **parar en** to stop (over) in (10)
parcial partial; **de tiempo parcial** part-time (12)
pardo/a brown (7)
parecer (zc) to look; to seem; **este... (no) me parece muy interesante** uh . . . that seems (doesn't seem) very interesting (8); **me parece mal** that seems bad to me; **parecerse a** to resemble, be alike, be similar (10)

parecido/a (a) similar (to) (1)
pareja couple (15); mate (15); partner (15); **formar pareja** to form a romantic relationship, find a mate (15); **salir** (*irreg.*) **en pareja** to go out as a couple (15)
paréntesis *m. inv.* parenthesis
pariente *m., f.* relative; **ver** (*irreg.*)**/ visitar a los parientes** to see/ visit the (one's) relatives (3)
parlamentario/a parliamentary
parque *m.* park
párrafo paragraph
parranda *traditional Cuban carnival*
parrilla grill
parrillada grilled meat
parte *f.* part (11); **formar parte de** to be a part of; **la mayor parte del tiempo** most of the time
participación *f.* participation
participante *n. m., f.* participant
participar to participate (2)
participio *gram.* participle
particular particular; private; **casa particular** private, single-family house (4)
partidario/a supporter, follower
partido game (8); **partido político** political party (13)
partir: a partir de as of; starting on (*day, date*)
parvulario nursery school, kindergarten
párvulo/a tot
pasa raisin
pasado/a *adj.* past; **el año pasado** last year; **el verano pasado** last summer; **la semana pasada** last week
pasaje *m.* ticket
pasajero/a *n.* passenger
pasaporte *m.* passport
pasar to pass; to spend (*time*); **dejarle pasar** to allow (*someone*) to pass (11); **la/lo pasamos increíble** we had an incredible time; **¿me pasa(s) _____, por favor?** could you pass (me) _____, please? (5); **pasar el tiempo libre** to spend free time (3); **pasar por alto** to overlook, miss; **pasar tiempo con los hijos** to spend time with the

(one's) children (3); **pasarlo bien/mal** to have a good/bad time; **¿qué le pasa?** what's wrong? (6); **¿qué pasó después?** what happened next?
pasarela catwalk
pasatiempo pastime (8)
Pascua Easter (9)
pasear to take a walk (3)
paseo *n.* walk, stroll; **dar** (*irreg.*) **un paseo** to take a walk (3); **de paseo** on a walk
pasillo corridor, hallway (4)
pasión *f.* passion
pasivo/a passive
paso step
pastel *m.* pastry (5); cake (5); pie (5)
pastelería pastry shop
pastilla pill
patata potato (*Sp.*)
patente *adj.* patent, obvious
paterno/a paternal (3)
patinar (sobre hielo) to (ice) skate (8)
patio courtyard, patio (4)
patria homeland
patrimonio cultural cultural heritage
patrio/a patriotic
patrón, patrona patron saint
patronal: fiesta patronal patron saint's day
pavo turkey
paz *f.* (*pl.* **paces**) peace; **dejar en paz** to leave alone; **Premio Nobel de la Paz** Nobel Peace Prize (13)
pecado sin
peculiaridad *f.* peculiarity
pedazo piece
pediatría pediatrics
pedir (i, i) to ask for, request (5); order (*restaurant*); **pedir ayuda** to ask for help
pegado/a close together; **bailar pegados** to dance close together (8); **estar** (*irreg.*) **pegado/a a (otras casas / otros edificios)** to be attached to (other houses/buildings)
pegar (gu) to attach; to stick together
pelar to peel
pelea fight, argument
pelearse to fight (15)

película (cómica / de acción / de amor / de terror) (comedy/action/romance/horror) film/movie (13); **ver** (*irreg.*) **una película** to watch a film (8)

peligro danger; **estar** (*irreg.*) **en peligro** (**de** + *inf.*) to be in danger (*of doing something*); **poner** (*irreg.*) **en peligro** to endanger

peligroso/a dangerous

pelo (castaño/corto/largo/negro/rubio) (brown/short/long/black/blond) hair (1)

pelota ball; baseball (*P.R.*)

pendiente *m.* earring (7)

pensamiento thought

pensar (ie) (de/en) to think (of, about) (4)

peor(es) (que) worse (than) (5); **el/la peor** + *noun* the worst + *noun* (5)

peperoni *m.* pepperoni

pequeño/a little, small (1); **quedarle pequeño** to be too small (*clothing*) (7)

percepción *f.* perception

percibir to perceive

percusión *f.* percussion

perder (ie) to lose (8); **perder un autobús (barco/tren/vuelo)** to miss a bus (boat/train/flight); **perderse** to get lost (10)

perdonar to pardon, forgive, excuse

peregrino pilgrim

perejil *m.* parsley

perezoso/a lazy (1)

perfecto/a perfect

perfil *m.* profile

perforarse to pierce

perfume *m.* perfume

perfumería perfumery

periódico (en línea) (online) newspaper (13); **leer (y) el periódico** to read the newspaper (3)

periodismo journalism

periodista *m., f.* journalist

período period

permanecer (zc) to remain

permisivo/a permissive

permitir to allow

pero but (1)

perpetuo/a perpetual

perro dog (3)

persecución *f.* persecution

perseguir (i, i) (g) to pursue, chase

perseverar to persevere

persistir to persist

persona person; **conocer (zc) a otras personas** to meet new/other people (8); **persona mayor** older person (9)

personaje *m.* character (*fictional*)

personal: entrenador(a) personal personal trainer (12)

personalidad *f.* personality; **tener** (*irreg.*) **personalidades incompatibles** to have incompatible personalities (15)

personalizado/a personalized

perspectiva perspective

pertenecer (zc) to belong

peruano/a *n., adj.* Peruvian (14)

pervivir to survive

pesa: levantar pesas to lift weights (8)

pesado/a heavy; strenuous

Pesaj *m.* Passover (9)

pesar: a pesar de *prep.* in spite of, despite (15)

pescadería fish market (5)

pescado fish (*caught*) (5)

pescador(a) fisherman, fisherwoman

pescar (qu) to fish

peseta *former Spanish currency*

pesimista *adj. m., f.* pessimistic (9)

petróleo petroleum, oil

petrolero/a *adj.* petroleum, oil

peyorativo/a pejorative, derogatory; **evitar el lenguaje peyorativo** to avoid pejorative language (14)

pianista *m., f.* piano player

picadillo minced meat

picante hot, spicy (5)

picar (qu) to mince, chop

pico mountain peak (10); **a las ____ y pico** at a little past ____ (*time*)

pie *m.* foot; **ir** (*irreg.*) **a pie** to go on foot (walk) (10)

piedra stone

piel *f.* **(clara/morena/oscura)** (light-colored/brown/dark-colored) skin (1)

pierna leg; **tener** (*irreg.*) **la pierna rota** (*p.p. of* **romper**) to have a broken leg

pijama *m. s.* pajamas

piloto/a pilot (12)

pimienta pepper (5)

pimiento (rojo/verde) (red/green) bell pepper (5)

pincho moruno kebab

pingüino penguin

pintar to paint (8)

pintor(a) painter, artist

pintoresco/a picturesque

piña pineapple (5)

pipón, pipona *adj.* pot-bellied

pirotecnia pyrotechnics

piscina swimming pool (4)

piscolabis: tomar un piscolabis to snack

piso floor; flat, apartment (4); **bloque** (*m.*) **de pisos** apartment building (4); **octavo piso** eighth floor

pista court (*tennis*) (*Sp.*)

pizarra chalkboard (2)

pizarrón *m.* chalkboard

pizca pinch, small amount; **una pizca de** a pinch of

placentero/a pleasant

planear to plan

planificar (qu) to plan

plano map

plano/a *adj.* flat

planta plant; floor; **planta baja** first floor

plantar to plant

plata silver; **collar** (*m.*) **de plata** silver necklace (7)

plátano banana; plantain (5)

platicar (qu) to chat

plato plate; prepared dish (5); **(de) plato principal** (as a) main course (5); **(de) primer plato** (as a) first course (5)

playa beach (10)

plaza square, plaza (10)

pleno/a full

pluma pen

población *f.* population

poblado/a populated

poblador(a) inhabitant

pobre *n. m., f.* poor person; *adj.* poor (14)

pobreza poverty (11)

poco/a little (3); *pl.* few (3); **un poco de** a little of (5)

poder *irreg.* to be able to, can (4); **¿en qué puedo servirle?** how may I help you? (7); **no me lo puedo creer** that's unbelievable; **podría usted** _____? could you (*form. s.*) _____?; **puede ser** it may be; **se puede decir** one might say

poder *n. m.* power; **asumir el poder** to assume control

poderoso/a powerful

poesía poetry; **escribir poesía** to write poetry (8)

poeta *m., f.* poet

poético/a poetic

pólen *m.* pollen

policía *m.,* **mujer** (*f.*) **policía** police officer; *f.* police force

poliéster *m.* polyester

polinesio/a *n., adj.* Polynesian

política *s.* politics; policy

político, mujer (*f.*) **político** politician

político/a *adj.* political; **partido político** political party (13)

pollo chicken (5)

polo pole

poner *irreg.* to put; **poner en peligro** to endanger; **poner la mesa** to set the table; **poner la televisión** to turn on the TV; **ponerle** + *adj.* **a alguien** to make someone feel + *adj.* (9); **ponerse** to put on, wear (*clothing*) (7); **ponerse borracho/a** to get drunk; **ponerse de acuerdo** to agree

popularidad *f.* popularity

popularizarse to become popular

por around; because of; by; for; through (11); **estar** (*irreg.*) **ansioso/a por** to be anxious about; **gracias por** thanks for (11); **¿me pasa(s)** _____, **por favor?** could you pass (me) _____, please?; **¿me trae** _____, **por favor?** could you bring me _____, please?; **pasar por alto** to overlook, miss; **por casualidad** by chance; **por ciento** percent (11); **por cierto** by the way; **por completo** completely; **por dentro** on the inside (4); **por ejemplo** for example; **por eso** for that

(reason), that's why (11); **por favor** please; **por fin** finally; **por fuera** on the outside (4); **por la mañana (tarde/noche)** in/during the morning (afternoon/evening, at night) (*in general*) (2); **por la razón de** on account of; **por lo general** in general; **por lo menos** at least; **por lo tanto** therefore; **por medio de** by means of; **por otro lado** on the other hand (10); **¿por qué?** why? (8); **por si acaso** just in case (11); **por suerte** fortunately; **(sí) por supuesto** (yes) of course (7); **por un decir** in a manner of speaking; **por un lado** on one hand (10); **vagar (gu) por** to wander around

porcentaje *m.* percentage

porción *f.* portion

pordiosero/a beggar

pornografía pornography

pornográfico/a pornographic

poroto pigeon pea

¿por qué? why?

porque because (1)

portada front page, cover

portador(a) carrier, bearer

portafolio portfolio

portátil: computadora portátil laptop computer

posada navideña *traditional Mexican Christmas celebration*

poseer (y) to possess

posesión *f.* possession (3)

posesivo/a possessive

posibilidad *f.* possibility

posible possible

posición *f.* position

positivo/a positive

posponer (*like* **poner**) to postpone

postal: tarjeta postal postcard

posterior subsequent

postre *m.* dessert; **de postre** for dessert (5)

postular to request; to demand

postura stance

potencial *m.* potential

práctica practice; **manual** (*m.*) **de práctica** workbook

practicar (qu) to practice (2); **practicar un deporte** to practice a sport (8)

práctico/a practical

pradera meadow

precaución *f.* precaution

precio price (7)

precioso/a gorgeous

precocido/a precooked

precolombino/a pre-Columbian

preconcebido/a preconceived

predecir (*like* **decir**) to predict

predicción *f.* prediction

predominar to dominate

preferencia preference

preferir (ie, i) to prefer (4)

pregón *m.* street vendor's call (*Cuba*)

pregonero town crier

pregunta *n.* question; **hacer** (*irreg.*) **preguntas** to ask questions; **hacer** (*irreg.*) **una pregunta** to ask/pose a question

preguntar to ask (*questions*)

prehistórico/a prehistoric

prejuicio prejudice

Premio Nobel de la Paz Nobel Peace Prize (13)

prenda garment, article of clothing

prender (la televisión) to turn on (the television)

prensa press (13); **libertad** (*f.*) **de prensa** freedom of the press (13)

preocupado/a worried; **estar** (*irreg.*) **preocupado/a** to be/feel worried

preocuparse (por) to worry (about)

preparación *f.* preparation

preparar (la comida) to prepare (the meal/food) (4)

preposición *f. gram.* preposition

preposicional prepositional

presencia presence

presentación *f.* presentation; **carta de presentación** letter of introduction

presentar to present; to introduce

presente *n. m.* present (*time*); *gram.* present tense

preservar to preserve, maintain (11)

presidencia presidency

presidencial presidential

presidente/a president

preso/a prisoner

prestaciones *f. pl.* benefits (*work*) (12)

prestar to loan, lend (15)
prestigio prestige (12)
presupuestario/a *adj.* budget
pretérito *gram.* preterite
prevenir (*like* **venir**) to prevent
previo/a previous
PRI (Partido Revolucionario Institucional) *political party in Mexico*
primavera spring (6)
primer, primero/a first; **(de) primer plato** (as a) first course (5); **primer(a) esposo/a** first husband/wife; **primera comunión** first communion (9); **primera dama** First Lady
primo/a cousin (3); *pl.* cousins (3)
primordial fundamental
principal *adj.* main, principal; **cláusula principal** main clause; **(de) plato principal** (as a) main course (5)
príncipe *m.* prince
principio beginning
prisa: (no) tener (*irreg.*) **prisa** to (not) be in a hurry (8)
prisionero/a prisoner
privado/a private
privatización *f.* privatization
privilegiado/a privileged
privilegio privilege
probabilidad *f.* probability
probador *m.* dressing room (7)
probar (ue) to try on (7); to taste
problema *m.* **(social)** (social) problem (14)
procedente *adj.* originating
procesión *f.* procession, parade
proceso process
producción *f.* production
producir *irreg.* to produce
producto product
productor(a) producer
profesión *f.* profession (12)
profesional professional
profesor(a) professor, teacher (2); **oficina del profesor / de la profesora** the professor's office
profundamente deeply; **mirarse profundamente a los ojos** to stare deeply into each other's eyes (15)
programa *m.* **(educativo)** (educational) program (13)

programación *f.* programming
programador(a) (computer) programmer (12)
progreso progress
prohibir (prohíbo) to prohibit
promesa promise
prometedor(a) promising; **futuro prometedor** promising future (12)
promoción *f.* promotion
pronombre *m.* pronoun (1); **pronombre de complemento directo** direct object pronoun (5); **pronombre de complemento indirecto** indirect object pronoun
pronóstico del tiempo weather report
pronto soon; **de pronto** suddenly; **hasta pronto** until (see you) soon (1); **tan pronto como** as soon as
pronunciar to pronounce
propiedad *f.* property
propio/a own
proporcionado/a proportionate
propósito purpose
prosperidad *f.* prosperity
próspero/a: ser (*irreg.*) **próspero/a** to be prosperous (11)
protección *f.* protection
proteger (j) to protect; **proteger a los obreros** to protect (the rights of) the workers (14)
protegido/a: especie (*f.*) **protegida** protected species
protesta *n.* protest
protestar to protest
proveniente proceeding, originating
provincia province, region
provocar (qu) to provoke
próximo/a next
proyectar to project
proyecto project
prueba proof; quiz, test
psicología psychology (2)
psicológico/a psychological
psicólogo/a psychologist
psicoterapeuta *m., f.* psychotherapist
publicar (qu) to publish (13)
publicidad *f.* advertising
publicitario/a *adj.* advertising

público *n.* public; **mostrar (ue) cariño en público** to show affection in public (15)
público/a *adj.* public
pueblo small town (4)
puerta door (4)
puerto (sea)port (10)
puertorriqueño/a *n., adj.* Puerto Rican (1)
pues... well . . .; **pues, la verdad es que...** well, actually . . . (8)
puesto position, job (12); **puesto de comida** food stand
pulmón *m.* lung
pulsera (de oro) (gold) bracelet (7)
punta tip; top
puntaje *m.* points earned
punto point; period; **en punto** on the dot (6); **estar** (*irreg.*) **en su punto** to be at one's best (8); **hasta cierto punto** up to a point; **punto de vista** point of view
puntuación *f.* punctuation
puntual punctual
puntualidad *f.* punctuality
pupitre *m.* (student's) desk (2)
pureza purity
puro cigar

Q

que that, which; than; **a menos que** *conj.* unless; **a no ser que** *conj.* unless; **al igual que** just like (3); **antes (de) que** *conj.* before (14); **así que** so (that), therefore; **con tal de que** *conj.* provided that; **después (de) que** *conj.* after; **en caso de que** *conj.* in case; **hasta que** *conj.* until; **hay que** + *inf.* you (one) must (*do something*) (6); **más** + *adj.* + **que** more + *adj.* + than (5); **mejor que** better than (5); **menor que** younger than (3); **menos** + *adj.* + **que** less + *adj.* + than (5); **mientras que** *conj.* while (10); **sin que** without; **tener** (*irreg.*) **que** + *inf.* to have to (*do something*) (6)
¡qué!: ¡qué + *adj.*! what a + *adj.*! (13); **¡qué** + *noun* + **más/tan** + *adj.*! what a/an + *adj.* + *noun*! (13); **¡qué barbaridad!**

how awful! (13); **¡qué bien!** great!; how wonderful! (13); **¡qué buena idea!** what a good idea! (8); **¡qué chévere!** how cool/great! (*Carib.*) (8); **¡qué escándalo!** what a scandal! (13); **¡qué rígidos!** how strict!

¿qué? what? (2); **¿qué desea(n) (de comer)?** what would you like (to eat)? (5); **¿qué edad (tiene)?** how old (are you [*form. s.*] / is he/she) (3); **¿qué hora es?** what time is it? (6); **¿qué le pasa?** what's wrong? (6); **¿qué le(s) traigo?** what can I bring you? (5); **¿qué número lleva?** what size (*shoes*) do you (*form. s.*) wear? (7); **¿qué pasó después?** what happened next?; **¿qué recomienda (usted)?** what do you (*form. s.*) recommend? (5); **¿qué tal?** how's it going? (1); what's up? (1); **¿qué tal éste/a/os/as aquí?** what about this (one) / these (ones) here? (7); **¿qué tal si (nosotros/as)… ?** how about if (*we do something*)? (8); **¿qué talla lleva?** what size (*clothing*) do you (*form. s.*) wear? (7); **¿qué tiempo hace?** what's the weather like? (6); **¿qué tiene hoy?** what's wrong today? (6)

quechua Quechua (*language*)

quedar to be located; to remain, be left; to meet; **quedarle bien/mal** to fit well/poorly; **quedarle grande / pequeño/a** to be too large/small (7); **quedarse (en cama / en casa)** to stay, remain (in bed / at home) (6)

quehacer *m.* chore

queja complaint

quejarse (de) to complain (about) (15)

querer *irreg.* to want (4); to love (7); **lo cual quiere decir** which means; **lo que tú quieras** whatever you want; **quererse** to love each other (15)

querido/a *n., adj.* dear

queso cheese (5)

quetzal *m. monetary unit of Guatemala*

quiché *m.* Quiche (*indigenous language from Central America*)

quien(es) who, whom

¿quién(es)? who?; whom? (2)

química chemistry (2); **laboratorio de química** chemistry lab (2)

quince fifteen (1); **menos quince** fifteen minutes to (*hour*) (6); **y quince** fifteen minutes past (*hour*) (6)

quinceañera girl's fifteenth birthday party (9)

quinientos/as five hundred (7)

quiosco kiosk (10)

quitarse to take off (7)

quizá(s) perhaps (11)

R

rabona: hacer (*irreg.*) **la rabona** to play hookey

radio *m.* radio (*receiver*); *f.* radio (*medium*)

raíz *f.* (*pl.* **raíces**) root (11)

ranchero/a *adj.* country

rango rank

rápido/a *adj.* fast, quick; **comida rápida** fast food

raqueta racket

raro/a strange; rare; **raras veces** infrequently, rarely (9)

rasgo feature, trait

rato *n.* while, short time; **ratos agradables** pleasant times/ moments

raya: mantener (*like* **tener**) **a raya** to keep away

rayo beam

raza race; **Día** (*m.*) **de la Raza** Hispanic Awareness Day

razón *f.* reason (11); **por la razón de** on account of

razonable reasonable

reacción *f.* reaction

reaccionar to react

reactivar to reactivate

reafirmar to reaffirm

real real; royal

realidad *f.* reality

realismo realism

realista *adj. m., f.* realistic

realizar (c) to attain, achieve

reanudar to resume

rebaja reduction (7)

rebajar to reduce (*price*)

rebanar to slice up

rebasar to surpass

rebelde rebellious (9)

rebeldía rebellion

rebelión *f.* rebellion

recaer (*like* **caer**) to fall upon

recepción *f.* reception desk

recepcionista *m., f.* receptionist

recesión *f.* recession

receta recipe; medical prescription

recetar to prescribe; **el farmacéutico me receta** the pharmacist prescribes for me

rechazado/a rejected (14)

rechazar (c) to reject

recibidor *m.* entryway

recibir to receive

recibo receipt

recién *adv.* recently

reciente recent

recipiente *m.* container

recíproco/a reciprocal

reclamar to demand

recoger (j) to pick up

recomendación *f.* recommendation; **carta de recomendación** letter of recommendation (12)

recomendar (ie) to recommend (5); **¿qué recomienda (usted)?** what do you (*form. s.*) recommend? (5)

reconfirmar to reconfirm

reconocer (zc) to recognize

reconocimiento recognition

recordar (ue) to remember (9)

recorrer to tour, travel through

recuerdo memory; souvenir

recurso resource; **recursos naturales** natural resources

Red *f.* Internet

redacción *f.* composition

redescubierto/a (*p.p. of* **redescubrir**) rediscovered

reducción *f.* reduction

reducir *irreg.* to reduce

referencia reference

referir (ie, i) to refer

reflejar to reflect

reflexión *f.* reflection

reflexivo/a reflexive

reforma reform

refresco soft drink (3); **beber un refresco** to drink a soft drink (3)

refresquería soda stand (*Lat. Am.*)

refrigerador *m.* refrigerator (4)

refugiado/a refugee (13)

refugio refuge, shelter

regalar to give (*as a gift*); **regalarle** to give (*something to some one*) as a gift (7)

regalo gift

regatear to bargain (7)

regateo bargaining

reggaetón *m. popular musical genre from Puerto Rico*

regidor(a) town council member

régimen *m.* regime

región *f.* region (14)

regla rule

regresar to return (*to a place*); to go back (2)

regreso: mandar de regreso to deport (11)

regular OK (1)

reina queen

reírse (i, i) to laugh (9)

reivindicación *f.* claim, demand

relación *f.* relationship; **relación íntima** intimate relationship (15); **relación muy unida** very close relationship

relacionar to relate; **no se relaciona** does not interact

relajación *f.* relaxation (6)

relajado/a: estar (*irreg.*) **relajado/a** to be relaxed (8)

relajarse to relax

relatar to relate, tell

relevancia relevance

relevante relevant

religión *f.* religion (14)

religioso/a religious

rellenar (de) to fill, stuff (with)

relleno (de) stuffed (with)

reloj *m.* watch (7)

remedio remedy (6)

remontarse a to date back to

remoto/a remote

renacimiento revival

renacionalizar (c) renationalize

renombre *m.* renown, fame

renovar (ue) to renew (11)

renunciar to renounce

reñido/a controversial

reparar to repair

repartir to distribute

repaso review

repente: de repente suddenly

repetir (i, i) to repeat

reportaje *m.* report (13)

reportar to report

reportero/a reporter (13)

reposar to rest

reposo *n.* rest

represa dam

representación *f.* representation

representante *n. m., f.* representative

representar to represent

representativo/a representative

represión *f.* repression

reprimir to repress

república republic; **República Dominicana** Dominican Republic

reputación *f.* reputation

requerir (ie, i) to require (12)

requisito requirement (12)

res *f.* head of cattle; **carne** (*f.*) **de res** beef (5)

resaltar to emphasize

resentimiento resentment (14)

reseña review (13)

reserva reservation (*hotel*); **cancelar una reserva** to cancel a reservation (10); **confirmar una reserva** to confirm a reservation (10)

reservado/a reserved

reservar to reserve

resfriado *n.*: **tener** (*irreg.*) **un resfriado** to have a cold (6)

resfriado/a *adj.*: **estar** (*irreg.*) **resfriado/a** to have a cold

resfrío *n.* cold (*illness*); **tener** (*irreg.*) **resfrío** to have a cold (6)

residencia estudiantil/universitaria dormitory, residence hall (2)

residencial: calle (*f.*)**/zona residencial** residential street/zone (4)

residente *m., f.* resident

resistencia resistance

resolución *f.* resolution

resolver (ue) (*p.p.* **resuelto/a**) to resolve (13)

respectivo/a respective

respecto respect, relation; **al respecto** about the matter; **con respecto a** with regard to

respetar to respect

respeto respect, deference

respetuoso/a respectful (9)

respirar to breathe

responder to respond, answer

responsabilidad *f.* responsibility

responsable responsible

respuesta response, answer

restaurado/a restored

restaurante *n.* restaurant

restaurar to restore

resto rest, remainder; *pl.* remains

restricción *f.* restriction

restrictivo/a restrictive

resultado result

resultar to turn out, result

resumen *m.* summary; **en resumen** in short

resumir to sum up

retirar to withdraw

retrasado/a behind schedule

retrato portrait

retrete *m.* toilet (4)

reunión *f.* meeting, appointment; reunion

reunir (reúno) to join, gather; **reunirse con amigos** to get together with friends (6)

revelar los secretos to reveal one's secrets (15)

revés *m.* setback

revisar to check, inspect (11)

revista magazine; **leer (y) revistas** to read magazines (3)

revolución *f.* revolution (13)

revolucionario/a revolutionary

rey *m.* king; **Día** (*m.*) **de los Reyes Magos** Epiphany (January 6) (9); **los Reyes Magos** the Magi

rico/a rich, delicious (5); rich, wealthy (14)

ridículo/a ridiculous (13)

riesgo risk; **correr el riesgo** to run the risk (11)

rígido/a: ¡qué rígidos! how strict!

río river (10); **Río Amazonas** Amazon River

riqueza *s.* riches, wealth

risa: dar (*irreg.*) **risa** to make laugh

ritmo rhythm

rito rite; ceremony

ritual: todo tipo de rituales all types of rituals

rivalidad *f.* rivalry
robar to rob, steal (14)
robo robbery, theft
roca rock
rocoso/a rocky; **las Montañas Rocosas** the Rocky Mountains
rodaja slice
rodeado/a surrounded; **estar** (*irreg.*) **rodeado/a de** to be surrounded by
rodillera knee patch
rojo/a red; **pimiento rojo** red (bell) pepper (5)
romanticismo romanticism (15)
romántico/a romantic; **novela romántica** romance novel
romper (*p.p.* **roto/a**) to break; **romper los obstáculos sociales** to break down social barriers (14)
ropa clothing (7); **ropa interior** underwear (7); **ropa ligera** light clothing
rosa *adj. inv.* pink
rosado/a pink (7)
rosario rosary
roto/a (*p.p. of* **romper**) broken; **tener** (*irreg.*) **el brazo roto (la pierna rota)** to have a broken arm (broken leg)
rubio/a blond(e); **pelo rubio** blond hair (1)
rueda wheel; **mercado sobre ruedas** market on wheels
ruido noise (8)
ruina ruin
rumor *m.* rumor
Rusia Russia
rústico/a rustic
ruta route
rutina diaria daily routine (6); **mantener** (*like* **tener**)**/seguir (i, i) (g) una rutina fija** to maintain/follow a fixed (regular) routine (6)

S

sábado Saturday (1)
saber *irreg.* to know (*facts, information*) (6); to find out (*about something*) (6); **saber + inf.** to know how to (*do something*) (6)
sabio/a wise (9)

sabor *m.* taste, flavor
sabroso/a tasty (5)
sacar (qu) to take out; **sacar a alguien a bailar** to ask someone to dance (8); **sacar adelante** to improve; **saque la lengua** stick out your (*form. s.*) tongue (6)
sacrificio sacrifice
sacudir to shake
sagrado/a sacred, holy
sal *f.* salt (5)
sala family room; **sala de espera** waiting room
salado/a salty (5)
salario salary
salida departure; way out
salir *irreg.* to leave; to go out (3); to come out (*film*); **después de haber salido** after having left; **salir a bailar** to go out dancing (3); **salir en pareja** to go out as a couple (15)
salmón *m.* salmon
salón *m.* living room (4)
salsa sauce; salsa (*music*); **salsa de tomate** ketchup
salto waterfall (10)
salud *f.* health; **salud física** physical health (6); **salud mental** mental health (6)
saludable healthy
saludar to greet, say hello
saludo greeting (1)
salvadoreño/a *n., adj.* Salvadoran (13)
san *adj.* saint; **Día** (*m.*) **de San Valentín** St. Valentine's Day
sancocho *stew made with meat, yucca, and plantains*
sándwich *m.* sandwich (5)
sangre *f.* blood; **misma sangre** same blood
sano/a healthy (15)
santo/a *n., adj.* saint; **Día** (*m.*) **de los Santos** All Saints' Day (November 1) (9); **Día** (*m.*) **de Santa Bárbara** Saint Barbara's feast day (9); **día** (*m.*) **del santo** saint's day (9); **Semana Santa** Holy Week (9); **Viernes** (*m.*) **Santo** Good Friday (9)
sarape *m. type of poncho* (*Lat. Am.*)
sartén *f.* (frying) pan

satisfacción *f.* satisfaction
satisfactorio/a satisfactory
saxofón *m.* saxophone
saya kilt
se *refl. pron.* herself, himself, itself, yourself (*form. s.*), themselves, yourselves (*form. pl.*)
secadora dryer (4)
seco/a dry (5)
sección *f.* section
secretario/a secretary (12)
secreto *n.* secret; **revelar los secretos** to reveal one's secrets (15)
secreto/a *adj.* secret
secuencia sequence
secuestro kidnapping
secundario/a secondary; **escuela secundaria** high school
sed *f.* thirst; **tener** (*irreg.*) **sed** to be thirsty
seda silk (7)
seguida: en seguida right away
seguir (i, i) (g) to follow; **seguir derecho** to continue straight ahead (10); **seguir una rutina fija** to follow a fixed (regular) routine (6)
según according to; **según la experiencia** based on experience (12)
segundo/a *adj.* second; **segundo/a esposo/a** second husband/wife
seguridad *f.* safety
seguro *n.* insurance
seguro/a *adj.* sure; safe
seis six (1)
seiscientos/as six hundred (7)
selección *f.* selection; national soccer team
selectivo/a selective
selva jungle (10)
semáforo signal; traffic light
semana week; **fin** (*m.*) **de semana** weekend; **la semana pasada** last week; **Semana Santa** Holy Week (9)
semanal weekly
semejanza similarity
semestre *m.* semester
seminario seminar
sencillo/a simple (4)
sendero path
sensación *f.* sensation
sensato sensible (9)

sensible sensitive (9)

sentarse (ie) to sit down

sentido *n.* sense; **en ese sentido** in that sense; **sentido del humor** sense of humor

sentimiento feeling, emotion; **expresar los sentimientos** to express one's feelings (15)

sentir(se) (ie, i) to feel; **sentirse** + *adj., adv.* to feel + *adj., adv.* (9); **sentirse bien/mal** to feel good/badly (6); **se siente a gusto** one feels relaxed, happy

señal *f.* sign

señalar to indicate

señor *m.* man; Mr. (1)

señora married woman; Mrs. (1)

señorita unmarried woman; Miss, Ms. (1)

separación *f.* separation

separado/a separated; **bailar separados** to dance apart (8)

separarse to separate, get separated (15)

septiembre *m.* September (6)

ser *irreg.* to be (1); **a no ser que** *conj.* unless; **¿cómo es/son _____?** what is/are _____ like? **¿de dónde eres?** where are you (*fam. s.*) from?; **¿de dónde es?** where are you (*form. s.*) / is he/she from?; **es _____** he (she, it) is _____ (1); **es/son de** it is / they are (made of) (7); **es decir** that is to say; **es importante** + *inf.* it's important to (*do something*) (6); **es la/son las _____** it's _____ o'clock (6); **es lo opuesto de _____** it is the opposite of _____; **es necesario** + *inf.* it's necessary to (*do something*) (6); **es una lástima** it is a shame; **llegar (gu) a ser** to become; **puede ser** it may be; **ser consciente de** to be conscious of (11); **ser (de)** to be (from) (1); **ser discriminado/a** to be discriminated against (14); **ser feliz** to be happy; **ser listo/a** to be clever; **ser próspero/a** to be prosperous (11); **ser trabajador(a)** to be hardworking; **soy/es _____** I am / he (she, it) is _____ (1); **soy/son de _____** I'm / they are from _____ (1)

ser humano *n. m.* human being

serie *f. s.* series

serio/a serious

servicio service; **cuarto de servicio** utility room

servir (i, i) to serve (5); **¿en qué puedo servirle?** how may I help you? (7)

sesenta sixty (3)

setecientos/as seven hundred (7)

setenta seventy (3)

sexo sex

sexto/a sixth

si if

sí yes (1); **sí, por supuesto** yes, of course (7)

SIDA AIDS

siempre always (9); **casi siempre** almost always (9)

sierra mountain range (10)

siesta nap; **dormir (ue, u) la siesta** to take a siesta (nap) (4); **echar una siesta** to take a siesta (nap) (3); **tomar una siesta** to take a siesta (nap) (6)

siete seven (1)

siglo century

significado meaning

significar (qu) to mean

signo sign

siguiente following, next

silla chair (2)

sillón *m.* armchair (4)

simbolizar (c) to symbolize

símbolo symbol

simbología symbolism

similar (a) similar (to) (1)

simpático/a friendly, nice

sin without; **sin duda** without a doubt; **sin dudar** without hesitation (15); **sin embargo** *conj.* however; **sin lugar a dudas** undoubtedly; **sin que** without

sinagoga synagogue

sino but (rather); **no solo _____ sino también _____** not only _____ but also _____

sinónimo synonym

sinónimo/a *adj.* synonymous

sintaxis *f.* syntax

síntesis *f.* synthesis

síntoma *m.* symptom

sistema *m.* system

sitio place, location; **sitio de subastas** auction site; **sitio del Internet** website

situación *f.* situation

situado/a located

sobras *pl.* leftovers

sobre about; on, on top of; **mercado sobre ruedas** market on wheels; **sobre todo** above all, especially

sobresalir (*like* **salir**) to stand out

sobrevivir to survive

sobrino/a nephew/niece (3)

social: asistente (*m., f.*) **social** social worker (12); **ciencias sociales** social sciences (2); **problema** (*m.*) **social** social problem; **romper** (*p.p.* **roto/a**) **los obstáculos sociales** to break down social barriers (14)

socialista *n., adj. m., f.* socialist

sociedad *f.* society

socioeconómico/a socioeconomic

sociología sociology (2)

sociólogo/a sociologist

sofá *m.* sofa (4)

sol *m.* sun; **caída/puesta del sol** sunset; **hace sol** it's sunny (6); **tomar el sol** to suntan

solamente only (11)

soldado, mujer (*f.*) **soldado** soldier, female soldier

soleado/a sunny

soledad *f.* solitude

soler (ue) + *inf.* to be in the habit of / be accustomed to (*doing something*) (4)

solicitante *m., f.* applicant

solicitar to request; to apply for

solicitud *f.* application (12)

sólido/a solid, strong

solo/a alone (3) **no solo _____ sino también...** not only _____ but also _____

sólo *adv.* only (11)

soltar (ue) (*p.p.* **suelto/a**) to let out; to let free

soltero/a single, unmarried (3)

solución *f.* solution

solucionar to solve

sombrero hat (7)

soneto sonnet

sonar (ue) to sound

sonido sound

sonoro/a: banda sonora soundtrack

sonreír (i, i) to smile (9)
sonrisa smile
soñar (ue) (con) to dream (about) (4)
sopa soup (5)
soportales *pl.* arcade
soroche *m.* altitude sickness
sorprendente surprising
sorprender to surprise
sorpresa surprise
soso/a tasteless, bland
sostener (*like* **tener**) to hold up, support
sótano basement
su(s) *poss.* his, her, its, their, your (*form. s., pl.*)
suavemente softly
suavizar (c) to soften
subasta: sitio de subastas auction site
subdesarrollado/a underdeveloped
subida *n.* climb
subir to rise, go up; **subir a un autobús** to get on a bus (10); **subir a un coche/taxi** to get in a car/taxi (10)
subjetivo/a subjective
subjuntivo *gram.* subjunctive mood
subordinado/a *gram.* subordinate; **cláusula subordinada** subordinate clause
subrayar to underline
subterráneo subway
subtítulo subtitle
suburbio suburb
suceder to happen; **si sucede algo** if something happens
sucesivo/a successive
suceso event, happening (13)
sucio/a dirty
Sudamérica South America
sudamericano/a *n., adj.* South American
Suecia Sweden
sueco/a *n.* Swede; *adj.* Swedish
suegro/a father-in-law, mother-in-law; *pl.* parents-in-law
sueldo (mínimo) (minimum) wage, salary (12)
sueño dream; **tener** (*irreg.*) **sueño** to be tired
suerte *f.* luck; **buena suerte** good luck; **por suerte** fortunately; **tener** (*irreg.*) **suerte** to be lucky (11)

suéter *m.* sweater (7)
suficiente sufficient, enough (11)
sufrir (de ansiedad, estrés, insomnio) to suffer (from anxiety, stress, insomnia) (6)
sugerencia suggestion
sugerir (ie, i) to suggest
Suiza Switzerland
sujeto *n.* subject
suministrar to supply, provide
súper *adv.* super (11)
superar las barreras económicas to overcome economic barriers (14)
supermercado supermarket (5)
supuestamente supposedly
supuesto: (sí) por supuesto (yes) of course (7)
sur *m.* south; **América del Sur** South America; **hacia el sur** toward the south (10)
sureño/a southern
sureste *m.* southeast
surfear to surf (8)
surgir (j) to arise
suroeste *m.* southwest
suspender to suspend (13)
suspirar to sigh; to yearn
sustituir (y) to substitute
suyo/a/os/as *poss.* your, of yours (*form. s., pl.*); his, of his; her, of hers

T

tabla table, chart
tablista *m., f.* surfer
tabú *m.* (*pl.* **tabúes**) taboo
tacón *m.* heel (*shoe*); **zapatos de tacón alto** high-heeled shoes
táctica tactic
taíno/a *n., adj.* Taino (*indigenous people inhabiting islands in the Caribbean*)
tal such, such a; **con tal de que** *conj.* provided that; **¿qué tal?** how's it going? (1) what's up? (1); **¿qué tal éste/a/os/as aquí?** what about this (one)/ these (ones) here? (7); **¿qué tal si (nosotros/as) _____?** how about if (*we do something*)? (8); **tal vez** perhaps
talento talent
talentoso/a talented

talla size (*clothes*); **¿qué talla lleva?** what size (*clothing*) do you (*form. s.*) wear? (7)
taller *m.* workshop
tamaño size
también also, too (1); **no solo _____ sino también _____** not only _____ but also _____
tambor *m.* drum
tampoco neither, not either (8)
tan so; **tan** + *adj./adv.* **como** as + *adj./adv.* as (5); **¡qué** + *noun* + **tan** + *adj.*! what a/an + *adj.* + *noun*! (13); **tan pronto como** as soon as
tanto *adv.* so much
tanto/a *adj.* so much; such; *pl.* so many; **por lo tanto** therefore; **tanto/a/os/as** + *noun* + **como** as much/many + *noun* + as (5)
tapera shack
taquería taco stall
tardar to take time (*to do something*)
tarde *n. f.* afternoon, evening; *adv.* late (6); **buenas tardes** good afternoon/evening (1); **de la tarde** in the afternoon, evening (*specific time*) (2); **por la tarde** in/during the afternoon/evening (*in general*) (2)
tardío/a late
tarea homework; task
tarifa rate, price, fare
tarjeta card; **¿aceptan tarjetas de crédito?** do you accept credit cards? (7); **tarjeta de crédito** credit card; **tarjeta postal** postcard
tarro jar
tarta pastry; cake; pie
tasa rate, level; **tasa de cambio** exchange rate
tatuaje *m.* tattoo
tatuarse to have a tattoo done
taxi *m.* taxi (10); **bajar de un taxi** to get out of a taxi; **parada de taxis** taxi stand (10); **subir a un taxi** to get in a taxi (10)
taxista *m., f.* taxi driver
taza cup (*coffee*); **una taza de** a cup of (5)
te *d.o.* you (*fam. s.*); *i.o.* to/for you (*fam. s.*); *refl. pron.* yourself (*fam. s.*)

té *m.* tea (5)

teatro theater (10); **ir** (*irreg.*) **al teatro** to go to the theater (8)

teclado keyboard

técnica technique

técnico/a technical

tecnología technology

tejano/a Texan

Tejas Texas

tejer to knit (8)

tejido *n.* textile

tejido/a woven

tela fabric; **tela vaquera** denim

telefónica telephone company office (10)

telefónico/a *adj.* telephone

teléfono telephone (4); **teléfono celular/móvil** cell phone

telenovela soap opera (13)

televidente *m., f.* television viewer (13)

televisión *f.* television (*medium*) (13); **mirar/ver** (*irreg.*) **la televisión** to watch TV (3); **poner la televisión** to turn on the TV; **prender la televisión** to turn on the TV; **televisión de antena parabólica** satellite TV (13); **televisión por cable** cable TV (13)

televisivo/a *adj.* television (13)

tema *m.* theme, topic

temer to fear

temperatura temperature; **cambio de temperatura** change in temperature

templo temple

temporada season

temporario/a temporary; **agencia de empleados temporarios** temporary employment agency

temprano *adv.* early (6)

temprano/a *adj.* early

tendencia tendency

tender (ie) to tend to, be inclined to

tener *irreg.* to have; **aquí lo/la/los/las tiene** here you go (7); **¿cuántos años (tiene)?** how old (are you [*form. s.*] is he/she?) (3); **no tiene nada que ver con** it has nothing to do with; **¿qué edad tiene?** how old are you (*form. s.*) is he/she? (3); **¿qué tiene hoy?** what's wrong today? (6); **tener _____ años (y medio)** to be _____ and a half years old (3); **tener celos** to be jealous (15); **tener cuidado** to be careful; **tener el brazo roto / la pierna rota** (*p.p.* of **romper**) to have a broken arm/leg; **tener en cuenta** to keep in mind; **tener esperanza** to have hope, be hopeful (11); **tener éxito** to be successful (11); **tener expectativas** to have expectations (11); **tener fiebre** to have a fever (6); **tener ganas de** + *inf.* to feel like (*doing something*) (8); **tener gripe** *f.* to have the flu (6); **tener hambre** *f.* to be hungry (5); **tener la ciudadanía** to have citizenship (11); **tener la intención de** + *inf.* to intend to (*do something*) (11); **tener más acceso a la enseñanza** to have more access to education (14); **tener miedo** to be afraid (11); **tener personalidades/valores incompatibles** to have incompatible personalities/values (15); **(no) tener prisa** to (not) be in a hurry (8); **tener que** + *inf.* to have to (*do something*) (6); **tener resfrío** to have a cold (6); **tener sed** *f.* to be thirsty; **tener sueño** to be tired; **tener suerte** *f.* to be lucky (11); **tener un resfriado** to have a cold (6); **tengo** I have (1); **tiene la garganta inflamada** your (*form. s.*) throat is inflamed (6); **tiene que descansar más** you (*form. s.*) have to get more rest (6); **¿tiene(s) la hora?** do you have the time? (6)

tenis *m.* tennis (8); **zapatos de tenis** tennis shoes (7)

tenso/a tense; stressed (9)

tercer, tercero/a third

terminar to finish

término term

ternura affection, tenderness

terraza terrace (4)

terremoto earthquake

terreno terrain

territorio territory; **territorio ancestral** ancestral territory (14)

terror horror; **película de terror** horror film/movie (13)

terrorismo terrorism

terrorista *n. m., f.* terrorist

tesis *f. inv.* thesis

testimonio testimony (13)

tetera teapot

texto text; **libro de texto** textbook (2)

ti *obj. of prep.* you (*fam. s.*)

tianguis *m.* market (*Mex.*)

tibio/a warm

tico/a *n., adj.* Costa Rican

tiempo weather; time; **a tiempo** on time (6); **de tiempo completo/parcial** full-time/part-time (12); **hace buen/mal tiempo** it's nice (good)/bad weather (6); **hace mucho tiempo** a long time ago; **mayor parte** (*f.*) **del tiempo** most of the time; **pasar el tiempo libre** to spend free time (3); **pasar tiempo con los hijos** to spend time with the (one's) children (3); **pronóstico del tiempo** weather report; **¿que tiempo hace?** what's the weather like? (6); **tiempo libre** leisure (free) time; **tiempo para descansar** time to rest; **trabajo de tiempo completo** full-time job (12)

tienda store, shop (7); **tienda especializada** speciality shop/store (7)

tierno/a tender (5)

tierra earth, land

tigre *m.* tiger

tímido/a timid

tío/a uncle/aunt (3)

típico/a typical

tipo type; **de todo tipo** of all kinds; **todo tipo de rituales** all types of rituals

tira cómica comic strip, cartoon (13)

titular *m.* headline

título title; degree (*education*)

tiza chalk (2)

tocar (qu) to touch; to play; **tocar música** to play music (8)

todavía still, yet

todo/a all; every; **a todo volumen** on high (*radio, television*); **de toda la vida** lifelong; **de todo tipo** of all kinds; **para toda la vida** for life (15); **sobre todo** above all, especially; **todas las noches** every night (9); **todo tipo de rituales** all types of rituals; **todos los años** every year; **todos los días** every day (9)

todopoderoso/a almighty

tomar to take; to drink; **tomar el sol** to suntan; **tomar medicina** to take medicine; **tomar un aperitivo/piscolabis** to snack; **tomar un café (una cerveza, una copa)** to drink/have a coffee (a beer, a drink) (6); **tomar una siesta** to take a siesta (nap) (6); **tomarse de la mano** *f.* to hold hands

tomate *m.* tomato (5); **salsa de tomate** ketchup

tonelada ton

tontería foolish thing

toque *n. m.* touch

tormenta storm

torneo tournament, competition

torno: en torno surrounding

tortilla *thin cake made of cornmeal or flour (Mex.);* **tortilla española** *omelette made of eggs, potatoes, and onions (Sp.)*

tortuga turtle

tortura torture

tos *f.* cough; **jarabe** (*m.*) **para la tos** cough syrup

toser to cough

tostada *n.* toast (5)

tostado/a *adj.* toasted

totalitario/a totalitarian

trabajador(a) *n.* worker; *adj.* hardworking (1); **Día** (*m.*) **del Trabajador** Labor Day (May 1) (9); **ser** (*irreg.*) **trabajador(a)** to be hardworking

trabajar to work (2)

trabajo job; **condiciones de trabajo** working conditions (12); **trabajo de tiempo completo/parcial** full-time/part-time job (12)

tradición *f.* tradition (14)

tradicional traditional (4); **creencia tradicional** traditional belief (14); **jornada tradicional** traditional workday (12); **mantener** (*like* **tener**) **los valores tradicionales** to maintain traditional values (14)

traducción *f.* translation

traducir *irreg.* to translate

traductor(a) translator (12)

traer *irreg.* to bring (5); **¿me trae... , por favor?** could you bring me . . . , please? (5); **¿qué le(s) traigo?** what can I bring you? (5)

tráfico traffic; **calle** (*f.*) **de mucho tráfico** busy street

tragedia tragedy

trágico/a tragic

trago drink

traje *m.* suit (7); **traje de baño** bathing suit (7)

trama plot

tranquilo/a calm, peaceful; **estar** (*irreg.*) **tranquilo/a** to be calm (8)

transformación *f.* transformation

transición *f.* transition

transitado/a: calle (*f.*)**/zona transitada** busy street/zone (4)

tránsito traffic

transmitir to transmit

transparencia openness, sincerity

transparente transparent

transportar to transport

transporte *m.* transportation

tranvía *m.* cable car

trapo cloth

tras *prep.* after

trasladarse to move

traste: lavar los trastes to wash the dishes

tratado treaty; **Tratado de Libre Comercio** NAFTA

tratamiento treatment

tratar to treat; to deal with; **se trata de** it's a question of; **tratar de mantener las costumbres** to try to maintain one's customs (11)

trato treatment

través: a través de through, by means of

trece thirteen (1)

treinta thirty (1)

treinta y cinco thirty-five (3)

treinta y cuatro thirty-four (3)

treinta y dos thirty-two (3)

treinta y nueve thirty-nine (3)

treinta y ocho thirty-eight (3)

treinta y seis thirty-six (3)

treinta y siete thirty-seven (3)

treinta y tres thirty-three (3)

treinta y uno thirty-one (1)

tren *m.* train (1); **abordar un tren** to board a train; **desbordar un tren** to get off a train; **estación** (*f.*) **de trenes** train station (10); **ir** (*irreg.*) **en tren** to go by train (10); **perder (ie) un tren** to miss a train

tres three (1)

trescientos/as three hundred (7)

tribu *f.* (*pl.* **tribus**) tribe

tribunal *m.* court

trimestre *m.* trimester

triste sad; **estar** (*irreg.*) **triste** to be sad (6)

triunfal triumphant

triunfo triumph

trotaconventos *f. inv.* matchmaker

trozo piece, chunk; **cortar en trozos** to cut into pieces/chunks

trucha trout

truncar (qu) to cut short

tú *sub. pron.* you (*fam. s.*) (1)

tu(s) *poss.* your (*fam. s.*)

tumultuoso/a tumultuous

turismo tourism

turista *n. m., f.* tourist

turístico/a *adj.* tourist; **zona turística** tourist area

tuyo/a/os/as *poss.* your, of yours (*fam. s.*)

U

u or (*used instead of* **o** *before words beginning with* **o** *or* **ho**)

ubicación *f.* location

ubicar (qu) to locate

Ud.: usted *sub. pron.* you (*form. s.*) (1); *obj. of prep.* you (*form. s.*)

Uds.: ustedes *sub. pron.* you (*form. pl.*) (1); *obj. of prep.* you (*form. pl.*)

últimamente recently

último/a last; **de última moda** the latest fashion; **última vez** *f.* last time

un, uno/a *indef. art.* a, an (1); one (1); *pl.* some, any (1); **cada uno** each one; **un poco de** a little (of) (5)

único/a: hijo/a único/a only child (3)

unido/a close-knit (3); **Estados Unidos** United States; **relación** (*f.*) **muy unida** very close relationship

uniforme *m.* uniform

unión *f.* union; **Unión Europea** European Union

unir to unite, join

universidad *f.* university (2)

universitario/a *of or pertaining to the university*; **ciudad** (*f.*) **universitaria** campus (2); **residencia universitaria** dormitory, residence hall (2)

unos/as some, a few; **unas cuantas** a few

urbanización *f.* neighborhood housing development (*Sp.*)

urbano/a urban

uruguayo/a *n., adj.* Uruguayan

usar to use (2); to wear (*clothing*)

uso *n.* use

usted (Ud., Vd.) *sub. pron.* you (*form. s.*) (1); *obj. of prep.* you (*form. s.*)

ustedes (Uds., Vds.) *sub. pron.* you (*form. pl.*) (1); *obj. of prep.* you (*form. pl.*)

usuario/a user

utensilio utensil

útil useful

utilidad *f.* utility

utilizar (c) to utilize, use

utopia Utopia

utópico/a Utopic

uva grape

V

vaca cow; **carne** (*f.*) **de vaca** beef (5)

vacaciones *f. pl.* vacation; **de vacaciones** on vacation; **estar** (*irreg.*) **de vacaciones** to be on vacation (10); **ir** (*irreg.*) **de vacaciones** to go on vacation (10)

vaciar (vacío) to empty

vagar (gu) por to wander around

vaivén *m.* coming and going

valenciano/a of/from Valencia, Spain

Valentín: Día (*m.*) **de San Valentín** St. Valentine's Day

valer *irreg.* to be worth

validez *f.* (*pl.* **valideces**) validity

válido/a valid

valle *m.* valley (14)

valor *m.* value (11); **mantener** (*like* **tener**) **los valores tradicionales** to maintain traditional values (14); **tener** (*irreg.*) **valores incompatibles** to have incompatible values (15)

valorar to value

¡vamos! let's go (8)

vanguardia avant-garde, vanguard

vapor: al vapor steamed

vaquero/a: (pantalones) (*m. pl.*) **vaqueros** jeans (7); **tela vaquera** denim

variación *f.* variation

variado/a varied

variar (varío) to vary

variedad *f.* variety

varios/as *pl.* various; **varias opciones** various options

varón *m.* male

vasco Basque (*language*); **País** (*m.*) **Vasco** Basque Country

vasija receptacle

vaso (drinking) glass; **un vaso de** a glass of

vaya *interj.*: **¡vaya** + *noun*! what a/an + *noun*!

Vd.: usted *sub. pron.* you (*form. s.*) (1); *obj. of prep.* you (*form. s.*)

Vds.: ustedes *sub. pron.* you (*form. pl.*) (1); *obj. of prep.* you (*form. pl.*)

vecino/a *n.* neighbor (4); *adj.* neighboring

vegetal *m.* vegetable (5)

vegetariano/a vegetarian

veinte twenty (1)

veinticinco twenty-five (1)

veinticuatro twenty-four (1)

veintidós twenty-two (1)

veintinueve twenty-nine (1)

veintiocho twenty-eight (1)

veintiséis twenty-six (1)

veintisiete twenty-seven

veintitrés twenty-three (1)

veintiuno twenty-one (1)

vejez *f.* old age (9)

vencido/a defeated

vendedor(a) salesperson; vendor; **vendedor(a) ambulante** street vendor

vender to sell (7)

venezolano/a *n., adj.* Venezuelan

venir *irreg.* to come

venta sale

ventaja advantage

ventana window (4)

ver *irreg.* (*p.p.* **visto/a**) to see (3); **dejo de verla** I stop watching it; **no tiene nada que ver con** it has nothing to do with; **nos vemos** see you around (1); **vamos a ver** let's see; **ver a los parientes** to see the (one's) relatives (3); **ver la televisión** to watch TV (3); **ver una película** to watch a movie (8)

verano summer (6); **el verano pasado** last summer

veras: ¿de veras? really?

verbo *gram.* verb

verdad *f.* truth (13); **en verdad** truthfully; **pues, la verdad es que...** well, actually . . . (8)

verdadero/a true; real

verde green (5); unripe (5); **ojos verdes** green eyes (1); **pimiento verde** green (bell) pepper (5)

verdulería vegetable store (5)

verdura vegetable (5)

vergonzoso/a shameful

verificar (qu) to check, verify

vestido *n.* dress (7)

vestirse (i, i) to get dressed (6)

vestuario clothing, style of dress (14)

veterinario/a veterinarian (12)

vez *f.* (*pl.* **veces**) times; **a la vez** at the same time; **a su vez** in turn; **a veces** sometimes (9); **cada vez** each time; **de vez en cuando** sometimes; **en vez de** instead of; **raras veces** infrequently, rarely (9); **tal vez** perhaps; **última vez** last time; **una vez** once

viajar to travel, take a trip (10)

viaje *m.* trip; **agencia de viajes** travel agency (10); **agente** (*m., f.*) **de viajes** travel agent (10); **emprender un viaje** to take a trip; **estar** (*irreg.*) **de viaje** to be on a trip (10); **hacer** (*irreg.*) **un viaje** to take a trip (10); **ir** (*irreg.*) **de viaje** to go on a trip (10)

viajero/a traveler; **cheque** (*m.*) **de viajero** traveler's check

vianda cut of meat

viandero/a meat and grocery vendor

vida life; **apasionado/a por la vida** passionate about life; **de toda la vida** lifelong; **mejorar las condiciones de vida** to improve living conditions (14); **nivel** (*m.*) **de vida** standard of living; **para toda la vida** for life (15)

vídeo video (14)

videojuego video game; **jugar (ue) (gu) a los videojuegos** to play video games (8)

vidriera stained-glass window

viejo/a *n.* elderly person (9); *adj.* old, stale (5)

viento: hace viento it's windy (6)

viernes *m. s., pl.* Friday (1); **Viernes Santo** Good Friday (9)

vigoroso/a vigorous

vínculo link, bond, tie

vino wine (3); **beber vino** to drink wine (3); **copa de vino** a glass of wine

viña vineyard

violación *f.* violation

violencia violence

violento/a violent

violín *m.* violin

virgen *n. f.* virgin

virtud *f.* virtue

visibilidad *f.* visibility

visita visit

visitar to visit; **visitar a los parientes** to visit the (one's) relatives (3)

vista view; **punto de vista** point of view

vitae: currículum (*m.*) **vitae** résumé (12)

vitamina vitamin

viudo/a widower, widow

víveres *m. pl.* supplies, provisions

vivienda housing

vivir *n. m.* life, living; **mi diario vivir** my daily living; *v.* to live (3); **vivir con incertidumbre** *f.* to live with uncertainty (11)

vivo/a alive

vocabulario vocabulary

vocación *f.* vocation

volcán *m.* volcano (10)

volcánico/a volcanic

voleibol *m.* volleyball (8); **jugar (ue) (gu) al voleibol** to play volleyball

voltaje *m.* voltage

volumen *m.* volume; **a todo volumen** on high (*radio, television*)

volver (ue) (*p.p.* **vuelto/a**) to return (*to a place*) (4)

vomitar to vomit

vosotros/as *sub. pron.* you (*fam. pl. Sp.*) (1); *obj. of prep.* you (*fam. pl. Sp.*)

votación *f.* voting

votar to vote

voto *n.* vote; **derecho al voto** right to vote

voz: en voz alta aloud

vuelo flight; **perder (ie) un vuelo** to miss a flight

vuelta *n.* turn; **a la vuelta** on the way back; **billete de ida y vuelta** round-trip ticket; **boleto de ida y vuelta** round-trip ticket; **dar** (*irreg.*) **vueltas** to go around; **de ida y vuelta** *adj.* round-trip (10)

vuelto/a (*p.p. of* **volver**) returned

vuestro/a/os/as *poss.* your (*fam. pl. Sp.*), of yours (*fam. pl. Sp.*)

Y

y and (1)

ya already; **ya no** no longer; **ya que** since

yerba (mate) *herb used to make tea*

yo *sub. pron.* I (1)

yogur *m.* yogurt

yuca yucca

Z

zanahoria carrot (7)

zapatería shoe store

zapatero/a cobbler

zapato shoe (7); **zapatos de tacón alto** high-heeled shoes; **zapatos de tenis** tennis shoes (7); **zapatos lustrados** polished shoes

zarista *adj. m., f.* tsarist, czarist

zona area, zone; **zona residencial** residential zone (4); **zona transitada** busy zone (4); **zona turística** tourist area

ENGLISH-SPANISH VOCABULARY

A

a, an **un(a)** (1)

a lot **mucho** *adv.* (2); a lot (of) *adj.* **mucho/a** (2)

able: to be able **poder** *irreg.* (4)

abroad *n.* **extranjero** (11)

abuse *n.* **abuso** (13)

accent *n.* **acento** (14)

access: to have more access to education **tener** (*irreg.*) **más acceso a la enseñanza** (14)

accountant **contable** (12)

accustomed: to be accustomed to (*doing something*) **soler (ue)** + *inf.* (4)

action film **película de acción** (13)

ad: job ad **anuncio de empleo** (12)

adjective **adjetivo** (2)

administration building **edificio de administración** (2)

adolescence **adolescencia** (9)

adolescent **adolescente** *m., f.* (9)

adult **adulto/a** (9)

adulthood **edad** (*f.*) **adulta** (9)

aerobic: to do aerobic exercise **hacer** (*irreg.*) **ejercicio aeróbico** (6)

affectionate **cariñoso/a** (3)

afraid: to be afraid **tener** (*irreg.*) **miedo** (11)

after (*doing something*) **después de** + *inf.* (11)

afternoon: good afternoon **buenas tardes** (1); in the afternoon (*specific time*) **de la tarde** (2); in the afternoon (*in general*) **por la tarde** (2)

agente: immigration agent **agente de immigración** (11)

ahead: to continue straight ahead **seguir (i, i) (g) derecho** (10)

airplane **avión** *m.* (10); to board an airplane **abordar un avión** (10); to go by airplane **ir** (*irreg.*) **en avión** (10)

airport **aeropuerto** (10)

alcoholic drink **bebida alcohólica** (8)

All Saints' Day (November 1) **Día** (*m.*) **de los Santos** (9)

All Souls' Day (November 2) **Día** (*m.*) **de los Muertos** (9)

allow (*someone*) to (*do something*) **dejarle** + *inf.* (11); to allow (*someone*) to pass **dejarle pasar** (11)

almost **casi**; almost always **casi siempre** (9)

alone **solo/a** (3)

also **también** (1)

always **siempre** (9); almost always **casi siempre** (9)

Amazon *adj.* **amazónico/a** (14)

ambience **ambiente** *m.* (4)

American (*from the United States*) *adj.* **estadounidense** (1)

among **entre** (2)

ample **amplio/a** (12)

ancestral land **territorio ancestral** (14)

and **y** (1)

angry: to be angry **estar** (*irreg.*) **enojado/a** (6)

annoy (*someone*) **molestarle** (9)

annoyed **molesto/a** (9)

annoying **molesto/a** (9)

anthropology **antropología** (2)

anxious: to be anxious (about) **estar** (*irreg.*) **ansioso/a (por)** (11)

apartment **piso** (4); apartment building **bloque** (*m.*) **de pisos** (4)

appetizer **entrada** (5); as an appetizer **de entrada** (5)

apple **manzana** (5)

application **solicitud** *f.* (12)

appointment **cita** (12)

approximate *adj.* **aproximado/a** (6)

April **abril** (6)

archaeologist **arqueólogo/a** (12)

architect **arquitecto/a** (12)

architecture **arquitectura** (2)

argue **discutir** (3)

armchair **sillón** *m.* (4)

army **ejército** (13)

around **por** (11); around _____ (*time*) **a eso de la(s)** _____ (6)

arrange **fijar** (12)

arrive (at) **llegar (gu) (a)** (2)

art(s) **arte** *m.* (*pl.* **las artes**) (2)

artist **artista** (12)

as **como** (1); as + *adj./adv.* + as **tan** + *adj./adv.* + **como** (5); as much/many + *noun* + as **tanto/a/os/as** + *noun* + **como** (5)

Asian (*person*) *n.* **asiático/a** (14)

ask for **pedir (i, i)** (5); to ask someone to dance **sacar (qu) a alguien a bailar** (8)

asleep: to fall asleep **dormirse (ue) (u)** (6)

at **a**; at _____ (o'clock) **a la(s)** _____ (2); at _____ :30, at half past _____ **a la(s)** _____ **y media** (2); at midnight **a medianoche** (6); at noon **a mediodía** (6)

atmosphere **ambiente** (4)

atrocity **atrocidad** *f.* (13)

August **agosto** (6)

aunt **tía** (3)

avocado **aguacate** *m.* (5)

avoid pejorative language **evitar el lenguaje peyorativo** (14)

awful **fatal** (9); how awful! **¡qué barbaridad!** (13)

B

bad: to feel bad **sentirse (ie, i) mal** (6)

baby **bebé** *m., f.* (9)

background **formación** *f.* (12)

backpack **mochila** (2)

bad **mal, malo/a** (1)

bakery **panadería** (5)

ballpoint pen **bolígrafo** (2)

banana **plátano** (5)

bank *n.* **banco** (10)

banker **banquero/a** (12)

bar mitzvah **barmitzvah** *m.* (9)

bargain *v.* **regatear** (7); *n.* **ganga** (7)

barriers: to break down social barriers **romper** (*p.p.* **roto/a**) **los obstáculos sociales** (14)

based on experience **según la experiencia** (12)

basketball **básquetbol** *m.* (8); **baloncesto** (*Sp.*) (8)

bat mitzvah **batmitzvah** *f.* (9)

bathing suit **traje** (*m.*) **de baño** (7)

bathroom **cuarto de baño** (4)

bathtub **bañera** (4)

be **ser** *irreg.* (1); **estar** *irreg.* (2); to be _____ (and a half) years old **tener** (*irreg.*) _____ **años (y medio)** (3); to be able to **poder** (*irreg.*) (4); to be accustomed to (*doing something*) **soler (ue)** + *inf.* (4); to be afraid **tener** (*irreg.*) **miedo** (11); to be angry **estar** (*irreg.*) **enojado/a** (6); to be anxious (about) **estar** (*irreg.*) **ansioso/a (por)** (11); to be at one's best **estar** (*irreg.*) **en su punto** (8); to be bored **estar** (*irreg.*) **aburrido/a** (6); to be born **nacer (zc)** (11); to be calm **estar** (*irreg.*) **tranquilo/a** (8); to be (caught) between two cultures **estar** (*irreg.*) **entre dos culturas** (11); to be connected (*to the Internet*) **estar** (*irreg.*) **conectado/a** (13); to be conscious of **ser** (*irreg.*) **consciente de** (11); to be different **diferenciarse** (10); to be divorced **estar** (*irreg.*) **divorciado/a** (3); to be drunk **estar** (*irreg.*) **borracho/a** (8); to be familiar with (*someone, some place, something*) **conocer (zc)** (6); to be (from) **ser** (*irreg.*) **(de)** (1); to be happy **estar** (*irreg.*) **contento/a** (6); to be hopeful **tener** (*irreg.*) **esperanza** (11); to be hungry **tener** (*irreg.*) **hambre** (5); to be in a hurry **tener** (*irreg.*) **prisa** (8); to be in the habit of (*doing something*) **soler (ue)** + *inf.* (4); to be in the mood **encontrarse (ue) en ambiente** (8); to be jealous **tener** (*irreg.*) **celos** (15); to be lucky **tener** (*irreg.*) **suerte** (11); to be made by hand **estar** (*irreg.*) **hecho/a a mano** (7); to be married **estar** (*irreg.*) **casado/a** (3); to be on a trip **estar** (*irreg.*) **de viaje** (10); to be on vacation **estar** (*irreg.*) **de vacaciones** (10); to be pleasing to (*someone*) **gustarle** (9); to be poorly/well made **estar** (*irreg.*) **hecho/a mal/bien** (7); to be prosperous **ser** (*irreg.*) **próspero/a** (11); to be relaxed **estar** (*irreg.*) **relajado/a** (8); to be retired **estar** (*irreg.*) **jubilado/a** (3); to be sad **estar** (*irreg.*) **triste** (6); to be sick **estar** (*irreg.*) **enfermo/a** (6); to be successful

tener (*irreg.*) **éxito** (11); to be tired **estar** (*irreg.*) **cansado/a** (6); to be too large/small **quedarle grande/pequeño/a** (7); to be trusting **confiado/a** (9); to be uninformed **estar** (*irreg.*) **desinformado/a** (13); to be up-to-date **estar** (*irreg.*) **al corriente** (13); he (she, it) is _____ **es** _____ (1); he (she, it) is from _____ **es de** _____ (1); I am _____ **soy** _____ (1); I'm from _____ **soy de** _____ (1); I'm (very) fine, thanks **estoy (muy) bien, gracias** (1); it is / they are (made of) **es/son de** (7); they are from _____ **son de** _____ (1)

beach *n.* **playa** (10)
bean **frijol** *m.* (5)
because **porque** (1); because of **por** (11)
bed **cama** (4); to go to bed **acostarse (ue)** (6)
bedroom **dormitorio** (4); **cuarto** (4); **habitación** *f.* (4)
beef **carne** (*f.*) **de res (vaca)** (5)
beer **cerveza** (3); to drink a beer **beber una cerveza** (3); to have a beer **tomar una cerveza** (6)
before (*doing something*) **antes de** + *inf.* (11)
behind (+ *noun*) **detrás (de** + *noun*) (2)
bell pepper (green/red) **pimiento (verde/rojo)** (5)
belt **cinturón** *m.* (7)
benefits **prestaciones** (12)
beside (+ *noun*) **al lado (de** + *noun*) (2)
best: to be at one's best **estar** (*irreg.*) **en su punto** (8)
better than **mejor(es) que** (5)
between **entre** (2)
bicultural **bicultural** (11)
big **grande** (1)
bilingual **bilingüe** (11)
bill *n.* (*restaurant*) **cuenta** (5)
biology **biología** (2)
birthday **cumpleaños** *m. s., pl.* (9); girl's fifteenth birthday party **quinceañera** (9)
bit of gossip, *pl.* gossip **chisme** *m.* (13)
bitter **amargo/a** (5)

black eyes **ojos negros** (1); black hair **pelo negro** (1)
block (city) **cuadra** (10)
blond hair **pelo rubio** (1)
blouse **blusa** (7)
blue eyes **ojos azules** (1)
board an airplane (ship, train) **abordar un avión (barco, tren)** (10)
boat **barco** (10)
bonds: emotional bonds **lazos afectivos** (15)
book **libro** (2)
bookcase **estantería** (4)
bookstore **librería** (2)
boots **botas** *pl.* (7)
border *n.* **frontera** (11) getting across the border **para cruzar (c) la frontera** (11)
bore (*someone*) **aburrirle** (9)
bored: to be bored **estar** (*irreg.*) **aburrido/a** (6)
boring **aburrido/a** (2)
born: to be born **nacer (zc)** (11)
bother **molestar** (8); to bother (*someone*) **molestarle** (9)
bracelet **pulsera** (7); gold bracelet **pulsera de oro** (7)
bread **pan** *m.* (5)
break down social barriers **romper** (*p.p.* **roto/a**) **los obstáculos sociales** (14)
breakfast: to eat breakfast **desayunar** (2)
bring **traer** (*irreg.*) (5); could you bring me _____, please? **¿me trae(s)** _____**, por favor?** (5)
broad **amplio/a** (12)
brother **hermano** (3)
brother-in-law **cuñado** (3)
brown **pardo/a** (7); brown eyes **ojos castaños** (1); brown hair **pelo castaño** (1); brown skin **piel** (*f.*) **morena** (1)
brush one's teeth **cepillarse los dientes** (6)
building: administration building **edificio de administración** (2); apartment building **bloque** (*m.*) **de pisos** (4)
bus **autobús** *m.* (10), **colectivo** *m.* (10); bus stop **parada de autobuses** (10); to get off a bus **bajar de un autobús** (10); to get on a bus **subir a un**

autobús (10); to go by bus **ir** (*irreg.*) **en autobús** (10)
businessman **hombre** (*m.*) **de negocios** (12)
businesswoman **mujer** (*f.*) **de negocios** (12)
busy street **calle** (*f.*) **transitada** (4)
but **pero** (1)
butcher's shop **carnicería** (5)
butter *n.* **mantequilla** (5)
buy **comprar** (5)
by **por** (11)

C

cable TV **televisión** (*f.*) **por cable** (13)
cafeteria **cafetería** (2)
cake **pastel** *m.* (5)
calm: to be calm **estar** (*irreg.*) **tranquilo/a** (8)
camp *v.* **acampar** (8)
campus **ciudad** (*f.*) **universitaria** (2)
can *v.* **poder** *irreg.* (4)
Canadian *adj.* **canadiense** *m., f.* (1)
cancel a reservation **cancelar una reserva** (10)
capable **capaz** (*pl.* **capaces**) (12)
car **coche** *m.* (10); to get out of a car **bajar de un coche** (10)
career **carrera** (2)
caring **sensible** (9)
carpet **alfombra** (4)
carrot **zanahoria** (5)
carry **llevar** (2)
cartoon **tira cómica** (13)
cash register **caja** (7)
cat **gato** (3)
cathedral **catedral** *f.* (10)
caught: to be caught between two cultures **estar** (*irreg.*) **entre dos culturas** (11)
celebrate **celebrar** (9)
chair **silla** (2)
chalk **tiza** (2)
chalkboard **pizarra** (2)
channel **canal** *m.* (13)
charming **encantador(a)** (1)
chat *v.* (*in general*) **charlar** (4), **conversar** (3); **platicar (qu)** (13); (*online*) **chatear** (13); to chat with friends **charlar con amigos** (8)
chatroom **chat** *m.* (13)
cheap **barato/a** (5)

check *v.* **revisar** (11); *n.* (*restaurant*) **cuenta** (5); to check luggage **facturar el equipaje** (10)
checkout **caja** (7)
cheese **queso** (5)
chemistry **química** (2); chemistry laboratory **laboratorio de química** (2)
chest of drawers **cómoda** (4)
chicken **pollo** (5)
child **niño/a** (3)
childhood **niñez** *f.* (9)
children **hijos** (3); **niños** (3)
Chinese *adj.* **chino/a** (1)
Christmas **Navidad** *f.* (9)
citizen **ciudadano/a** *n.* (11)
citizenship: to have citizenship **tenar** (*irreg.*) **la ciudadanía** (11)
city **ciudad** *f.* (4); city block **cuadra** (10); city hall **ayuntamiento** (10); getting around (*lit.* orienting oneself in) the city **para orientarse en la ciudad** (10)
civil war **guerra civil** (13)
class **clase** *f.* (2)
classroom **aula** (2)
click (on) **hacer** (*irreg.*) **clic (en)** (13)
client **cliente** *m., f.* (7)
close *v.* **cerrar (ie)** (4); close *adj.* (*relationship*) **estrecho/a** (3)
close-knit **unido/a** (3)
closet **armario** (4)
clothing **ropa** (7); (*style of dress*) **vestuario** (14)
cloudy: it's cloudy (*weather*) **está nublado** (6)
coast *n.* **costa** (14)
coffee **café** *m.* (5); to have coffee **tomar un café** (6)
coins: to collect coins **collecionar monedas** (8)
cold: it's cold (*weather*) **hace frío** (6); to have a cold **tener** (*irreg.*) **resfrío** (6), **tener** (*irreg.*) **un resfriado** (6)
collect (coins/stamps) **coleccionar (monedas/estampillas)** (8)
college **facultad** (2)
come back **volver (ue)** (4)
comedy (*film*) **película cómica** (13)
comic strip **tira cómica** (13)
comical **cómico/a** (13)
communicate poorly/well **comunicarse (qu) mal/bien** (15)

communion: first communion **primera comunión** (9)
company (*business*) **empresa** (12)
comparison **comparación** *f.* (5)
complain **quejarse** (15)
computer **ordenador** *m.* (*Sp.*) (4); computer programmer **programador(a)** (12); computer science **computación** (2), **informática** (2)
condominium **condominio** (4)
confirm a reservation **confirmar una reserva** (10)
confirmation **confirmación** *f.* (9)
conflict: cultural conflict **conflicto cultural** (11); generational conflict **conflicto generacional** (11)
connected: to be connected (*to the Internet*) **estar** (*irreg.*) **conectado/a** (13); to get connected (*to the Internet*) **conectarse** (13)
conscious: to be conscious of **ser** (*irreg.*) **consciente de** (11)
consultant **asesor(a)** (12)
continue straight ahead **seguir (i, i) (g) derecho** (10)
contrast: in contrast **en cambio** (10)
controversial **controvertido/a** (13)
cook *v.* **cocinar** (5)
cooking (style of) **gastronomía** (14)
cool: it's cool (*weather*) **hace fresco** (6); how cool!; **¡qué chévere!** (8)
corn **maíz** *m.* (5)
cost *v.* **costar (ue)** (7); how much does it / do they cost? **¿cuánto cuesta(n)?** (7); it costs / they cost _____ **cuesta(n)** _____ (7)
cotton **algodón** *m.* (7)
could you bring me _____, please? **¿me trae(s)** _____**, por favor?** (5); could you pass (me) _____, please? **¿me pasa(s)** _____ **por favor?** (5)
counter: display counter **mostrador** (7)
country of origin **país** (*m.*) **de origen** (11)
country(side) **campo** (10)
couple **pareja** (15) to go out as a couple **salir** (*irreg.*) **en pareja** (15)
course: first course **primer plato** (5); as a first course **de primar plato** (5)

courtyard **patio** (4)

cousin **primo/a** (3); *pl.* **primos** (3)

crab **cangrejo** (5)

credit cards: do you take credit cards? **¿acepta(n) tarjetas de crédito?** (7)

Creole (*American-born children of European parents and their descendants*) **criollo/a** *n.* (14)

crime **crimen** *m.* (*pl.* **crímenes**) (14)

cross *v.* **cruzar (c)** (10)

crossword puzzle **crucigrama** *m.* (13); to do crossword puzzles **hacer** (*irreg.*) **crucigramas** (3)

cry *v.* **llorar** (9)

cultural conflict **conflicto cultural** (11)

cup: a cup of **una taza de** (5)

current **actual** (13)

currently **actualmente** (13)

custom **costumbre** *f.* (11)

customs **aduana** *s.* (10)

cycling **ciclismo** (8)

D

daily routine **rutina diaria** (6)

dance *v.* (apart/close) *n.* **baile** *m.* (8); **bailar (separados/ pegados)** (8); to go out dancing **salir** (*irreg.*) **a bailar** (3)

dark(-colored) skin **piel** (*f.*) **oscura** (1)

date *n.* **cita** (15)

daughter **hija** (3)

day **día** *m.* (1); All Saints' Day (November 1) **Día de los Santos** (9); All Souls' Day (November 2) **Día de los Muertos** (9); Epiphany (Day of the Magi) (January 6) **Día de los Reyes Magos** (9); Labor Day (May 1) **Día del Trabajador** (9); every day **todos los días** (9)

death **muerte** *f.* (13)

decade **década** (13)

December **diciembre** (6)

deceived **desilusionado/a** (9)

define **definir** (12)

delicious **delicioso/a** (5); **rico/a** (5)

delightful **encantador(a)** (1)

delinquent (*person*) **delincuente** (14)

demand **exigir (j)** (12)

demonstration **manifestación** *f.* (13)

deport **deportar** (11)

depressed **deprimido/a** (9)

desert *n.* **desierto** (10)

design *n.* **diseño** (2)

designer **diseñador(a)** (12)

desirable **deseable** (12)

desire *v.* **desear** (5)

desk **escritorio** (4); student's desk **pupitre** *m.* (2)

dessert **postre** *m.* (5); for dessert **(de) postre** (5)

detain **detener** *irreg.* (11)

diamond ring **anillo de diamantes** (7)

different (from/than) **diferente (de)** (1); **distinto/a (de)** (3); *v.* to be different **diferenciarse** (10)

difficult **difícil** (2)

dining room **comedor** *m.* (4)

dinner: to eat dinner **cenar** (2)

direct object pronoun **pronombre** (*m.*) **de complemento directo** (5)

director **director(a)** (12)

disaster **desastre** *m.* (13)

discotheque **discoteca** (8)

discount *n.* **descuento** (7)

discriminate **discriminar** (11)

discriminated against **ser** (*irreg.*) **discriminado/a** (14)

discrimination **discriminación** *f.* (14)

discuss **discutir** (3)

dish (*prepared*) **plato** (5)

dishwasher **lavaplatos** *m. s., pl.* (4)

disillusioned **desilusionado/a** (9)

dislike (*someone*) **caerle** (*irreg.*) **mal** (9)

display counter **mostrador** (7)

displease (*someone*) **disgustarle** (9)

disseminate **difundir** (13)

distinct (from) **distinto/a (de)** (3)

distinguish **distinguir (distingo)** (14); to distinguish oneself **diferenciarse** (10)

divorce **divorciarse** (15)

divorced: to be divorced; **estar** (*irreg.*) **divorciado/a** (3) to get divorced **divorciarse** (15)

do **hacer** (*irreg.*) (3) to do aerobic exercise **hacer** (*irreg.*) **ejercicio aeróbico** (6); to do crossword puzzles **hacer** (*irreg.*) **crucigramas** *m. pl.* (3); to do the shop-

ping **hacer** (*irreg.*) **la compra** (5); do you have the time? **¿tiene(s) la hora?** (6); do you take credit cards? **¿aceptan tarjetas de crédito?** (7)

doctor **médico/a** (12)

document *n.* **documento** (11)

documentary **documental** (13)

dog **perro** (3)

door **puerta** (4)

dormitory **residencia estudiantil** (2); **residencia universitaria** (2)

doubt *v.* **dudar** (13)

doubtful **dudoso/a** (13)

downtown **centro** (10)

draw **dibujar** (8)

drawers: chest of drawers **cómoda** (4)

dream (about) **soñar (ue) (con)** (4)

dress *v.* **vestirse (i, i)** (6); *n.* **vestido** (7)

dresser (*furniture*) **cómoda** (4)

dressing room **probador** (7)

drink *v.* **beber** (3); **tomar** (8); *n.* **bebida** (5); alcoholic drink **bebida alcohólica** (8); to drink a beer **beber una cerveza** (3); to drink a soft drink **beber un refresco** (3); to drink wine **beber vino** (3); and to drink? **¿y de beber?** (5); to have a drink **tomar una copa** (6)

drive **conducir** *irreg.* (10); **manejar** (10)

drug *n.* **droga** (14)

drunk: to be drunk **estar** (*irreg.*) **borracho/a** (8)

dry **seco/a** (5)

dryer **secadora** (4)

DVD player **DVD** (13)

E

each: each month **cada mes** (9); each year **cada año** (9)

early **temprano** (6)

earn **ganar** (12)

earring **arete** *m.* (7); **pendiente** *m.* (7)

Easter **Pascua** (9)

easy **fácil** (2)

eat **comer** (3); to eat breakfast **desayunar** (2); to eat dinner **cenar** (2); to eat lunch **almorzar (ue) (c)** (4) education **educación** *f.* (2); to have more access to education **tener** (*irreg.*) **más acceso a la enseñanza** (14)

educational program **programa educativo** (13)

egg **huevo** (5)

eight **ocho** (1)

eight hundred **ochocientos/as** (7)

eighteen **dieciocho** (1)

eighty **ochenta** (3)

elderly person **anciano/a** (9), **viejo/a** (9)

elections **elecciones** *f. pl.* (13)

elective **optativo/a** (2)

electricity **luz** *f.* (4)

elegant **elegante** (4)

eleven **once** (1)

e-mail **correo electrónico** (13); e-mail (*message*) **mail** *m.* (13)

embarrass **avergonzar (üe) (c)** (15)

emotional **emocionado/a** (9); emotional bonds **lazos afectivos** (15); emotional well-being **bienestar** (*m.*) **emocional** (15)

employee **empleado/a** (12)

engaged: to get engaged **comprometerse** (15)

engineer *n.* **ingeniero/a** (12)

English (*language*) **inglés** *m.* (2); English *adj.* **inglés, inglesa** (1)

enjoy oneself **divertirse (ie)** (6)

enough **suficiente** (11)

enter (*a place*) **entrar (en** + *place*) (2)

Epiphany (January 6) **Día** (*m.*) **de los Reyes Magos** (9)

escape (from) **escapar (de)** (11)

ethnic **étnico/a** (14)

European **europeo/a** (14)

evening: good evening **buenas tardes** (1); in the evening (*specific time*) **de la tarde/ noche** (2); in the evening (*in general*) **por la tarde/noche** (2)

event **acontecimiento** (13); **suceso** (13)

every **todo/a/os/as;** every day **todos los días** (9); every night **todas las noches** (9)

exact **exacto/a** (6)

exchange (for) **cambiar (por)** (7)

excursion: to go on an excursion **hacer** (*irreg.*) **una excursión** (10)

exercise *v.*: to do aerobic exercise **hacer** (*irreg.*) **ejercicio aeróbico** (6)

exile *n.* **exilio** (13); exile (*person*) **exilado/a** *n.* (13)

expectations: to have expectations **tener** (*irreg.*) **expectativas** (11)

expensive **caro/a** (5)

experience: based on experience **según la experiencia** (12)

exploit **explotar** (14)

expose **exponer** *irreg.* (13)

express one's feelings **expresar los sentimientos** (15)

exterior **exterior** *m.* (4)

eye *n.* **ojo** (1); black eyes **ojos negros** (1); blue eyes **ojos azules** (1); brown eyes **ojos castaños** (1); green eyes **ojos verdes** (1)

F

facing (+ *noun*) **enfrente (de** + *noun*) (2)

fall *v.* **caer** *irreg.*; to fall asleep **dormirse (ue) (u)** (6); to fall in love (with) **enamorarse (de)** (15)

fall (*season*) *n.* **otoño** (6)

familiar with: to be familiar with (*someone, some place, something*) **conocer (zc)** (6)

family **familia** (3)

fan *adj.* **aficionado/a** (8)

fantastic **fantástico** *adv.* (9)

farmers' market **mercado libre** (5)

fascinate (*someone*) **fascinarle** (9)

fat **gordo/a** (1)

father **padre** *m.* (3)

feast of Saint Barbara's **Día** (*m.*) **de Santa Bárbara** (9)

February **febrero** (6)

feel + *adj., adv.* **sentirse (ie, i)** + *adj., adv.* (9); to feel bad/good **sentirse (ie, i) mal/bien** (6); to feel like (*doing something*) **tener** (*irreg.*) **ganas de** + *inf.* (8)

feeling: to express one's feelings **expresar los sentimientos** (15)

fever: to have a fever **tener** (*irreg.*) **fiebre** (6)

few **poco/a** (3)

fifteen **quince** (1); fifteen minutes past (*hour*) **y quince** (6); fifteen minutes to (*hour*) **menos quince** (6)

fifteenth: girl's fifteenth birthday party **quinceañera** (9)

fifty **cincuenta** (3)

fight *v.* **pelearse** (15)

fill (in/out) **llenar** (12)

film: action film **película de acción** (13)

find a mate **formar pareja** (15); to find out (*about something*) **saber** *irreg.* (6)

fine: I'm (very) fine, thanks **estoy (muy) bien, gracias** (1)

firefighter **bombero, mujer** (*f.*) **bombero** (12)

fireplace **chimenea** (4)

first communion **primera comunión** (9)

first course **primer plato** (5); as a first course **de primer plato** (5)

fish (*caught*) **pescado** (5); fish market **pescadería** (5)

fit (poorly/well) **quedarle (mal/ bien)** (7)

five **cinco** (1)

five hundred **quinientos/as** (7)

fixed: to follow a fixed routine **seguir (i, i) (g) una rutina fija** (6)

flat (*apartment*) **piso** (4)

flatland **llanura** (10)

flexible schedule **horario flexible** (12)

flu: to have the flu **tener** (*irreg.*) **gripe** (6)

follow a fixed (regular) routine **seguir (i, i) (g) una rutina fija** (6)

food: to prepare the food **preparar la comida** (4)

foot: to go on foot **ir** (*irreg.*) **a pie** (10)

football **fútbol** (*m.*) **americano** (8)

for **por** (11); **para** (11); for life **para toda la vida** (15); for that (*reason*) **por eso** (11)

forest **bosque** *m.* (10)

forget **olvidar** (11)

form *n.* **formulario** (12); to form a romantic relationship **formar pareja** (15)

formal **formal** (4)

forty **cuarenta** (3)

forty-one **cuarenta y uno** (3)

four **cuatro** (1)

four hundred **cuatrocientos/as** (7)

fourteen **catorce** (1)

freedom of speech **libertad** (*f.*) **de palabra** (13); freedom of the press **libertad** (*f.*) **de prensa** (13)

freezer **nevera** (4)

French (*language*) **francés** *m.* (2); *adj.* **francés, francesa** (1)

frequent *v.* **frecuentar** (15)

frequently **a menudo** (9); **con frecuencia** (9)

fresh **fresco/a** (5)

Friday **viernes** (1); Good Friday **Viernes Santo** (9)

fried **frito/a** (5)

friend **amigo/a** (2); to chat with friends **charlar con amigos** (8); to get together with friends **reunirse (me reúno) con amigos** (6), **encontrarse (ue) con amigos** (8)

friendly **amable** (1)

friendship **amistad** *f.* (15)

from _____ until _____ **desde la(s)** _____ **hasta la(s)** _____ (6); to be (from) **ser** (*irreg.*) **(de)** (1)

front: in front of (+ *noun*) **enfrente (de** + *noun*) (2)

fruit **fruta** (5); fruit store **frutería** (5)

frustrated **frustrado/a** (9)

fry **freír (i, i)** (5)

full-time job **trabajo de tiempo completo** (12)

fun: to have fun **divertirse (ie)** (6)

functional language **lenguaje funcional** (1)

funny **cómico/a** (13)

G

game **partido** (8); game show **concurso** (13)

garage **garaje** *m.* (4)

garden **jardín** *m.* (4)

garlic **ajo** (5)

gas stove **cocina de gas** (4)

gastronomy **gastronomía** (14)

generational conflict **conflicto generacional** (11)

German *adj.* **alemán, alemana** (1)

get **conseguir (i, i) (g)** (5); to get along poorly/well **llevarse mal/bien** (15); to get connected (*to the Internet*) **conectarse** (13); to get divorced **divorciarse** (15); to

get dressed **vestirse (i, i)** (6); to get engaged **comprometerse** (15); to get lost **perderse (ie)** (10); to get married **casarse** (15); to get off / out of a bus (car/taxi) **bajar de un autobús (coche/taxi)** (10); to get off an airplane (ship/train) **desbordar un avión (barco/tren)** (10); to get on a bus (in a car/taxi) **subir a un autobús (coche/taxi)** (10); to get separated **separarse** (15); to get to know **llegar (gu) a conocer** (15); to get together with friends **reunirse (me reúno) con;** to get together with friends **reunirse (me reúno) con amigos** (6); **encortrarse (ue) con amigos** (8); to get up **levantarse** (6); getting across the border **para cruzar (c) la frontera** (11); getting around (*lit.* orienting oneself in) the city **para orientarse en la ciudad** (10)

girl's fifteenth birthday party **quinceañera** (9)

gift: to give (*something to someone*) as a gift **regalarle** (7)

give **dar** *irreg.* (3); to give (*something to someone*) as a gift **regalarle** (7)

glass (of wine) **una copa (de vino)** (5)

go **ir** *irreg.* (2); to go back **regresar** (2); to go by bus **ir** (*irreg.*) **en autobús** (10); to go by airplane **ir** (*irreg.*) **en avión** (10); to go by train **ir** (*irreg.*) **en tren** (10); to go horseback riding **montar a caballo** (8); to go mountain climbing **escalar montañas** (8); to go on a trip **ir** (*irreg.*) **de viaje** (10); to go on an excursion/outing **hacer** (*irreg.*) **una excursión** (10); to go on foot (walk) **ir** (*irreg.*) **a pie** (10); to go on vacation **ir** (*irreg.*) **de vacaciones** (10); to go out as a couple **salir** (*irreg.*) **en pareja** (15); to go out (dancing) **salir** (*irreg.*) **(a bailar)** (3); to go shopping **ir** (*irreg.*) **de compras** (3); to go to bed **acostarse (ue)** (6); to go to the movies **ir** (*irreg.*) **al cine** (8); to go to the theater **ir** (*irreg.*) **al**

teatro (8); to go poorly/well for (*someone*) **irle** (*irreg.*) **mal/bien** (11); let's go! **¡vamos!** (8)

godfather **padrino** (3)

godmother **madrina** (3)

gold bracelet **pulsera de oro** (7)

golf **golf** *m.* (8)

good **buen, bueno/a** (1); good afternoon/evening (*in general*) **buenas tardes** (1); Good Friday **Viernes Santo** (9); good morning **buenos días** (1); good night **buenas noches** (1); good-bye **adiós** (1); good-looking **guapo/a** (1); to feel good **sentirse (ie, i) bien** (6)

gossip *n.* **chisme** (13)

government **gobierno** (13)

grandchildren **nietos** (3)

granddaughter **nieta** (3)

grandfather **abuelo** (3)

grandmother **abuela** (3)

grandparents **abuelos** (3)

grandson **nieto** (3)

grape **uva** (5)

gray **gris** (7)

great! **¡qué bien!** (13); how great! **¡qué chévere!** (8)

green **verde** (5); green (bell) pepper **pimiento verde** (5); green eyes **ojos verdes** (1)

greetings **saludos** (1)

gregarious **gregario/a** (3)

Guatamalan **guatemalteco/a** *n., adj.* (13)

guerilla war **guerrilla** (13)

guest **invitado/a** (8)

gym(nasium) **gimnasio** (2)

H

habit **costumbre** *f.* (11); to be in the habit of (*doing something*) **soler (ue)** + *inf.* (4)

hair **pelo** (1); black hair **pelo negro** (1); blond hair **pelo rubio** (1); brown hair **pelo castaño** (1); long hair **pelo largo** (1); short hair **pelo corto** (1)

half: to be _____ and a half years old **tener** (*irreg.*) _____ **años y medio** (3)

half past **y media** (6); at half past _____ **a la(s)** _____ **y media** (2)

hall: city hall **ayuntamiento** (10)

hallway **pasillo** (4)

ham **jamón** (5)

hand: on one hand _____ on the other (hand) _____ **por un lado** _____ **por otro (lado)** _____ **/ en cambio** (10) to be made by hand **estar** (*irreg.*) **hecho/a a mano** (7)

handicrafts market **mercado de artesanías** (7)

handsome **guapo/a** (1)

Hanukkah **Januká** *m.* (9)

happening **acontecimiento** (13); **suceso** (13)

happy **alegre** (1), **feliz** (*pl.* **felices**) (9); to be happy **estar** (*irreg.*) **contento/a** (6)

hardworking **trabajador(a)** (1)

harm *v.* **hacer** (*irreg.*) **daño** (15)

hat **sombrero** (7)

have **tener** *irreg.*; to have a cold **tener** (*irreg.*) **resfrío** (6), **tener** (*irreg.*) **un resfriado** (6); to have a fever **tener** (*irreg.*) **fiebre** (6); to have citizenship **tener** (*irreg.*) **la ciudadanía** (11); to have coffee (a beer, a drink) **tomar un café (una cerveza, una copa)** (6); to have expectations **tener** (*irreg.*) **expectativas** (11); to have fun **divertirse (ie)** (6); to have hope **tener** (*irreg.*) **esperanza** (11); to have incompatible personalities **tener** (*irreg.*) **personalidades incompatibles** (15); to have incompatible values **tener** (*irreg.*) **valores incompatibles** (15); to have more access to education **tener** (*irreg.*) **más acceso a la enseñanza** (14); to have the flu **tener** (*irreg.*) **gripe** (6); to have to (*do something*) **tener** (*irreg.*) **que** + *inf.* (6); to intend to (*do something*) **tener** (*irreg.*) **la intención de** + *inf.* (11); do you have the time? **¿tiene(s) la hora?** (6); I have _____ **tengo** _____ (1)

he **él** (1)

headache **dolor** (*m.*) **de cabeza** (6)

headline **encabezado** (13)

healthy **sano/a** (15)

hello **hola** (1)

help *v.* **ayudar** (11); how may I help you (*form. s.*)? **¿en qué puedo servirle?** (7)

here **acá** (4); here you (*form. s.*) go **aquí lo/la/los/las tiene** (7)

hesitate to (*do something*) **dudar en** + *inf.* (15)

hide *v.* **esconder** (11)

history **historia** (13)

Holy Week **Semana Santa** (9)

honest **honesto/a** (15)

hope: to have hope **tener** (*irreg.*) **esperanza** (11)

hopeful: to be hopeful **tener** (*irreg.*) **esperanza** (11)

horrible *adv.* **horrible** (9)

horror film **película de horror** (13)

horseback riding **equitación** *f.* (8); to go horseback riding **montar a caballo** (8)

host/hostess **anfitrión, anfitriona** (8)

hot (*spicy*) **picante** (5); it's hot (*weather*) **hace calor** (6)

house (private, single-family) **casa (particular)** (4)

how? **¿cómo?** (2); how about if (*we do something*)? **¿qué tal si (nosotros/as)** _____? (8); how are you (*fam. s.*)? **¿cómo estás?** (1); how are you (*form. s.*)? **¿cómo está usted?** (1); how awful! **¡qué barbaridad!** (13); how cool/great! (*Carib.*) **¡qué chévere!** (8); how do you say _____ in Spanish? **¿cómo se dice** _____ **en español?** (1); how do you spell _____? **¿cómo se escribe** _____? (1); how many? **¿cuántos/as?** (2); how may I help you (*form. s.*)? **¿en qué puedo servirle?** (7); how much? **¿cuánto/a?** (2); how much does it / do they cost? **¿cuánto cuesta(n)?** (7); how old is he (she, you [*form. s.*])? **¿cuántos años tiene?** (3), **¿qué edad tiene?** (3); how wonderful! **¡qué bien!** (13); how's it going? **¿qué tal?** (1)

humanities **letras** (2)

humble **humilde** (4)

hungry: to be hungry **tener** (*irreg.*) **hambre** (5)

hurry: to be in a hurry **tener** (*irreg.*) **prisa** (8)

hurt **hacer** (*irreg.*) **daño** (15)

hurt: my _____ hurt(s) **me duele(n)** _____ (6)

husband **esposo** (3)

I

I **yo** (1)

ice skate **patinar sobre hielo** (8)

identify oneself (with) **identificarse (qu) (con)** (11)

identity **identidad** *f.* (11)

illegal **ilegal** (11)

illness **enfermedad** *f.* (6)

image **imagen** *f.* (*pl.* **imágenes**) (13)

immigration agent **agente de inmigración** (11)

important **importante** (2); it's important to (*do something*) **es importante** + *inf.* (6)

improve living conditions **mejorar las condiciones de vida** (14)

in **en** (2); in (+ *noun*) **dentro (de** + *noun*) (2); in contrast **en cambio** (10); in front of (+ *noun*) **enfrente (de** + *noun*) (2); in order that **para que** (14); in order to (*do something*) **para** + *inf.* (2); in spite of **a pesar de** (15); in the morning (in the afternoon/evening, at night) (*in general*) **por la mañana (tarde, noche)** (2); in the morning (in the afternoon/evening, at night) (*specific time*) **de la mañana (tarde, noche)** (2)

Incan **incaico/a** (14)

incompatible: to have incompatible personalities **tener** (*irreg.*) **personalidades incompatibles** (15); to have incompatible values **tener** (*irreg.*) **valores incompatibles** (15)

indifference **desinterés** (13)

indigenous person, native *n.* **indígena** *m., f.* (13)

inequality **desigualdad** *f.* (14)

inexpensive **barato/a** (5)

inexperienced **inocente** (9)

infancy **infancia** (9)

influence *v.* **influir (y) en** (13); *n.* **influencia** (11)

informal **informal** (4)

injustice **injusticia** (13)

inside (+ *noun*) **dentro** (**de** + *noun*) (2)
inspect **revisar** (11)
intend to (*do something*) **tener** (*irreg.*) **la intención de** + *inf.* (11)
interest (*someone*) **interesarle** (9)
interested **interesado/a** (9)
interesting **interesante** (2)
interior **interior** *m.* (4)
international community **comunidad** (*f.*) **internacional** (13)
Internet **Internet** *m.* (13); Internet café **café** (*m.*) **cibernético** (13)
interstate **autopista** (10)
intimate relationship **relación íntima** (15)
intimidated **intimidado/a** (9)
irritate (*someone*) **irritarle** (9)
irritated **irritado/a** (9)
isolated **aislado/a** (15)
Italian *adj.* **italiano/a** (1)
itinerary **itinerario** (10)

J

jacket **chaqueta** (7)
January **enero** (6)
Japanese *adj.* **japonés, japonesa** (1)
jealous: to be jealous **tener** (*irreg.*) **celos** (15)
jeans **(pantalones) vaqueros** *pl.* (7)
jewelery **joyería** (7)
job **puesto** (12); full-time job **trabajo de tiempo completo** (12); job ad **anuncio de empleo** (12); job placement agency **agencia de colocaciones** (12)
July **julio** (6)
June **junio** (6)
jungle **selva** (10)
just in case **por si acaso** (11); just like **al igual que** (3)

K

kiosk **quiosco** (10)
kitchen **cocina** (4)
knit *v.* **tejer** (8)
know (*facts, information*) **saber** *irreg.* (6); to know (*someone, some place, something*) **conocer (zc)** (6); to get to know **llegar (gu) a conocer** (15); to know about **estar** (*irreg.*) **enterado/a**

de (13); to know how to (*do something*) **saber** (*irreg.*) + *inf.* (6)
knowledge **conocimientos** *pl.* (12)

L

Labor Day (May 1) **Día** (*m.*) **del Trabajador** (9)
laboratory: chemistry/language laboratory **laboratorio de química/lenguas** (2)
lake **lago** (10)
lament **lamentar** (13)
lamentable **lamentable** (13)
lamp **lámpara** (4); (*overhead*) **luz** *f.* (4)
land: ancestral land **territorio ancestral** (14)
landscape **paisaje** *m.* (10)
language: avoid pejorative language **evitar el lenguaje peyorativo** (14); functional language **lenguaje funcional** (1)
large **grande** (1); to be too large **quedarle grande** (7)
late **tarde** (6)
laugh *v.* **reírse (i, i)** (9)
law **ley** *f.* (11)
lawyer **abogado/a** (12)
lazy **perezoso/a** (1)
learn **aprender** (11)
leather **cuero** (7)
leave *v.* **salir** *irreg.* (3)
legal **legal** (11)
lemon **limón** *m.* (5)
less: less + *adj.* + *than* **menos** + *adj.* + **que** (5); the least + *adj.* **el/la/los/las menos** + *adj.* (5)
letter **carta** (3); letter of recommendation **carta de recomendación** (12); to write letters **escribir cartas** (3)
lettuce **lechuga** (5)
level **nivel** *m.* (12); level of education **nivel** (*m.*) **de educación** (14)
librarian **bibliotecario/a** (12)
library **biblioteca** (2)
lie *v.* **mentir (ie, i)** (13); *n.* mentira (13)
life: for life **para toda la vida** (15)
lift weights **levantar pesas** (8)
light(-colored) skin **piel** (*f.*) **clara** (1)
light(ing) **luz** *f.* (4)
like (*as*) *adv.* **como** (1)

like *v.* (*someone*) **caerle** (*irreg.*) **bien** (9); I (don't) like _____ **(no) me gusta(n)** _____ (2); I don't like it/them at all! **¡no me gusta(n) para nada!** (7); I would like _____ **me gustaría(n)** _____ (5); no, I wouldn't like that **no, no me gustaría eso** (8)
likewise **igualmente** (1)
link **enlace** *m.* (13)
listen (to) **escuchar** (2)
literature **literatura** (2)
little **poco/a** (3); a little of **un poco de** (5); little **pequeño/a** (1)
live **vivir** (3); to live with uncertainty **vivir con la incertidumbre** (11)
living conditions: to improve living conditions **mejorar las condiciones de la vida** (14)
living room **salón** (4)
loan *v.* **prestar** (15)
lobster **langosta** (5)
long hair **pelo largo** (1)
look for **buscar (qu)** (11); I'm looking for _____ **busco** _____ (7)
lose **perder (ie)** (8)
lost: to get lost **perderse (ie)** (10)
love *v.* to love (*someone*) **querer (ie)** (7); to love (*thing*) **encantarle** (7); to fall in love (with) **enamorarse (de)** (15); to love each other **quererse (ie)** (15); *n.* **amor** *m.* (15)
lucky: to be lucky **tener** (*irreg.*) **suerte** (11)
luggage: to check luggage **facturar el equipaje** (10)
lunch: to eat lunch **almorzar (ue) (c)** (4)
luxurious **lujoso/a** (4)
luxury **lujo** (4)

M

made: made by hand **hecho/a a mano** (7); to be made by hand **estar** (*irreg.*) **hecho/a a mano** (7); to be poorly/well made **estar** (*irreg.*) **hecho/a mal/bien** (7)
main course **plato principal** (5); as a main course **de plato principal** (5)

maintain **mantener** (*like* **tener**); **preservar** (11); to maintain a fixed (*regular*) routine **mantener** (*like* **tener**) **una rutina fija** (6); to maintain distance between the two **mantener** (*like* **tener**) **la distancia entre los dos** (15); to maintain traditional values **mantener** (*like* **tener**) **los valores tradicionales** (14)

major **carrera** (2)

majority **mayoría** (14)

make **hacer** *irreg.* (3); to make someone feel + *adj.* **ponerle** + *adj.* **a alguien** (9)

mall **centro comercial** (7)

many **muchos/as** (2); how many? **¿cuántos/as?** (2)

March **marzo** (6)

marginalized **marginado/a** (14)

market *n.* **mercado** (5); farmers' market **mercado libre** (5); fish market **pescadería** (5); handicrafts market **mercado de artesanías** (7)

married: to be married **estar** (*irreg.*) **casado/a** (3); to get married **casarse** (15)

marry **casarse** (15)

marvelous **maravilloso** *adv.* (9)

match (*game*) **partido** (8)

mate **pareja** (15); to find a mate **formar pareja** (15)

maternal **materno/a** (3)

mathematics **matemáticas** (2)

matter to (*someone*) **importarle** (9)

May **mayo** (6)

means of transport **medios de transporte** (10)

measure *v.* **medir (i, i)** (5)

meat **carne** *f.* (5)

mechanic **mecánico/a** (12)

medicine **medicina** (6)

meet new/other people **conocer (zc) a otras personas** (8)

member **miembro** (3)

mental health **salud** (*f.*) **mental** (6)

message **mensaje** *m.* (13)

metro station **estación** (*f.*) **del metro** (10)

Mexican *adj.* **mexicano/a** (1)

middle class **clase** (*f.*) **media** (14)

midnight: at midnight **a medianoche** (6)

milk **leche** *f.* (5)

mineral water **agua** (*f.* [*but* **el agua**]) **mineral** (5)

minimum experience **experiencia mínima** (12); minimum salary **sueldo mínimo** (12)

minority *n.* **minoría** (14); *adj.* **minoritario/a** (14)

minute **minuto;** fifteen minutes past (*hour*) **y quince** (6); fifteen minutes to (*hour*) **menos quince** (6) it's _____ minutes to _____ **falta(n)** _____ **minuto(s) para la(s)** _____ (6)

Miss (*unmarried woman*) **señorita** (1)

miss: to miss a bus (flight, ship, train) **perder (ie) un autobús (vuelo, barco, tren)** (10)

mixed-race (*person*) **mestizo/a** *n.* (14)

mixture **mezcla** (11)

modern **moderno/a** (4)

Monday **lunes** (1)

month **mes** *m.* (6); each month **cada mes** (9)

monument **monumento** (10)

mood: to be in the mood **encontrarse (ue) en ambiente** (8)

more: more + *adj.* + than **más + *adj.* + que** (5); the most + *adj.* **el/la/los/las más + *adj.*** (5)

morning: good morning **buenos días** (1); in the morning (*in general*) **por la mañana** (2), **de la mañana**

mother **madre** *f.* (3)

mount(ain) **cerro** (10); to go mountain climbing **escalar montañas** (8)

mountain peak **pico** (10); mountain range **cordillera** (10), **sierra** (10)

moved (*emotionally*) **emocionado/a** (9)

movie theater **cine** (13)

movies **cine** (13); to go to the movies **ir** (*irreg.*) **al cine** (8)

Mr. **señor** (1)

Mrs. (*married woman*) **señora** (1)

Ms. (*unmarried woman*) **señorita** (1)

much; *pl.* many **mucho/a** (2); as much/many + *noun* + as **tanto/a/os/as + *noun* + como** (5); how much? **¿cuánto/a?** (2); how much does it / do they cost? **¿cuánto cuesta(n)?** (7)

multilingual **multilingüe** (12)

museum **museo** (10)

mushroom **champiñón** *m.* (5)

music **música** (2)

must: you (*form. s.*) must get more rest **debe descansar más** (6)

N

naive **inocente** (9)

name **nombre;** my name is **me llamo** _____ (1)

nationality **nacionalidad** *f.* (1)

native **indígena** (13); native language **lengua nativa** (11)

natural disaster **desastre** (*m.*) **natural** (13)

necessary **necesario/a** (2); it's necessary to (*do something*) **es necesario + *inf.*** (6)

necessity **necesidad** (4)

necklace **collar** *m.* (7)

need to (*do something*) **necesitar + *inf.*** (6)

neighbor **vecino/a** (4)

neighborhood **barrio** (4); neighborhood market **mercado del barrio** (5)

neither **tampoco** (8); neither _____ nor _____ **ni** _____ **ni** _____ (8)

nephew **sobrino** (3)

nervous **nervioso/a** (9)

never **jamás** (8); **nunca** (8); never ever **nunca jamás** (8)

news **noticias** (13)

newscast **noticiero** (13)

Nicaraguan **nicaragüense** *n.* (13)

nice (pleasure) to meet you **encantado/a** (1), **mucho gusto** (1)

niece **sobrina** (3)

night: every night **todas las noches** (9); good night **buenas noches** (1); in the night (*specific time*) **de la noche** (2); in the night (*in general*) **por la noche** (2); night table **mesilla de noche** (4)

nine **nueve** (1)

nine hundred **novecientos/as** (7)

nineteen **diecinueve** (1)

ninety **noventa** (3)

no **no** (2); **nada de** (5); *adj.* **ningún, ninguna** (5); no one **nadie** (8)

Nobel Peace Prize **Premio Nobel de la Paz** (13)

nobody **nadie** (8)

noise **ruido** (8)

none *pron.* **ninguno/a** (8)

noon: at noon **a mediodía** (6)

not **no** (2); not any **nada de** (5); **ningún, ninguna** (5); *pron.* **ninguno/a** (8); not anybody **nadie** (8); not either **tampoco** (8); not ever **jamás** (8); **nunca** (8); not to be pleasing (*to someone*) **disgustarle** (9)

notebook **cuaderno** (2)

nothing **nada** (5)

November **noviembre** (6)

number **número** (1)

numerous **numeroso/a** (14)

nurse *n.* **enfermero/a** (12)

O

o'clock: it's _____ o'clock **es la / son las** _____ (6)

obituary **obituario** (13)

object: direct object pronoun **pronombre** (*m.*) **de complemento directo** (5)

objective **objetivo** (12)

obtain **conseguir (i, i) (g)** (5)

occupation **oficio** (12)

ocean **océano** (10)

October **octubre** (6)

of/from the **del** (*contraction of* **de** + **el**) (2)

offer *v.* **ofrecer (zc)** (12); *n.* **oferta** (12)

OK **regular** (1); OK, I'll take it/ them **bueno, me lo/la/los/las llevo** (7)

old **viejo/a** (5); old age **vejez** (9); how old is he (she, you [*form. s.*])? **¿cuántos años tiene?** (3), **¿qué edad tiene?** (3)

older (than) **mayor (que)** (3); older person **persona mayor** (9)

olive oil **aceite** (*m.*) **de oliva** (5)

on: on a walk **de paseo** (15); on one hand _____ on the other (hand) _____ **por un lado** _____ **por otro (lado)** _____ (10); on the dot **en punto** (6); on the inside **por dentro** (4); on the outside **por fuera** (4); on the left/right (hand side) **a mano izquierda/derecha** (10); on time **a tiempo** (6)

one **uno** (1)

one hundred, a hundred **cien(to)** (3)

one hundred five **ciento cinco** (3)

one thousand **mil** (7)

one-way **de ida** (10)

onion **cebolla** (5)

online newspaper **periódico en línea** (13)

only **solamente** (11); **sólo** (11); only child **hijo/a único/a** (3)

open your (*form. s.*) mouth **abra la boca** (6)

opportunity for advancement **oportunidad** (*f.*) **de avanzar** (12)

optimistic **optimista** *m., f.* (9)

optional **optativo/a** (2)

orange (*color*) *adj.* **anaranjado/a** (7); (*fruit*) *n.* **naranja** (5)

order: in order that **para que** (14); in order to (*do something*) **para** + *inf.* (2)

origin **origen** *m.* (*pl.* **orígenes**) (1); country of origin **país** (*m.*) **de origen** (11)

other **otro/a** (3); *pl.* **los/las demás** (15)

ought to (*do something*) **deber** + *inf.* (6)

outing: to go on an outing **hacer** (*irreg.*) **una excursión** (10)

outskirts **afueras** (4)

oven **horno** (4)

overcoat **abrigo** (7)

overcome economic barriers **superar las barreras económicas** (14)

overwhelming **abrumador(a)** (13)

P

pact **pacto** (13)

paint **pintar** (8)

painting **cuadra** (4)

pants **pantalones** *m. pl.* (7)

parents **padres** (3)

part **parte** *f.* (11)

part-time job **trabajo de tiempo parcial** (12)

participate **participar** (2)

partner **pareja** (15)

party **fiesta** (8)

pass (free time) **pasar (el tiempo libre)** (3); to allow (*someone*) to pass **dejarle pasar** (11); could you pass (me) _____,

please? **¿me pasa(s)** _____ **por favor?** (5)

Passover **Pesaj** *m.* (9)

pastimes **pasatiempos** (8)

pastry **pastel** *m.* (5)

paternal **paterno/a** (3)

patio **patio** (4)

pay **pagar (gu)** (7)

pejorative: avoid pejorative language **evitar el lenguaje peyorativo** (14)

pencil **lápiz** (*pl.* **lápices**) *m.* (2)

pendant **pendiente** *m.* (7)

pepper (black) **pimienta** (5); bell pepper (green, red) **pimiento (verde/rojo)** (5)

percent **por ciento** (11)

perhaps **quizá(s)** (11)

person: elderly person **anciano/a** (9), **viejo/a** (9)

personality: to have incompatible personalities **tener** (*irreg.*) **personalidades incompatibles** (15)

Peruvian *n., adj.* **peruano/a** (14)

pessimistic **pesimista** *m., f.* (9)

philosophy **filosofía** (2)

photographer **fotógrafo/a** (12)

physical health **salud** (*f.*) **física** (6); physical strength **fuerza física** (12)

picture *n.* **cuadro** (4)

pie **pastel** *m.* (5)

piece of news **noticia** (13)

pilot **piloto/a** (12)

pineapple **piña** (5)

pink **rosado/a** (7)

plain (high) **altiplano** (14)

plateau **altiplano** (14)

play (*a game*) **jugar (ue) (gu) a** (4); to play baseball **jugar (ue) (gu) al béisbol** (4); to play basketball **jugar (ue) (gu) al baloncesto** (*Sp.*) (4); to play billiards (pool) **jugar (ue) (gu) al billar** (8); to play cards **jugar (ue) (gu) a los naipes** (8); to play chess **jugar (ue) (gu) al ajedrez** (8); to play music **tocar (qu) música** (8); to play soccer **jugar (ue) (gu) al fútbol** (4); to play video games **jugar (ue) (gu) a los videojuegos** (8)

player **jugador(a)** (8)

plaza **plaza** (10)

please: could you bring me _____

please? **¿me trae(s) _____, por favor?** (5); could you pass (me) _____, please? **¿me pasa(s) _____ por favor?** (5)
pleasing: to be pleasing to (*someone*) **gustarle** (9)
political party **partido político** (13)
politician **político/a** (12)
poor **pobre** (14); to be poorly made **estar** (*irreg.*) **hecho/a mal** (7); to communicate poorly **comunicarse (qu) mal** (15); to fit poorly **quedarle mal** (7); to get along poorly **llevarse mal** (15); to go poorly for (*someone*) **irle** (*irreg.*) **mas** (11)
pork **carne** (*f.*) **de cerdo** (5)
port **puerto** (10)
position (*job*) **puesto** (12)
possession **posesión** (3)
post office **oficina de correos** (10)
poster **cuartel** *m.* (4)
potato **papa** (*Lat. Am.*) (5)
poverty **pobreza** (11)
powerless **impotente** (14)
practical **práctico/a** (2)
practice **practicar (qu)** (2); to practice a sport **practicar (qu) un deporte** (8); to practice martial arts **hacer** (*irreg.*) **artes marciales** (8)
prairie **llanura** (10)
prefer **preferir (ie, i)** (4)
prepare the meal/food **preparar la comida** (4)
preserve **preservar** (11)
press *n.* **prensa** (13); freedom of the press **libertad** (*f.*) **de la prensa** (13)
prestige **prestigio** (12)
pretty **bonito/a** (1); **guapo/a** (1)
price **precio** (7)
private house **casa partícular** (4)
profession **profesión** *f.* (12)
program **programa** *m.* (13); educational program **programa educativo** (13)
programmer: computer programmer **programador(a)** (12)
promising future **futuro prometedor** (12)
pronoun **pronombre** (1) direct object pronoun **pronombre** (*m.*) **de complemento directo** (5)

prosperous: to be prosperous **ser** (*irreg.*) **próspero/a** (11)
protect (the rights of) workers **proteger (j) a los obreros** (14)
proud **orgulloso/a** (9)
psychology **psicología** (2)
publish **publicar (qu)** (13)
Puerto Rican *adj.* **puertorriqueño/a** (1)
purple **morado/a** (7)
purse **bolsa** (7)
put on (*clothing*) **ponerse** *irreg.* (7)
puzzle: crossword puzzle **crucigrama** *m.*; to do crossword puzzles **hacer** (*irreg.*) **crucigramas** *m. pl.*

Q

quality **calidad** *f.* (7)
quantity **cantidad** *f.* (5)
quarter: quarter past (*time*) **y cuarto** (6); quarter to (*hour*) **menos cuarto** (6)

R

raincoat **impermeable** *m.* (7)
raining: it's raining **llueve** (6)
rarely **raras veces** (9)
rather, *adv.* **bastante** (11)
raw **crudo/a** (5)
read **leer (y)** (3); to read magazines **leer (y) revistas** (3); to read novels **leer (y) novelas** (3); to read the newspaper **leer (y) el periódico** (3)
reader **lector(a)** (13)
reason **razón** *f.* (11)
rebellious **rebelde** (9)
recommend **recomendar (ie)** (5)
reconfirm **reconfirmar** (10)
red (bell) pepper **pimiento rojo** (5)
reduction **rebaja** (7)
refrigerator **refrigerador** *m.* (4)
refugee **refugiado/a** *n.* (13)
region **región** *f.* (14)
register: cash register **caja** (7)
regret **lamentar** (13)
regretful **lamentable** (13)
regular: to follow a regular routine **seguir (i, i) (g) una rutina fija** (6)
rejected **rechazado/a** (14)
relationship: to form a romantic relationship **formar pareja** (15)
relaxation **relajación** *f.* (6)

relaxed: to be relaxed **estar** (*irreg.*) **relajado/a** (8)
religion **religión** (14)
remain (at home, in bed) **quedarse (en casa, en cama)** (6)
remedy **remedio** (6)
remember **recordar (ue)** (9)
renew **renovar (ue)** (11)
report *v.* report (*expose*) **exponer** *irreg.* (13); *n.* **reportaje** *m.* (13)
reporter **reportero/a** (13)
request **pedir (i, i)** (5)
require **requerir (ie, i)** (12)
required **obligatorio/a** (2)
requirement **requisito** (12)
resemble **parecerse (zc) a** (10)
resentment **resentimiento** (14)
reservation: to cancel a reservation **cancelar una reserva** (10); to confirm a reservation **confirmar una reserva** (10)
residence hall **residencia estudiantil** (2)
residential street **calle** (*f.*) **residencial** (4); residential area/zone **zona residencial** (4)
resolve **resolver (ue)** (13)
respectful **respetuoso/a** (9)
responsibility **responsabilidad** *f.* (12)
rest *v.* **descansar** (3)
résumé **currículum (vitae)** (12)
retired: to be retired **estar** (*irreg.*) **jubilado/a** (3)
return (*something*) **devolver (ue)** (7); to return (*go back*) **regresar** (2); to return (*to a place*) **volver (ue)** (4)
reveal one's secrets **revelar los secretos** (15)
review *n.* **reseña** (13)
revolution **revolución** *f.* (13)
rice **arroz** *m.* (5)
rich **rico/a** (14)
ride a bicycle **andar** (*irreg.*) **en bicicleta** (8)
ridiculous **ridículo/a** (13)
rights **derechos** *pl.* (13)
ring **anillo** (7)
ripe **maduro/a** (5)
risk-taking **arriesgado/a** (12)
river **río** (10)
rob **robar** (14)
romantic: romantic film **película de amor** (13); to form a romantic

relationship **formar pareja** (15)

romanticism **romanticismo** (15)

room **cuarto** (4); **habitación** *f.* (4)

root **raíz** *f.* (*pl.* **raíces**) (11)

round-trip **de ida y vuelta** (10)

routine: daily routine **rutina diaría** (6); to follow a fixed (regular) routine **seguir (i, i) (g) una rutina fija** (6)

rug **alfombra** (4)

run **correr** (8); to run the risk **correr el riesgo** (11)

S

sad: to be sad **estar** (*irreg.*) **triste** (6)

saint's day **día** (*m.*) **del santo** (9); All Saints' Day (November 1) **Día** (*n.*) **de los Santos** (9); Feast of Saint Barbara **Día** (*m.*) **de Santa Bárbara** (9)

salad **ensalada** (5)

salesperson **dependiente/a** (7)

salt **sal** *f.* (5)

salty **salado/a** (5)

Salvadoran **salvadoreño/a** *n.* (13)

same here **igualmente** (1)

sandwich **sándwich** *m.* (5)

satellite TV **televisión** (*f.*) **de antena parabólica** (13)

Saturday **sábado** (1)

save (*money*) **ahorrar** (11)

savory **sabroso/a** (5)

say **decir** *irreg.* (5); say (*form. s.*) "ahhh" **diga «aaaa»** (6)

scandalous **escandaloso/a** (13)

schedule **horario** (2); flexible schedule **horario flexible** (12)

school **facultad** (2); School of Education **Facultad de Educación** (2); School of Liberal Arts (Humanities) **Facultad de Letras** (2); School of Sciences **Facultad de Ciencias** (2)

science **ciencia** (2); computer science **computación** (2), **informática** (2)

scientist **científico/a** (12)

season (*of the year*) **estación** *f.* (6)

secretary **secretario/a** (12)

see **ver** *irreg.* (3); to see (one's) the relatives **ver** (*irreg.*) **a los parientes** (3); let's see **vamos**

a ver (6); see you around **nos vemos** (1)

seem: it seems to me **se me hace** (*Mex.*) (11)

sell **vender** (7)

send back **mandar de regreso** (11)

sensible **sensato/a** (9)

sensitive **sensible** (9)

separate **separarse** (15); to get separated **separarse** (15)

September **septiembre** (6)

serve **servir (i, i)** (5)

set up **fijar** (12)

seven **siete** (1)

seven hundred **setecientos/as** (7)

seventeen **diecisiete** (1)

seventy **setenta** (3)

sew **coser** (8)

share **compartir** (4)

shave **afeitarse** (6)

she **ella** (1)

shellfish **marisco** (5)

shelving **estantería** (4)

ship *n.* **barco** (10); to board a ship **a bordar un barco** (10)

shirt **camisa** (7)

shocking **chocante** (13)

shoes **zapatos** *pl.* (7)

shop *n.* **tienda** (7)

shopping: to do the shopping **hacer** (*irreg.*) **la compra** (5); to go shopping **ir** (*irreg.*) **de compras** (3)

shopping center **centro comercial** (7)

short **bajo/a** (1); short hair **pelo corto** (1)

shorts **pantalones cortos** (7)

should (*do something*) **deber** + *inf.* (6)

show: game show **concurso** (13); to show (*something to someone*) **mostrarle (ue)** (7); to show affection in public **mostrar (ue) cariño en público** (15)

shower *n.* **ducha** (4); *v.* **ducharse** (6)

shrimp **camarón** (5)

shy **tímido/a** (9)

siblings **hermanos** (3)

siblings-in-law **cuñados** (3)

sick: to be sick **estar** (*irreg.*) **enfermo/a** (6)

silk **seda** (7)

silver necklace **collar de plata** (7)

similar (to) **parecido/a (a)** (1); **similar (a)** (1)

simple **sencillo/a** (4)

sing **cantar** (8)

single **soltero/a** (3)

single-family house **casa particular** (4)

sink (*bathroom*) **lavabo** (4); (*kitchen*) **fregadero** (4)

sister **hermana** (3)

sister-in-law **cuñada** (3)

six **seis** (1)

six hundred **seiscientos/as** (7)

sixteen **dieciséis** (1)

sixty **sesenta** (3)

size (*clothing*) **talla**; (*shoes*) **número**; what size (*clothing*) do you (*form. s.*) wear? **¿qué talla lleva?** (7); what size (*shoes*) do you (*form. s.*) wear? **¿qué número lleva?** (7)

skate **patinar** (8); to ice skate **patinar sobre hielo** (8)

ski *v.* **esquiar (esquío)** (8); to water ski **esquíar en el agua** (8); *n.* **esquí** *m.* (8)

skiing **esquí** *m.* (8)

skill **competencia** (12)

skin **piel** *f.* (1); brown skin **piel** (*f.*) **morena** (1); dark(-colored) skin **piel** (*f.*) **oscura** (1); light(-colored) skin **piel** (*f.*) **clara** (1)

skirt **falda** (7)

sleep **dormir (ue, u)** (4)

small **pequeño/a** (1); to be too small **quedarle pequeño/a** (7)

smile *v.* **sonreír (i, i)** (9)

smoke **fumar** (8)

smuggler of illegal immigrants **coyote** *m., f.* (11)

snack (*afternoon*) *v.* **merendar (ie)** (4); *n.* **merienda** (5)

snorkle **bucear** (8)

snowing: it's snowing **nieva** (6)

so that **para que** (14)

soap opera **telenovela** (13)

social: social problem **problema** (*m.*) **social** (14); social sciences **ciencias sociales** (2); social worker **asistente social** (12); to break down social barriers **romper** (*p.p.* **roto/a**) **los obstaculos**

sociology **sociología** (2)

socks **calcetines** *pl.* (7)

sofa **sofá** *m.* (4)

soft drink **refresco** (3); to drink a soft drink **beber un refresco** (3)

some **algo de** (5); *adj.* **algún, alguna/os/as** (5); *adj.* **unos/as** (1)
someone: to ask someone to dance **sacar (qu) a alguien a bailar** (8)
something **algo** (5)
sometimes **a veces** (9)
son **hijo** (3)
so-so **más o menos** (1)
soul: All Souls' Day (November 2) **Día** (*m.*) **de los Muertos**
soup **sopa** (5)
sour **agrio/a** (5)
Spanish (*language*) **español** *m.* (2); *n., adj.* **español(a)** (1); how do you say _____ in Spanish? **¿cómo se dice _____ en español?** (3)
speak **hablar** (2)
speech: freedom of speech **libertad** (*f.*) **de palabra** (13)
specialty store **tienda especializada** (7)
speech **habla** *f.* (*but* **el habla**) (14)
spell: how do you spell _____? **¿cómo se escribe _____?** (1) it's spelled _____ **se escribe _____** (1)
spend (free time) **pasar (el tiempo libre)** (3); to spend time with the (one's) children **pasar tiempo con los hijos** (3)
spicy **picante** (5)
spite: in spite of **a pesar de** (15)
sportsperson **deportista** (8)
spouses **esposos** (3)
spring **primavera** (6)
square (*plaza*) **plaza** (10)
stability **estabilidad** *f.* (13)
stadium **estadio** (2)
stage **etapa** (9)
stale **viejo/a** (5)
stamps: to collect stamps **coleccionar estampillas** (8)
stare (deeply) into each other's eyes **mirarse (profundamente) a los ojos** (15)
stay (at home, in bed) **quedarse (en casa, en cama)** (6); to stay informed **mantenerse** (*irreg.*) **informado/a** (13)
steak **bistec** *m.* (5)
steal **robar** (14)
stepbrother **hermanastro** (3)
stepfather **padrastro** (3)
stepmother **madrastra** (3)

stepsiblings **hermanastros** (3)
stepsister **hermanastra** (3)
stick out your (*form. s.*) tongue **saque la lengua** (6)
stockings **medias** (7)
stop **detener** *irreg.* (11); bus stop **parada de autobuses** (10); to stop (over) in **parar en** (10)
store (specialty) **tienda (especializada)** (7); fruit store **frutería** (5)
stove: (electric/gas) stove unit **cocina eléctrica / de gas** (4)
straight: to continue straight ahead **seguir (i, i) (g) derecho** (10)
street **calle** *f.* (4); busy street **calle** (*f.*) **transitada** (4)
stress **estrés** *m.* (6)
stressed **tenso/a** (9)
student **estudiante** *m., f.* (2); student's desk **pupitre** *m.* (2)
studies **estudios** (2)
study *v.* **estudiar** (2)
stupendous **estupendo** *adv.* (9)
subscribe **abonarse** (13)
suburbs **afueras** (4)
subway **metro** (10); subway station **estación** (*f.*) **del metro** (10)
successful: to be successful **tener** (*irreg.*) **éxito** (11)
suffer from anxiety (insomnia, stress) **sufrir de ansiedad (insomnio, estrés)** (6)
sufficient **suficiente** (11)
sugar **azúcar** *m.* (5)
suit **traje** *m.* (7); bathing suit **traje de baño** (7)
suitcase **maleta** (10)
summer **verano** (6)
Sunday **domingo** (1)
sunny: it's sunny (*weather*) **hace sol** (6)
super *adv.* **súper** (11)
superhighway **autopista** (10)
supermarket **supermercado** (5)
surf *v.* **surfear** (8); (*the Internet*) **navegar (gu)** (13)
surgeon **cirujano/a** (12)
suspend **suspender** (13)
sweater **suéter** *m.* (7)
sweet **dulce** (5)
swim **nadar** (8)
swimming **natación** *f.* (8); swimming pool **piscina** (4)
swindle **engañar** (14)

T

table **mesa** (4)
take (*a class*) **llevar** (2); to take a bath **bañarse** (6); to take a shower **ducharse** (6); to take a siesta (nap) **dormir (ue, u) la siesta** (4), **echar una siesta** (3), **tomar una siesta** (6); to take a trip **hacer** (*irreg.*) **un viaje** (10); to take a walk **pasear** (3); to take off **quitarse** (7); do you take credit cards? **¿acepta(n) tarjetas de crédito?** (7)
tall **alto/a** (1)
taxi **taxi** *m.* (10); taxi stand **parada de taxis** (10); to get out of a taxi **bajar de un taxi** (10)
tea **té** *m.* (5)
teach **enseñar** (2)
teacher **profesor(a)** (2)
team **equipo** (8)
teenager **adolescente** (9)
teeth: to brush one's teeth **cepillarse los dientes** (6)
telephone **teléfono** (4); telephone company office **telefónica** (10)
television *adj.* **televisivo/a** (13); television channel **canal** *m.* (13); television viewer **televidente** (13)
tell **decir** *irreg.* (5); to tell jokes **contar (ue) chistes** (8)
ten **diez** (1)
tender **tierno/a** (5)
tennis **tenis** *m.* (8); tennis shoes **zapatos de tenis** (7)
terrace **terraza** (4)
terrible **horrible** (9)
testimony **testimonio** (13)
textbook **libro de texto** (2)
thank you for + *noun or inf.* **gracias por** + *noun or inf.* (11)
thanks: I'm (very) fine, thanks **estoy (muy) bien gracias** (1)
Thanksgiving **Día** (*m.*) **de (Acción de) Gracias** (9)
that **ese/a** *adj.* (4); that _____ over there **aquel, aquella _____** *adj.* (4); that (stuff) *neut. pron.* **eso** (4); that (stuff) over there *neut. pron.* **aquello** (4); that one *pron.* **ése/a** (4); that one over there *pron.* **aquél, aquélla** (4); that seems (doesn't

seem) very interesting **(no) me parece muy interesante** (8); that's why **por eso** (11)

the **el** (*m. s.*), **la** (*f. s.*), **los** (*m. pl.*), **las** (*f. pl.*) (1)

theater **teatro** (10); to go to the theater **ir** (*irreg.*) **al teatro** (8)

there **ahí** (4); (way) over there **allá, allí** (4)

there is/are (not) **(no) hay** (2)

these **estos/as** *adj.* (4); these ones *pron.* **éstos/as** (4)

they *f. pl.* **ellas** (1); *m. pl.* **ellos** (1)

thin **delgado/a** (1)

think (of/about) **pensar (ie) (de/en)** (4)

thirteen **trece** (1)

thirty **treinta** (1)

thirty-eight **treinta y ocho** (3)

thirty-five **treinta y cinco** (3)

thirty-four **treinta y cuatro** (3)

thirty-nine **treinta y nueve** (3)

thirty-one **treinta y uno** (1)

thirty-seven **treinta y siete** (3)

thirty-six **treinta y seis** (3)

thirty-three **treinta y tres** (3)

thirty-two **treinta y dos** (3)

this **este/a** *adj.* (4); this one *pron.* **éste/a** (4); this (stuff) *neut. pron.* **esto** (4)

those **esos/as** *adj.* (4); those _____ over there *adj.* **aquellos/as** (4); those ones *pron.* **ésos/as** (4); those ones over there *pron.* **aquéllos/as** (4)

three **tres** (1)

three hundred **trescientos/as** (7)

throat **garganta** (6)

through **por** (11)

Thursday **jueves** (1)

ticket **billete** *m.* (*Sp.*) (10); **boleto** *m.* (*Lat. Am.*) (10)

tie *n.* **corbata** (7)

time **hora** (6); do you have the time? **¿tiene(s) la hora?** (6) what time is it? **¿qué hora es?** (6)

tired: to be tired **estar** (*irreg.*) **cansado/a** (6)

to **a** (2)

to the **al** (*contraction of* **a** + **el**) (2); to the left/right (of + *noun*) **a la izquierda/derecha** (**de** + *noun*) (2); to the north (south, east, west) **hacia el norte (sur, este, oeste)** (10)

toast **tostada** (5)

together **junto/a** (3); to get together with friends **reunirse (me reúno) con amigos** (6), **encontrarse (ue) con amigos** (7)

toilet **retrete** *m.* (4)

tomato **tomate** *m.* (5)

too **también** (1); too (much) **demasiado** *adv.* (11)

toward **para** (11)

town **pueblo** (4); town hall **ayuntamiento** (10)

tradition **tradición** *f.* (14)

traditional **tradicional** (4); traditional belief **creencia tradicional** (14); traditional workday **jornada tradicional** (12)

train **tren** *m.* (10); to board a train **abordar un tren** (10); to go by train **ir** (*irreg.*) **en tren** (10); train station **estación** (*f.*) **de trenes** (10)

trainer: (personal) trainer **entrenador(a) (personal)** (12)

translator **traductor(a)** (12)

travel **viajar** (10); travel agency **agencia de viajes** (10); travel agent **agente de viajes** (10)

trick *v.* **engañar** (14)

trip: to be on a trip **estar** (*irreg.*) **de viaje** (10); to go on a trip **ir** (*irreg.*) **de vacaciones** (10)

truce **pacto** (13)

trusting: to be trusting **confiado/a** (9)

truth **verdad** (13)

try: to try on **probarse (ue)** (7); to try to maintain one's customs **tratar de mantener las costumbres** (11)

T-shirt **camiseta** (7)

Tuesday **martes** (1)

turn left/right **doblar a la izquierda/derecha** (10)

twelve **doce** (1)

twenty **veinte** (1)

twenty-eight **veintiocho** (1)

twenty-five **veinticinco** (1)

twenty-four **veinticuatro** (1)

twenty-nine **veintinueve** (1)

twenty-one **veintiuno** (1)

twenty-seven **veintisiete** (1)

twenty-six **veintiséis** (1)

twenty-three **veintitrés** (1)

twenty-two **veintidós** (1)

twin **gemelo/a** (3)

two **dos** (1)

two hundred **doscientos/as** (7)

two thousand **dos mil** (7)

U

ugly **feo/a** (1)

uh . . . (*pause sound*) **este...** (8)

uncle **tío** (3)

underdeveloped **subdesarrollado/a** (14)

understand **entender (ie)** (4)

underwear **ropa interior** (7)

undocumented person **indocumentado/a** (11)

unfriendly **antipático/a** (1)

unhappy **infeliz** (*pl.* **infelices**) (9)

uninformed: to be uninformed **estar** (*irreg.*) **desinformado/a** (13)

university **universidad** (2)

unlike **a diferencia de** (3)

unmarried **soltero/a** (3)

unripe **verde** (5)

until (see you) later **hasta luego** (1); until (see you) tomorrow **hasta mañana** (1)

up-to-date: to be up-to-date **estar** (*irreg.*) **al corriente** (13)

use *v.* **usar** (2)

useful **útil** (2)

V

vacation: to be on vacation **estar** (*irreg.*) **de vacaciones** (10); to go on vacation **ir** (*irreg.*) **de vacaciones** (10)

valley **valle** *m.* (14)

value **valor** *m.* (11); to have incompatible values **tener** (*irreg.*) **valores incompatibles** (15)

VCR **video** (13)

vegetable **vegetal** *m.* (5), **verdura** (5); vegetable store **verdulería** (5)

very *adv.* **bastante** (11)

veterinarian **veterinario/a** (12)

video **video** (13); to play video games **jugar (ue) (gu) a los videojuegos** (8)

visit the (one's) relatives **visitar a los parientes** (3)

volcano **volcán** *m.* (10)

volleyball **voleibol** *m.* (8)

W

waiter **mesero** (5)
waitress **mesera** (5)
wake up **despertarse (ie)** (6)
walk **caminar** (10)
wallet **cartera** (7)
want **querer (ie)** (4); **desear** (5)
war: civil war **guerra civil** (13)
wash one's face (back, hands)
   lavarse la cara (la espalda, las manos) (6)
washing machine **lavadora** (4)
watch *n.* **reloj** *m.* (7); to watch a film **ver** (*irreg.*) **una película** (8); to watch TV **mirar la televisión** (3), **ver** (*irreg.*) **la televisión** (3)
waterfall **salto** (10); *pl.* **cataratas** (10)
we **nosotros/as** (1)
wealthy **rico/a** (14)
wear (*clothing*) **llevar** (7); **ponerse** *irreg.* (7)
weather: it's bad/good weather **hace mal/buen tiempo** (6)
week: Holy Week **Semana Santa** (9)
wedding **boda** (15)
Wednesday **miércoles** (1)
weight: to lift weights **levantar pesas** (8)
welcoming **acogedor(a)** (4)
well: to be well made **estar** (*irreg.*) **hecho/a bien** (7); to communicate well **comunicarse (qu) bien** (15); to fit well **quedarle bien** (7); to get along well **llevarse bien** (15); to go well for (*someone*) **irle** (*irreg.*) **bien** (11)
well, actually _____ **pues, la verdad es que** _____ (8)
well-being: emotional well-being **bienestar emocional** (15)
what? **¿qué?** (2); (*which?*) **¿cuál(es)?** (2); what about this (one) / these (ones) here? **¿qué tal éste/a/os/as aquí?** (7); what are _____ like? **¿cómo son** _____**?** (1); what can I bring you as/for _____? **¿qué le(s) traigo** _____**?** (5);

what do you (*form. s.*) recommend? **¿qué recomienda (usted)?** (5); what is _____ like? **¿cómo es** _____**?** (1); what is/are _____ 's/s' (national) origin(s)? **¿de qué origen es/son** _____**?** (1); what time is it? **¿qué hora es?** (6); what would you (*form. s., pl.*) like (to eat)? **¿qué desea(n) (de comer)?** (5); what's the weather like? **¿qué tiempo hace?** (6); what's up? **¿qué tal?** (7); what's wrong? **¿qué le pasa?** (6), **¿qué tiene hoy?** (6); what's your (*fam. s.*) name? **¿cómo te llamas?** (1); what's your (*form. s.*) name? **¿cómo se llama usted?** (1)
what a + *adj.*! **¡qué + *adj.*!** (13); what a/an + *adj.* + *noun*! **¡qué + *noun* + más/tan + *adj.*!** (13); what a good idea! **¡qué buena idea!** (8); what a scandal! **¡qué escándalo!** (13)
when? **¿cuándo?** (2)
where? **¿dónde?**; to where **¿adónde?** (2); where are you (*fam. s.*) from? **¿de dónde eres (tú)?** (1); where are you (*form. s.*) from? **¿de dónde es usted?** (1); where is he/she from? **¿de dónde es el/ella?** (1); where is it (located)? **¿dónde está?** (2)
which? **¿cuál(es)?** (2)
while **mientras que** (10)
white **blanco/a** (7)
who? **¿quién(es)?** (2)
why? **¿por qué?** why don't (*we do something*)? **¿por qué no (nosotros/as)** _____**?** (8)
wife **esposa** (3)
win **ganar** (8)
window **ventana** (4)
windy: it's windy (*weather*) **hace viento** (6)
wine **vino** (3); a glass of wine **una copa de vino** (5)

winter **invierno** (6)
wise **sabio/a** (9)
with **con** (2)
within (+ *noun*) **dentro (de +** *noun*) (2)
without hesitation **sin dudar** (15)
wonderful: how wonderful! **¡qué bien!** (13)
wool **lana** (7)
work *v.* **trabajar** (2)
working conditions **condiciones** (*f.*) **de trabajo** (12)
worse than **peor(es) que** (5)
would you (*fam. s.*) like to (*do something*)? **¿te gustaría +** *inf.***?** (8)
write **escribir;** to write letters **escribir cartas** (3); to write poetry/stories **escribir poesía/cuentos** (8)
writer **escritor(a)** (12)

Y

year: each year **cada año** (9)
years: to be _____ (and a half) years old **tener** (*irreg.*) _____ **años (y medio)** (3)
yellow **amarillo/a** (7)
yes **sí** (1); yes, of course **sí, por supuesto** (7)
you (*fam. s.*) **tú** (1); (*form. s.*) **usted** (1); (*fam. pl.*) **vosotros/as** (1); (*form. pl.*) **ustedes** (1); and you (*fam., form. s.*)? **¿y tú? ¿y usted?** (1); you (*fam. s.*) (don't) like _____ **(no) te gusta(n)** _____ (2); you (one) must (*do something*) **hay que + inf.** (6); you say _____ **se dice** _____ (1); you (*form. s.*) should get more rest **tiene que descansar más** (6)
young person **joven** (*pl.* **los jóvenes**) (9)
younger (than) **menor (que)** (3)
your (*form. s.*) throat is inflamed **tiene la garganta inflamada** (6)

INDEX

GRAMMAR AND VOCABULARY INDEX

CREDITS

Text: *Page 25* From *The Hispanic Almanac: From Columbus to Corporate America,* edited by Nicolas Kanellos, Visible Ink Press, 1994, pp. 605–606. Used by permission of Visible Ink Press; *48* From *Celebre la cocina hispana,* National Cancer Institute, NIH Publication 95-3906(S), January 1995, p. 3; *49* Adapted from *The Hispanic Almanac: From Columbus to Corporate America,* edited by Nicolas Kanellos, Visible Ink Press, 1994, pp. 25, 35–36. Used by permission of Visible Ink Press; *62* © Quino/Quipos; *78* From "Canción de Buenos Aires," lyrics by Manuel Romero and from "Adiós pampa mía," lyrics by Ivo Pelay and Francisco Canaro as published in *Antología de Tangos,* Ediciones Ondas, 1949; *79* From *The International Traveler's Guide to Doing Business in Latin America* by Terri Morrison and Wayne A. Conway. Copyright © 1997 by Terri Morrison and Wayne A. Conaway; *102-103* Adapted from "Culturas y generaciones: Un caso Anónimo" by Carmen Juri, *Latina* Vol. 2, No. 11 May 1998, p. 4. Used by permission of Carmen Juri; *105* From *Strangers Among Us* by Robert Suro, copyright © 1998 by Roberto Suro. Used by permission of Alfred A. Knopf, A division of Random House, Inc.; *129* From *Chile in Focus: A Guide to the People, Politics and Culture,* published by Interlink Books, an imprint of Interlink Publishing Group, Inc. Text copyright © Nick Caistor. Reprinted by permission; *159* From *My Car in Managua,* by Forrest D. Colburn, 1991, University of Texas Press; *185* From *Peru in Focus: A Guide to the People, Politics and Culture,* published by Interlink Books, an imprint of Interlink Publishing Group, Inc. Text copyright © Jane Holligan de Díaz-Limaco. Reprinted by permission; *209* From *The Epic of Latin America,* 4th edition, John A. Crow, University of California Press, 1992, pp. 855–856. © Regents of the University of California.

Photographs: *Page 2:* © Andres Leighton/AP Images; *3:* (top) © Bob Krist/Corbis, (bottom) Jeremy Horner/Corbis; *8:* © Tony Arruza/Corbis; *15:* © PhotoDisc/Getty Images; *22:* © Bob Krist/Corbis; *23:* © Ricardo Figueroa/AP Images, (bottom) © Alberto Tamargo/Getty Images; *28:* © Roberto Schmidt/AFP/Getty Images; *29:* (top) © Thomas Cockrem/Alamy Images, (bottom) © Rolando Pujol/South American Pictures; *33:* © Paul Conklin/PhotoEdit, Inc.; *40:* (left) © Frerck/Odyssey/Chicago, (right) © Bob Daemmrich; *42:* © Frerck/Odyssey/Chicago; *46:* (top) © Peter Adams/Corbis, (bottom) © Sergio Pitamitz/Corbis; *47:* © James Quine/Alamy Images; *52:* © Anthony John West/Corbis; *53:* (top) © Orestis Panagiotou/Corbis, (bottom) H. Fougere/Iconotec.com; *56:* (top to bottom) © Doug Bryant/DDB Stock Photo, © Eric L. Ergenbright, © Norman Benton/Peter Arnold, Inc.; *69:* (left) © Bill Bachmann/The Image Works, (right) © Chad Ehlers/Getty Images; *71:* © Digital Vision/PunchStock; *76:* © Reuters/Corbis; *77:* (top) © Walter Astrada/AP Images, (bottom) © Eduardo Longoni/Corbis; *78:* (top) © Corbis; *82:* The McGraw-Hill Companies, Inc./Andrew Resek, photographer; *85:* © Jimmy Dorantes/LatinFocus; *93:* © PhotoDisc/Getty Images; *95:* Royalty-free/Corbis; *96:* (left) © Bob Daemmrich/The Image Works, (right) © T&D McCarthy/The Stock Market/Corbis; *97:* © Charles Gupton/The Stock Market/Corbis; *102:* © David R. Frazier Photolibrary, Inc./Alamy Images; *103:* (top) © Bob Daemmrich/The Image Works, (bottom) © Vince Bucci/Getty Images; *108:* © JB Russel/Sygma/Corbis; *109:* (top) Reuters/Corbis, (bottom)

ABOUT THE AUTHORS

Alicia Ramos is Associate Professor of Spanish and Coordinator of the basic language program in French, Italian, and Spanish at Hunter College (CUNY) in New York. She received her Ph.D. from the University of Pennsylvania, has served on the faculties of Barnard College and Indiana University of Pennsylvania and as Assistant Director of the Spanish School at Middlebury College. Dr. Ramos' interests include methodology and materials development for courses from the elementary through advanced levels, including courses for Spanish speakers. Dr. Ramos has published in the field of Hispanic literature and has co-authored intermediate and advanced level textbooks including *Cofre literario* (2003, McGraw-Hill), a literary reader for the intermediate and advanced levels.

Robert L. Davis is Associate Professor and the Director of the Spanish Language Program at the University of Oregon and Assistant Director of the Spanish Summer Language School at Middlebury College. He teaches courses in Spanish language, historical linguistics, and teaching methodology. His interests include language pedagogy and materials development, in particular the development of language skills within content-based instruction. He has written an advanced oral skills textbook and articles on language pedagogy, materials development, and language program direction.